江苏水利年鉴

(2006)

江　苏　省　水　利　厅

凤凰出版传媒集团
凤　凰　出　版　社

图书在版编目(CIP)数据

江苏水利年鉴.2006/江苏省水利厅编.—南京:凤凰出版社,2006.10

ISBN 7-80643-984-6

Ⅰ.江… Ⅱ.江… Ⅲ.水利建设—江苏省—2006—年鉴 Ⅳ.F426.9-54

中国版本图书馆CIP数据核字(2006)第129196号

书　　名	江苏水利年鉴(2006)
编 著 者	江苏省水利厅
责任编辑	常宁文
出版发行	凤凰出版传媒集团 凤凰出版社(原江苏古籍出版社) 南京市中央路165号　邮编210009 发行部电话025—83223462
集团网址	凤凰出版传媒网　http://www.ppm.cn
照　　排	南京凯建图文制作有限公司
印 刷 者	江苏省地质测绘院印刷厂 南京市高楼门20号　邮编210008
开　　本	787×1092毫米　1/16
印　　张	18.5
字　　数	462千字
版　　次	2006年10月第1版　2006年10月第1次印刷
标准书号	ISBN 7-80643-984-6/K·301
定　　价	(精)80.00元

2005年10月30日，国务院副总理曾培炎视察江都水利枢纽

2005年6月，省委书记李源潮来我厅视察工作

2005年6月，省长梁保华视察秦淮河三汊河闸建设工地

2005年6月，省委副书记张连珍视察梅梁湖泵站

2005年4月，副省长黄莉新参加南水北调宝应站试运行仪式

南水北调东线淮安四站工程奠基仪式

江苏省南水北调工程阶段性治污工作目标责任考核汇报会

吕振霖厅长率队到宿豫看望江苏省水利厅捐资助学的春蕾班师生

省水利厅纪念抗战胜利60周年座谈会

中央保持共产党员先进性教育活动督导组领导来我厅检查指导工作

省水利厅系统优秀党员先进事迹报告会

全省防汛防旱工作会议

全省掀起农村水利建设高潮

阜宁县河道疏浚工程现场

南水北调解台站施工现场

厅老干部合唱团参加演出

省水利厅老干部载歌载舞迎新春

省委副书记张连珍视察省太湖管理处

望虞河常熟水利枢纽

常熟泵站

江苏省三河闸管理所被评为全国目标管理一级单位

秦淮新河水利枢纽

《江苏水利年鉴》编辑委员会

《江苏水利年鉴》编辑部

编辑说明

一、《江苏水利年鉴》是由江苏省水利厅主办、凤凰出版社出版的年刊，它如实记载了江苏水利事业发展和改革的进程，集文献、信息、资料于一书，具有权威性、综合性、连续性、存史性。本卷为第19卷。

二、《江苏水利年鉴》2006年卷记述2005年度江苏水利事业各方面的资料和信息，编排上基本采用"栏目""编目""条目"三级结构的年鉴体例，本年度栏目设置作了部分调整，共设：综述、重要文献、政策法规、水利建设、水利管理、防汛防旱、水利科技、水利经济、精神文明建设、省直单位、市县水利、大事记、水利统计等13个栏目。

三、《江苏水利年鉴》收入的文稿，均由各市、县水利局和省水利厅各处室、厅直属单位提供或专人撰稿，并实行文责自负。编辑部一般只作技术性加工，有关技术内容、文字、数据保密等问题均由撰稿人所在单位把关审定。

四、《江苏水利年鉴》的编辑出版，得到了全省水利系统各有关部门、单位的支持和帮助，在此表示衷心的感谢，我们热忱欢迎广大读者提出宝贵意见，以便改进工作。

目　录

水利管理

防 汛 防 旱

水 利 科 技

水 利 经 济

精神文明建设

省直单位

市县水利

大事记

水利统计

综述

2005年水利发展综述

【防洪抗台工作取得全面胜利】 2005年，江苏先后遭遇多种自然灾害的袭击。春夏期间，丘陵山区及江淮之间发生较为严重的旱情；8—9月份，“麦莎”、“卡努”两个强台风袭击我省，同时遭遇淮河洪水和沂沭泗地区近30年来最严重的秋汛。全省水利系统立足防大汛、抢大险、抗大灾，认真落实以行政首长责任制为核心的防汛抗旱各项措施。一是狠抓汛前准备。组织汛前检查，依法加大河湖清障力度，完善各类防洪抢险和抗旱调度预案，切实加强物资储备和抢险队伍建设，为防汛工作奠定了坚实基础。二是加强科学调度。全年三河闸共泄洪396亿立方米，江都水利枢纽和里下河四港累计排涝83.4亿立方米，北调江水35.8亿立方米，引沂济淮1.12亿立方米，向苏南丘陵山区抽送江水近8000万立方米。三是坚持严密防守。面对两次强台风与淮河洪水、沂沭泗地区秋汛的共同威胁，认真落实抗台抢险的各项措施，及时派出由厅领导带队的10个工作组赶赴台风影响严重的地区，检查指导各地抗台抢险斗争。由于部署超前，措施严密，强台风、淮河洪水和沂沭泗地区严重秋汛都未给全省人民生命财产和经济社会发展造成重大影响，抗洪抗台斗争取得全面胜利。

【超额完成重点水利建设任务】 2005年，全省重点水利工程建设投资计划38.6亿元，实际完成投资40.2亿元，超额完成了年度建设计划任务。其中，治淮工程取得重要进展。淮河灾后重建工程已全面完成，治淮骨干项目新沂河海口枢纽工程已开工建设。南水北调工程加快推进。首批开工建设的三阳河潼河宝应站工程已经建成并交付使用，刘山站、解台站的主体工程正在抓紧实施，淮阴三站、淮安四站、蔺家坝站和江都站改造工程已先后开工建设。海堤达标工程完成阶段性建设任务。“十五”确定的海堤建设投资计划已全面完成。水库除险加固工程进展顺利。全省6座大型水库除险加固的主体工程基本完成，一批中型病险水库除险加固工程抓紧实施，小型水库除险加固工程全面推进。城市水利建设力度进一步加大。南京市外秦淮河等一批重点城市防洪和水环境整治工程已基本建成，苏州、无锡城市防洪大包围工程正在抓紧推进。城市水利所具有的防洪保安、水资源保障和水环境改造的综合功能效益，越来越得到各级党委政府和广大市民的充分肯定和积极支持。

【农村水利发展势头良好】 2005年，水利厅集中围绕提高农业综合生产能力和改善农村水环境两大目标，重点推进县、乡河道疏浚、灌区节水改造、圩区综合治理和山丘区水源工程建设四大工程。全省农村水利建设累计投工1亿个，投入资金22亿元，完成土石方5.4亿立方米，小沟以上建筑物3.3万座，疏浚县、乡河道土方1.5亿立方米，加高加固圩堤2440公里，新建改造塘坝2500座、圩口闸1180座、小型泵站1640座。年底，根据省委的部署要求，水利厅在全省农村认真组织开展农村河塘疏浚整治活动，按照“清理淤泥，拆除堤埂，沟通水系，改善水质；清理垃圾，清除杂物，整治河坡，改善环境；建立制度，长效管理，巩固成果，群众满意”的要求，努力把这件惠及全省农民的实事办好办实。

【水资源管理和保护取得新进展】 一是

积极推进节水型社会建设。向省政府编报了《全省节水型社会建设规划纲要》，修订了全省工业和城市生活用水定额，组织开展节水型社会建设试点工作。二是继续强化地下水管理。由水利厅牵头负责的苏锡常地区地下水禁采工作经过五年的持续努力，已经全面实现禁采目标。除86眼特种行业保留深井外，该地区4745眼深井全部封填。三是认真开展饮用水源地保护行动。全省集中饮用水源地保护已被省人大常委会列入2006年立法计划。四是加大了水功能区管理力度。严格入河取水及排污口的审批管理，全年省级以上审批取水许可预申请24个，取水许可申请99个，均实施了水资源论证。严格排污口审批制度，省级共审批入河排污口13个。进一步加强重点水功能区环境监测，及时向社会发布水质通报，强化社会监督。松花江水污染事件发生后，及时组织制定全省突发性水污染事故的预警机制和应急处置方案。五是认真实施水资源费调整工作。规范水资源费征收工作。流域内全年水资源费征收总额突破2亿元，较上年增加20%。

【社会管理与公共服务能力进一步提升】 2005年，水利厅积极转变政府职能，加强依法行政，努力提升水利社会管理和公共服务的能力。积极推进政务公开。在厅机关认真组织学习贯彻《行政许可法》，深化行政审批改革，积极推进政务公开，提高机关运作效率，力求为社会提供更为便捷高效的服务。继续强化依法管理。加强和完善厅机关内部规章制度建设，修订《厅党组议事决策规则》、《省水利厅工作规则》、《厅长办公会议制度》等，规范行政行为，提高行政效率。制定了《水利厅全面推进依法行政的实施意见》，依法组织了“一江两道三湖”清障活动，严厉打击长江非法采砂行为，继续加强水行政执法工作，切实维护良好的水事秩序。规范水利建设行业管理。紧紧围绕“三个安全”的要求，进一步规范基本建设各项制度，强化水利建设市场管理。没有发生一起重大质量安全事故，也没有发生一起严重的经济案件。

【水利规划工作取得新成果】 2005年，全省水利规划工作取得丰硕成果。《江苏省“十一五”水利发展规划纲要》已基本编制完成，《省级湖泊保护规划》文本已经完成，《全省水资源综合规划》已完成主要成果研究。同时，进一步加强了规划管理制度，严格按规划安排年度水利建设计划，按规划立项审批，坚决杜绝不按规划立项、随意审批的现象，维护水利规划管理的严肃性。重点水利建设前期工作得到加强。新一轮《加快海堤达标建设实施方案》已通过省发改委组织的审查，淮河老三项标准提高加固工程、新沭河整治工程等一批重大水利项目的可研报告已经报出，淮河洼地利用世行贷款项目已经基本落实，区域治理、水库除险加固的前期工作都在抓紧进行，为全省水利建设的持续开展提供了条件。

【水利改革创新继续深化】 2005年，水利厅把深化水利改革、推进水利创新作为全局工作的突出任务。一是继续推进水管单位体制改革，全省已有12个省辖市54个县（市、区）出台了改革实施意见，近50%的水管单位落实了公益性水利工程的财政保障经费。探索创建了南水北调宝应站工程管理运行和养护体制。二是继续发展水资源统一管理体制。淮安市和江都、高邮、宝应等一批市、县相继建立水资源统一管理体制，水利社会化服务的领域进一步拓展。三是继续完善城市水利市场化运作和农村水利多元化投入机制。积极运用市场机制和优惠政策，鼓励和引导外资、民资和各种社会资本投入城乡水利基础设施建设。四是积极鼓励水利科技创新。在南水北调等重点水利工程建设中，在消化吸收国外先进技术，推广运用新设备、新材料、新工艺，组织重点科技课题攻关等方面取得积极成果。

【队伍建设和党风廉政建设常抓不懈】 一是干部队伍建设得到加强。按照中央和省委部署，历时半年完成了厅系统保持共产党员先进性教育活动。围绕学习教育、党性分析和落实整改等三个主要环节，紧密联系江苏水利实际，找准找实了水利厅工作中突出问题，制订了 14 个方面 70 多项具体措施的整改方案，整改取得明显成效。通过先进性教育活动，全系统党员和职工队伍的精神面貌发生了积极变化，有力地推进水利建设、管理和改革的各项工作，得到了中央和省委督导组的充分肯定。在由省委督导组组织的群众满意度测评中，总体满意和基本满意率达到 100%。去年 9—12 月，省委巡视组对水利厅工作进行了巡视检查和监督，通过广泛深入的调查研究和全面考察，对厅党组工作给予了充分肯定。厅系统进一步深化干部人事制度改革，组织了部分副处级领导岗位竞争上岗，在全省率先推行厅属事业单位进人考试招聘制，完善了专业技术职称评审公开制度。加强干部教育培训工作，举办了三次厅系统处级干部学习会、全省水利领导干部任职培训班，着力提升各级水利领导干部的政治理论素质和专业领导能力。二是精神文明建设继续深化。在全省水利系统继续开展以“树立水利行业新形象、建设人民满意好行风”为内容的精神文明创建工作；在厅机关继续深入开展“三优三满意”和“文明处室(单位)、先进党支部‘双目标’创建活动”；继续实行由基层水利单位评议机关作风建设制度，促进了机关服务效率和质量的提高。三是党风廉政建设常抓不懈。切实落实党风廉政建设责任制，对厅系统各单位领导班子及 137 名处级干部进行检查，提出整改意见 108 条；强化惩防体系制度建设，制订出台《厅直水利工程管理单位公务用车管理办法》等 10 项制度；加强对重点部位的执法监察，有效地防范水利建设中腐败案件的发生；加大查办案件力度。全系统立案查处违法违纪案件 4 件 6 人，给予党纪政纪处分 6 人。

（陈　锋）

重要文献

文件特载

国务院办公厅关于加强饮用水安全保障工作的通知

2005年8月17日

各省、自治区、直辖市人民政府，国务院各部委、各直属机构：

饮用水是人类生存的基本需求。党中央、国务院对饮用水安全保障工作高度重视，胡锦涛总书记、温家宝总理多次作出重要批示。近年来，中央和地方加大了城乡饮用水安全保障工作的力度，采取了一系列工程和管理措施，解决了一些城乡居民的饮水安全问题。但是，饮用水安全形势仍十分严峻，不少地区水源短缺，有的城市饮用水水源污染加重，一些农村地区饮用水存在苦咸或含有高氟、高砷及血吸虫病原体等问题，对人民群众身体健康构成严重威胁。为进一步加强饮用水安全保障工作，经国务院同意，现就有关问题通知如下：

一、充分认识保障饮用水安全的重要性和紧迫性

饮用水安全问题，直接关系到广大人民群众的健康。切实做好饮用水安全保障工作，是维护最广大人民群众根本利益、落实科学发展观的基本要求，是实现全面建设小康社会目标、构建社会主义和谐社会的重要内容，是把以人为本真正落到实处的一项紧迫任务。各地区、各部门要从实践“三个代表”重要思想和执政为民的高度，充分认识保障饮用水安全的重要性和紧迫性。地方各级人民政府要加强领导，把这项工作纳入重要议事日程，建立领导责任制，切实抓好各项措施的落实。各有关部门要各司其职，密切配合，加大工作力度，共同做好饮用水安全保障工作。

二、认真组织规划编制工作

国务院有关部门要按照城乡统筹、合理布局、防治并重、综合治理、因地制宜、突出重点的原则，尽快组织编制全国城乡饮用水安全保障规划，进一步明确我国饮用水安全保障的目标、任务和政策措施。通过合理保护和配置水资源、大力防治水污染、开展城乡供水工程建设、建立合理水价形成机制、推行节约用水和加强监督管理等措施，优先满足饮用水需求，确保城乡居民饮用水安全。各地区要根据规划编制的统一部署和要求，认真研究解决本地区饮用水安全问题，结合实际提出切实可行的目标和任务，并纳入本地区经济和社会发展规划。

三、加强水资源保护和水污染防治工作

各省、自治区、直辖市要以保障饮用水水源安全为重点，进一步加大水资源保护和水污染防治工作力度。要依法严格实施饮用水水源保护区制度，合理确定饮用水水源保护区，严格禁止破坏涵养林和水资源保护设施的行为，因地制宜地进行水源安全防护、生态修复和水源涵养等工程建设。要大力治理污染，严格实行污染物排放总量控制，严厉打击违法排污行为，积极推进循环经济，加快推行清洁生产。各地区要结合实际，定期开展对集中饮用水水源保护区的检查，对查出的问题要进行专项整治并挂牌督办。对违法违规建设的项目，要责令停建并限期治理整顿或拆除；对排污超标的企业和单位，要责令限期达标排放或搬迁。要积极开展农业面源污染防治，指导农户合理施用化肥、农药，严禁使用高毒、高残留农药，推广水产生态养殖，推进畜禽粪便和农作物秸秆的资源化利用。

四、加大农村饮用水工程建设力度

进一步加大解决农村饮用水安全问题的工作力度，采取集中供水、分质供水、分散供水以及农村卫生环境整治等工程措施，重点解决高氟、高砷、苦咸和污染水以及严重缺水地区的饮用水安全问题。中央继续安排农村饮用水工程建设投资，对中西部地区重点扶持。地方各级人民政府要积极筹措资金，加大投入力度。东部较发达地区要率先解决农村饮用水安全问题，有条件的地方尽早实现城乡统筹区域供水。要强化农村饮用水工程项目管理，切实做好前期工作，并严格按照规划要求和建设程序实施。要建立良性循环的供水管理体制和运行机制，确保工程项目充分发挥效益。

五、加快城市供水设施建设和改造

各地区要加快城市供水设施的建设和技术改造，提高供水能力，扩大供水范围。要按照多库串联、水系联网、地表水与地下水联调、优化配置水资源的原则，加快城市供水水源的建设，提高城市供水安全的保障水平。凡饮用水水源水质不符合标准的，应当提出强制性的技术措施，制订水厂技术改造规划，采用先进适用技术，改进水处理工艺。要把城市供水管网改造作为重点，优先改造漏损严重和对供水安全影响较大的管网，改善供水水质。各地区要加快城市污水处理设施的建设，加强污水处理厂的运行管理，逐步实现污水深度处理，不断提高再生水利用率。

六、加强饮用水安全监督管理

各地区要加强对饮用水水源、水厂供水和用水点的水质监测，对取水、制水、供水实施全过程管理，及时掌握城乡饮用水水源环境、供水水质状况，并定期检查。对检查不合格的供水单位，要严格按照有关规定进行查处，并督促限期整改。各供水单位要建立以水质为核心的质量管理体系，建立严格的取样、检测和化验制度，按国家有关标准和操作规程检测供水水质，并完善检测数据的统计分析和报表制度。国务院有关部门要尽快制定既符合我国国情，又与国际先进水平接轨的饮用水水质国家标准，积极开展相关检测方法和标准的制(修)订工作。

七、建立储备体系和应急机制

各省、自治区、直辖市要建立健全水资源战略储备体系，各大中城市要建立特枯年或连续干旱的供水安全储备，规划建设城市备用水源，制订特殊情况下的区域水资源配置和供水联合调度方案。地方各级人民政府应根据水资源条件，制定城乡饮用水安全保障的应急预案。要成立应急指挥机构，建立技术、物资和人员保障系统，落实重大事件的值班、报告、处理制度，形成有效的预警和应急救援机制。当原水、供水水质发生重大变化或供水水量严重不足时，供水单位必须立即采取措施并报请当地人民政府及时启动应急预案。

水利部关于落实《国务院关于做好建设节约型社会近期重点工作的通知》进一步推进节水型社会建设的通知

2005 年 9 月 16 日

部直属各单位，各流域机构，各省、自治区、直辖市水利(水务)厅（局)，各计划单列市水利(水务)局，新疆生产建设兵团水利局：

为解决我国全面建设小康社会面临的资源约束和环境压力问题，促进经济社会可持续发展，党中央、国务院决定全面建设节约型社会。近日，国务院印发了《关于做好建设节约型社会近期重点工作的通知》(国发[2005]21 号，以下简称《通知》)，对包括水资源在内的有关资源节约工作做出了重点部署，对于进一步加强水资源管理，提高水的利用效率和效益，全面推进节水型社会建设，具有十分重要的指导作用。现就贯彻落实好《通知》精神提出以下要求：

一、充分认识节水型社会建设在建设节约型社会中的地位和作用

我国是一个水资源短缺的国家，人均水资源占有量远低于世界平均水平。随着人口的增加和经济社会的发展，水资源日益成为全面建设小康社会面临的最紧迫、最直接、最主要的资源约束之一。解决好水资源问题是建设节约型社会的重点和难点。2000 年以来，在中央水利工作方针指引下，水利部积极探索，以水权水市场理论为指导，以提高水资源利用效率和效益为核心，以改革水资源管理体制，建立政府调控、市场引导、公众参与的节水机制为重点，开展了节水型社会建设试点工作，取得了初步经验。实践表明，节水型社会建设是解决我国水资源短缺问题最根本、最有效的战略举措，是建设节约型社会的重要组成部分。各级水行政主管部门要抓住建设节约型社会的战略机遇，高度重视节水型社会建设工作，力争节水型社会建设走在建设节约型社会的前列。

二、积极做好节水型社会建设近期重点工作

《通知》提出的节水型社会建设近期重点工作，是当前和今后一个时期水利工作的重点。各级水行政主管部门要切实把有关工作落到实处，全面扎实地推动节水型社会建设。

（一）加强对节水型社会建设工作的指导。根据国务院要求，我部将会同有关部门，尽快研究提出关于开展节水型社会建设的指导性文件，组织编制“十一五”全国节水型社会建设规划和全国节水灌溉规划。各地在积极配合这些工作的同时，要研究提出本地区开展节水型社会建设的指导意见和“十一五”建设节水型社会的规划，统筹部署本地区节水型社会建设工作。

（二）深入推进节水型社会建设试点工作。目前在建的全国和各省级节水型社会建设试点已有 106 个，这些试点对推动全国节水型社会建设意义重大。近期全国的重点是在继续推进张掖、绵阳、大连、西安节水型社会建设试点工作的同时，抓好宁夏回族自治区和南水北调东中线受水区节水型社会建设试点工作，有关省、自治区、直辖市水行政主管部门要加强对试点的指导，保证年内完成试点规划的编制工作，按期开展试点建设。各省、自治区、直辖市水行政主管部门要重视本行政区节水型社会试点建设工作，积极创造节水型社会建设的新经验，探索建设节水型社会的新途径；要高起点规划、高水平建设、高标准总结，切实发挥试点的典型示范作用,为"十一五"期间初步建立我国节水型社会的法律法规、行政管理、经济技术政策和宣传教育体系打好基础。

(三)加快建立完善节水型社会制度体系。节水型社会建设的核心是制度建设,建立健全适应社会主义市场经济体制要求的水资源管理制度是建设节水型社会的当务之急。实行用水总量控制与定额管理相结合的制度,是节水型社会的基本要求。当前,要依据全国水资源综合规划,以流域为单元制定水量分配方案,明晰各级行政区域的可用水量。"十一五"期间,基本完成国家确定的重要江河、湖泊和其他跨省、自治区、直辖市的江河、湖泊水量分配方案,确定流域内各省、市、区的用水权指标。在此基础上,逐步完成其他江河、湖泊水量分配方案。各省、自治区、直辖市水行政主管部门要组织有关行业主管部门按照职责分工,科学制订本行政区域行业用水定额,确定单位产品生产和服务的用水量指标。县级以上水行政主管部门要会同有关部门,根据用水定额、经济技术条件以及水量分配方案确定的可供本行政区域使用的水量,制定年度用水计划,明确各行业、各部门、各单位的用水量指标,对本行政区域内的年度用水实行总量控制。各地要严格执行水资源规划、建设项目水资源论证、取水许可、用水节水评估、计划用水制度,保证用水指标的落实。

三、全面落实各项节水措施

要按照《通知》要求,在农业、工业、城镇生活等各个领域全面落实各项节水措施。

(一)把节水灌溉作为一项革命性措施来抓。重点做好现有灌区的续建配套节水改造、节水灌溉示范项目建设和开展农业末级渠系改造试点。同时,各地要根据实际情况,以提高农业用水利用率和效益为核心,积极推广先进实用的综合节水灌溉技术;加大农业用水管理体制与运行机制改革,培育和加强用水户协会等多种形式的农业用水合作组织,充分调动农民参与节水灌溉工程建设与管理的积极性;建立有效的激励机制;完善节水灌溉社会化服务体系。丘陵、山区要因地制宜,积极开展雨水集蓄利用工作,水行政主管部门要支持农村水窖建设,大力推广农业节水灌溉设备应用。

(二)工业节水的重点是结合技术改造和产品的更新换代提高节水水平。各级水行政主管部门要会同有关部门组织耗水大的行业企业开展水平衡测试工作,拟定行业用水定额、节水标准,对企业节水实行目标管理。对新工业项目要严格水资源论证和取水许可审批,要支持现有企业进行节水技术改造,促进废、污水的处理、回用和沿海缺水地区海水的利用。

(三)各级水行政主管部门要积极推进城镇生活节水工作。要着力推广安装使用节水器具。对城市供水企业提出要求,减少供水环节的跑冒滴漏。要将污水处理回用作为解决城市水源短缺的重要措施,实现由单一的污水处理达标排放向污水综合利用转变。要推动公共建筑、生活小区、住宅节水和中水回用设施建设,缺水地区达到一定规模的城市新建小区、学校和宾馆等公共用水单位,必须建设再生水利用设施,强制部分行业使用再生水。

(四)强化地下水管理。各级水行政主管部门要贯彻《关于加强地下水超采区水资源管理工作的意见》(水资源[2003]118号),做好地下水超采区、限采区的划分,制定地下水超采区治理规划,确定治理目标,建立起超采区地下水动态监测体系和管理监督体系,强化地下水资源的监督管理。特别是南水北调东中线受水区,要结合南水北调东中线及配套工程建设和运行情况,提出分阶段地下水压采目标、实施计划和措施,做好南水北调引江水与当地地下水、地表水的优化配置。

四、促进体制改革和机制创新

(一)改革水资源管理体制。实现区域涉水事务的统一管理是节水型社会建设的重要体制保障。各级水行政主管部门要加快水资源管理体制改革,实行水资源权属管理与开发利用管理相分离,实行多水源联合调度、水量与水质统一管理。要通过水资源管理体制改革,建立政府调控、市场引导、公众参与的新型节水机制。

(二)注重运用经济手段。要充分发挥市场在水资源配置中的基础性作用,通过经济手段的运用,在全社会建立节约用水的内在激励机制。各省、自治区、直辖市水行政主管部门要会同有关部门积极推进水价改革,建立科学合理的水价形成机制。要加大水资源费征收力度,扩大水资源费征收范围。对农业用水要根据《水法》的规定开征水资源费。要合理提高水利工程供水水价和城市供水水价。未开征污水处理费的地方,要限期开征;已开征的地方,要把污水处理费尽快调整到保本微利的水平。要实施用水超计划、超定额累进加价制度,适当拉开高耗水行业和其他行业用水的差价。要制定用水权交易市场规则,规范用水权转让价格,推进用水权有偿转让,实现超用加价、节约有奖、转让有偿,利用市场机制引导水资源向高效节水的领域配置。

(三)建立健全节水法规。国务院有关部门正制订《节约用水条例》,研究建立节约用水激励政策、规范执法主体等。已出台节水法规的省、自治区、直辖市,水行政主管部门要加强执法,加大惩戒力度,完善节水法制化管理;未出台节水法规的省、自治区、直辖市,水行政主管部门要会同有关部门做好相关的节水立法工作,争取尽快出台地方节水法规。

(四)推进节水技术进步。各级水行政主管部门要贯彻实施《中国节水技术政策大纲》,大力推广先进实用的农业节水、工业节水和城市生活节水技术。要大力推广高效输配水技术、田间节水灌溉技术、生物节水与农艺节水技术、多水源联合调度技术和非充分灌溉技术等,研究、开发和应用其他水源利用技术。各级水行政主管部门要鼓励企业采用废水处理回用技术,大力发展污水集中处理再生利用技术。沿海缺水城市要积极发展海水淡化和海水直接利用技术。

五、加强节水型社会建设的组织和宣传

节水型社会建设的主要工作在地方,地方政府要全面负责,确保各项措施落到实处。各级水行政主管部门要加强指导和协调,建立节水型社会建设协调机制,确定相关部门的责任和分工,形成全社会共同推进节水型社会建设的局面。

各级水行政主管部门要贯彻落实《中共中央宣传部、水利部、国家发展改革委、建设部关于加强节水型社会建设宣传的通知》(水办[2005]382号)精神,今明两年围绕"大力推行节约用水,全面建设节水型社会"这一主题,会同有关部门组织开展节水宣传。要在"世界水日"、"中国水周"和"全国城市节水宣传周"期间,集中开展节约保护水资源的宣传活动。要充分利用广播、电视、报刊、杂志、互联网等多种媒体,广泛、深入、持久地开展节水宣传,动员全社会力量参与节水型社会建设。要紧紧抓住群众所关心的热点和焦点问题,有针对性地组织采访和宣传报道。要大力宣传促进节约用水、建设节水型社会的先进典型和节水型社会建设的制度体系,提高公众对节水型社会的认识。要注意发挥新闻媒体和社会舆论的监督作用,对浪费水资源、破坏水环境的各种行为和现象展开批评。要最大限度调动全民参与节水型社会建设的积极性,务求节水型社会建设工作取得实实在在的效果。

水利部关于加强全国河道采砂管理工作的意见

2005年11月30日

各流域机构，各省、自治区、直辖市水利（水务）厅（局），各计划单列市水利（水务）局，新疆生产建设兵团水利局：

河道采砂管理是河道管理的重要内容，是水行政主管部门的重要职责。目前全国河道采砂管理工作中还存在不少困难和问题，非法采砂、乱采滥挖现象时有发生，为此，国务院领导同志作出重要批示。为进一步加强河道采砂管理工作，落实国务院领导同志批示精神，维护河势稳定，保障防洪安全、通航安全和基础设施安全，现根据《水法》、《防洪法》、《河道管理条例》有关规定，提出如下意见。

一、进一步提高对河道采砂管理的认识

一要充分认识河道采砂管理工作的重要性。河道采砂事关河势稳定、防洪安全和通航安全、事关沿岸工农业生产生活设施的安全，任何时候都不能掉以轻心。各地要从贯彻落实科学发展观和构建社会主义和谐社会的高度，进一步提高对河道采砂管理工作重要性的认识。二要充分认识河道采砂管理工作的复杂性。河道采砂涉及社会方方面面，影响到部分群体和地方的利益。各级水行政主管部门，要从防洪安全的大局出发，采取有力措施，妥善处理好采砂管理过程中遇到的各种问题和矛盾，维护采砂管理的良好秩序，保持社会的稳定。三要充分认识河道采砂管理工作的敏感性。党中央、国务院高度重视和关心河道采砂管理工作，社会各界、新闻媒体也对河道采砂管理工作高度关注。能否做好河道采砂管理工作，不仅是对水行政主管部门行政能力和水平高低的检验，也是对人民政府依法行政能力的检验。四要充分认识河道采砂管理工作的风险性。由于利益驱使和部分黑恶势力卷入河道非法采砂活动，河道采砂管理工作往往面临一定风险。因此，要有强烈的危机和风险意识，做到警钟长鸣。五要充分认识河道采砂管理工作的长期性。随着国民经济的快速发展，在今后一段时期内，建筑市场对砂石资源仍将继续保持较旺盛的需求。高额利润，使一些不法分子不惜铤而走险，打击非法采砂将是流域机构和各级水行政主管部门肩负的一项长期而艰巨的任务。同时，对河道采砂实施有效监管，保证砂石资源的科学合理有序开采，依法保护采砂业主的合法权益，也将是一个长期的过程。因此，要充分认识采砂管理工作的重要性、长期性、艰巨性和复杂性，正确认识和把握河道采砂管理的规律，认真做好每个阶段的工作。

二、加强法规体系建设，落实管理责任制

2001年10月国务院专门制定了《长江河道采砂管理条例》，明确长江采砂管理实行地方人民政府行政首长负责制，明确了水行政主管部门对长江采砂实施统一管理的责任主体地位，明确了公安、交通等部门的管理责任，实践证明，长江河道采砂现行的管理体制是一种行之有效的模式。广东省人大和重庆、陕西、南宁等地人民政府参照《长江河道采砂管理条例》制定了本地区的河道采砂管理办法，也都取得了明显成效。我部根据《水法》要求，正在抓紧制定全国《河道采砂管理条例》。各地水行政主管部门要抓紧法规体系的研究与建设，做好河道采砂管理立法的基础工作，加快立法步伐；要主动向地方人民政府汇报，请求理顺采砂管理体制，明确管理职责，确立执法主体，

解决职责不清的问题；要按照《全面推进依法行政实施纲要》和《国务院办公厅关于推行行政执法责任制的若干意见》的要求，落实河道采砂行政执法责任；要结合防汛责任行政首长负责制，制定出本区域的采砂管理行政首长负责制，明确责任单位和责任人，并予以落实；对水行政主管部门、水行政执法人员的不作为行为和国家公职人员对非法采砂活动实施暗中保护的行为，要建立责任追究制度。

三、编制规划，实施科学管理

科学规划是河道采砂管理的重要依据，也是保证科学有序采砂的基础。为此，各级水行政主管部门和流域机构要按照《水法》、《防洪法》和《河道管理条例》的要求，在组织编制流域综合规划、河道整治规划中补充完善河道采砂的规划内容，重要江河和流域机构直管河道应借鉴长江河道采砂的做法专门编制河道采砂规划，要明确河道采砂规划编制的依据和要求，积极做好规划的编制工作，提高规划的科学性和权威性，为河道采砂科学管理提供技术支撑。在河道采砂规划尚未批准实施前，各地应编制河道采砂应急规划和年度开采计划，做好可采区地形测量和地质勘探工作，加强可行性论证工作。

四、做好禁采区、禁采期的划定

各级水行政主管部门要按照《水法》规定，在科学规划的基础上，对关系河势稳定或者堤防安全的河道，划定禁采区和规定禁采期，并予以公告，确保河道行洪安全、饮水安全、河流生态安全和沿河工农业生产生活设施安全。

五、规范河道采砂行政许可

河道采砂行政许可是河道采砂管理的关键环节。各级水行政主管部门和流域机构要严格按照《行政许可法》、《水行政许可实施办法》等法律法规的要求，规范采砂许可证审批、发放等环节的行政行为。河道采砂的审批一要依据河道采砂规划或河道采砂年度开采计划，二要采取公正、公平、公开的方式，三要按照审批权限进行，四是按年度进行审批，同时要认真作好审批前的各项准备工作。各地要不断总结经验，积极探索有效的行政许可方式。

六、加大执法力度，严厉打击非法采砂

各级水行政主管部门和各基层河道管理单位，要按照《水法》、《防洪法》、《河道管理条例》的规定，加强河道的巡查和采砂现场的监督管理，加大对非法采砂的打击力度，保持高压严打态势。对河道非法采砂活动，要坚持全面治理和重点打击相结合的原则，把严厉打击无证采砂、纠正越权审批、规范开采秩序作为重点，落实弃料处理、砂坑回填和平整措施，清理河道管理范围内违规设立的砂场，保障水利工程等基础设施的安全，确保河道行洪安全。要严格依法办事，做到执法必严，违法必究。同时，要根据现行的法律法规，加强与相关部门沟通，与公安、工商、税务、航道、海事等部门相互支持、密切配合、协调联动、形成合力，共同打击非法采砂，依法保护合法采砂业主的权益，维护正常的开采作业秩序，保持社会的稳定。

七、加大宣传力度，营造良好的社会氛围

要充分利用各种新闻媒体和宣传手段，结合宣传栏、警示牌等通俗易懂的方式方法，对群众进行必要的宣传、教育，对已取得许可证的采砂业主进行守法教育，多渠道、多层次、多视角地加大对《水法》、《防洪法》、《河道管理条例》和依法管理的宣传力度，大力宣传非法采砂的危害性及处罚措施，对非法采砂形成威慑。大力宣传规范管理、有序开采的重要性，营造良好的河道采砂管理社会舆论氛围，让广大群众真正了解人民政府为人民办实事的宗旨和管理部门的决心，积极争取社会各界的理解和支持。

省政府办公厅关于公布江苏省湖泊保护名录的通知

2005年2月26日

各市、县人民政府,省各委、办、厅、局,省各直属单位:

《江苏省湖泊保护条例》(以下简称《条例》)将于2005年3月1日起正式施行。根据《条例》规定,经调查核实,并经省人民政府批准,决定将洪泽湖等137个0.5平方公里以上湖泊、城市市区内湖泊、城市饮用水源湖泊列入江苏省湖泊保护名录,现予公布。

湖泊具有行蓄洪、供水以及发展养殖、航运、旅游等多种功能,对于维护良好的生态环境,保障经济社会可持续发展,具有重要的意义和作用。各级政府要根据《条例》规定,对列入保护名录的湖泊抓紧编制保护规划,统筹安排防洪、水资源配置和开发利用等事项。规划编制实行分级负责,其中省管湖泊规划由省水利厅组织编制,报省人民政府批准后执行;市县管理的湖泊规划由当地人民政府组织编制。

要全面贯彻《条例》,按照湖泊保护规划,采取有力措施,切实加强湖泊资源保护,科学合理地开发、利用湖泊资源。各级水行政主管部门要认真履行职责,落实各项保护和管理措施,加大执法力度,依法查处违反《条例》的各类行为。各级环保、渔业、交通、建设、规划、国土资源、林业等部门,要各司其职、各负其责,共同做好湖泊保护工作。

附件:江苏省湖泊保护名录

附件:

江苏省湖泊保护名录

序号	湖泊名称	位于区域
1	洪泽湖	泗洪县、泗阳县、宿迁市宿城区、盱眙县、洪泽县、淮安市淮阴区
2	太　湖	苏州市、无锡市、常州市
3	微山湖	徐州市
4	里下河腹部地区湖泊湖荡	盐城市、泰州市、扬州市、淮安市
5	高邮湖	高邮市、金湖县、宝应县
6	骆马湖	宿迁市、徐州市
7	邵伯湖	高邮市、江都市、扬州市邗江区

续上表

8	石臼湖	高淳县、溧水县
9	滆　湖	宜兴市、常州市武进区
10	宝应湖	金湖县、宝应县
11	阳澄湖	昆山市、苏州市相城区、苏州市工业园区
12	白马湖	金湖县、淮安市楚州区、洪泽县、宝应县
13	长荡湖	金坛市
14	淀山湖	昆山市
15	澄　湖	昆山市、吴江市、苏州市吴中区
16	固城湖	高淳县
17	天岗湖	泗洪县
18	昆承湖	常熟市
19	独墅湖	苏州市吴中区、苏州市工业园区
20	西　氿	宜兴市
21	元　荡	吴江市
22	北麻漾	吴江市
23	九里湖	吴江市、苏州市吴中区
24	五里湖(蠡湖)	无锡市
25	漕　湖	苏州市相城区
26	尚　湖	常熟市
27	赤山湖	句容市
28	东　氿	宜兴市
29	金鸡湖	苏州市工业园区
30	钱资荡	金坛市
31	傀儡湖	昆山市
32	黄泥兜	吴江市、苏州市吴中区
33	南湖荡	常熟市
34	长　漾	吴江市
35	鹅真荡	无锡市锡山区、苏州市相城区
36	白莲湖	昆山市
37	三白荡	吴江市
38	长白荡	昆山市
39	白砚湖	昆山市、吴江市
40	盛泽荡	苏州市相城区
41	南星湖	吴江市
42	金鱼漾	吴江市
43	汾　湖	吴江市
44	玄武湖	南京市
45	团　氿	宜兴市

续上表

46	明镜湖	昆山市
47	同里湖	吴江市
48	石头潭	吴江市
49	商秧潭	昆山市
50	石　湖	苏州市吴中区、苏州市高新区、苏州市沧浪区
51	沙　湖	苏州市工业园区
52	巴城湖	昆山市
53	游　湖	苏州市高新区
54	洋　湖	镇江市丹徒区
55	雪落漾	吴江市
56	横塘湖	镇江市丹徒区
57	大龙荡	吴江市
58	中后湖	镇江市丹徒区
59	杨氏田湖	昆山市
60	陈墓荡	昆山市
61	汪洋湖	昆山市
62	宛山荡	常熟市、无锡市锡山区
63	急水荡	昆山市
64	沐庄湖	吴江市
65	六里塘	常熟市
66	镬底潭	苏州市吴中区
67	澄湘湖	镇江市丹徒区
68	张鸭荡	吴江市
69	长畸荡	吴江市
70	莺脰湖	吴江市
71	长　荡	吴江市
72	孙家荡	吴江市
73	袁浪荡	吴江市
74	鳗鲤湖	昆山市
75	春申湖	苏州市相城区
76	万选湖	昆山市
77	蚬子兜	吴江市
78	南参漾	吴江市
79	阮白荡	昆山市
80	方家荡	吴江市
81	嘉菱塘	常熟市、无锡市锡山区
82	官　塘	常熟市
83	庄西漾	吴江市

续上表

84	西下沙荡	吴江市
85	下淹湖	苏州市吴中区
86	前　湖	镇江市丹徒区
87	天花荡	昆山市
88	杨家荡	吴江市
89	桥北荡	吴江市
90	东下沙荡	吴江市
91	南万荡	吴江市
92	上下湖	镇江市丹徒区
93	莲花荡	宜兴市
94	雉城湖	昆山市
95	蛟　塘	丹阳市
96	郎中荡	吴江市
97	沈庄漾	吴江市
98	临津荡	宜兴市
99	钱墅荡	宜兴市
100	杨沙坑	吴江市
101	徐家漾	吴江市
102	陶塘面	常熟市
103	北角荡	吴江市
104	长田漾	吴江市
105	前村荡	吴江市
106	诸曹漾	吴江市
107	迮家漾	吴江市
108	野河荡	吴江市
109	普陀荡	吴江市
110	南庄荡	吴江市
111	阳山荡	宜兴市
112	暨阳湖	张家港市
113	凤仙荡	吴江市
114	蒋家漾	吴江市
115	众家荡	吴江市
116	何家漾	吴江市
117	陆家漾	吴江市
118	上下荡	吴江市
119	荡白漾	吴江市
120	黄家湖	吴江市
121	季家荡	吴江市

续上表

122	瘦西湖	扬州市
123	湖　圩	常熟市
124	东藏荡	吴江市
125	同字荡	吴江市
126	吴天贞荡	吴江市
127	徐家荡	宜兴市
128	陈　塘	常熟市
129	塔影湖	镇江市润州区
130	葛仙湖	句容市
131	孟家湾湖	镇江市京口区
132	西荷花塘	镇江市润州区
133	百家湖	南京市
134	莫愁湖	南京市
135	紫霞湖	南京市
136	前　湖	南京市
137	月牙湖	南京市

江苏省水利厅全面推进依法行政的实施意见

2005 年 5 月 28 日

发展社会主义民主政治，建设社会主义政治文明，是党的十六大提出的全面建设小康社会的一个重要目标。加快推进依法治省进程，建设法治江苏，是我省实现“两个率先”的有力保障。全面推进依法治水、依法管水，是水行政主管部门依法行政的重要内容，是我省水利系统贯彻“三个代表”重要思想，树立和落实科学发展观，实现江苏水利现代化的重要内容。为了认真贯彻国务院《全面推进依法行政实施纲要》、省委《法治江苏建设纲要》和水利部、省政府《关于贯彻落实国务院〈全面推进依法行政实施纲要〉的意见》，结合我省水利工作实际，提出如下实施意见：

一、指导思想

以邓小平理论和“三个代表”重要思想为指导，认真贯彻党的十六大和十六届三中、四中全会精神，牢固树立科学发展观，按照依法治国、依法治省，依法治水的要求，紧紧围绕全省经济建设和社会发展的大局，密切结合水利改革和发展实际，依法、全面、正确履行水行政主管部门各项职责，依法保护公民、法人和其他组织的合法权益，转变职能，服务基层，增强管理透明度，提高水行政管理效率，推进依法行政和水利现代化建设，为我省实现“两个率先”目标服务。

二、工作目标

到 2015 年，依法行政达到以下目标：基本建立适应水行政管理和水利改革发展需要的水法规体系，为水利事业发展提供法制保障；基本建立行为规范、运转协调、公正透明、廉洁高效的水行政管理体制和水行政执法体制；法律、法规、规章得到全面、正确实施，水行政主管部门职责得到全面履行，应对突发事件和风险的能力明显增强，公民、法人和其他组织合法的权利和利益得到切实保护；科学化、民主化、规范化的水行政决策机制和制度基本形成；各级水行政主管部门提供的信息全面、准确、及时，水行政管理做到公开、公平、公正、便民、高效、诚信；水行政监督制度和机制基本完善，层级监督和专门监督明显加强，行政监督效能显著提高；水利部门工作人员特别是各级领导干部依法行政的观念明显提高，依法行政的能力明显增强，尊重法律、崇尚法律、遵守法律的氛围基本形成。

三、基本要求

水行政主管部门实施行政管理，应当依照法律、法规和规章的规定进行，遵循公平、公正、公开的原则，注意听取公民、法人和其他组织的意见，遵守法定期限、法定程序，切实履行法定职责，保障公民、法人和其他组织合法权益，做到合法行政、合理行政、程序正当、高效便民、诚实守信、权责统一。

四、主要任务

1. 建立健全科学民主的水行政决策机制，提高行政决策水平，完善行政决策机制，对于行政事务性重大决策，涉及水利事业发展全局的重大决策事项以及干部任免、重大项目安排和大额资金使用，必须由领导班子集体作出决定；对于专业性、技术性较强的决策事项，应当事先组织专家进行必要性和可行性论证；对于涉及公众权利与义务、与人民群众利益密切相关的决策事项，应当扩大社会公众参与决策程度，通过举行座谈会、论证会等形式，广泛听取社会各界的意见，除依法保密的外，决策事项、依据和结果要向社会公示，切实做到依法决策、科学决策、民主决策。

2. 加强水利工程设施保护，加大违法水事案件的查处力度，严格审批水利工程管理范围内非防洪工程建设项目和从事涉及水利工程安全及正常运行有关的活动，依法办理占用许可手续，并加强监督管理；做好水利工程设施的维修、养护；严肃查处破坏水利工程设施、违法设障、围湖造地、非法采砂、侵占水利工程管理用地、侵害水利工程管理单位合法权益等违法案件，维护水利工程安全运行，充分发挥其应有的效益。

3. 完善水资源管理制度，强化水资源节约、保护和优化配置。进一步建立和完善水资源统一管理体制，依法履行地表水、地下水统一管理职能；积极探索和推进防洪、排涝、供水、节水、污水处理及回用涉水事务一体化管理，充分发挥水务体制、机制的优势；加快水资源综合规划编制，加强水功能区和入湖、入河排污口管理，依法监测江湖河库水质，审核水域纳污能力，提出限制排污总量意见；加强地下水资源管理，科学划分地下水禁止开采区、限制开采区和超采区，制定超采区地下水开采压缩方案，并认真组织实施；以节水型企业、节水型农业、节水型社区和节水型城市为抓手，多种形式开展节水型社会建设，提高用水效率和效益；全面实施取水许可制度、水资源论证制度和水资源有偿使用制度，强化取水许可监督管理；依法制止和查处违反水资源管理法律法规的各类违法行为。

4. 加大水土保持监管力度，防治水土流失。组织编制水土保持规划，制定水土保持年度计划；严格水土保持方案审批，监督开发建设项目水土保持"三同时"制度落实；开展水土流失动态监督、预报，科学研究和技术推广；加强水土保持设施的建设与维护管理，依法征收水土保持设施补偿费和水土流失防治费。

5. 强化防洪工作管理，确保安全度汛。组织编制流域、区域和城市防洪规划，制定防洪规划同意书，规划保留区制度，严格执行占用河道工程审批制度、蓄滞洪区安全建设管理与补偿救助制度、洪水影响评价报告制度。编制防洪预案和洪水调度方案，加强防汛物资储备、使用和管理，有效实施汛前检查和组织防汛清障，督促有关单位及时处理影响安全度汛的有关问题，依法发布汛情通告和紧急防汛期。

6. 完善水利建筑市场监管体系，规范水利建筑市场秩序。加强水利工程施工、监理、设计单位资质管理，建立动态市场准入制度；严格按照水利行业技术质量标准和水利工程建设规范，坚持按照基本建设程序办事；严格实行项目法人责任制、招标投标制、建设监理制和合同管理制；严格执行开工报告制度；对工程建设项目法人、设计施工、招标投标，质量安全、资金管理等实行全过程的监督；严格水利工程建设稽察和财务审计工作，严肃查处各类工程建设中的违纪违规和违法行为，确保工程安全、资金安全和干部安全。

7. 转变政府管理职能，深化水行政管理体制改革。进一步理顺水行政管理体制，合理调整内部工作职责；推进政企分开、政事分开，培育和发展行业组织和中介机构，并发挥其作用；进一步规范水利工程建设管理四项制度，积极探索水利工程建设委托制、代建制；深化水利工程管理体制和水利投融资体制改革；建立合理的水价形成机制，发挥价格杠杆作用，保护和合理利用水资源，促进节约用水。

8. 认真贯彻《行政许可法》，改革水行政管理方式。对现有的行政审批事项要继续进行清理，不必要的或者不适当的要取消或调整，保护公民、法人和其他组织合法权益。要规范备案、核准的范围和程序，将直接管理与间接管理，动态管理与静态管理、事前行政许可与事后严格监管有机结合起来，充分发挥行政规划、行政指导、行政合同等方式的作用；加快电子政务建设，扩大网上办公的范围，降低管理成本，创新管理方式，提高行政效率，方便人民群众。

9. 改进水利行政立法工作，提高水利法规制度建设质量。围绕水利改革与发展，服务“两个率先”的总体要求，健全和完善水法规体系。按照条件成熟、突出重点、统筹兼顾的原则，科学合理制定水利立法工作计划。扩大立法的公众参与程度，实行立法工作者、实际工作者和专家学者三结合制度，完善专家咨询论证制度、立法征求意见制度、立法项目实施情况评估报告制度，提高立法质量。

10. 加强水行政执法队伍建设，规范水行政执法行为。按照“内强素质，外树形象”的总要求，提高水政监察队伍专职、专业化水平，建设一支“文明，公正、廉洁、高效”的水利行业综合执法队伍。实行水行政执法人员资格制度，新进人员必须进行系统岗前培训，经资格考核合格才能持证上岗；原有人员要进行定期法律、法规知识和相关知识培训；临时工、合同工以及未获得水政监察员资格的人员不得从事水行政执法工作。要进一步建立和完善执法责任制、评议考核制、过错责任追究制，加强层级监督和定期考核；紧密围绕防汛清障、河湖非法采砂、擅自取用水，水工程安全运行等加大执法力度，加强执法实践，提高水行政执法的能力和水平；广泛开展对外服务承诺，设立举报投诉电话，主动上门服务，在社会上树立良好水行政执法形象。建立和完善水利法制工作机构，加强对水行政执法工作的指导和监督。建立健全水行政执法案卷评查制度和对行政处罚、行政强制等执法案卷检查和抽查制度，以规范执法行为，推进严格执法、文明执法、公正执法。

11. 完善依法行政有关制度，自觉接受监督。各级水行政主管部门要健全规范性文件备案制度、重大行政处罚决定集体研究制度、行政赔偿和补偿制度、听证制度，行政复议责任追究制度、行政应诉案件统计报告制度等，自觉接受人大、政协、司法监督，接受监察、审计等专门机关监督，接受群众和舆论监督，推进依法行政工作规范化、制度化，保障政令畅通。

12. 加强法律、法规学习、宣传，提高依法行政能力和水平。各级水行政主管部门要加强水法律、法规和相关法律、法规的学习，执行领导干部法制讲座制度、理论中心组学法制度、法律培训制度、重大决策前法律咨询审核制度，积极探索领导干部任职前法律知识考试制度，提高领导干部依靠法律手段管理经济社会事务的能力。建立行政机关工作人员学法情况考核制度，考核情况作为公务员年度考核的重要内容，作为任免、晋升、奖惩的依据之一。要采取知识竞赛、法规知识培训、刊登专题文章、文艺演出等多种形式，开展水法规的宣传活动，有计划地组织好每年“世界水日”、“中国水周”的宣传活动，增强广大公民、法人和其他组织的水利法制意识，在全社会形成学法、用法、守法、护法的良好风气。

五、保障措施

1. 加强领导，把推进依法行政工作落实摆上重要日程。各级水利部门的主要负责同志要切实担负起全面推进依法行政第一责任人的责任，一级抓一级，逐级抓落实。水利法制工作机构要切实担负起统筹协调和参谋助手作用，充分调动有关方面的积极性；各级水行政主管部门应当保障推进依法行政工作所需经费，确保依法行政工作的顺利开展。

2. 制定规划，分步推进。各地、各单位要从实际出发，制定推进依法行政的实施意见、具体办法和配套措施，确定不同阶段的目标要求，提出工作进度，突出重点，分步实施，整体推进，确保中央和省委、省政府依法行政的决策得到全面正确执行。

3. 注重制度建设，规范水行政管理。要抓紧制定和完善推进依法行政的配套政策措施，形成有利于全面推进依法行政、建设法治水利的制度环境。对依法行政面临的新情况、新问题要及时进行调查研究，分析对策，提出切实可行的政策措施。对全面推进依法行政中形成的经验要及时总结，不断推进依法行政、依法治水的理论创新、制度创新、机制创新和方法创新。

4. 加强督促检查，狠抓工作落实。各级水利部门要对照工作规划、目标要求和工作进度，抓好督促检查，发现问题及时解决。水利法制工作的机构要以高度的责任感和使命感，认真做好协调服务、督促指导、政策研究和情况交流工作，为全面推进依法行政、依法治水充分发挥参谋、助手和法律顾问的作用。

江苏省水利厅关于加强水利政务公开的意见

2005年8月11日

为深入贯彻落实党的十六大和十六届四中全会精神，切实转变职能，推进依法行政，改进工作作风，加强廉政建设，现就加强水利政务公开工作提出以下意见。

一、提高对推行政务公开重要意义的认识

党的十六大明确提出，认真推行政务公开制度，完善公开办事制度，保证人民群众依法直接行使民主权利。这是党在新形势下坚持和完善社会主义民主制度，发展社会主义民主政治，建设社会主义政治文明的重要举措，具有十分重要的意义。

推行政务公开，是贯彻落实"三个代表"重要思想和科学发展观，加强水行政能力建设的具体体现；是水利工作适应经济社会发展和构建和谐社会的必然要求；是推进依法行政、依法治水和依法管水的重要举措；是建设行为规范、运转协调、公正透明、廉洁高效的水行政管理体制的重要内容。各级水行政主管部门要把思想和行动统一到党的十六大精神上来，统一到中央和省委、省政府的部署上来，坚持以人为本，树立和落实科学发展观，大力弘扬求真务实精神，大兴求真务实之风，不断把政务公开工作引向深入，为加快水利现代化建设、实现"两个率先"作出新的贡献。

二、明确政务公开的指导思想、基本原则和目标任务

全省水利系统政务公开工作的总体要求是：坚持以邓小平理论和"三个代表"重要思想为指导，以保障人民群众的民主权利、维护人民群众切身利益为出发点和落脚点，围绕增强行政能力，建设人民满意行业的要求，加大水行政主管部门工作的透明度，促进科学行政、民主行政、依法行政，提高行政效能和公信力，推进水利现代化建设。经过全系统共同努力，使政务公开逐步成为全省各级水行政机关施政的一项基本制度，贯穿于行政权力运行的全过程，形成有效的工作机制；人民群众的知情权、参与权和监督权逐步扩大，水行政主管部门工作透明度明显提高，行政权力运行得到有效监督制约。

推行政务公开要坚持严格依法、全面真实、及时便民的原则。要严格按照法律法规和有关政策规定，对各类水行政管理和公共服务事项，除涉及国家秘密和依法受到保护的商业秘密、个人隐私以外，都要真实准确公开。要按照规定的制度和程序，对应该公开的事项，采用方便、快捷的方式公开，便于群众知情，利于群众办事。要坚持事前、事中、事后公开相结合，实行阳光操作，接受群众监督。

水利政务公开工作的总体目标是：力争经过两三年的努力，使政务公开工作全面覆盖，逐步走向规范化、制度化，成为我省各级水行政主管部门的一项基本工作制度和行政方式，使机关工作作风明显改进，依法行政水平不断提高，民主决策、民主管理、民主监督制度进一步落实，人民群众的知情权、参与权和监督权等民主权利得到切实保障。

各级水行政主管部门在推进政务公开中，要妥善把握好四个问题：一要统筹规划。政务公开要与水行政管理体制改革和全面推进依法行政的目标和进程相一致，立足当前，着眼

水利事业长远健康发展,有序推进政务公开工作;二要突出重点。把人民群众普遍关心和关系人民群众切身利益的水问题以及容易产生不正之风和滋生腐败的工作环节作为政务公开的重点内容,通过不断加强制度建设,使政务公开工作走上制度化、规范化的轨道;三要切合实际。政务公开要与加强水行政管理能力建设相结合,与《行政许可法》的实施以及各项水利改革相结合,不断增强政务公开的针对性和有效性;四要稳步实施。坚持依法有序推进,继承与创新相结合,做好政务公开实施方案及配套制度的制定和落实等有关工作,持续推进工作职能、工作作风、工作方式的转变,增强各级水行政主管部门的公共服务能力。

三、积极拓展政务公开的范围和内容

各级水行政主管部门要结合自身实际,进一步明确政务公开的重点,细化政务公开的内容。在水资源管理、水行政执法、水利规划计划管理、水利工程管理、水利建设管理、项目管理、水行政收费管理、防汛抗旱管理、人事管理和其他水行政管理工作中,各级水行政主管部门要围绕决策、执行、监督的工作程序、工作方法和工作结果等事项,依据法律法规,紧密结合实际,有重点、有步骤地不断拓展政务公开的内容。与群众利益密切相关的部门和单位办事公开的重点是工作内容、工作职责、办事依据、条件、程序、过程和结果,服务承诺、违诺违纪的投诉及追究等。

四、大力推进政务公开形式创新

要认真总结近几年的成功经验,按照因地制宜、简便易行、灵活多样、方便群众的要求,积极探索符合时代特征和群众要求的政务公开形式。(1) 政府公报或者报纸、杂志、广播、电视等公共媒体;(2) 江苏水利网站、《江苏水利》杂志等水利行业媒体;(3) 新闻发布会;(4) 文件查阅室、资料索取点、政务公开栏、电子显示屏、电子触摸屏等;(5) 政务公开咨询电话、热线电话和语音信箱等;(6) 其他便于公众知晓的形式。

建设电子政务,是推进政务公开的重要途径。各级水行政主管部门要按照"统筹规划、资料共享、面向公众、保障安全"的要求,加快电子政务建设步伐,以服务公众为中心,逐步通过电子网络专用平台开展网上审批、年检、办证、咨询、交费等各方面的服务,以及在水利网站开辟"政务公开"专页,通过电子邮件、在线解答、留言板等形式,实现水行政主管部门与群众的网上沟通,充分发挥电子政务在政务公开中的作用。

有条件的单位可以根据工作需要,逐步建立公开办事大厅或服务大厅等,把一些具有行政审批职能和对外服务工作相对集中起来,实行"一个窗口对外,一站式审批,阳光下操作",规范行政行为,降低行政成本,提高工作效率。

五、不断完善政务公开的监督保障措施

建立科学规范的监督保障机制,加强监督检查,是政务公开工作健康有序开展的重要保证。各级水行政主管部门要成立由监察、财审、人事、政法等部门负责同志组成的政务公开监督小组,负责政务公开的监督工作。监督小组可聘请企事业单位代表、社会有关方面人士和基层干部群众担任政务公开特邀监督员,定期对政务公开制度落实情况进行监督检查。同时要自觉接受人大依法监督和政协民主监督,适时邀请人大代表、政协委员对水行政主管部门政务公开工作进行视察,认真听取他们的意见和建议,不断改进政务公开工作。要充分发挥舆论监督的作用,及时宣传报道推行政务公开的成功经验,引导和鼓励干部群众积极参与监督。各级水行政主管部门要设立政务公开监督电话或举报信箱,由本单位政务公开监督小组负责管理,对群众举报、投诉的问题,要及时进行调查处理,并向群众公布调查处理结果。

各级水行政主管部门应结合实际,进一步建立健全政务公开的各项配套制度。主要包括:(1) 预审制度。所有公开的内容都必须经过事前预审,准确把握公开的范围、重点和时间。(2) 公示制度。水行政主管部门在决定和办理与群众利益密切相关的事项时,应当在正式决定或办理之前将初步方案公布于众,在充分听取群众意见的基础上,再予以正式公布和实施。涉及群众重大利益的重要决策,要实行听证会制度,让群众参与并发表意见。(3) 评议制度。将政务公开纳入政风评议和行风评议体系,认真组织开展民主评议活动,广泛听取群众意见和建议。(4) 考核奖惩制度。把政务公开工作作为党风廉政责任制和领导干部年度工作考核的一项重要内容,定期进行考核检查,对工作搞得好的部门和单位给予表扬,搞得不好的提出批评,问题较多的限期整改。(5) 责任追究制度。对在推行政务公开制度中搞形式主义、走过场、工作不力或不称职的领导干部,要批评教育,坚决纠正;对搞虚假公开、蒙骗群众的,要严肃查处;对造成恶劣影响的,要追究有关责任人员和领导的责任。

六、切实加强对政务公开工作的组织领导

政务公开工作涉及面广、政策性强,要进一步建立健全统一领导、组织有序、监督有力的政务公开领导体制和工作机制。

各级水行政主管部门是实施水利政务公开的主体,要切实承担起责任,进一步加强对政务公开工作的领导,把这项工作摆上重要议事日程,及时研究解决工作中遇到的重要问题,有计划、有步骤地向前推进。主要负责同志要亲自抓政务公开工作,分管负责同志要尽职尽责抓。要加强组织协调,明确各有关部门的职责分工,实行严格的责任制,既各司其职、各负其责,又密切协作、增强合力,共同把政务公开工作做好。要加强宣传教育,进一步增强广大机关干部实行政务公开的自觉性,调动基层干部群众参与的积极性,形成良好的社会氛围。把推行政务公开同推进科学民主决策,深化行政审批制度改革,创新行政管理方式、发展电子政务,反腐倡廉、促进廉政勤政建设等紧密结合起来,相互促进,整体推动。

省水利厅政务公开领导小组及其办公室要充分发挥职能作用,加强对全省水利政务公开工作的组织、协调、指导和督促检查。各级水行政主管部门应成立政务公开领导小组,负责组织实施本系统的政务公开工作。

各单位要根据本意见要求,结合工作实际,制定具体实施办法或工作方案,并报厅政务公开领导小组办公室备案。

重要讲话

李源潮书记在省防汛防旱指挥部调研时的讲话

2005年5月14日

我们今天到省防指来主要是对今年的水安全进行调查研究。我看今年的气象水文形势不容乐观，要切实做好防大汛抗大洪的各项准备工作，确保大河大湖堤防安全，确保城市生产生活安全，确保人民群众生命财产安全。最近，保华同志、连珍同志对防汛工作都很重视，先后作了批示。省防指系统对今年的防汛任务高度重视，各项工作抓得紧、抓得实。莉新同志、振霖和光辉同志讲的情况，要让大家了解，让各级领导做好安排。防汛工作涉及广大人民群众的直接利益，各级党政领导都很关心。所以，要把刚才讲的可能遇到的问题，可能发生的危险，以及解决的办法让各级党政领导都知道，早做准备，有备无患。现在我再讲几点意见：

第一，要从战略上考虑水利工作。“合理利用江苏的水资源，切实保证江苏的水安全，有效保护江苏的水环境”，是我省落实科学发展观的一个基本要求，是实现可持续发展的一件大事情，是建设以人为本、全面协调可持续发展新江苏的重要任务。各级党委政府和有关部门都要高度重视，从落实“三个代表”、推进“两个率先”的高度，综合考虑水资源、水安全、水环境问题。这既是战略的需要，又是紧迫的现实任务，要抓得很紧，抓得很实，一时一刻也不能放松。

第二，水利工作要按照科学发展观的要求与时俱进。首先，要做到农村水利与城市水利并重，而且要从原来更重视农村水利转为更重视城市水利。现在越来越多的人进入城市，经济活动的重点也在城市。水利工作要以人为本，就要适应经济社会发展的这一新形势，在发展战略上、具体力量和财政分配上更加重视城市水利。其次，要做到防洪水与治污水并重，而且要从原来更重视防洪转为更重视治污。过去洪水对人民群众的生命财产威胁很大，而现在是污水造成的实际危害比洪水更重，所以要把治污水放在更加重要的位置上。再次，要做到排水和用水并重，而且要从原来更重视排水转为更重视利用水。要结合新一轮城乡规划，统筹考虑，合理开发利用水资源。

第三，今年的防洪工作还是要坚持科学防洪、工程防洪、专业防洪相结合，提高防洪效率。一方面要科学预报，早做准备；另一方面要科学调度，确保安全。

第四，水利工作要有科学理念。首先，要增强机动排涝力量。建设省级机动专业排涝队伍，提高排涝抗洪效率，这是水利现代化的重要标志。其次，要树立人和水和谐相处的科学治水理念。要顺应水的自然规律，顺时而为，因势利导，确立合理利用保护自然资源的水利理念。在产业上，宜农则农，宜林则林，宜工则工，宜旅游则旅游。在滞洪区的发展上，要考虑产业的调整，不能年年搞生产救灾，种粮和养殖水风险大的地方，应搞别的产业，不能抱着“人定胜天”的口号不放。要结合城乡规划进行战略性调整。我们要很好地利用江苏水的独特优势，做好水的利用、水的保护、水的安全工作，使江苏水资源的优势在“两个率先”进程中得到更充分的发挥。

张连珍副书记在全省县乡河道疏浚现场会上的讲话

2005年4月2日

今年省委1号文件明确提出要“加大农村河道综合整治力度，努力改善农村水环境”；全省农村工作会议强调要“从县乡河道疏浚、整治农村水环境入手，综合整治农村环境”。这次会议的主要目的就是要认真贯彻落实省委、省政府的这一部署。通过现场观摩，交流经验，进一步统一思想认识，动员各方力量，加大力度开展县乡河道疏浚，带动整个农村环境建设，真正将这惠及百姓、利涉各方的实事办好、好事办实。

上午，我们参观了阜宁县的县乡河道疏浚和管理现场，所到之处岸坡平整、水流顺畅、环境整洁，大家普遍反映看了以后心情舒畅，感触很多，启发很大。下午，莉新副省长作了讲话，对下一阶段的县乡河道疏浚工作进行了具体部署，各地要认真抓好落实。省水利厅汇报了全省县乡河道疏浚的进展情况，盐城市、无锡市及阜宁县、靖江市作了交流发言，大家讲得都很好。下面，我就县乡河道疏浚工作再强调几点意见。

一、统一思想认识，把县乡河道疏浚作为农村环境综合治理的重要抓手

省委、省政府对县乡河道疏浚工作高度重视，源潮书记、保华省长多次作出批示，要求把县乡河道疏浚工程作为为民办实事的重要内容。去冬今春以来，我带领省有关部门的负责同志，先后到泰州市、南通市及南京六合区就县乡河道疏浚进行了专题调研，听了一些汇报，看了许多现场。总的感到，各地各有关部门密切配合，齐心协力，做了大量工作，进展比较顺利。疏浚后的河道，重现水清岸绿的优美环境，经济效益、社会效益、生态效益显著，老百姓十分满意。但是也应当看到，我省河道淤塞的问题非常突出。据我们了解，不少县乡河道10多年没有清淤，有的甚至20多年没有清淤，排蓄能力严重下降，水体污染相当严重。原因是多方面的，如，过去罱河泥的方式，已经多年不搞了，有的地方虽然每年也搞一些河道清淤，但总体上力度不大，“清”赶不上“淤”。又如，向河道中乱扔废弃物，一些河道变成了秸秆、垃圾的“填埋场”，加剧了淤塞和污染。水质富营养化，杂草丛生。还有河道清淤没有形成有效的投入机制，税费改革“两工”取消后投入更为匮乏。随着大型流域性工程建设标准的提高，县乡河道淤塞的矛盾更为突出。因为河道淤塞，水灌不上、排不出，削弱了农业综合生产能力；河床抬高，影响了一些骨干河道的运输能力；水体污染，对环境和群众生活，甚至身体健康产生了较为严重的影响。我们在农村基层调查，老百姓迫切地向我们反映，这件事已经到了非抓不可、不抓不行的时候了。各地各有关部门必须从实践“三个代表”、落实科学发展观的高度，从构建农村和谐社会的高度，本着对老百姓生存环境、生活质量高度负责的态度，充分认识开展县乡河道疏浚的重大意义，增强紧迫感和责任感。

1. 实施县乡河道疏浚是农村环境综合整治的重要内容。我省河湖众多，特别是县乡河网密布、水系发达，这是我省农村经济社会发展的一大优势；伴水而生、依河而居，是农民生存活动的显著特点，河道是农民生产生活中不可或缺的基础设施。水是生命之源，水又是一把“双刃剑”，治好了就能促进经济发展，营造出一个舒心宜人的农村环境；治不好，就成为制约发展、影响稳定的隐患。对农村来说，要生产发展、生活富裕、生态良好，哪一条都离不开水。构建和谐社会，其中之一是实现人与自然的和谐，特别是人水和谐，打造良好的水环境，创造良好的水生态条件。我们要把县乡河道疏浚作为改善农村环境、构建和谐社会的重要工程来抓，着力恢复河道的排泄功能、灌溉功能、生态功能和景观功能，重现水清、岸绿、景美的农村自然风光，给农民群众一个优美的环境，为全面建设小康社会提供基本保障。

2. 实施县乡河道疏浚是增强农业综合生产能力的有效措施。今年中央和省委1号文件把支持“三农”的政策集中在提高农业综合生产能力上。提高农业综合生产能力，最基本的是要提高农田水利设施的保障能力。河道不畅通，水质不改善，不仅农业抗御水旱灾害的能力难以提高，农产品的产量难以保证，而且农产品的质量也难以提高。实施县乡河道疏浚工程，整治河川，保证河道灌得上、排得出，正是加强农业基础设施建设，改善农村生产、生活条件，切实提高农业综合生产能力的有效举措。只有加快河道治理力度，提高农业生产的水生态环境，才能为推进农业结构调整、发展优质高效农业提供基本条件，才能促进农业综合生产能力和综合竞争能力的提高。

3. 实施县乡河道疏浚是推进农业和农村现代化的迫切需要。发展现代农业、建设现代农村、培育现代农民，是“三农”工作面临的重大任务。要完成好这个重大任务，必须进一步提高水利服务“三农”发展的能力。实践表明，抓好河道清淤疏浚，可以降低水位，提高行洪除涝能力；可以实现水畅其流，提高水源供给能力；可以做到流水不腐，提高河道自净能力，这对于推进农业和农村的现代化具有十分重要的作用。同时，也能提高广大农民群众整治环境、保护生态的自觉性，促进人的素质的提高。我们要把县乡河道疏浚作为当前农村水利建设的着力点，提高、完善现有灌溉、排水、供水设施标准，为建设农业和农村现代化提供可靠的水安全保障、水资源保证、水环境保护能力。

二、突出工作重点，狠抓各项措施的落实

根据水利厅汇总编制的县乡河道疏浚规划，从2003年至2007年，五年要完成8067条县乡河道疏浚、总土方6亿方的任务。我们要作为硬任务、硬指标来完成，能快还要快一点。各地各有关部门要突出重点，科学规划，增加投入，强化管理，促进县乡河道疏浚工作深入开展。

（一）总结经验，分类指导。各地从实际出发，创造性地开展县乡河道疏浚工作，在组织形式、宣传发动、投入机制、强化管理等方面形成了许多好的经验。刚才四个市、县分别作了典型发言，各有侧重，各有特色。省水利厅要认真开展调查研究，对各类经验加以总结，在面上推广，为保证五年规划任务顺利完成和下一步河道疏浚的全面实施创造条件。要坚持因地制宜，分类指导。各地要针对不同条件、不同要求，加快典型培育，用典型的经验推动县乡河道疏浚的顺利实施，用眼见为实的现场激发县乡河道疏浚工作的干劲。

（二）突出重点，整体推进。河道清淤面广量大，必须突出重点，分期有序组织实施，不要“平分秋色”、遍地开花。各地要分类排队，县有县重点，乡有乡重点，抓淤塞最严重、最迫切需求整治的河道，突出重点，集中力量和资金，一条一条突破，一条一条扩展，搞完这一轮再搞下一轮。过去一些好做法，我看现在还要继承和发扬。要针对农村劳务输出的新情况，大力组织机械施工，努力做到常年搞、由专业队伍搞，提高质量和效率。要统筹考虑，整体推进，动员其他部门的力量参与进来，多宣传、多商量、多沟通，与复垦造田、植树造林、交通航运、农村环境综合整治等紧密结合，发挥综合效益。

（三）转变观念，创新机制。在农村市场经济不断加快发展和农村税费改革不断深入的新形势下，搞农田水利建设，包括河道清淤，都必须进一步转变思想观念，牢牢确立市场意识、民主兴办和民主管理的意识，积极探索新途径、新办法和新机制。一是动员机制。要通过广泛的宣传教育，使农民群众真切地感受到河道清淤既是党和政府的事，也是自己的事，调动他们积极参与的主动性。镇江市在今年全省农村工作会议的交流发言中提到，句容市天王镇在“双清双美”活动中，通过一份公开信，动员了6000名群众连续义务劳动7天，彻底改变了浦溪河的面貌。群众出了力、流了汗，还连夸党委、政府做得好。事实表明，只要我们工作做到位，群众对河道疏浚这样关系自己切身利益的好事、实事是会大力支持、踊跃参加的。二是投入机制。要加快建立以财政投入为主导、市场化筹资与引导群众投劳投资相结合的农村河道疏浚投入机制。特别是对市场化机制要很好地研究利用。前几年，我们进行的林业产权制度改革和小型农田水利设施产权制度改革，调动了全社会投入的积极性，说明市场机制的潜力很大。河道清淤可以“一土几用”，造田可以卖钱，堤上植树可以承包、拍卖，关键看会不会运作。希望各地在这方面多动脑筋、多想办法。三是管护机制。河道清淤整治后，如果正常的管护机制没有建立起来，后续管理跟不上，过不了几年它还是要淤塞。所以要认真研究并加快建立管护机制。对公益性河道工程原则上由政府或集体负责管理和养护，对部分群体受益的河道工程主要由受益的群体出资进行管理和养护，对完全由市场运作的经营性河道工程由投资主体进行管理和养护。要落实工程管理责任主体，建立农村河道工程的长效管理机制。

三、加强组织领导，推进县乡河道疏浚工作扎实开展

实施农村河道疏浚工程，必须加强组织领导，真正把农村河道疏浚摆上各级各有关部门重要议事日程，纳入到地方城镇建设、环境保护、卫生防疫、乡村道路、土地复垦等经济社会发展的规划之中。一是市、县、乡党委、政府的主要负责同志要关心支持农村河道疏浚工作，主动协调解决农村河道疏浚工作中的重大问题。分管负责同志要高度重视，积极组织开展好农村河道疏浚工作，抓住不放，一抓到底，抓出鼓舞人心、百姓拥护的成效来。二是按照分级管理、一级对一级负责的原则，层层明确任务，层层落实责任，加强目标考核，真正将这一件好事办实办好。三是农村河道疏浚涉及到方方面面，需要各相关部门通力协作，齐抓共管，形成合力。农村工作、计划、财政等部门要在政策调研、计划安排、资金落实等各方面做好服务工作，积极推进农村河道疏浚工作。农林、建设、交通、环保、卫生等相关部门要在规划制订、方案实施等方面，对能够结合实施的项目统筹兼顾，提高河道疏浚的综合效益。各级水利部门要充分发挥职能作用，当好党委、政府的参谋助手，在河道疏浚的规划设计、施工组织、质量控制等各方面尽责尽力。

实施农村河道疏浚是惠民利民的事业。各地各有关部门必须从贯彻“三个代表”、实现“两个率先”的战略高度，在科学发展观的指导下，大力实施统筹城乡发展方略，认真抓好这次会议精神的贯彻落实，进一步统一思想，勇于创新，突出重点，加大力度，扎扎实实地推进县乡河道疏浚工作，为农村经济社会的全面发展作出新的更大的贡献。

黄莉新副省长在全省防汛防旱工作会议上的讲话

2005 年 4 月 29 日

在即将进入汛期之际，省政府召开这次全省防汛防旱工作会议。会议的主要任务是进一步统一思想认识，全面部署今年的防汛防旱工作。刚才，省水利厅吕振霖同志通报了全省汛前准备工作情况，省气象局任健同志介绍了今年汛期天气的预测意见，省政府与各市签订了今年的防汛工作责任状。下面，我再讲几点意见。

一、统一思想，充分认识今年防汛防旱工作的严峻性

防汛抗旱事关人民群众切身利益和生命财产安全，事关全省经济发展和社会稳定。特殊的地理位置和气候特点，决定了我省是一个水旱灾害频发的省份。切实做好防汛防旱工作，对于保障我省经济社会持续、稳定、协调发展至关重要。各地各部门一定要本着对党和人民高度负责的精神，从实践“三个代表”重要思想、构建和谐社会的战略高度，始终绷紧防灾抗灾这根弦，思想上不能有丝毫松懈，工作上不能有丝毫放松，全面落实防大汛抗大旱的各项措施，牢牢把握防汛防旱工作的主动权。

首先，今年的天气趋势要求我们必须高度警惕。根据气象部门预测，今年夏季我国可能出现南北两个多雨带，旱涝灾害程度比去年重，年景总体比去年差。长江中下游地区为主要多雨区之一，有可能发生洪涝。另外，从去冬以来的气象水文实况看，已经出现明显异常。持续了十多年的暖冬突然中断，1 月至 2 月中旬长江以南大部地区出现了连阴雨，2 月下旬至 4 月上旬以来天气又明显转旱，全省降雨普遍偏少。多年防汛防旱工作实践告诉我们，越是出现这些反常的气候现象，就越容易发生大的水旱灾害。没有发生洪水的时间越长，洪水发生的几率就越高，发生大洪水的可能性就越大，必须引起高度警惕。当然，这些分析和预测，还有待实践的检验。但是就防汛防旱工作而言，我们必需宁可信其有，不可信其无。无论出现怎样的气候现象，我们都必须把准备工作做实做细，每个环节、每个细节都要充分考虑，认真落实，扎扎实实地做好防大汛、抗大灾的各项准备。

其次，现有水利工程的抗灾能力要求我们必须高度戒备。多年来的大规模水利基础设施建设，在很大程度上提高了全省的防洪保安能力。但是，与经济社会持续发展的实际需要相比，还有一定的差距。主要表现为部分地区防洪标准还不高，抗灾能力还不强。沂沭泗地区防洪标准只有 20 年一遇，秦淮河、滁河、水阳江流域防洪标准只有 10 年一遇，太湖的实际防洪能力仍低于 50 年一遇的标准。长江虽经多年治理，防洪能力有所提高，但由于上中游水情、工情发生较大变化，高水位几率增加，河势不稳，部分河段江岸塌坍严重。一些流域性行洪通道能力达不到设计标准。部分建筑物工程老化失修严重，存在不少隐患。滞洪区安全设施与滞洪要求差距较大，难以满足安全滞洪需要。一些河湖淤积严重，降低了行洪和调蓄能力。城市防洪标准仍然偏低。中小水库存在不少度汛隐患。非法采砂现象也时有发生等等。如果我们看不到这些薄弱环节，过高估计抵御灾害的能力，而不认真做好抗灾准备，一旦遇上大的灾害，就容易陷于被动。

第三，我们必须高度重视部分干群存在的麻痹侥幸思想。由于近年来全省汛情相对平稳，没有遭受特别重大的灾害损失，部分干部群众思想上有所松懈，甚至产生一些不正确的认识。有的认为这几年的水利建设卓有成效，来点水、出点险是完全可以抗得住的，存在盲目乐观思想；有的认为去年风调雨顺，今年也不一定来大水，存在麻痹侥幸思想；有的认为江苏只怕水、不怕旱，对做好抗旱工作缺少思想准备；还有的认为一些度汛隐患一时半会儿解决不了，面对问题不是立足自力更生来解决，存在等靠要思想。思想隐患比工程隐患更可怕，是我们防汛工作的大忌。各地要牢固树立警钟长鸣、常备不懈的意识，坚决克服麻痹侥幸思想，宁可把形势估计得更严峻一点，宁可把困难估计得更多一些，宁可把问题估计得更大一些，认真做好防大汛、抗大旱、抢大险、救大灾的各项准备工作，做到有备无患，安全度汛。

今年是我省推进"两个率先"的关键之年，是构建和谐社会、促进经济社会协调发展的重要一年，改革发展稳定的任务十分繁重，实现粮食稳定增产、农民持续增收、农村全面发展的任务非常艰巨。做好今年的防汛防旱工作，最大限度地减轻灾害损失，对于巩固和发展农业及农村来之不易的大好形势，保障经济社会全面协调可持续发展，具有十分重要的意义。各地各部门一定要充分认识做好今年防汛防旱工作的重要性和严峻性，切实增强责任感和紧迫感，精心准备，狠抓落实，夺取今年防汛防旱工作的全面胜利，确保经济社会的快速健康发展。

二、狠抓落实，全力做好各项防汛防旱准备工作

今年我省防汛防旱工作的总体要求是：以科学发展观为指导，按照构建和谐社会的要求，坚持以人为本，坚持科学防洪，坚持"安全第一，常备不懈，以防为主，全力抢险"的工作方针，确保人民群众生命安全。在任何情况下，必须确保洪泽湖大堤、里运河大堤安全。在遭遇历史和标准内洪水时，保证各类水利工程安全，以及大中城市和交通干线的安全。在出现超标准洪水时，采取应急措施，把灾害损失减少到最低程度。确保城乡居民生活用水需求，努力满足生产、生态用水需求。当前，各地要抓住主汛到来之前的有限时间，立即行动起来，进一步细化各项措施，做到思想认识到位、工作措施到位、抢险队伍和物资到位，扎扎实实做好今年防汛防旱工作。

（一）加快防洪工程建设，不断提高防洪能力。今年，全省重点水利基本建设计划完成投资40亿元。主要是实施以治淮骨干工程建设为重点的流域防洪工程建设，继续实施长江节点整治工程、海堤达标工程，大中型水库除险加固和小水库消险工程、城市防洪工程以及防汛岁修急办工程建设等。各地要采取有力措施，落实配套经费，在保证工程质量的前提下加快工程实施进度，力争在汛前多做工程，尽可能地处理度汛隐患。洪泽湖周边迎湖挡洪堤加固工程，安峰山和赵村水库除险加固的水下工程，以及海堤重点险工段，秦淮河三汊河口闸、海堤烧香河北闸的水下工程、淮河灾后重建工程中的保庄圩扫尾工程等必须在主汛期之前全面完成。要进一步加大对险工险段的处理力度，针对前阶段检查中发现的问题，按照"分级管理、分级负责"的原则，落实责任，增加投入，逐一落实处理措施，限期完成。一时难以处理的，要认真制定应急预案，落实防范措施。对于跨汛期施工的在建工程项目，一定要落实施工导流方案和抢险应急预案，确保安全度汛。

（二）认真做好水库防汛工作，确保万无一失。虽然近年来我省加大了病险水库除险加固力度，但目前我省仍有300多座病险水库。各地要高度重视水库的防汛工作，认真落实各级各类水库防汛责任人，修订完善每一座水库的防洪预案和抢险方案，备足防汛物料，落实好抢险队伍。各类水库都要严格按照批准的控制运用方案运行，不得超标准蓄水。要组织对所辖水库，尤其是影响重要城镇、交通干线和重点企业的水库进行一次全面细致的检查，对发现的问题，逐项落实度汛应急措施。对汛前来不及处理的病险水库，一律要降低库水位或空库度汛，确保水库度汛安全。要突出强化水库防汛责任监督和责任追究制度，通过监督和检查，督促各级水库防汛责任人、责任单位或部门认真履行水库度汛安全职责。

（三）加强城市防洪建设，切实做好城市防洪工作。自2002年全面实施城市防洪工程建设以来，我省的城市防洪标准已经有了一定的提高。但从汛前检查的情况来看，仍然存在不少薄弱环节。去年北京、上海、广州等地突降暴雨，城市大面积受淹。如果遇上同样的大暴雨，我们的南京、无锡、苏州、徐州等大城市是否能够迅速排涝，能否保证不受淹，这方面应当引起足够的重视。各地要把城市防洪建设作为城市基础设施建设的重点，切实增加投入，加快建设进度，提高城市防洪标准和应付突发灾害的能力。要加强对城市防洪工作的统一指挥，加强城市防洪的组织协调、督促检查，抓紧修订完善城市防洪预案。特别是要解决好连续强降雨情况下，城市涝水外排出路畅通和局部涝水突击抢排问题。要对穿越城区的具有防洪功能的流域性、区域性河道及水利工程设施进行认真检查，发现薄弱环节，抓紧处理，确保城市防洪安全。

（四）制定完善各类预案，做到有备无患。各地要针对自身实际，进一步修订完善工程调度方案和各种防洪预案。徐州、宿迁、淮安等市要进一步做好滞（行）洪区滞（行）洪预案、安全撤退预案的修订完善，做好滞（行）洪区启用的各项准备。沿江各市要进一步加强长江易坍岸段的监测工作，修订完善长江江心洲人员安全撤退方案。要做好各种抢险预案，尤其是溃口性险情的抢险预案。沿江沿海地区要抓紧制定完善防御台风预案，落实好台风袭击时恶劣条件下的应急措施。预案的制定，要具有科学性和可操作性，确保在实际工作中真正发挥作用。

（五）加大防汛物资储备，全面落实抢险队伍。要按照“分级储备、分级管理”的原则，建立健全国家、集体、个人相结合的物资储备体系。要对现有的防汛物资进行一次彻底清查，抓紧补足消耗、变质的物料，满足防汛抢险需要。防汛物资储备要做到数量充足，布局合理，规范管理，调运快捷。要加强抢险队伍建设，实行专业队伍与群众组织相结合。防洪任务重的地区，要积极筹建专业抢险队，提高科学抢险水平。各地务必要将地方抢险队伍落实到乡镇，落实到村组，落实到人。要加强对行政领导、技术人员和群众抢险骨干的防汛抢险业务培训。前不久，我省4支省级专业抢险队与省军区舟桥旅在南京八卦洲举行了军地联合抗洪抢险演练，效果很好。各级抢险队伍应该抓紧汛前时间，苦练本领，提高实战能力，随时准备迎战可能出现的洪涝灾害。

（六）坚持依法防洪，进一步加大执法力度。各地要根据《防洪法》、《江苏省防洪条例》、《长江防洪工程管理办法》等有关法律法规，加强水政监察工作，坚决查处各种涉水违法案件。特别是在行洪河道和湖泊内违法设障的，必须限期在汛前拆除。要进一步加强清障工作，组织开展突击清障行动，巩固清障成果，确保今年清障计划任务的完成。要继续开展打击长江和沂沭泗地区河道内的非法采砂活动，维持江岸稳定，保证堤防安全。

（七）加快防汛指挥系统建设，提高科学决策水平。防汛指挥系统建设是提高科学决策水平的重要手段。近几年来，全省防汛指挥决策系统一期工程在防汛抗旱科学决策中发挥了重要作用。今年，省里将加大投入，重点建设防汛指挥决策系统二期工程和长江河道管理系统等。要抓紧完成列入计划的防汛指挥系统建设项目。各地也要加快实施防汛指挥系统建设,进一步加强应用软件的开发,努力提高灾害预测预报、信息处理、洪水调度、决策指挥和灾后评价等方面的科技水平,为防汛科学决策提供技术支撑。

(八)坚持防汛防旱两手抓,认真做好抗旱工作。目前,淮北"三湖一库"除微山湖、石梁河水库蓄水较正常略偏多外,洪泽湖、骆马湖水位均已低于正常蓄水位。"三湖一库"蓄水总量为55.7亿立方米,比正常蓄水总量少5.7亿立方米。大中小型水库蓄水也比常年偏少。各地在做好防汛工作的同时,也要做好防旱的各项准备。淮北各地要继续做好湖库蓄水保水工作,严格控制湖库出流。沿运省属抽水站要做好长期抽水的准备,有关市、县要抓紧维修抽水机组,疏浚淤积引河,随时准备投入翻水运行。要根据当前湖库蓄水不足的形势,认真分析当地水源供需情况,分阶段制定供水计划和抗旱预案,优化调度水源,强化用水管理,大力推广节水灌溉,减少水量消耗,合理统筹安排生活、生产、生态用水,确保人民群众生活、航运、电厂等用水。要充分利用现有气象基础设施,积极开展人工影响天气工作,不断提高人工影响天气的能力和水平,严重干旱缺水地区要适时组织实施人工增雨作业。

三、强化责任,确保今年防汛防旱工作取得全面胜利

防汛防旱工作是一项复杂的社会系统工程,涉及面广,任务要求高,工作责任大,必须加强领导,严格责任,统一指挥,协同作战。

一是坚持以行政首长负责制为核心的防汛工作责任制。防汛防旱工作做得好不好,能不能有效落实责任制是关键。近年来,我省的防汛防旱工作之所以取得显著的成绩,重要的一条经验就是防汛责任制得到进一步落实。各地要进一步全面落实以行政首长负责制为核心的各项防汛抗旱责任制,将责任状中规定的防汛责任与任务,逐条落实到人、到基层、到工程。今年,有不少地方的领导进行了调整,新上任的同志要熟悉和掌握本地区防汛工作情况特点,尽快进入角色。各地要加强对防汛工作责任制落实情况的督促检查,将防汛责任人在媒体上公布,接受群众和舆论的监督,确保防汛工作各项措施落到实处。

二是坚持统一指挥、统一调度。洪水是不分行政界限的,上下游、左右岸防汛抗洪是一个整体。要牢固树立全局观念,坚持顾全大局,坚持局部利益服从整体利益。现在,全省各个流域的防汛调度都有预案,这些预案经过多年运用,实践证明是比较成熟的,在今年的防汛抗灾中要继续认真执行。淮河、沂沭泗、太湖、滁河等流域的防汛调度,我省要坚决服从国家防总的调度命令;省内各流域的防汛调度,由省防汛防旱指挥部按照预案统一指挥,各地必须严格执行。要维护防汛指挥机构的权威,下一级防汛指挥部要服从上一级防汛指挥部的指挥和调度,地区防汛指挥部要服从联防指挥部的指挥和调度,地方各部门要服从当地防汛指挥部的指挥和调度,不允许有令不行、有禁不止。对于拒不执行调度方案,造成重大损失的,要依法查处。

三是坚持密切合作、协同作战。各级防汛防旱指挥机构和各成员单位要充分发挥职能作用,各司其职,各负其责。各级水利部门要充分发挥主管部门的职能作用,重点抓好水利建设和防灾减灾工作。计划、财政、国土、建设、交通、农林、卫生、环保等部门都要按照防汛责任制的分工,认真做好工作。气象、水文部门要及时为防汛防旱工作提供气象预报和水情数据,加强信息交流,为科学决策提供依据。在汛期,各个部门要加强配合,尽职尽力,提高工作效率。省防指各成员单位要进一步加强与各挂钩市的联系,指导和协助地方做好工作。各流域联防指挥机构也要强化领导,加强协调和配合,落实责任制,加强协调和指挥。

驻苏人民解放军和武警部队是防汛防旱工作的中流砥柱，历年来在我省的抗灾抢险中发挥了极为重要的作用。各级防汛指挥部要加强与驻地部队的联系，主动向部队汇报情况，同时要注意爱惜兵力，地方能承担的任务，都要自己承担，不要轻易提出动用部队的要求。

同志们，防汛工作事关大局，防汛责任重于泰山。让我们在省委的领导下，以“三个代表”重要思想为指导，牢固树立和落实科学的发展观，按照构建和谐社会的要求，未雨绸缪，常备不懈，全力以赴，团结拼搏，夺取今年防汛防旱工作的全面胜利，为富民强省、实现“两个率先”作出新的更大的贡献。

吕振霖厅长在全省市县水利局长会议上的讲话

2005年4月3日

在全省县乡河道疏浚现场会之后，接着召开全省市、县水利局长会议。会议的主要任务是，根据全省农村工作会议和全国水利厅局长会议精神，重点研究部署当前工作。

2004年，是全省水利工作继续取得新成绩的一年。重点工程建设投资持续增长，新形势下的农村水利继续保持良好的发展势头，防汛防旱工作积累了新的经验，水利改革取得重要进展，水利管理得到加强，水利法制进一步完善，行风、机关作风和水利队伍建设都取得了新的成绩。刚才，我们对荣获2004年度的先进集体和先进个人进行了表彰。在这里，我代表省厅向获奖的单位和个人表示热烈祝贺！向为江苏水利事业做出贡献的全省水利干部职工表示亲切慰问！

2005年，是“十五”计划的最后一年，做好今年的水利工作至关重要。去年11月召开的全省水利工作会议，已经对今年的水利工作进行了全面部署。全国水利厅局长会议后，我们又根据省委、省政府和水利部的工作部署，印发了省厅《2005年工作要点》，进一步明确了今年全省水利工作以“三个代表”重要思想为指导，认真贯彻科学发展观，紧紧围绕全省“两个率先”的工作大局，按照保障防洪安全、保证水资源供给、保护水生态环境和提高农业综合生产能力的要求，加强南水北调和治淮工程建设，加强区域综合治理，加强城市水利发展，加强农村水利建设，深化水利改革，强化水利管理，全面提升水利服务全省经济社会发展的能力和水平的总体要求，并提出了五个方面的主要任务。

一年之计在于春。今年全省水利改革发展的任务很重，各地各部门都要立足全年，狠抓当前，开拓创新，扎实工作，为全面完成和超额完成水利改革发展的各项任务而不懈努力。下面，我着重就当前工作讲几点意见。

一、加大工作力度，突出抓好重点水利工程建设

加强重点水利工程建设，是当前全省水利工作的一项重要任务。今年的重点工程建设投资计划已经省政府批准，全年重点工程建设任务40亿元，主要项目已经分解到各市，第一批投资计划也已经下达。各地各部门要按照计划分解的建设任务，认真组织，抓紧落实，加快推进。从一季度的情况看，实绩并不理想，仅完成工程投资7.77亿元，占全年目标的19%，与时序进展有不小的差距，需要切实加大工作力度，加快重点工程建设总体实施进度。

一要加快在建项目的实施进度。在今年的项目计划中，有很大部分是上年结转的在建项目。在这些项目中有不少项目或因存在征地拆迁矛盾、或因地方配套资金不到位、或因涉及部门之间工作协调等诸多因素，而影响工程的实施进度。各地各有关部门的主要领导一定要深入工地现场，调查解剖，分析原因，抓紧协调，认真解决影响工程实施进度的实际问题，促进工程项目的加快实施。

二要抓紧新增项目的开工建设。在今年新增项目计划中，有大约13亿元规模的项目已经完成前期工作，具备开工建设的条件。各地和各有关单位必须抓紧按照基本建设程序的要求,组建项目法人,开展招投标工作,落实施工监理单位,尽快进入工程项目的实施阶段。对已经批复初步设计的项目,都要在一个月之内完成项目实施的各项准备工作。小型水库除险加固、海堤险工段的加固治理以及其他防汛急办工程,都要在主汛期前完成建设,确保安全度汛。

三要加强项目的前期工作。在列入今年实施的项目计划中,还有不少项目的前期工作尚未完成,如治淮工程中的骆马湖、中运河堤防加固、利用世行贷款洼地治理项目、部分海堤加固项目以及城市防洪工程项目的前期工作还没有完全到位。抓紧这些项目的前期工作直接关系到整个重点工程建设的总体实施进度。前不久,省厅已经专门召开了全省规划计划工作会议,对重点工程项目的前期工作提出了明确要求,各地和各有关部门一定要加强领导,明确要求,落实责任,保证质量,确保所有工程项目的前期工作按时完成,为今年重点工程建设目标的实现提供前期工作保证。

四要落实好地方配套资金。地方资金配套难、到位迟,导致一些工程未能及时组织验收,这是我省水利基本建设上一个较为突出的问题。这两年,省里已经适当提高了对苏北地区水利项目投资省级补助的比例。但需要指出的是,全省水利工程建设面广量大,只能根据工程的不同性质,实行分级负责,分级筹资,过度依赖国家不利于水利事业的健康发展。各地要按照今年实施的水利重点工程项目,抓紧落实地方配套资金。省厅在下达项目投资计划时,必须同时检查地方配套资金的到位情况,凡是地方配套资金不落实、不到位的,不下达省级投资计划,以保证新建工程的资金保障。

五要规范建设管理。质量、安全和廉洁,是水利重点工程建设的生命线。在水利投资多渠道和市场主体多元化的今天,我们必须切实加强对水利建设市场的监管,严格市场准入和资质许可,规范建设市场秩序,加强工程财务稽查和决算审计,确保做到工程安全、资金安全、干部安全。这里,我还要强调一下关于加强工程竣工验收问题。组织工程竣工验收,是水利工程建设管理的一个重要组成部分,是对工程设计、建设和管理的全面考核。我们要切实转变重工程建设、轻工程验收的思想,把竣工验收工作作为水利工程建设管理的重点环节来抓。省厅已经提出了今年水利工程竣工验收工作计划,并明确今年6月底之前完成入海水道工程竣工验收的一切准备工作,年内完成治太主要工程和淮河灾后重建工程的竣工验收,并抓紧通榆河工程竣工验收的组织工作。各有关市县一方面要抓紧组织对自建工程的竣工验收,另一方面要密切配合省厅有关部门,积极主动地做好全省水利重点骨干工程的竣工验收工作。

二、立足防大汛、抗大灾,严密组织好今年的防汛防旱工作

江苏滨江临海,又处于江淮沂沭泗流域的下游,是一个水旱灾害频发的省份。防汛防旱工作一直是我省水利工作的重点任务。据国家防总的分析预测,今年我省江淮和江南地区遭遇洪水可能性比较大。自然灾害历来具有突发性和难以预测性的特点,我们对可能发生的水患灾害绝不能掉以轻心,麻痹大意。必须立足防大汛、抗大旱、抢大险、救大灾,严格按照责任到位、工作到位、措施到位的要求,扎扎实实做好今年防汛防旱的各项准备工作,确保大江大河、大中型水库、大中城市和交通干线等重要基础设施的防洪安全,确保人民群众生命财产安全。

要认真组织汛前检查。汛前检查是做好防汛抗灾准备的最重要的基础工作,必须严格要求,严密组织。各地不仅要检查流域性重点防汛工程,而且要检查区域性的排灌设施;不仅要检查工程性措施,而且要检查非工程性措施;不仅要检查大江大河等主要行洪河道,而且要检查地区性的一般排涝河沟;不仅要检查行政领导的防汛防旱工作责任制,而且要检查水利技术干部的防汛防旱工作责任制。对汛前检查出来的问题,要认真组织会商,及时提出整改意见,并负责督查整改到位。对检查中出现重大疏漏并导致严重后果的,要从严追究责任。

要层层落实防汛防旱工作责任制。今年,有不少地方党委、政府和水行政主管部门的领导调整,防汛防旱业务部门要及时向他们介绍本行政区域内的水情、汛情特点和水利工程体系的调度运行情况,让他们尽快熟悉防汛防旱工作的主要业务和应急处置方案,真正把防汛防旱工作责任制落到实处。这里要特别指出的是,由于防汛防旱工作有很强的专业性,认真落实好各级水行政主管部门内部的防汛防旱工作责任制至关重要。

要抓紧实施汛前急办工程。对已经审批下达的防汛岁修、水毁修复和险工患段治理等急办工程,要加快组织实施;对汛前检查出来的问题,也要抓紧进行处理,对一时难以处理的,要落实安全度汛措施;要切实加大清障力度,对在行洪河道和湖泊内的违章设施,必须限在汛前拆除;要继续加强水政执法工作,严厉打击长江和沂沭泗等地区河道内非法采砂行为。这里要特别强调的是,一些重要行蓄洪湖泊、河道仍然存在非法圈圩的情况,这种为了局部利益而不顾全局安全和长远利益的行为,是绝不能允许的,相关水行政主管部门必须切实履行职责,坚决制止这种违法行为。

要修订完善应急抢险预案。省、市、县各级都要针对本地可能出现的突发性水患灾害,认真制定应急处置预案,明确指挥体系,备足抢险物资,落实抢险队伍,提高科学抢险、专业抢险的能力。一旦出现重大险情,真正做到预案周密,准备充分,指挥有序,有备无患。需要强调的是,由于体制等方面的原因,城市防洪一直是我们工作中的薄弱环节。在今年的防汛应急预案中,一定要细化城市防洪抢险的工作预案,特别是要解决好连续强降雨情况下,城市涝水外排出路畅通和局部涝水突击抢排能力问题,确保城市安全度汛。

三、创新投入机制,着力推进以提高农业综合生产能力为重点的农村水利四项工程建设

在刚刚结束的农村河道疏浚工作现场会上,省委张连珍副书记和省政府黄莉新副省长对加强农村水利建设提出了明确要求,各地要及时向党委政府汇报,认真贯彻落实。近年来,省厅在认真调查研究和规划论证的基础上,提出全省农村水利要以提高农业综合生产能力、改善农民生产生活条件为重点,着力推进农村河道疏浚、灌区节水改造、圩区综合治理和山丘区水源工程建设等四项重点工程,这是今后一个时期我省农村水利建设的主要任务。当前,各地要在积极抓好今年项目实施的同时,抓紧做好三个方面的工作:一要完善规划。按照科学发展观和构建和谐社会的要求,把农村水利与村镇建设、饮水安全、环境整治、土地复垦等有机结合起来,按照统筹规划、综合治理、突出重点、分期实施的要求,进一步调整和优化农村水利建设规划和具体实施方案,充分发挥水利工程的多重经济社会效益。二要创新机制。农村税费改革取消"两工"政策以后,农村水利建设遇到了许多新的严峻挑战,创新机制成了农村水利发展最紧迫的任务。在这次现场会上介绍的一批典型经验具有重要的指导意义。实践证明,要实现新形势下农村水利的可持续发展,必须建立加大政府投入的政策机制、引导群众投入的利益机制和鼓励社会投入的市场机制,真正实现政府主导、群众参与、社会支持的多元化、多渠道农村水利建设与管理的投入格局。各级水行政主管部门都要积极鼓励和热情支持基层在这一方面的大胆改革和创新,并不断总结经验,完善提高,努力走出一条新形势农村水利可持续发展的新路子。三要长效管理。缺乏管理，是农村水利普遍存在的问题。我们要把加强管理作为农村水利的一项基础工作来抓。对公益性农村水利工程，要通过受益群众负担、合理开发水土资源和地方政府的适当补助等办法，建立起长效管理的投入机制。总之，农村税费改革取消"两工"政策，既是对农村水利的严峻挑战，也给农村水利的发展带来了体制创新、机制创新和工作创新的历史性机遇。我们一定要抓住机遇，通过深化改革，创新发展，努力开创新形势下我省农村水利发展的新局面。

四、深化水利改革，积极创增水利可持续发展的新动力

改革与创新，是实现新时期水利事业可持续发展的根本动力。在今年省厅的工作要点中，已经明确了今年水利改革的六个方面的任务。这里我再突出强调三个重点。

一要突出抓好乡镇水利站的改革。乡镇水利站是水利系统的最基层组织，承担着农村水利建设与管理的繁重任务。我们要抓住新一轮乡镇机构改革的机遇，为加强乡镇水利站建设创造良好的体制和政策条件。最近，水利部领导来我省就乡镇水利站建设问题进行专题调查研究，并形成了乡镇水利站改革的几个基本观点：即必须明确乡镇水利站为社会提供水利规划、建设和管理、抗旱排涝、水资源和水环境保护等公共服务的公益性职能定位；必须明确"条块结合、以条为主"的管理体制；必须明确事企分开、公益性和经营性服务分离的改革方向；必须贯彻"精干、效能"的改革原则；必须落实以财政性资金为主的保障政策。我们要按照这些基本精神，进一步细化改革方案，积极争取改革政策，抓好改革试点。通过改革，进一步提高乡镇水利站服务"三农"的能力和水平。

二是加快水管单位改革的步伐。现行的水利工程管理体制人浮于事、队伍老化、设施落后、经费不足，长此下去难以为继。必须按照分类管理、分别改革的原则，落实水利工程管理的责任主体和养护经费渠道；按照管养分离的原则，建立讲究效率的水利工程市场化养护机制，并在此基础上，发展我省水利工程养护管理市场，运用市场机制，降低工程管理成本，提高工程运行效率，推进我省水利工程管理的现代化建设。目前，省级水管单位的改革要在创建水利工程养护管理市场上进一步深化，市、县水管单位的改革要在管养分离、竞聘上岗、富余人员分流和落实工程管理经费渠道上加快步伐。各地各单位务必要抓住当前事业单位和乡镇机构改革的契机，用足用好各项改革的优惠政策，切实加大改革的推进力度，争取年内基本实现全省水利工程管理单位改革的主要目标。

三要继续深化水利投融资体制改革。因为水资源的自然属性和经济属性，决定了水利工程运行的公益性和经营性的双重功能，这是水利投融资体制改革的重要理论依据。在市场经济越来越发达的今天，我们要在继续抓好公益性水利发展的同时，切实加大经营性水利的开发力度。在我们的实际工作中，要力求把水利工程建设与水资源的开发利用有机结合起来，不断提高水利工程本身的投资收益率；要把经营性水利工程推向市场，按照"谁投资、谁受益"的原则，运用多种形式，采取多种方式，鼓励社会资本进入水利投资领域；要把水权、水商品的理念体现到水资源调配、灌区管理等水资源管理的实际工作中，积极推进供水体制的市场化改革。要通过水利投融资制度改革，加快形成以政府投资为主导、市场化筹资和群众投劳投资相结合的水利投入机制。

五、强化水利管理，努力提高水利服务经济社会发展的水平

新形势下水利管理的领域越来越宽，任务也越来越重。这里我主要强调四个方面的工作。

一是要突出饮水源安全管理。在今年3

月12日中央召开的人口资源环境工作座谈会上，胡锦涛总书记和温家宝总理特别强调，确保饮水安全是当前水利工作的突出任务。最近，国务院常务会议专门通过了《2005—2006年农村饮水安全应急工程规划》。我省水资源虽然比较充沛，但时空分布不均，在水资源比较紧缺的丘陵山区，干旱年份的群众饮水还不能保证；淮北地区和沿海地区还有一部分群众饮用地下的高氟水和苦咸水；在水资源比较充沛的苏南地区，也由于大规模工业化、城市化过程中的水源污染，保证饮水安全的压力越来越大，局部地区群众饮水安全问题已经成为社会关注的热点。我们必须从维护人民群众健康生命的高度，从饮用水水源保证、水质保障、应急工程等方面，切实抓好全社会饮水源的安全治理。首先，要全面开展全省饮水源分布情况调查，建立全省饮用水源地档案资料，并作为水功能区划管理的重点目标，切实加强保护管理；其次，要按照水利部、卫生部联合颁布的农村饮水安全评估标准，认真组织农村饮水源水质状况检测，具体分析影响水源水质的成因，提出评估意见，在此基础上，制定全省农村饮水源安全规划，积极争取国家项目计划；再次，按照规划方案，在国家和地方政府的支持下，积极开展农村饮水安全治理，限期实现农村饮水安全达标。

二是全面加强地下水管理。今年是贯彻省人大常委会《关于对苏锡常地区地下水全面禁采决定》的最后一年。对照全面禁采目标，今年还要继续封填271眼深水井。虽然封填深井的数量不多，但实施的难度仍然不小，而且实现全面禁采目标后的社会监督管理工作也很艰巨。苏锡常有关市、县水行政主管部门要继续加大这项工作的组织力度，再接再厉，坚持不懈，确保全面完成省人大常委会在《决定》中所确定的工作目标，并抓紧完善日常地下水监督管理机制，巩固禁采工作成果，从根本上完成对苏锡常地区因地下水超采而引发的地质灾害的治理。苏中、苏北地区要按照省政府批准的新的地下水超采区划的成果，加强地下水管理，制定超采区五年压缩计划，加强总量控制，切实管好地下水资源。

三是大力推进节水型社会建设。在我们江苏，推进节水型社会建设，不仅是为了节约水资源，更重要的是解决水污染问题的治本措施。今年，我们要认真完成《江苏省节水型社会建设纲要》的编制，积极推进徐州市和张家港市节水型社会建设试点，鼓励企业节水技术改造，支持农业节水设施建设，促进全社会节水器具的推广运用。去年，省政府已经出台了全省水资源费调价政策，省厅与财政厅的具体征收管理办法也即将出台，这是促进全省节水型社会建设的重要经济政策，事关全省水利事业发展的大局。全省系统上下都要高度重视，主要领导亲自抓，专门班子具体抓，配合有关部门主动抓，确保这项政策全面落实到位。省厅将把水资源费调价文件的执行、征收到位率的提高以及水资源费的使用管理工作列为年度工作考核的重要目标。

四是继续加强水利规划工作。今年水利规划工作任务繁重，既要全面完成“十一五”水利发展规划的编制，又要完成水资源综合规划的主要成果，还要完成全省湖泊保护规划的主要工作。各地和机关各处室、厅直各单位都要把水利规划工作作为一件大事来抓。要提高规划工作质量。水利规划工作一定要认真贯彻科学发展观的新思想，充分体现人水和谐的治水新理念，积极适应地方经济社会发展的新要求，及时提出新时期水利工作的新任务。要尊重经济社会发展规律和水的自然规律，使规划更好地为改革水利、创新水利、发展水利服务。要稳定水利规划队伍。使水利规划工作有人抓、有人管，加强对水利规划人员的培训，提高水利规划人员素质，加强对水利规划的管理，充分发挥规划对水利建设管理的指导作用。要保证水利规划工作经费。省、市、县三级都要建立水利规划工作专项经费。根据去年8月20日省人大常委会第十一次会议通过的《江苏省湖泊保护条例》的规定，在明年3月1日前完成所辖湖泊保护规划的编制。这项工作面广量大，时间紧迫，需要一定的工作经费，各有关市、县水利部门一定要认真落实，既要配合省厅有关部门编制好省管湖泊的保护规划，又要编制好各自保护范围内的湖泊保护规划，确保如期完成全省湖泊规划的编制任务。要根据本地区本部门经济社会发展长远规划，切实做好"十一五"水利发展规划编制工作，同时认真编制区域治理规划，为"十一五"水利事业更好更快地发展提供科学依据。

六、以先进性教育为抓手，不断加强水利队伍建设

按照中央和省委的统一部署，全省水利系统正在开展保持共产党员先进性教育活动。目前，先进性教育活动已进入分析评议的关键阶段。各级水利部门都要以先进性教育活动为契机，进一步加强水利干部职工队伍建设，不断提升水利行业的良好社会形象。

一要把先进性教育与加强水利队伍建设结合起来。按照建设一支学习型、实干型、奉献型水利队伍的要求，重点抓好管理型、专家型、技能型三支人才队伍建设。要通过推行公推公选、交流轮岗等干部人事制度改革，进一步营造全系统崇尚学习钻研、崇尚求真务实、崇尚开拓创新的良好氛围。要继续深化用人制度改革，全面推行事业单位招聘工作人员考试制，进一步完善人事代理制，开展好事业单位全员聘用试点工作。

二要把先进性教育与加强水利行风建设结合起来。进一步提高水行政主管部门依法行政水平，规范水行政管理行为。按照合法行政、合理行政、程序正当、高效便民、诚实守信、权责统一的要求，切实履行水法律法规所赋予的职能。既要坚决防止越位错位乱作为，又要坚决纠正缺位不到位的不作为。要继续深入贯彻《行政许可法》，推进行政审批制度改革，加强行政审批服务中心的窗口建设，努力提高水利行政机关的服务质量和水平。

三要把先进性教育与加强机关作风建设结合起来。通过组织党员分析评议，开展好党内批评与自我批评，自觉查找党员在思想作风和工作作风方面存在的突出问题，为促进机关作风建设发挥表率作用；通过开展"三走进、三服务"活动，进一步密切水行政主管部门与基层和人民群众的联系，更加牢固确立水利为人民群众办事、对人民群众负责、受人民群众监督、使人民群众满意的工作标准。

四要把先进性教育与加强党风廉政建设结合起来。这几年，我省水利事业发展加快，党风廉政建设也一直保持良好的局面，赢得了基层群众和社会各界的充分肯定。但是，随着水利投融资体制改革和水利建设市场的进一步开放，多种经济成分和市场主体加快进入水利领域，使水利行业的党风廉政建设面临更加严峻的挑战。全省水利系统都要把确保"三个安全"，作为开展先进性教育的重要内容，进一步落实党风廉政建设责任制。针对当前水利建设市场的新变化，省厅对全省水利系统的机关党员干部重申以下要求：不经批准不得以任何形式兼任企业的任何职务（包括名义职务）；不得以任何方式插手水利工程的招投标活动；不得在申报或者审核企业资质问题上弄虚作假；不得以自己或直系亲属的名义在本行政区域内水利企业投资参股；不得以任何方式向所辖工程推销产品和劳务。

七、切实加强领导，不断增强新形势下驾驭水利发展的组织领导能力

2004年，我省的人均GDP已经达到2500美元，按照国际经济社会发展的普遍规律，这标志着我省经济社会已经进入到一个加快发展的新的历史阶段。而在这个历史阶段中，由于大规模工业化、城市化发展所带来的各种水问题，对我们水利事业的发展既是挑战，更是机遇。今天水利的事业发展正处在治水理念、治水思路、治水手段和治水机制创新和改革的关键阶段。作为各级水行政主管部门的领导，必须带着发展中的新问题，更加系统地学习水利，更加深入地研究水利，更加积极地创新水利，努力增强新形势下驾驭水利发展全局的领导能力。

要更加系统地学习水利。就是要认真学习发达国家科学先进的治水理念和治水思路，认真学习国内外成功的治水实践和经验，认真学习世界上先进的治水技术和治水手段，始终做到解放思想，拓宽思路，与时俱进，改革创新，加快推进治水思路从传统水利向现代水利的转变。

要更加深入地研究水利。就是要以科学发展观为指导，以服务“两个率先”、构建人水和谐社会为目标，针对我省经济社会发展的新形势和新任务，切实加强对江苏水利发展全局性、战略性问题的研究。就当前而言，我们不仅要抓紧研究新形势下流域性水利治理战略的新变化，而且要抓紧研究在大规模工业化、城市化条件下区域性水利发展的新要求；不仅要抓紧研究市场经济条件下水利管理的体制和机制问题，而且要抓紧研究农村税费改革后水利事业可持续发展的政策问题；不仅要抓紧研究现代技术条件下治水的工程手段的不断创新，而且要抓紧研究市场经济条件下治水的经济手段和法律手段的不断创新，从而使我们更好地认识新时期的水利工作规律，更好地把握水利事业发展的主动权。

要更加积极地创新水利。就是要围绕新时期的水利工作更好地适应经济社会发展的新要求，丰富水利工作内涵，创新水利发展机制，在着力提高水利保障和服务经济社会发展能力的基础上，不断增强水利事业可持续发展的活力。

同志们，实现今年全省水利改革发展的任务艰巨，责任重大。希望全省水利系统的广大干部职工在各级党委、政府的领导下，以“三个代表”重要思想为指导，认真贯彻科学发展观，紧紧围绕“两个率先”的工作大局，解放思想，振奋精神，改革创新，扎实工作，以水利改革发展的一流成绩，为构建和谐社会、实现江苏经济社会全面协调可持续发展作出新的贡献！

政策法规

水利法律、法规

2005年全省水利立法工作紧紧围绕水利改革与发展的中心任务，强化水资源管理、水利工程管理，推进依法行政，促进水行政管理职能转变，取得了新突破。一是起草了《江苏省人民代表大会常务委员会关于加强饮用水源地保护的决定》，着重保护全省集中供生活饮用取水的水源地。该送审稿经厅长办公会审议上报省政府后，又会同省人大农委、省政府法制办进行了多次修改。二是制定了《江苏省淮河入海水道工程管理办法》，界定了淮河入海水道的管理范围、管理体制、工程运行管理、维修及更新改造费用、淮河入海水道工程水土资源控制利用以及管理事权的划分，对于充分发挥淮河入海水道工程的防洪减灾效益具有重要意义。三是制定了《江苏省水利厅全面推进依法行政的实施意见》，明确了今后十年全省水利系统依法行政的指导思想、奋斗目标和基本原则，从建立科学民主的水行政决策机制，转变政府职能，改进水利行政立法工作，规范水行政执法行为，完善水行政监督制度和机制，提高水行政主管部门工作人员依法行政的能力等方面提出具体的任务和实施措施。四是制定了《江苏省水利厅立法起草咨询与实施评估制度》，对于规范全省水利立法工作，扩大立法公众参与程度，评估立法项目实施情况，提高水法规、规范性文件起草质量和检验实施效果具有指导意义。

水利政策研究

水利政策研究工作体现针对性、系统性和前瞻性，取得了新成果。一是开展了水利发展“十一五”规划部分项目的研究。完成了《政府对水利社会管理与公共服务职能》和《江苏省“十一五”水利法制建设规划》两个专题的研究，提出了“十一五”期间水利部门社会管理与公共服务和水利法制建设的目标、任务和要求。二是开展了乡镇水利站改革的调研工作。走访了省农林厅、省税改办、省编办等单位，借鉴乡镇农口单位改革的先进经验，同时赴省乡镇机构改革的三个试点地区常熟、启东、新沂以及泰州、铜山等水利站开展重点调研活动，了解试点单位的总体情况，听取基层水利站人员对改革的意见和建议。起草了《关于加强和改革水利站建设的意见(代拟稿)》，着重对乡镇水利站管理体制、公益性职能界定、经营性资产处置、水费管理、人员编制等问题进行了规定。三是完成了水利部政策法规司委托的《节约用水管理条例》的调研、起草工作；完成了水利部太湖局委托的《太湖流域水事纠纷预警机制和应急预案》研究的中间成果。

行政审批制度改革

省水利厅把贯彻实施《行政许可法》的工作重点放在总结提高上，在简政放权、完善制度、加强监管方面下功夫，保证《行政许可法》更好地贯彻实施。一是继续健全实施行政许可的配套制度。为了规范水利行政许可听证行为，保护公民、法人和其他组织的合法权益，省水利厅起草了《江苏省水利厅行政许可听证程序规定》，明确了水利行政许可听证的范围、厅机关有关处室的职责、主持人的权力与责任、申请人和利害关系人的权利与义务、听证会的具体程序，保证行政许可实施的公平、公正。二是研究简化实施行政许可的程序。初步提出了省管河道管理范围内建设项目和活动行政许可分级管理的权限，省水利厅重点对大、中型建设项目、水利部流域管理机构委托省水利厅审批的建设项目和从事重要活动的审批，其他可以由市水行政主管部门进行审批，报省水利厅备案。三是进一步完善了实施行政许可的公示制度。完成了省水利厅第四批行政许可事项和第三批、第四批行政许可事项申请书格式文本的公示，至此由省水利厅负责实施的28项行政许可事项及申请书格式文本全部对社会进行了公示。同时根据水利部24、25号令，对开发建设项目水土保持方案等五项行政许可项目公示的内容进行了修订。四是加强对全省水利系统贯彻实施《行政许可法》的监督检查。重点对镇、常、苏、淮、宿五市进行了抽查，并召开座谈会听取行政许可相对人的意见，在此基础上对检查中的有关问题进行了指导，对于规范水利行政许可行为，促进依法行政，深化审批制度改革起到了良好的作用。

水法规宣传教育

省水利厅紧紧围绕"生命之水"、"保障饮水安全，维护生命健康"和"弘扬宪法精神，构建和谐社会"等宣传主题，充分运用了多种宣传手段，采取丰富多样的宣传形式，组织开展了一系列多层次、全方位的宣传活动，进一步提高了全社会对保障饮水安全，维护生命健康重要性的认识，达到了增强全社会法制意识的预期目的。同时，为了全面考核全省水利系统"四五"普法的实施情况，检验法制宣传教育工作的成效，省水利厅制定了《江苏省水利厅"四五"普法实施情况考核验收办法》，明确考核指标、考核内容和考核标准，并对各地"四五"普法考核工作进行了相互考核验收。全省水利系统紧紧围绕"两个转变"、"两个提高"的工作目标，紧密结合水利改革与发展的实际，大力开展法制宣传教育，全面推进依法行政、依法治水的进程。通过"四五"普法宣传教育，各级领导干部及机关工作人员的法律素质明显提高，广大水利干部职工学法、用法的自觉性不断增强，全省水事秩序有了明显好转，依法行政和依法管水的能力和水平都上了一个新台阶。

执法检查

为了保证法律、法规顺利贯彻实施，省水利厅先后配合省人大农委、省人大常委会对《水土保持法》、《江苏省实施〈中华人民共和国水土保持法〉办法》和《江苏省人民代表大会常委会关于在苏锡常地区限期禁止开采地下水的决定》的贯彻执行情况进行了检查。省人大通过对开发建设项目水土保持方案的编报审批、建设项目水土保持设施"三同时(同时设计、同时施工、同时竣工验收)"制度的执行情况、水土保持规费的征收情况、苏锡常地下水禁采封井工作、区域供水建设等进行检查，增强了全社会重视水土保持工作的意识，对于加快水土流失的治理，推进生态省建设起到了积极促进作用；检查组认为，苏锡常地下水禁采封井工作全面完成，是近年来我省多部法规落实和执行得最好的一部。

（洪国增　武慧明）

水利建设

淮河治理工程

【沂沭泗河洪水东调南下工程】 20年一遇工程至2005年底，累计安排投资计划121993万元，其中：中央拨款47228万元，以工代赈10625万元，水利建设基金17551万元，中央债券8040万元，地方债券3500万元，省级配套23348万元，市县配套11701万元。本年未下达计划。至2004年底，累计完成投资127962万元，完成土方5427万立方米，石方60.94万立方米，混凝土18.97万立方米。本年无工程形象进度。

20年一遇工程：至2005年底，总沭河、沂河、新沂河、新沭河、邳苍分洪道工程均已完成并通过竣工验收。

1. 中运河工程：该工程包括省界至大王庙（上段工程）及大王庙至二湾（下段工程），工程总投资为39578万元。自1994年开工建设以来，上段工程中除310公路桥处约212米长河段拓浚因涉及桥梁安全尚未达到设计断面和下段工程中沿线影响建筑物旧河头西站加固因涉及邳州市城区规划调整，排涝站建设规模需调整尚未实施外，其余所有工程均已完成，下段工程已完成工程档案专项验收和竣工财务决算审计，工程竣工验收报告已编制，2004年5月，进行了大王庙至二湾（下段工程）的竣工初步验收。

2. 南四湖湖西大堤及支河加固工程：该工程批复投资23758.8万元（含郑集河3202万元）。自1996年开工以来，蔺家坝至小四段29公里长堤防加固工程已完成。小四段至姚楼河段批复我省实施28.85公里长堤防加固工程，由于该段堤防涉及苏鲁两省插花地众多，除小四段至鹿口河长6.23公里堤段工程尚未开工，以及大沙河至杨屯河之间个别堤段工程约1公里尚未完成外，其余堤段工程已完成。

50年一遇工程：2005年，安排投资计划6460万元，其中中央投资1200万元，省级配套5000万元，市县配套260万元。本年完成投资5497万元，完成土方26.0万立方米，石方0.02万立方米，混凝土0.72万立方米。

新沂河海口枢纽扩建工程：是新沂河整治工程中主要项目之一，位于连云港市灌云县燕尾港镇以南约3公里。原海口枢纽工程建有3滩2泓5座建筑物（南深泓闸、北深泓闸、南浅滩橡胶坝、中浅滩橡胶坝、北浅滩橡胶坝），本次扩建工程主要建设内容：在中浅滩预留位置上挖中深泓，建中深泓闸，同时疏浚南、北深泓闸上游引河，封堵南、北浅滩橡胶坝。设计防洪标准为50年一遇，排洪流量7800立方米每秒。中深泓闸为18孔，每孔净宽10米，2孔一联沉井基础，闸室段共9座沉井，下游南北侧翼墙各3座沉井基础。南、中、北泓道底高程为−2.0米，坡比1∶4，底宽分别为120米、180米和100米。本年主要工作为施工单位进场，实施临建设施的同时，完成15座沉井第一节混凝土浇筑以及部分上游护坦混凝土浇筑和南深泓闸上游引河疏浚等。

宿迁柴沂挡洪闸工程：工程位于沭阳县境内，挡洪闸共3孔，中孔为通航孔，净宽8米，边孔净宽为6米，共净宽20米，设计流量164.7立方米每秒，校核流量205立方米每秒。本年主要工作为拆除老桥、实施临建设施、完成工程部分征地拆迁以及闸塘土方开挖和闸体底部混凝土浇筑等。

【奎濉河治理工程】 该工程是《国务院关于进一步治理淮河和太湖的决定》中确定的治淮十九项骨干工程之一。奎濉河是淮河下游北部跨苏、皖两省的排水河道，长期以来，由于缺乏导流治理，该河上游地区水土流失不断加重，中下游河道淤塞，水利设施年久失修，堤防残缺不全，骨干排水河道的排涝、防洪标准明显偏低，河水水质污染严重，影响沿河人民生命和财产安全，制约当地国民经济的发展和人民生活水平的提高。近期治理工程范围为：干流自江苏徐州袁桥闸起，经安徽至江苏宿迁泗洪县七里沟新汴河口，包括奎河、濉河、拖尾河和老汪湖滞洪区。工程等别为三等，干流堤防及其建筑物为3级，支流及其建筑物为4级。干、支流防洪标准均按20年一遇洪水设计，除涝标准干流达到3年一遇，跨省支流按5年一遇设计。至2005年底，累计下达计划投资18903万元。其中中央投资11032万元，省级配套4050万元，市县配套3821万元。至2005年底，累计完成投资16683万元，完成土方329万立方米，石方7.15万立方米，混凝土0.99万立方米。本年完成投资6932万元，土方74万立方米，石方0.01万立方米，混凝土0.13万立方米。我省1999年度治理工程为兴建袁桥东站工程，投资2230万元，除管理用房需结合城市规划建设尚未实施外，其余工程均已完成。2001年度治理工程包括徐州市境内袁桥闸至窑庄闸长4.28公里河道工程，工程投资1361万元。宿迁市境内泗洪县濉河沿线五里、马公、大屈、韩沟、陆沟、王沟6座涵闸加固，工程投资520万元。工程已全部完成。2002年度治理工程包括徐州市境内奎河窑庄闸至杨山头闸7.38公里河道工程，工程投资2870万元，宿迁市境内泗洪县濉河七里沟至新汴河口段6.5公里河道工程，工程投资2720万元，至2005年底，工程已全部完成。

根据水利部淮河水利委员会转发的《关于奎濉河近期治理工程总体初步设计报告的批复》（淮委规计[2005]470号），我省境内奎濉河近期治理工程总投资为21615万元。前期已安排工程项目投资为9701万元，2005年度再安排工程项目投资为11914万元，其中徐州市境内工程项目投资为7496万元，宿迁市境内工程项目投资为4418万元。徐州市境内主要建设内容：奎流干流杨山头闸至省界（桩号11＋700～22＋025）长10.325公里；支河为阎河省界以上0.5公里，清溪河省界以上3.3公里，看溪河省界以上3.7公里，新运料河省界以上3.3公里，申家沟省界以上0.53公里。干河拆除重建拦河闸1座。桥梁3座；支河拆建拦河闸5座，新建支河桥梁3座；在徐州市区因洪致涝地区新建袁桥南一站和袁桥南二站。本年度主要项目进度为征地拆迁补偿基本完成，实施干河扩挖土方以及老黄桥闸、东石桥拆除等。宿迁市境内主要建设内容：濉河小韩庄至七里沟段10.6公里河道清淤开挖，两侧堤防加固；青阳西船闸加固改造，溧西圩区泵站改建（包括桂湾站改造及排涝洞和灌溉洞拆建，桂湾引排涵拆建，宏伟站及引排涵拆建，新建大陈庄站及引排涵）；新汴河口遗留土方清障，溧河洼航道清障。本年度主要项目进度为征地拆迁补偿基本完成，干河清淤土方开工等。

【总沭河王庄闸二期工程】 王庄闸是总沭河上梯级控制工程，鉴于该闸于2000年汛期水毁严重，为保证闸体安全运用，加固工程分两期实施，一期工程已于2001年汛前完成。二期工程投资705万元，主要建设内容包括橡胶坝360米及配套工程等，至2005年底工程已全部完成。

【邳苍郯新地区西加河治理工程】 根据水利部《关于邳苍郯新地区水利规划报告的批复》（水规计[1997]343号文），淮河水利委员会以淮委规计[2002]460号下达了《关于邳苍郯新地区西加河治理工程初步设计的批复》，工程投资4480万元。工程内容包括① 河道工程：左堤（桩号0＋000～17＋660）长17.66公里，右堤（桩号0＋000～15＋000）长15公里，共计32.66公里。堤身加固工程按20年一遇防洪标准实施，堤防级别为4级，堤身边坡迎水坡1∶3，背水坡1∶2，堤顶宽4米。② 沿线建筑物：重建石羊桥、季林桥、桥南桥和东桥头桥等4座；加固马店闸桥、地涵桥和半步丫闸桥等3座；拆除重建宋庄引水涵洞、半步机排涵洞、黄庄引水涵洞、沙庄引涵洞、红旗引水涵洞和红旗机排涵洞等6座；加固半步引水涵洞、小良壁引水涵洞和西马店引水涵洞等3座；拆除废弃黄庄站排水涵、沙庄站排水涵和东岔河站排水涵等3座；增容改造半步排涝站，维修改造红旗排涝站。工程分两期实施，至2005年底，一期工程，包括8.3公里河道土方工程（左堤0＋000～5＋750、右堤0＋000～2＋550）、改造桥梁4座、加固闸桥3座、拆建涵洞6座、加固涵洞3座、增容维修改造排涝站2座等。二期工程，包括实施24.36公里河道堤防工程和堤顶防汛道路等。已全部完成。

【湖洼及支流治理工程】 2005年下达计划投资8975万元，其中中央拨款1940万元，中央债券1300万元，省级配套1766万元，市县配套3969万元。2005年完成投资5071万元（包括上年结转投资），完成土方50万立方米，石方0.48万立方米，混凝土1.21万立方米。

泰州市境内：稻河整治工程、两泰官河沿线洼地治理工程已完成，兴化城区洼地挡排工程和盐靖河南段六圩港整治工程已开工。

宿迁市境内：洪泽湖周边地区湖洼治理工程，投资3064万元，已完成西民便河闸和河道疏浚工程，基本完成沿湖周边通湖河道挡洪闸工程、新建溧东大堤块石护坡工程、老汴河口疏浚工程以及大柳巷船闸除险加固工程等。嘉陵江河整治工程和濉汴河整治工程已开工。

淮安市境内：高宝湖、洪泽湖周边地区湖洼治理工程投资5454万元。河道及堤防工程、建筑物工程以及管理设施工程已基本完成。

扬州市境内：高宝湖周边地区湖洼治理工程，投资6169万元。河道及堤防工程、建筑物工程以及管理设施工程已基本完成。另外宝应湖大堤加固及宝曹河疏浚整治工程。建设内容包括大堤加固2公里、配套建筑物7座，河道疏浚整治11.5公里，配套建筑物15座，目前工程已完成并通过了完工验收。

盐城市境内：新洋港特庸段拓浚河道工程，投资11449.45万元。目前拓浚工程已完成，并通过竣工验收。建湖县东塘河整治工程，主要建设内容为对东塘河堤防进行复堤加固，拆除重建圩口闸10座、排涝泵站6座，新建排涝泵站3座，工程投资600万元，目前工程已完成。射阳利民河地区东移排区治理工程，正在做开工前准备工作。

南通市境内：海安圩区治理工程，拼茶运河整治工程、里下河圩口改造工程已完成。海安县串场河疏浚整治工程，主要建设内容为串场河新通扬运河口以北8公里河段的疏浚，新建圩口闸8座，排涝站2座，目前已开工。

徐州境内：丰县苏北堤河应急治理二期工程，工程投资104万元，建设内容包括新建杨楼排灌站及改建肖埝排灌站，目前工程已完成。新沂新墨河治理工程，工程投资4192万元，已完成张墩、房庄节制闸、张庄桥、瓦窑桥的拆除及沿线5座穿堤涵洞的基础开挖封底等。新沂时集低洼除涝工程，正在做开工前准备工作。

（陈志明）

淮河灾后重建工程

淮河灾后重建工程包括水毁修复工程和移民迁建工程两部分。至2004年累计下达投资计划130361万元，其中中央投资拨款21725万元，中央国债49375万元，省级配套44472万元，市县配套14789万元。水毁修复工程主要包括淮河入海水道完善工程、洪泽湖大堤加固工程、入江水道加固工程、分淮入沂加固工程、洪泽湖周边迎湖挡洪堤加固工程、洪泽湖周边移民安置保庄圩工程、鲍集圩行洪区安全建设工程、鲍集圩行洪区及淮河“三滩”移民安置保庄圩工程、苏北灌溉总渠除险加固工程、淮西洼地治理工程、里下河洼地治理工程,共11项。移民迁建工程主要包括洪泽湖周边滞洪区移民迁建及鲍集圩行洪区移民迁建两大部分。

分淮入沂加固工程主要建设内容:二河东堤复堤及防渗14.6公里,淮沭河东西两岸防渗处理11.5公里,六塘河回水段复堤5公里;病险涵闸加固13座(包括淮阴闸和柴米闸,二河段泰山洼电排站、顺和洞加固、和平北站加固、武墩电灌站加固,淮沭河段新北闸拆建,六塘河回水段淮泗闸、石渡、徐渡、刘湾、小刘河、油坊圩等6座建筑物拆除重建)。

洪泽湖大堤加固工程主要建设内容:堤基防渗处理3公里,堤身防渗处理10公里,菱角塘段堤防堤后填塘固基、增做后戗台;重建蒋坝水位站,新建老三河退水涵洞,拆除重建洪金洞,周桥洞及高良涧水电站加固,拆除重建头堡、三堡、四堡、八堡电灌站,加固接长头堡涵洞洞身等。

入江水道加固工程主要建设内容:三河南堤及北堤、改道段东堤及西堤、淮南圩堤防渗处理共10.7公里,块石护坡10公里,复堤1.4公里,填塘固基1.1公里。新建、拆建建筑物12座。大汕子隔堤填筑防浪平台1公里,新建浆砌块石护坡1.9公里,干砌块石翻砌为浆砌块石护坡4.57公里及浆砌块石挡浪墙局部翻修,堤防锥探灌浆长4.7公里。入江水道东堤(里运河西堤)堤防复堤、加固29.2公里,干砌块石翻砌为浆砌块石护坡19.3公里。湖西大堤堤防防渗处理3公里,复堤加固5公里,新建挡浪墙0.6公里,新建、加固建筑物44座。归江河道抛石护岸0.75公里,拆建、加固建筑物10座。新民滩控制建筑物3座。金湾闸加固工程等。

洪泽湖周边移民安置保庄圩工程主要建设内容:建设临淮、五西、黄圩、韩桥、小南庄、黄场、老子山等7处保庄圩,排涝泵站7座。

洪泽湖周边迎湖挡洪堤加固工程主要建设内容:对仁和圩、周伏圩、袁庄圩共8.84公里沿湖挡洪堤加固,对临淮北圩、黄码圩、金大圩、武小圩、东大圩、孙庄圩、勒东圩、袁庄圩及部分挡洪堤段共20.75公里挡洪堤进行护坡加固等。

苏北灌溉总渠除险加固工程主要建设内容:总渠南堤阜宁腰闸段堤防除险加固,总渠南堤背水坡防渗处理,阜宁腰闸及船闸加固等。

鲍集圩行洪区安全建设工程主要建设内容:淮河北堤黄岗段3公里复堤及防渗,填塘固基1.3公里;淮河北堤块石护坡16.8公里,拆除重建穿堤涵闸站9座等。

鲍集圩行洪区及淮河“三滩”移民安置保庄圩工程主要建设内容:新建小滩保庄圩堤防4.4公里,新建排涝闸站结合1座。新建马嘴保庄圩堤防5公里,新建排涝闸站结合1座。新建杨嘴保庄圩堤防4.46公里,新建排涝闸站结合1座。重建洪花路混凝土路面17.5公里,拆除重建沿线团结河万塘、召五桥2座、路涵13座等。

淮西洼地治理工程主要建设内容:拆除重建大涧河闸、夏东自排闸、跃进河调度闸等3座,沭刘路路西沟闸等7座小型涵闸,加固维修刘柴河南闸、刘柴河北闸等2座,朱河头闸等5座小型涵闸等。

里下河洼地治理工程主要建设内容:里下河湖荡第一批滞涝圩进退水设施工程包括进退水闸204座、滚水坝416座。328国道病险涵闸拆除重建3座、加固4座。四港沿岸病险涵闸除险加固包括新建涵闸19座、拆除重建74座、加固3座。拆除重建里下河腹部骨干河道穿堤涵闸78座。新建沧浪河东闸站和阜宁川里河闸站等。

淮河入海水道完善工程主要建设内容:砂

土段堤防防护工程包括砂土堤坡护砌113公里、泓道坡护砌32公里。南、北泓水位调节工程包括北泓沟通工程长1.1公里，新建北泓漫水闸，新建隔堤滚水坝2座。渠北排涝工程包括新建清安河、楚州城区和单港排涝泵站共3座。以及滩地生产恢复工程等。

移民迁建工程主要内容：迁建安置群众15118户，51543人，其中洪泽湖周边滞洪区9726户，35415人，鲍集圩行洪区5392户，16128人。洪泽湖周边滞洪区涉及淮安、宿迁两市，其中淮安市3012户，10989人，宿迁市6714户，24426人。

至2005年底，共计完成投资130361万元（其中水毁修复工程104660万元，移民迁建工程25701万元），累计完成土方998万立方米，石方61万立方米，混凝土19万立方米。工程总体主要形象进度：水毁修复工程中除韩桥、小滩两个保庄圩工程尚有尾工外，其余工程已完成；移民迁建工程基本完成，已完成移民建房14533户，尚有518户移民房在建。

（陈志明）

淮河入海水道工程

【概述】 2005年，是淮河入海水道工程与时俱进、开拓创新和继续取得明显成效的一年。厅党组对淮河入海水道工程高度重视，厅领导参与了淮河入海水道工程一系列重要活动。省淮河入海水道工程建设管理局按照厅党组的总体部署和要求，结合淮河入海水道工程实际，对河道堤防、枢纽控制、沿线桥梁、渠北排灌、穿堤建筑物、水文、通讯、管理设施等一系列工程原列项目和新增项目，进行了卓有成效的工作，完成了年度计划，实现了预期目标。结合前些年实绩，省淮河入海水道工程建设管理局荣获“省五一劳动奖状”先进集体。

【河道堤防】 淮河入海水道河道堤防长达163.5公里，进入巩固提高阶段。2005年，完成滨海枢纽上游段约3公里防汛道路；完成5.82公里总渠退堤段护砌；完成全线22条71.65公里乡村上堤防汛道路；完成运西段新增9.26公里防渗加固处理工程。上述工程，均已通过竣工初验。

【枢纽控制】 淮河入海水道有二河、淮安、滨海、海口4个枢纽和1个淮阜控制工程，2005年，在完成滨海枢纽、海口枢纽竣工验收的基础上，又完成了淮阜控制全部尾工，并通过竣工初验及竣工验收。

【沿线桥梁】 淮河入海水道沿线与宁淮、宁连、淮扬、淮阜、阜宁、204国道和黄海等7条公路相交，需相应赔建7座公路桥。宁淮、宁连、淮扬、204国道和黄海等5座公路桥均已竣工验收，投入使用。2005年，完成淮阜漫水桥、阜宁（羊莆）公路桥尾工建设，通过单项工程竣工验收。

【穿堤涵闸】 淮河入海水道沿线共有穿堤建筑物29座，其中引水地涵5座，排水涵闸21座，排涝泵站3座。2005年完成全部尾工，已通过竣工初验。

【水文设施】 催请淮委完成设计变更的批复，完成人工水尺项目和淮安水情分中心建设，完成水质仪器、测量仪器和水文常规仪器购置，完成土建工程。

【通讯设施】 完成淮委调度中心、光纤电路租用、省水利厅交换机升级改造、通信和网络分项工程、检测车购置、滨海枢纽机房建设、决策支持系统应用软件。实施完成防汛调度运行仿真系统应用软件、省管理处设备采购及安装分项工程、省管理处机房建设分项工程。淮河下游洪水调度系统、集中监测系统（含水文遥测）正在按批复意见组织实施。通讯管理设施单项工程已基本完成工程扫尾，通过单位工程完工验收。

【管理设施】 完成调度中心和接待中心

主体土建工程并通过分部质量验收;完成钢结构、大门及室外装饰装修工程;完成展控接待室展陈设施初步设计并上报淮委;完成省管理处交通工具配置调整方案及招标采购。清浦段管理设施,按省厅协调意见完成改建。楚州段管理设施,完成管理所一期和现场管理段房、站房的施工;完成阜宁段及滨海段管理设施。

【渠北排灌】 渠北地区总面积1710平方公里,耕地150万亩,分属淮安市清浦区、楚州区,盐城市阜宁、滨海两县,共39个乡镇,130多万人口。淮河入海水道开辟后,面广量大的排灌水系需调整,涵闸桥站需赔建。沿线共建设生产桥155座,涵闸及地龙187座,临时机口6座,排涝标准由3年一遇提高到5年一遇,较好地改善了渠北地区的排灌条件。2005年汛期,渠北地区连续阴雨,涝水及时排出。楚州区干群反映说:"像这几天的雨量(近300毫米)如果放在入海水道开挖前,楚州城区有些地方早就成河了,现在平安无事,无人报灾。"淮安市、盐城市、省农垦实施的渠北排灌工程,2005年都通过了各自的竣工初验。

【征地拆迁】 完成了遗留问题及剩余资金的处理。完成市级验收,省级汇总及抽查验收工作。配合水利部完成部级复核验收工作。继续协调处理征地拆迁中的有关矛盾,维护地方社会稳定。

【确权划界】 完成全线163.5公里,8.3万亩工程用地的确权划界,并向管理单位发放了工程用地证书。在竣工验收前就完成8万多亩工程用地的确权划界、土地证发放,这在江苏水利史上还是首次。

【完善工程】 入海水道完善工程共有41个单位工程。由海口枢纽、淮阜控制、淮安渠北排灌建设处及淮安、盐城项目部组织实施的40个单位工程,全部通过单位工程投入使用验收。还有一个单港站,盐城渠北排灌建设处组织实施,也进入尾声。

【竣工决算】 入海水道建设内容繁多,工程结算、决算编制、竣工审计等工作量大面广。根据水利部淮委及省水利厅关于审计工作协调意见:淮河入海水道征地拆迁、渠北排灌单项工程竣工决算,由淮安、盐城两市政府及省农垦集团负责审计;水文通信管理设施、灾后完善工程,单项工程竣工决算由省水利厅负责审计;其他单项工程竣工决算由淮委负责审计。

省建管局及各建设单位倒排计划,统筹安排,加强协调,抓紧抓好竣工决算编制工作。完成征地拆迁、淮阜控制、羊莆大桥、淮阜公路桥等工程竣工决算编制及审计工作;基本完成河道堤防、穿堤建筑物、水文通信管理设施、渠北排灌工程结算、竣工决算编制及审计工作。灾后完善工程进入尾工建设和合同结算工作。根据淮委对滨海、海口枢纽、淮阜控制、淮阜漫水公路桥、羊莆公路桥竣工决算审计报告的要求,落实到位,已将执行情况报送省厅和淮委。

【增做项目】 淮河入海水道工程通过优化设计,严格招标投标和节约开支,在确保高质量完成原批复全部建设任务后,尚余一定数量的资金。由于淮河入海水道的开挖,切断了渠北地区原有水系,虽对渠北排灌影响工程作了部分安排,但在工程前期设计、审批阶段受经费限制,渠北影响问题没有得到根本解决,地方反映强烈。特别是2003年行洪期间,该地区因洪致涝,损失严重。另外,淮河入海水道行洪期间,局部地段行洪不畅、水流紊乱,也需要进一步处理。省建管局根据省政府和厅领导关于在入海水道工程竣工验收前,利用剩余资金增做部分工程项目,处理解决渠北排灌和2003年行洪暴露的问题,以及竣工验收时间适当推迟的指示精神,经论证筛选,提出增做淮安枢纽下游淮扬漫水公路路面降低、滨海闸下移、废黄河险工段加固处理,及临时机口配套机电设备等11个工程项目,总投资约1.6亿元。

为积极推进增做工程的前期工作，省建管局组织有关方面，就增做工程的兴办缘由、必要性及可行性形成专门材料，并经省水利厅同意后，先后多次向淮委及水利部作了专题汇报。6月20日，召开淮河入海水道增做项目前期工作会议，对增做项目前期工作作了专门部署。增做工程初步设计已全部上报，进入逐项审查、批复之中。

【课题研究】 《淮河入海水道工程移民实践与研究》、《淮河入海水道深淤土段筑题关键技术研究》、《淮河入海水道一级堤防劈裂灌浆设计与应用的研究》、《深厚海淤土基础处理中搅拌桩建造技术研究》、《淮河入海水道滨海枢纽工程混凝土抗侵蚀研究》、《混凝土综合防腐蚀技术在海口泄洪闸防盐侵蚀中的研究和应用》等课题，通过省科技厅、省水利厅等有关主管部门组织的成果鉴定，获得专家的高度评价。

《淮河入海水道工程移民实践与研究》、《淮河入海水道深淤土段筑堤关键技术研究》两课题，被评为省科技进步奖三等奖。《淮河入海水道工程移民实践与研究》课题，被评为省水利科技优秀成果奖一等奖。

【环境建设】 国家环保总局环评司在10月19日和20日，组织环保、水利部门及科研机构的领导和专家30多人，对淮河入海水道近期工程环保建设进行了专项检查验收。他们沿着淮河入海水道北堤，由西向东巡查100多公里，看到漫长的河流、高大的涵闸、茂密的树林、平整的田野、金黄的水稻、洁白的棉花、闪光的湿地。大堤上，绿树成阴，车来人往。滩地上，绵羊成群，白鹅片片。湿地里，波光闪闪，水草丛生，水鸟戏水，白鹭飞翔。大堤上，还有“构造绿化长廊、创建生态堤防”的大幅草坪标语，鲜艳夺目。堤顶上树叶做帽，堤坡上绿草护腰，堤脚下块石固牢。环评司领导和专家们异口同声，赞美淮河入海水道是一条生态环境良好的“绿色走廊”、“湿地走廊”和“行洪走廊”，为创建和谐社会作出了重要贡献。《中国水利报》全年先后三次发表淮河入海水道的长篇通讯，扩大了淮河入海水道在全国的影响。

（省淮河入海水道建设管理局）

南水北调江苏段工程

【综述】 2005年，江苏省南水北调工程建设领导小组办公室（以下简称“江苏省南水北调办公室”）和南水北调东线江苏水源有限责任公司（以下简称“江苏水源公司”）围绕年度建设任务和机构组建两个重点，明确工作目标，采取有效措施，保证江苏南水北调工程建设和管理工作平稳、有序开展，已批单项工程全部开工，全年累计完成工程投资4.52亿元。截至2005年底，江苏南水北调调水工程已有7个单项开工建设，项目投资规模约26亿元，累计完成投资近12亿元。

（一）完成机构组建。江苏省南水北调办公室和江苏水源公司年初开始组建。省委任命了江苏省南水北调办公室副主任和江苏水源公司总经理。江苏南水北调办公室内设综合处、建设管理处、治污管理处和拆迁安置办；国务院南水北调办公室批准成立江苏南水北调质量监督站，人员依托江苏省水利工程质量监督站；治污管理处负责人由省发改委、环保厅和建设厅部门负责人兼任。江苏水源公司内设综合部、工程建设部、计划发展部、财务审计部和资产运行部。本着精干、高效的原则，内设机构骨干力量基本到位。

（二）确定工作思路。结合江苏南水北调工程实际，江苏省南水北调办公室和江苏水源公司确定了“一二三四”的总体工作思路，即“围绕一项主要任务，保证两个机构规范运行，努力实现三大目标，遵循四条工作原则”。围绕一项主要任务:把南水北调东线一期工程建成、建好,力争到2007年具备向北方调水、2010年基本完成南水北调一期工程建设任务。保证两个机构规范运行:根据省南水北调工程建设领导小组和国务院南水北调办公室的要求,既要协调省有关部门和地方政府共同做好有关工作,又要加强江苏省南水北调办公室与江苏水源公司的配合协作,建立起统一领导、目标一致、各负职责、密切配合的南水北调工作格局。努力实现三大目标:实现一期工程供水调水目标、构建准市场运作机制、努力培养一批人才。遵循四条工作原则:遵循统一部署、协调配合、统筹兼顾和团结协作的原则。

2005年10月,曾培炎副总理视察南水北调东线工程后,根据国务院领导和江苏省政府领导的要求,江苏省南水北调办公室和江苏水源公司又进一步明确:"在重视调水工程建设的同时,更加重视治污工程建设;在重视工程建设的同时,更加重视前期工作;在重视完成建设任务的同时,更加重视发挥投资效益。"

(三)制定工程实施计划。根据国家对南水北调东线工程建设要求,结合江苏实际情况,江苏省南水北调办公室和江苏水源公司初步确定了一期调水工程实施安排意见。总的原则是,扎根长江,从源头做起,逐级提高调水能力;先通后畅,建好边界工程,实现一期工程2007年通水目标。一期工程建设目标分为两步:第一步,到2007年,实现一期工程通水目标,具备向北方供水条件;第二步,到2010年,基本建成一期工程。

【前期工作】 按照水利部和国务院南水北调办公室部署,2005年3月,江苏省南水北调办公室配合水利部淮委编制完成《南水北调东线第一期工程可行性研究报告(送审稿)》。5月,水利部批复南四湖水资源控制工程姚楼河闸、杨官屯河闸工程初步设计报告。8月,水利部批复长江～骆马湖段2003年度工程江都站改造工程、淮安四站工程、淮安四站输水河道工程、淮阴三站工程初步设计报告。11月,南水北调东线第一期工程可行性研究总报告、水土保持总体方案报告书通过水利部审查,环境影响报告书通过了水利部预审。

为加快江苏南水北调截污导流工程建设,江苏省南水北调办公室组织编报了江都、淮安、宿迁市截污导流工程可行性研究报告、水土保持方案报告书和环境影响评价报告书,并通过水利部和国家环保总局技术审查。徐州市截污导流工程可行性研究报告编制进度加快。

根据"2007年东线一期工程通水,2010年基本完成建设任务"的总体建设目标,江苏水源公司对皂河一站改造、淮安二站改造和高水河整治工程初步设计工作进行了委托。首次通过公开招标方式,择优选择泗阳一站、刘老涧二站、皂河二站工程初步设计编制单位。

【单项工程进度】 (一)调水工程。江苏调水工程建设主要内容为:扩建、改造运河沿线调水工程,新辟、完善三阳河、金宝航道、徐洪河沿线调水工程,新扩建泵站14座、改造老泵站4座,形成以运河线为主,运西线为辅的双线输水格局。此外,实施里下河水源调整,洪泽湖、南四湖蓄水位抬高影响处理等项目。截至2005年底,在建调水工程包括三阳河潼河宝应站、淮阴三站、淮安四站及输水河道、刘山站、解台站、蔺家坝站以及江都站改造等7个单项工程。

1. 三阳河潼河宝应站工程。位于扬州市的高邮、宝应境内,主要建设内容包括新开三阳河、潼河引水河道45.5公里,新建宝应泵站,站河配套,与江都水利枢纽共同组成南水北调东线第一级抽江泵站,设计输水流量100立方米每秒。总投资9.18亿元(包括提高征迁补偿标准的调增投资8848万元),建设总工期3年。工程于2002年12月开工建设,河道工程于2005年3月全线贯通,宝应站10月9日通过试运行验收,整个工程比计划工期提前半年建成。累计完成土方挖填2713万立方米，砌石6万立方米，砼浇筑13.4万立方米。累计完成投资8.29亿元。

2. 淮安四站及输水河道工程。淮安四站位于淮安市楚州区三堡乡境内里运河与灌溉总渠的交汇处，与淮安一、二、三站组成南水北调东线的第二梯级泵站，设计规模为100立方米每秒。主要建设内容包括泵站、新河东闸、变电所改造、鸭洲生产桥等。总投资1.56亿元，建设总工期2.5年。2005年10月开工建设，已完成新河东闸底板、闸身、工作桥排架和翼墙的砼浇筑；鸭洲生产桥灌注桩和桥上20根预制梁已全部完成；新河东闸至鸭洲生产桥300米长的河道开挖已基本完成。累计完成土方30万立方米，砼0.48万立方米。累计完成投资3018万元。淮安四站输水河道工程位于扬州市宝应县、淮安市楚州区及白马湖农场境内，全长29.8公里，设计输水流量100立方米每秒。主要建设内容为疏浚扩挖运西河、新河河道，白马湖湖内开槽，加固北运西闸，拆建镇湖闸，新河沿线封闭工程、跨河桥梁及洼地处理工程等。总投资2.83亿元，建设总工期2年。2005年9月开工建设，已完成土方40万立方米。累计完成投资9642万元。

3. 淮阴三站工程。位于淮安市清浦区和平镇境内，与淮阴一站、淮阴二站组成南水北调东线的第三梯级泵站，设计调水流量为100立方米每秒。主要建设内容包括：泵站工程、变电所工程、挡洪闸工程、管理所工程等。总投资2.4亿元，建设总工期2年。2005年10月开工建设，正在实施的挡洪闸及引河工程，已完成闸底板砼、岸墙底板砼及上游南侧、下游北侧第一级翼墙底板，下游北堤填筑已基本完成。累计完成土方62万立方米。累计完成投资3066万元。

4. 刘山站工程。位于邳州市宿羊山镇境内，是南水北调东线的第七梯级泵站，设计输水流量125立方米每秒。主体工程包括泵站、节制闸、刘山闸拆建公路桥等工程，导流工程包括导流河、导流闸和跨导流河公路桥等工程。总投资2.41亿元，建设总工期2.5年。导流工程于2005年3月开工建设，已通过投入使用验收并投入运行；泵站主体工程于2005年9月开工建设，基坑土方已完成并封底。累计完成土方145万立方米，砼0.99万立方米，砌石0.75万立方米，钢筋340.8吨，钢结构制作安装114吨(含预埋件)。累计完成投资8202万元。

5. 解台站工程。位于徐州市贾汪区境内，是南水北调东线的第八梯级泵站，设计输水流量125立方米每秒。主体建设内容包括泵站、节制闸、跨引河公路桥和导流工程。总投资1.88亿元，工程建设总工期2年。2004年10月开工建设，导流工程通过投入使用验收并投入运行。泵站工程已完成两联孔水泵层砼、节制闸底板砼浇筑，跨出水引河公路桥工程基本完成桥面大孔板吊装。累计完成土方88.9万立方米，砌石2.54万立方米，砼2.08万立方米，金属结构260吨。累计完成投资8267万元。

6. 蔺家坝工程。位于徐州市铜山县境内，是南水北调东线的第九梯级，实现通过不牢河线从骆马湖向南四湖下级湖输水，设计流量75立方米每秒。总投资1.81亿元，建设总工期2.5年。2005年5月开始进行施工准备，2006年1月正式开工建设，已基本完成临时设施，顺堤河改道工程正在实施。累计完成土方5万立方米。累计完成投资1750万元。

7. 江都站改造工程。位于扬州市境内、淮河入江水道的尾闾与新通扬运河的交汇处。工程主要包括：江都三站、四站更新改造，江都站变电所更新改造，江都西闸除险加固，江都东西闸之间河道疏浚，江都船闸改建等六项工程。总投资2.53亿元，建设总工期3年。工程于2005年12月开工建设，累计完成土方27.7万立方米，混凝土0.25万立方米。累计完成投资1129万元。

（二）治污工程。治污工程主要内容为：城市污水处理工程、截污导流工程、工业结构调整、工业综合治理和流域整治项目等。截至2005年底，江苏省南水北调治污规划43项治污项目中，已经建成运营18项，在建16项，未动工9项。4项截污导流项目，除徐州截污导流项目外，淮安、宿迁、江都3市截污导流工程可行性研究报告已报至国家发改委审批，其环境影响评价报告书通过环保主管部门的审查。

（三）征地拆迁安置。刘山、解台、蔺家坝、淮阴三站、淮安四站及输水河道工程拆迁相继完成，保证了工程按计划开工建设。截至2005年底，累计完成征迁安置投资约3.7亿元，永久征用土地1.9万亩，拆迁农户1700户，拆迁各类房屋18万平方米，拆迁企事业单位72个，影响人口7200多人。一期工程土地预审和开工项目的先用后征手续得到国土资源部批准，东线第一期江苏境内工程土地预审已由国务院南水北调办公室汇总报国土资源部。

【南水北调工程基金】 2005年10月27日，江苏省政府省长办公会议研究决定了江苏南水北调工程基金筹集的方案，确定江苏省南水北调工程基金总额为37亿元，征收期限为8年，工程基金通过在全省范围内提高水资源费征收标准0.07元/立方米筹集，不足部分由省财政补贴。

（江苏省南水北调办公室综合处）

泰东河工程

工程位于泰州市的海陵区、姜堰市、兴化市及盐城市的东台市，西接泰州引江河，东连通榆河，全长55.076公里。包括新通扬运河泰州引江河口至泰东河口段长6.376公里及泰东河口至泰东河与通榆河口段长48.7公里。该工程是江水东引北调规划中“两河引水、三线输水”格局中的东线输水线路。其主要功能是将由泰州引江河所引江水输送至里下河东南部，并送入通榆河100立方米每秒，为沿海垦区及滩涂开发提供淡水资源，改善里下河东南部地区供水条件，并可以提高里下河腹部地区排涝能力，结合在里下河东部沿海形成一条贯穿南北、沟通江海的Ⅲ级航道。本工程是一项以引水为主、结合航运与排涝、改善水环境的综合利用工程。

现状泰东河河底高程约－1.5－2.5米（废黄河高程，下同），河底宽20－40米，引水能力为50立方米每秒左右，新通扬运河泰州引江河口—泰东河口段河底高程－3.5－4.0米，河底宽25米左右，引水能力为200立方米每秒左右。沿线地面高程2－3米，两头高，中间低，两岸基本为圩堤，堤顶高程一般在4米左右。工程沿线水系主要有新通扬运河、卤汀河、龙溪港、俞西河、姜溱河、盐靖河、南官河、安时河、幸福河等。

工程设计：河道工程设计流量，新通扬运河引江河口至卤汀河口段400立方米每秒，卤汀河口至泰东河口330立方米每秒、泰东河至淤溪270立方米每秒、淤溪至溱潼250立方米每秒、溱潼至时堰200立方米每秒、时堰至梁垛河口140立方米每秒、梁垛河口至接口段130立方米每秒。河底高程，新通扬运河引江河口至泰东河口6.376公里为－5.5米、泰东河新通扬运河口至溱潼镇段23.3公里为－5.5米、溱潼至时堰镇9.77公里为－5.0米、时堰至接口段15.6公里为－4.0米。河道边坡，除东台时堰镇至通榆河接口段为1∶4外，其余河段均为1∶3。河道底宽，新通扬运河引江口至泰东河口为50米，泰东河新通扬运河口至溱潼镇为45米，溱潼至时堰镇为40米、时堰镇至东台接口段为45米。青坎宽度，泰东河段青坎宽度一般采用20米，新通扬运河段南岸一般20米，北岸为远景扩浚留有余地采用45米。桥梁工程，安排拆建及新建桥梁共11座，设计最高通航水位3.0米，通航孔净高7.0米，净宽大于50米。影响及配套工程，安排圩口闸104座、套闸35座、排灌站83座、闸站5座、桥132座、渡口15座等。

泰东河工程，至2005年底累计下达投资计划26468万元，累计完成投资26468万元，完成土方925万立方米，石方0.42万立方米，混凝土3.62万立方米。本年完成投资1784万元，土方34万立方米，石方0.02万立方米，混凝土1.1万立方米。

2001年9月，江苏省发展计划委员会批复了泰东河新通扬运河段实施方案，该段工程位于泰州市海陵区境内，自新通扬运河泰州引江河口至泰东河口，全长6.376公里，主要包括征地拆迁、河道工程、迎江桥和影响工程四部分，工程投资15612万元。2003年9月，江苏省发展计划委员会批复了泰东河2003年度工程(海陵区和东台时堰段)初步设计，河道全长8.56公里，其中海陵区段3.56公里，东台时堰段5公里，桥梁工程1座(时堰桥)，沿线影响工程及征地拆迁工程，工程概算10856万元。至2005年底，所批工程全面完成，目前正在做竣工验收前的准备工作。

(陈志明)

太湖治理工程

【环太湖大堤加固工程】 环太湖大堤加固工程包括太湖大堤加固既定项目和灾后重建项目。

环太湖大堤加固工程，自1991年开工至2005年底，累计下达计划85004.2万元，其中中央拨款1400万元，中央债券6400万元，世行贷款3450万元，水利建设基金800万元，以工代赈3100万元，地方债券1300万元，省级配套16980.8万元，市县配套51573.4万元。至2004年底累计完成投资85408.1万元，累计完成土方1626.17万立方米，石方67.22万立方米，混凝土48.11万立方米。本年未下达计划。

环太湖大堤加固既定项目，自1991年开工至2004年底，累计下达计划49581.1万元，其中中央拨款800万元，中央债券5784万元，地方债券1300万元，世行贷款3450万元，水利建设基金800万元，以工代赈3100万元，省级配套6402.8万元，市县配套27944.3万元。至2004年底累计完成投资49581.1万元，累计完成土方858.17万立方米，石方49.44万立方米，混凝土32.6万立方米。

环太湖大堤加固灾后重建项目，累计下达计划35423.1万元，其中中央债券616万元，中央拨款600万元，省级配套10578万元，市县配套23629.1万元。至2004年底累计完成投资35827万元，累计完成土方768万立方米，石方17.78万立方米，混凝土15.51万立方米。

【湖西引排工程】 该工程自1992年11月开工至2005年底，累计下达投资计划99040万元，其中中央拨款800万元，中央债券17300万元，水利专项基金1300万元，以工代赈2900万元，地方债券5000万元，省级配套35347万元，市县配套36393万元。本年下达计划7137万元，其中省配套4569万元，市县配套2568万元。至2005年底已累计完成投资105839万元，累计完成土方2530万立方米，石方26.55万立方米，混凝土23.74万立方米。本年完成投资6895万元，完成土方4万立方米，石方0.25万立方米，混凝土0.53万立方米。

无锡市境内：烧香港一、二、三期工程已全部完成。

常州市境内：北河整治工程上起上沛三岔

河口，下至洮湖，河线长25.73公里。整治标准为：河底高程0.5米（吴淞基面）；河底宽，竹箦河上游为20米，竹箦河至渔农桥为25米，渔农桥下游为27米；青坎高程为4.5米，宽度为5米；堤顶高程，竹箦河上游为8米，竹箦河下游为7.5米；堤顶宽，南岸为5米，北岸为3米；河坡为1∶3—1∶4，迎水坡为1∶3，背水坡为1∶2；主要工程量：挖填土方520万立方米，沿河桥梁27座（公路桥3座，农桥24座），泵站23座，圩口闸2座，穿堤涵洞66座，护岸护坡6.5公里。北河整治工程分三期实施，一期工程自刘庄港至竹箦河段长7.9公里河道工程，2001年6月完成；二期工程自竹箦河至洮湖段长13.1公里河道工程，2002年10月完成；三期工程为上游段长4.73公里河道工程，2003年12月完成。2004年10月26日，北河整治工程通过了竣工验收。武宜运河改道拓浚工程，工程投资19137万元，至2005年底，已完成武进段3.5公里新开河段及绿化、驳岸和4座桥梁等，老河拓浚段疏浚工程已基本完成。

丹金闸枢纽工程，位于丹金溧漕河主河道上，主要控制高片洪水入侵低洼地区，工程建成后，对洮、鬲低片洼圩区特别是金坛市的防洪保安起着非常重要的作用，同时可满足丹金溧漕河的航道规划需要，改善航运条件和地区水环境。建设内容包括单孔16米节制闸和135×16×2.8米、船闸各1座等，工程投资5570万元。工程于2001年7月开工，2002年12月通过竣工初步验收，2004年已通过了竣工验收。

常州新闸防洪控制工程，位于湖西高片与武澄锡虞低片分界线的京杭运河上，闸址于常州新闸德胜河口连江桥以东660米处，节制闸中心线与京杭运河的中心线重合，工程建成后，对于防止湖西高片洪水对武澄锡虞低片和常州、无锡、苏州三市的危害有重要作用。工程建设内容包括单孔净宽60米节制闸1座，按京杭运河远景Ⅲ级航道标准设计，闸门采用单扇钢质可沉浮箱型门结构，浮箱门由下部浮箱和上部卧倒门组成。浮箱长64米、宽10米、高4.2米，上置10孔单宽4.5米下卧式平板钢闸门，浮箱门一侧设置固定扣环与南岸墙端部的定位柱连接，控制浮箱门的就位。两侧岸墙为12×20米沉井，节制闸上游南侧设70×13米门库，上下游翼均采用无锚钻孔灌注排桩直立墙，闸门关闭位置处闸底板为钢箱模灌注水下不离析混凝土，下部设防渗钢板桩，其上下游为水下不离析钢筋混凝土，节制闸南侧设控制楼及管理所，工程概算6810.4万元。工程于2001年12月25日开工，2002年5月29日通过投入使用验收，2003年3月28日通过工程竣工初步验收，2004年已通过了竣工验收。

镇江市境内：九曲河枢纽工程，枢纽闸站工程位于老九曲河道两侧新辟的引河上，北距入江口门850米处。工程等级为大(2)型，节制闸、抽水站为2级水工建筑物，长江侧堤防等级为2级，内河侧堤防等级为3级。防洪按长江100年一遇高潮位设计，300年一遇高潮位校核。地震按基本裂度7度设防。排涝按1969年型设计，1954年型校核。引水按1971年型设计，闸站交通桥荷载等级按汽20设计，挂100校核。工程建设内容包括：2孔总净宽24米节制闸1座，190×12(16)×2.5米套闸1座，排涝能力为80立方米每秒抽水站1座，以及上下游引河和跨河公路桥、管理设施等。工程于2002年1月开工，于2003年5月15日通过水下工程阶段验收，目前工程已全部完成，工程竣工决算审计已完成。

丹阳西南低洼片区防洪除涝工程河道疏浚、堤防加固及沿河涵洞、排涝站改造工程已完成。

谏壁站增容除险改造工程，工程投资5525万元，工程于2003年10月开工，目前工程已完成，2005年4月，泵站已通过了机组试运行验收，管理房已基本完成。

【武澄锡引排工程】 该工程自1991年11月开工至2004年底，累计下达投资计划50360万元，其中中央拨款2200万元，中央债券4000万元，地方债券1000万元，水利专项300万元，以工代赈3000万元，省级配套11415万元，市县配套28445万元。本年下达计划3471万元，其中省级配套500万元，市县配套2971万元。至2004年底累计完成投资51039万元，累计完成土方1588万立方米，石方21.6万立方米，混凝土16.4万立方米。本年度完成投资4950万元。

无锡市境内：新夏港河道拓浚和枢纽工程、白屈港一至四期河道工程和枢纽工程完成。

常州市境内：澡港河土方和枢纽工程完成，大通河套闸完成。澡港河南段河道工程，分两期实施，一期工程为大湾浜段已基本结束，二期工程为关河段，征地拆迁工作在进行，清淤工程已完成。西控制线口门建筑物工程已开工，除南运河闸外，其他口门建筑物已完成。

【杭嘉湖北排工程】 该工程1998年5月开工至2005年底，累计下达投资计划17467万元，其中中央拨款3773万元，水利建设基金1576万元，中央债券3500万元，世行贷款1700万元，省级配套2306万元，市县配套4612万元。至2004年底，累计完成投资17467万元，累计完成土方810万立方米，石方5.06万立方米，混凝土3.14万立方米。

已完成直港、郑产桥港、南桥港、川桥港、白龙港、千字圩南水道、雪落漾口门、大坝水路增补，以及地方补助项目有众善桥港、划航港、新运河、古楼港等工程。

【横山水库】 横山水库位于江苏省无锡市宜兴市西南宜沭太华山区的西渚镇，是一座以防洪、供水为主的综合利用水库，总库容1.09亿立方米。水库工程包括大坝、溢洪闸、非常溢洪道、东西两条输水涵洞和两座坝后水电站组成。1958年9月动工兴建，1960年停工，1966年2月复工，1969年9月完工。2001年7月5日，水利部太湖流域管理局以太管计[2001]121号批复了横山水库除险加固工程初步设计，该工程投资9938.5万元，至2004年底累计下达投资计划9938.5万元，其中中央债券3300万元，省级配套3300万元，市县配套3338.5万元。至2004年底工程全面完成，累计完成土方30.6万立方米，石方1.3万立方米，混凝土8.92万立方米。本年已通过了竣工验收。

（陈志明）

海堤达标建设

全省现有海岸线长954公里，主海堤长775公里，侵蚀性堤段长329公里。自1998年开始实施海堤达标工程建设以来，又累计下达投资计划130670万元，其中中央拨款800万元，中央债券15500万元，地方债券9000万元，省级配套48923万元，市县配套56447万元。今年下达计划13616万元，其中中央债券1000万元，省级配套8706万元，市县配套3910万元。至2005年底累计完成投资127100万元，完成土方2356万立方米，石方121.31万立方米，混凝土43.42万立方米。本年完成工程投资16100万元，完成土方78万立方米，石方5.01万立方米，混凝土7.25万立方米。

海堤达标建设按照50年一遇高潮位加十级风浪爬高设计，沿线需加固堤防长583公里，重点险工段防护长284公里，大中型涵闸除险加固67座，小型涵闸加固174座。至2004年底，已完成加固堤防长140公里，堤岸防护长155公里，加固大中型涵闸32座，小型涵闸75座。

2005年主要工程形象进度：

连云港市：赣榆县海头小口段防护工程3.26公里、朱稽河闸加固工程、市区大浦闸拆建工程全部完成。烧香河北闸拆建工程，工程投资4508万元，新建的烧香河北闸工程已完成，老闸已拆除。赣榆县2003年度海堤达标工程为10.4公里，已基本完成7.6公里，另2.8公里柘汪段海堤达标工程正在做开工前准备工作，土方工程正在实施。县城开发区段工程2公里海堤堤身土方工程正在实施。

盐城市：大丰闸、新洋港闸和斗龙港闸加固工程已通过竣工验收。滨海县振东闸、二罾闸、南八滩闸，射阳县运棉河闸、利民河闸，东台市梁垛河闸，市属西潮河闸等加固工程已全面完成，大丰市川东港闸加固已基本完成。响水县南潮河一分排北闸(工程投资744万元)和大丰市四卯酉闸(工程投资985万元)加固已基本完成。滨海振东闸南海堤及港堤防护1.5公里和翻身河以北海堤防护2.3公里，已完成。射阳河闸加固工程，土建工程已完成工作桥栏杆拆除，电缆盖板拆除更新、横梁及桥面浇筑、工作便桥拆除更新等；金结工程完成20扇闸门制作、7扇闸门防腐，拆除闸门8孔，安装闸门6扇。

南通市：海门市东灶港闸加固工程和启东协兴闸拆建工程已完成。海安北凌新闸除险加固工程在做开工前的准备工作。

(陈志明)

大中型水库除险加固工程

【石梁河水库除险加固工程】 该工程建于1958年至1962年，系大(2)型水库，为水利部确定的第二批全国重点病险水库之一，该工程初步设计由江苏省太湖水利设计院编制，淮河水利委员会以淮委规计[1998]123号文批复。工程等别为二等，主坝、泄洪闸、主坝涵洞等永久建筑物为2级，工程设计标准为水库防洪标准按100年一遇设计，2000年一遇校核。相应的库水位分别为26.81米及27.95米，泄洪闸的泄量分别为3000立方米每秒与5000立方米每秒。工程按地震基本裂度8度进行抗震加固。主要建设内容包括泄洪闸加固和主副坝加固两个部分，工程总投资17886万元。泄洪闸加固工程于1999年1月开工，2000年12月底完工并通过竣工初步验收。主副坝加固工程包括主坝增设压重戗台、副坝块石护坡、续建副坝和4座涵洞加固等。工程于1999年11月开工，至2002年底加固工程全面完成，目前正在进行竣工验收资料汇编、工程档案资料整理、竣工财务结算及决算编制工作，本年已完成主副坝加固工程竣工初步验收。目前正在做竣工验收前的准备工作。

【小塔山水库除险加固工程】 该工程位于连云港市赣榆县境内青口河上游，是一座以防洪为主，结合农业灌溉，城镇供水等综合利用的大(2)型水库，于1959年建成。因水库年久失修，建筑物存在较多安全隐患，为水利部确定的第二批全国重点病险水库之一，淮河水利委员会以淮委规计〔2002〕70号文批复了小塔山水库除险加固工程初步设计，工程投资10700万元。本次主要建设内容包括小塔山水库除险加固和青口河整治两部分。枢纽工程防洪标准为100年一遇设计，2000年一遇校核。设计洪水位为35.37米，校核洪水位为37.31米。主坝溢洪闸挖泄流量设计400立方米每秒，校核500立方米每秒。青口河整治设计流量为400立方米每秒，校核流量为500立方米每秒。其中：水库加固主要内容有加固主坝、东副坝和西副坝，拆建主坝溢洪闸，拆建主坝涵洞、加固西副坝涵洞，筑东分洪道拦河坝，主坝安全监测、水文自动测报和管理设施。

青口河整治主要内容有河道整治,邵庄、瞿沟陡坡加固,沙河子漫水闸、青口河挡潮闸加固,以及沿线穿堤建筑物等。工程于2003年11月开工,至2005年底,已完成拆建主坝溢洪闸工程、主坝涵洞拆建工程、西副坝涵洞加固工程、青口河整治土方工程、青口河闸水下加固工程,基本完成主副坝加固和筑东分洪道拦河坝工程等。至2005年底,累计下达计划投资10700万元,其中中央债券3550万元,省级配套3590万元,市县配套3560万元。累计完成投资9771万元。完成土方287万立方米,石方7.46万立方米,混凝土3.5万立方米。本年完成工程投资650万元。

【贺庄水库除险加固工程】 该工程位于连云港市东海县竹墩河上游,是一座以防洪、灌溉为主,结合供水、水产养殖等综合利用的中型水库,1959年建成。现状主要存在大坝坝顶高程不足,主坝部分坝段坝基渗漏严重,南泄洪洞抗滑不稳定,结构强度不足,溢洪道泄流能力不满足要求,调度涵洞抗滑不稳定,灌溉洞为浆砌石结构不满足抗震要求且存在多处裂缝等安全隐患。淮河水利委员会以淮委规计[2003]532号文批复了贺庄水库除险加固工程初步设计,工程投资2200万元。水库除险加固的规模和标准:工程等别为Ⅲ等,相应主要建筑物级别为3级,次要建筑物级别为4级。防洪标准为50年一遇洪水设计,设计水位39.18米(废黄河高程系,下同),相应控泄流量134立方米每秒,1000年一遇洪水校核,校核水位40.26米,相应控泄流量152立方米每秒。溢洪道消能防冲工程按30年一遇洪水设计。主要除险加固内容:主坝加固、南泄洪涵洞拆除重建、东灌溉涵洞和西灌溉涵洞拆除重建、新建尤塘调度涵洞、加固尤塘调度闸,以及管理设施等。工程于2004年3月开工,至2005年底,累计下达计划投资2200万元,其中中央债券730万元,省级配套738万元,市县配套732万元。全部工程已完成。新建的南泄洪涵洞与东西灌溉涵洞已通过水下工程验收,目前正在做竣工验收前的准备工作。

【大石埠水库除险加固工程】 该工程位于连云港市东海县桃林河下游,是一座以防洪、灌溉为主,结合水产养殖等综合利用的中型水库,1961年建成。现状主要存在主坝部分坝段抗滑稳定不满足要求,坝体、坝基渗漏严重;溢洪闸和调度闸闸室不满足抗震要求,闸底板等存在多处裂缝;溢洪涵洞、灌溉涵洞混凝土老化、碳化严重等安全隐患。淮河水利委员会以淮委规计[2003]531号文批复了大石埠水库除险加固工程的初步设计,工程投资1880万元。水库除险加固的规模和标准:工程等别为Ⅲ等,相应主要建筑物级别为3级,次要建筑物级别为4级。防洪标准为50年一遇洪水设计,设计水位52.0米(废黄河高程系,下同),相应控泄流量200立方米每秒;1000年一遇洪水校核,校核水位52.75米,相应控泄流量400立方米每秒。溢洪道消能防冲工程按30年一遇洪水设计。主要除险加固内容:主坝上游坝坡翻修,抗滑不稳坝段增设戗台,全坝段劈裂灌浆及部分坝段坝基高喷灌浆;溢洪闸拆除重建,调度闸闸室拆除重建,灌溉涵洞拆除重建,溢洪涵洞废弃封堵;以及管理设施等。工程于2004年3月开工,至2005年底,已累计下达计划投资1880万元,其中中央债券630万元,省级配套624万元,市县配套626万元。全部工程已完成。新建的溢洪闸和灌溉涵洞已通过水下工程验收,目前正在做竣工验收前的准备工作。

【阿湖水库除险加固工程】 该工程位于徐州市新沂市东部淋头河下游,是一座以防洪为主,结合蓄水灌溉的中型水库,1959年建成。现状主要存在大坝不完整,迎水面护坡损坏,部分坝段背水坡渗水严重;溢洪闸存在抗震、抗滑失稳和节制闸不满足抗震稳定要求,闭门启闭设备老化、锈蚀严重等安全隐患。淮河水利委员会以淮委规计[2003]667号文批复了阿湖水库除险加固工程初步设计,工程投资2430万元。水库除险加固的规模和标准:工程等别为Ⅲ等,相应主要建筑物级别为3级,次要建筑物级别为4级。防洪标准为50年一遇洪水设计,设计水位27.73米(废黄河高程系,下同),相应控泄流量785立方米每秒,1000年一遇洪水校核,校核水位29.18米,相应控泄流量830立方米每秒。溢洪道消能防冲工程按30年一遇洪水设计。主要除险加固内容:新建坝880米(其中新筑均质土坝760米、新建挡浪墙120米),渗漏坝段进行劈裂灌浆,翻修、新建上游坝面浆砌块石护坡3900米;溢洪闸拆除重建;移址新建节制闸,以及管理设施等。工程于2004年3月开工,至2005年底,已累计下达计划投资2430万元,其中中央债券800万元,省级配套820万元,市县配套810万元。全部工程已完成。溢洪闸等工程已通过水下验收,目前正在做竣工验收前的准备工作。

【高塘水库除险加固工程】 该工程位于徐州市新沂市大沙河上游,是一座以防洪为主、结合灌溉和水产养殖等综合利用的中型水库,1965年7月建成。现状主要存在主坝老河槽坝段抗滑稳定不满足要求,部分坝段坝体、坝基渗漏及迎水面护坡损坏严重、东灌溉涵洞混凝土碳化、启闭设备老化等安全隐患。淮河水利委员会以淮委规计[2003]668号文批复了高塘水库除险加固工程初步设计,工程投资2460万元。水库除险加固的规模和标准:工程等别为Ⅲ等,相应主要建筑物级别为3级,次要建筑物级别为4级。防洪标准为50年一遇洪水设计,设计水位35.6米(废黄河高程系,下同),相应控泄流量360立方米每秒,1000年一遇洪水校核,校核水位36.6米,相应控泄流量565立方米每秒。主要除险加固内容:大坝上游坝坡翻修及增补部分护坡工程,局部坝段劈裂灌浆,老河槽段坝基高喷灌浆;东灌溉涵洞拆除重建,以及管理设施等。工程于2004年3月开工,至2005年底,已累计下达计划投资2460万元,其中中央债券800万元,省级配套840万元,市县配套820万元。全部工程已完成。东灌溉涵洞等水下工程通过水下工程验收,目前正在做竣工验收前的准备工作。

【塘马水库除险加固工程】 该工程位于常州市溧阳市北部后周镇上游,是一座以防洪、灌溉、供水为主,结合水产养殖的中型水库,1962年建成。现状主要是大坝、溢洪道、放水涵洞等工程存在严重安全隐患。江苏省发展和改革委员会以苏发改农经发[2004]514号文批复了塘马水库除险圆圈大工程初步设计,工程投资4911万元。水库除险加固的规模和标准:工程等别为Ⅲ等,大坝、溢洪道等主要建筑物级别为3级,次要建筑物级别为4级。防洪标准为50年一遇洪水设计,设计水位11.87米(吴淞基层,下同),1000年一遇洪水校核,校核水位12.67米,溢洪道消能工程按30年一遇设计,溢洪道出水渠按20年一遇设计。主要除险加固内容:大坝加固、溢洪道及出水渠改建、新建溢洪闸以及管理设施等。工程于2004年11月开工,至2005年底,已累计下达计划投资4072万元,其中中央投资1635万元,省级配套800万元,市县配套1637万元。目前主要实施大坝加固工程、溢洪闸和出水渠改建工程以及管理设施,大坝加固和配套工程已通过完成工程验收,其他工程正在全面实施。

【赵村水库除险加固工程】 该工程位于南京市江宁区南部,秦淮河支流横溪河的上游,是一座以防洪、灌溉为主,兼有供水、旅游等综合利用的中型水库,1957年建成。现状主要存在大坝局部坝段渗漏,存在白蚁危害,原溢洪闸泄槽坡度较陡,消力池及输水涵洞老化及水毁严重等安全隐患。江苏省水利厅以苏水建[2004]25号文批复了赵村水库除险加固大工程初步设计。按照水利部的有关通知精神,水利部长江水利委员会对赵村水库除险加固工程初步设计进行了复核(长规计[2004]

564号),江苏省水利厅以苏水建[2005]1号文调整了赵村水库除险加固工程初步设计批复,工程投资3110.37万元。水库除险加固的规模和标准:工程等别为Ⅲ等,相应大坝及溢洪闸等主要建筑物级别为3级,次要建筑物级别为4级。防洪标准为50年一遇洪水设计,设计水位33.97米(吴淞基面,下同),1000年一遇洪水校核,校核水位34.96米,下游河道防洪标准为20年一遇。主要除险加固内容:大坝加高、加宽及新做路面工程、护坡工程;溢洪闸拆除重建、封堵非常溢洪道工程;东输水涵洞拆除重建、西输水涵洞进水口拆除重建工程;东坝肩崩岸加固工程、新建防汛道路以及管理设施等。工程于2004年9月开工,至2005年底,已累计下达计划投资3110万元,其中中央投资975万元,省级配套1008万元,市县配套1127万元,目前,主体工程已全部完成,管理用房建设在扫尾。

【安峰山水库除险加固工程】 该工程位于连云港市东海县蔷薇河上游厚镇河上,是一座以防洪、灌溉为主,结合水产养殖的大型水库,1958年建成。现状主要大坝、溢洪闸、灌溉涵洞等工程存在严重安全隐患,江苏省发展和改革委员会以苏发改农经农[2004]315号文批复了安峰山水库除险加固工程初步设计,工程投资7483万元。水库除险加固的规模和标准:工程等别为Ⅱ等,相应主要建筑物级别为2级,次要建筑物级别为3级。防洪标准为100年一遇洪水设计,设计水位18.0米(废黄河高程,下同),相应控泄流量50立方米每秒,2000年一遇洪水校核,校核水位18.67米,相应控泄流量335立方米每秒,溢洪道消能防冲工程按50年一遇设计。主要除险加固内容:主副坝加固,主坝溢洪闸、主坝东灌溉涵洞、主坝西灌溉涵洞、副坝灌溉涵洞、节制闸、薛埠进水闸拆除重建,溢洪道整治,以及管理设施等。至2005年底已累计下达计划投资7483万元,其中中央投资2490万元,省级配套2500万元,市县配套2493万元。主要实施基本完成主坝加固、主坝溢洪闸、主坝东灌溉涵洞、主坝西灌溉涵洞,已通过水下工程验收;副坝加固、副坝灌溉涵洞、副坝节制闸,薛埠进水闸、退水涵洞,溢洪道整治峰西跌水工程全面开工。

(陈志明)

农村水利建设

【农村水利综述】 2005年度农村水利建设围绕综合生产能力提高、促进农民增收和农村生态环境改善,以县乡河道疏浚、大型灌区节水改造、圩区治理和山丘区水源工程为重点,加强规划指导,争取资金扶持,规范项目管理,加快建设步伐,着力解决当前农村水利最为突出的问题。全省农村水利建设共投入1亿个工日,投入资金22亿元,完成土石方5.4亿立方米,小沟以上建筑物3.3万座,疏浚县乡河道土方1.5亿立方米,加高加固圩堤2440公里,新建改造塘坝2500座,全省农村水利基础设施水平有了新的提高。2005年省级财政加大幅度增加对农村水利建设的投入,总补助资金已近3亿元,其中县乡河道疏浚2亿元,丘陵山区水源工程3000万元,里下河腹部圩区治理2000万元,农水配套经费2645万元。同时,积极争取中央灌区节水改造项目资金5500万元,省级配套2870万元;争取中央小型农田水利"民办公助"项目资金1000万元,省级配套1000万元;争取中央水土保持项目资金300万元,省级配套150万元;争取中央农村饮水安全项目资金500万元,省级配套500万元。

【县乡河道疏浚工程】 县乡河道疏浚工程实施2年来,取得了显著的经济、社会和生态效益,各地实施县乡河道疏浚的积极性高涨。省里进一步加大组织力度,增加资金投入，规范资金项目管理，加快建设进度。（一）2005年4月，全省县乡河道疏浚现场会在盐城召开，省委张连珍副书记、省政府黄莉新副省长到会作重要讲话。（二）省级财政投入县乡河道疏浚工程2亿元，提高工程补助标准，其中：苏北地区，县级河道1.8元/方、乡级河道1.2元/方；苏中地区，县级河道1.3元/方、乡级河道0.9元/方；苏南地区，县级河道1.0元/方、乡级河道0.6元/方。黄桥、茅山老区的补助标准参照苏北地区执行。（三）省水利厅、财政厅制定下发《关于进一步加强县乡河道疏浚资金项目管理的通知》，对项目公示制度、工程建设管理、资金财务管理等进行完善。2005年度全省疏浚县乡河道2016条9290公里，完成土方1.5亿立方米。

【灌区节水改造】 （一）2005年度我省洪金、高邮、淮涟、渠南（阜宁）、堤东、五岸、来龙、皂河、小塔山、众程、船行、竹络坝、城黄、如海、沿运淳东共16个灌区被列入国家大型续建配套节水改造项目，总投资23000万元，其中中央投资9200万元，省级配套4600万元，地方配套和自筹4600万元；响水南干渠灌区争取国家农业综合开发中型灌区节水改造项目总投资2313.68万元，其中国家投资770万元，省级配套1093万元，其余为市县配套。争取了沛县、大丰、赣榆邗江、锡山、常熟6个国家节水增效示范项目，总投资1800万元，其中中央600万元，省级配套420万元，地方自筹780万元。（二）4月和11月，水利部评估专家组分别对我省大中型灌区改造项目进行了现场评估。专家组认为，江苏省大中型灌区续建配套节水改造项目，政府重视，措施有力，管理规范，工作扎实。可研报告、实施计划、初步设计等程序申报、批复文件资料齐全，符合有关规定；项目建设与管理参照水利基本建设工程程序进行，推行了项目建设法人制、工程招投标制、监理制、施工承包合同制；工程质量经过水利工程质量监督部门检测，符合有关要求，工程质量均达到合格及以上标准。项目建设资金到位较及时，资金使用管理规范，符合有关财务规定，建设与管理水平属一流。项目区改造效益显著，地方政府满意，灌区管理单位满意，农民群众满意。

【农村饮水安全工程】 （一）完成江苏省农村饮水现状调查评估。2005年初，省水利厅和卫生厅转发了水利部、卫生部《关于印发农村饮用水安全卫生指标体系的通知》，并结合江苏实际对农村饮水安全评估工作提出了具体要求，各地以县为单位由水利和卫生两部门组织开展农村饮水现状调查评估工作，由市组织对所在县评估成果进行初审。2005年4月下旬，省发改委、水利厅、卫生厅共同组织对全省调查评估汇总成果的审查。5月上旬，江苏省发改委、水利厅、卫生厅联文将调查评估成果上报国家有关部委。5月中旬，江苏省评估成果通过国家发改委、水利部和卫生部共同组织的专家组的复核评审，打分为优良。（二）完成《江苏省“十一五”农村饮水安全工程规划》。依据评估成果，6月至10月江苏省组织各地编制“十一五”农村饮水安全工程规划。10月底，江苏省“十一五”农村饮水安全工程规划经省发改委牵头，省财政厅、水利厅、卫生厅、建设厅参加共同审查通过，并以江苏省发改委、省水利厅、省卫生厅联文上报国家。11月下旬江苏省“十一五”农村饮水安全工程规划通过了国家审查。经国家认定，至2004年底，江苏省农村饮水不安全人口为1367.6万人。其中氟超标239.8万人，砷超标0.6万人，苦咸水268.9万人，污染严重的地表水203.3万人，污染严重的地下水175.6万人，其他饮水水质超标293.1万人，血吸虫疫区7万人，水量、方便程度、保证率不达标186.2万人。（三）实施部分农村饮水安全工程。2005年底，中央下达江苏省农村饮水安全总投资计划8062万元，其中中央预算内资金1900万元，省级配套1900万元，解决农村饮水不安全人口22万人，项目区分布在徐州、连云港、盐城、扬州、泰州、无锡等6市7县(市)，重点解决项目区农村群众饮用高氟水、苦咸水、污染水问题及血吸虫疫区的农村供水工程建设。

(李玉松 倪明娟 王滇红)

水土保持工作

【概况】 2005年度江苏省水土保持工作围绕省人大关于加快生态省建设的决定精神，坚持以预防监督为重点，在继续抓好以小流域综合治理为单元的水土流失治理的同时开展丘陵山区水源工程建设，重点抓好水土保持预防监督，以完善配套法规建设和普及水保知识、提高水保意识为手段，规范建设项目水土保持方案的编报审批工作，强化依法行政、注重督查落实，成效明显。水土保持法规体系和监督执法体系日趋完善；水土保持法律法规的贯彻实施已逐步走上了规范化、制度化的轨道；利用国债资金开展的水流失治理，全省共治理水土流失75平方公里，完成了年度计划任务。

【监督执法】 为进一步贯彻落实《中华人民共和国水土保持法》，认真履行法律赋予的职责，保护生态环境、保障我省经济社会可持续发展。近年来，水土保持监督执法工作有了较大的进展。① 行政审批工作进一步规范。建设单位的守法意识也有了增强，建设项目水土保持方案的编报审批率有了提高。省内新建的电厂、输油、输气等大型建设项目均按规定编报了水土保持方案，省级工程及市、区县的项目也开始编制水土保持方案，水土保持方案的行政审批工作有了新进展。全年省级共审批水土保持方案23项。② 监督执法工作有了新进展。1月份省人大组织开展了的水土保持专项执法检查、11月长江水利委员会、12月淮河水利委员会分别开展了开发建设项目水土保持专项执法检查，5月、9月省水土保持办公室与省水政总队二度联合开展水土保持专项执法检查，监督检查的开展对规范建设项目的水土保持工作起到了积极的推动作用。③“三同时”制度得到落实。通过加强宣传、规范审批以及进行监督执法等措施，进一步提高了开发建设单位的水土保持意识，规范了开发建设项目的水土保持工作，大部分项目开展了水土保持监测、部分项目开展了监理、水土保持专项竣工验收也有了好的开端。④ 水土保持设施补偿费的征收进展正常。我们与水政总队通力合作，加大了征收力度，水土保持设施补偿费的征收工作纳入并步入了正常化轨道。⑤ 有计划地进行了水土保持监督执法培训。4月份省水土保持办公室与水政总队联合在扬州举办了一期水土保持执法培训班，对全省从事水土保持监督执法工作的人员计60余人进行了专业培训，队伍的执法能力有了进一步提高；⑥ 开展了水土保持方案编制人员的上岗培训。8月份在南京举办了一期水土保持方案乙、丙级资格证书单位持证上岗人员培训班，特邀了业内知名专家进行授课，有100人参加了培训。结合行政许可法的实施和水利部新出台的有关文件规定，我们组织编印了《水土保持法规文件汇编》、《水土保持标准规范汇编》供相关人员学习查阅。审核颁发了第三批乙、丙级水土保持方案编制单位资格证书。淮安市水利设计院等11个单位取得了乙级水土保持方案编制资格证书。

【治理】 2005年的水土流失治理工作，主要实施2004年度的国债水土保持项目。水利部安排国债资金300万元，我省实施宜兴市张渚镇、溧阳市天目湖镇、句容市黄梅和行香镇、溧水县晶桥镇小流域治理工作，共治理水土流失面积75平方公里，取得较好的成效。在继续抓好以小流域综合治理为单元的水土流失治理的同时开展丘陵山区水源工程建设，按《江苏丘陵山区水源工程规划》，计划用5年的时间，基本解决丘陵山区缺水严重的状况。2005年度全省完成新扩建塘坝、大口井2219座，增加蓄水量5285万立方米。

（农水处钱惠康）

城市水利建设

根据治水思路的调整和城市发展的要求，全省以城市防洪工程建设为契机，全面加强城市水利工程建设。

【全面提高城市防洪排涝能力】 2002年以来，加强城市防洪工程建设，13个省辖市城市防洪规划先后经政府批准，根据批准的规划，实施了一批城市防洪骨干工程，提高了城市防洪的标准。至2005年12月底，全省城市防洪工程完成投资30亿元。徐州市完成了云龙湖水库大坝加固、荆马河排涝、废黄河郑集分洪道整治以及徐运新河河道整治等工程；连云港市完成了大浦河、大浦副河以及东盐河治理一期、二期工程；宿迁市实施了中运河、废黄河、西民便河整治工程；淮安市完成了里运河综合整治及城区泵站改造工程；盐城市完成小洋河东支闸站及引河拓浚工程；南通市完成了任港河、海港引河、运粮河、运甲河、金通河等主城区排涝河道整治工程；扬州市完成了沿山河、古运河综合整治及城区外围排涝泵站改造工程；泰州市完成了凤凰河、西北片封闭工程，正在实施老城区河道清於、中北片封闭工程；镇江市完成了主城区防洪墙及光明河、团结河整治等工程；常州市完成了城市中心区防洪墙应急加固一期工程、藻港河南段整治，正在实施横塘片防洪工程等；无锡市建成了仙蠡桥枢纽、江尖枢纽等控制工程，正在实施运东片防洪保护圈的其他口门控制工程，计划2007年实现中心城区200年一遇的防洪目标；苏州市完成了西塘河引水工程、青龙桥枢纽、元和塘枢纽等工程，正在实施中心城区防洪保护圈的其他口门控制工程，计划2008年实现中心城区200年一遇的防洪目标；南京市主城区防洪保护圈基本完成，实现了主城区100年一遇的防洪目标。

【改善城市水环境】 苏州市实施了西塘河引水工程，引长江水进入环城河，使环城河水质达到景观用水标准，并实施了环城河长效管理机制，提升城市品位。无锡市实施的太湖梅梁湖、五里湖水环境综合整治，通过生态清淤、污水截流、退渔还湖（林）、换水泵站、水生态修复、湖岸整治等工程，改善了湖体水质；同时启动了全国水生态系统保护与修复试点，建设4平方公里的水生态科技示范园。南京市实施了外秦淮河整治工程，改造挡洪墙，构建亲水平台，建设三汊河口闸提高枯水期河道水位，调水改善水环境，为外秦淮河成为一条"美丽的河、流动的河、繁华的河"创造了条件。泰州市实施的凤凰河整治工程，集防洪、排涝、旅游、休闲等多功能于一体，形成多处景点，提高了人居环境质量，也确立了水利在城市建设中的重要地位。

（丁　虎）

水利信息化建设

【水利信息化组织机构与工作情况】 2005年江苏省水利厅对水利信息化组织机构进行了调整，一是根据人员变动，调整厅水利信息化工作领导小组成员；二是将信息化工作领导小组办公室明确设在厅科技处；三是进行人力资源整合，省水文局增挂省水利网络数据中心，原水利信息中心从事信息化工作的人员与水文局信息化工作人员合并。

组织编制了《江苏省水利信息化发展"十

一五”规划》，厅信息化工作领导小组办公室为全面了解全省各市水利(务)局信息化建设管理情况，组织开展了一次水利信息化调研活动。

【重点工程建设情况】 1999年以来，江苏省先后利用泰州引江河、江海堤防达标、通榆河、环太湖大堤、入海水道等水利工程建设的机遇，开展水利信息化工程建设。已实施省级水利信息化项目17个，先后完成了防汛指挥系统一期工程、水质自动监测工程和水利厅网络安全系统等项目。全省水利信息基础设施骨干框架已基本形成，水情测报、防汛指挥、视频会商、办公自动化系统逐步发挥效益。2005年续建省防汛指挥系统二期工程、苏北地区水资源配置监控调度系统等项目6个，新开工建设省望虞河、太浦河自动监测系统工程项目。

(一) 苏北地区水资源配置监控调度系统

苏北地区水资源配置监控调度系统工程是全国水利信息化建设试点项目，也是我省水利信息化建设的重点项目。根据工程总体建设目标和分阶段实施方案的要求，一期工程充分利用现有信息基础设施，补充信息采集和工程监测站点，实现江水北调输水干线调水运行的在线监测、系统仿真、供水计量、实时调度和部分闸站的计算机监控。因本系统规模大、投资多、技术复杂，工程分两期建设，其中一期工程分两步实施。2001年9月，一期一步工程启动，主要建设内容包括：信息采集、运行监测监控、通讯传输及计算机网络、应用软件等4个子系统，投资概算3673.37万元。2003年6月，启动一期二步工程，主要在一步工程基础上扩充、完善运行监测监控、通讯传输及计算机网络和应用软件等3个子系统，投资概算1050.32万元。至2005年底，完成项目占总投资的92.38%，完成投资4363.68万元。

主要项目实施情况：

(1) 信息采集系统建设内容包括新建及改扩建测站98处、集成站65处。目前，信息采集项目新建站和集成站已基本完成，省水情中心、市水文分中心及水利局分中心的水情查询和传输软件已安装到位，正在做进一步完善。子系统建设形象进度约85%。

(2) 运行监测监控系统。共建设远程监控站5处，实现在厅调度中心、工情分中心对泵站主辅机系统操作、节制闸闸门升降以及视频监视系统进行点对点控制功能；部分完成近地监控、远程监测闸站6处，基本达到工程现场“无人值班，少人值守”的要求；完成远程用电量开关量监测站7处，可在水利局域网、广域网上对工程运行状况作实时监测。目前，批复项目均已全部完成，并已通过单项工程完工验收。

(3) 通讯传输及计算机网络系统。建设内容包括完成厅调度中心及江都、总渠、骆运等13个工情分中心、扬泰水文局等6个水情分中心建设，建设工情、水情分中心间2M光缆电路10处、自建电路设备安装3处，完成10个监测监控站点交换机和服务器配置。目前，已批项目已全部完成，并通过单项工程完工验收。

(4) 应用软件开发与应用系统建设内容包括：调度运行系统(需水预测模型、在线水流仿真模型、实时水量调配模型及相关专用数据库)和来水预报模型、取水许可与地下水管理信息系统，并对已建系统进行初步整合。目前，应用软件批复项目均已全部完成，并通过单项工程完工验收。

(二) 江苏省水利基础数据库

该项目于2001年6月批准立项，投资280万元。目前，该项目已基本完成。至2005年底主要实施情况为：

(1) 完成可研及总体设计并分别通过技术审查。

(2) 完成总体详细设计及水资源、水利工程、水利建设与管理3个数据库的详细设计工作并分别通过技术审查。

(3) 完成水质、地下水实验库的建库工作，即将组织验收。

(三) 入海水道工程通信设施项目

该项目于2004年1月开始建设，投资3338万元，实际完成工程投资2738万元，分为通信网络、运行调度2个单位工程。目前，大部分已通过单位工程验收。

通信网络单位工程包括淮委调度中心、通信、网络、光纤电路租用、厅程控交换机改造、滨海枢纽机房建设、维修监测车、决策支持系统及应用软件、管理处办公楼机房装饰、管理处设备采购与安装等10个项目。目前，单位工程已完成验收，决算已编制完成并上报审计，档案资料已通过验收。

运行调度单位工程3个项目正在实施，具体情况为：1) 运行管理仿真系统2005年2月开始建设，合同价77万元，2006年1月基本完成；2) 集中监测系统于2005年8月开始建设，合同价145万元，已完成视频监视和水文遥测的安装调试，由于原监控系统需要恢复，故尚未完工；3) 洪水预报系统于2005年8月开始建设，合同价43万元，系统分析和系统设计已通过审查，目前还在进行系统开发。

(四) 行政决策支持系统一期工程

2003年11月开始建设，投资220万元，建设内容已基本完成。主要建设集公文处理、信息共享、电子邮件、远程办公、档案管理、工程建设管理、信息门户于一体的行政办公系统和水利大厦事业单位的综合布线系统。

项目完成情况：1) 设备部分已完成；2) 行政办公系统软件已完成并通过初验，正在试运行；3) 工程建设管理软件已基本研制完成，近期投入试运行。

(五) 防汛决策支持系统二期工程

江苏省防汛指挥系统二期是在一期工程的基础上，依据决策支持系统的基本理论，采用新的信息技术，建立较为完整的面向防汛抗旱决策的网络信息系统。主要建设内容为：防汛一期工程完善、工情基础数据库及实时工情数据库、洪水预报调度系统、洪水分析与灾情评估系统、整合集成防汛决策支持系统。

(1) 一期工程所建系统升级。对原有系统进行全面技术升级，按照多层软件体系结构进行设计，同时强化安全认证体系，实现对防汛信息分密级访问管理。主要包括防汛信息服务WWW网站子系统的升级完善、防汛会商子系统的升级完善和汛情监视子系统的升级完善。

(2) 工程数据库设计。在江苏省水利基础数据库详细设计的基础上对工程基础数据库和实时工情数据库的建库实施。包括数据库结构创建、原始数据整编、录入预处理、转储入库处理、信息查询服务、实时工情信息采集设备配置等。

(3) 洪水调度预报系统设计。主要完成太湖、秦淮河、滁河流域的洪水预报系统和防洪调度子系统。

(4) 灾情监视和评估子系统设计。利用卫星遥感技术和WebGIS技术等建设灾情监视和评估子系统，通过卫星遥感照片实时监视灾情发展动态，并初步完成灾情评估子系统的建设。利用WebGIS建设黄墩湖蓄滞洪区地理信息系统。

(5) 运行环境设计。在一期基础上，根据实际需要以及技术发展方向，添置必要的软硬件设备。

(6) 系统集成设计。整合一期和二期所开发的各子系统，完成系统集成，使其成为一个有机的整体，充分实现资源共享。

江苏省防汛指挥系统二期工程从2004年开始建设，至2005年底第一批建设项目已基本完成，建设情况为：1) 已完成设备采购初验；2) 一期工程完善。已完成系统程序开发和安装调试，初验结束，准备验收；3) 黄墩湖滞洪区地理信息系统。已完成系统程序开发和安装调试；4) 实时工情数据库。已完成系统程序开发和调试安装，准备初验；5) 滁河洪水预报和秦淮河洪水预报调度系统。已完成系统程序开发和安装调试，准备初验。

（六）长江河道监测管理系统

江苏省长江河道监测系统以长江河道管理决策为目标，以长江监测为基础，以3S(GIS、GPS、RS)技术、信息网络技术、大型数据库技术、动态模拟和决策分析技术为主体，收集、整治建国50多年来有关长江水利信息，完成各类信息的可视化管理、逐步实现江苏长江数字化模拟分析，支持长江防汛、长江河道整治、水资源管理、水环境保护、水工程及岸线等高级管理决策，实现江苏长江管理信息化。系统于2004年开工建设，目前已完成总体框架与运行平台、防洪安全管理子系统、河道整治管理子系统三大块。

（七）省望虞河、太浦河自动监测系统工程

省望虞河、太浦河自动监测系统工程2005年11月开工建设，分为省望虞河和太浦河两个自动监测系统工程，投资2824万元(分别为1719万元和1105万元)。主要建设水质水量自动监测(含5个水量站、4个水质站、1辆水质水量移动监测车)、工情自动监测(约50个工情站)、扩建计算机网络、3个水利基础数据库、数据交换共享服务、防洪调度和地理信息系统等7个方面的内容。

项目进展情况：1)已完成信息监测系统、信息网络与数据共享交换系统两个分项的标书编制与招投标工作，并分别与承包单位签订了合同。目前这两个分项工程都已完成施工方案设计并开工建设，预计2006年底完成；2)水质水量自动监测站土建、水质水量移动监测车、3个水利专业数据库建库、防洪调度和地理信息系统研制正在建设。

水利管理

建设管理

【治淮工程前期工作】 国务院加快治淮工作会议确定，2007年底之前完成治淮19项骨干工程，同时加快实施行蓄洪区调整、扩大淮河下游泄洪能力及重点平原洼地排涝工程等3项新增工程。2005年，全省治淮前期工作进展情况：

1. 治淮19项骨干工程。沂沭泗河洪水东调南下续建工程中的新沂河工程初步设计通过水利部审查，中运河及骆马湖堤防工程可研报告通过水利部审查和中咨公司评估，沂河、沭河、邳苍分洪道工程和新沭河工程可研报告完成上报，南四湖湖西大堤加固工程可研报告正在编制。淮北大堤加固工程初步设计已经水利部水规总院审查。奎濉河近期治理工程初步设计经国家发改委、水利部批复，并转批徐州、宿迁。湖洼及支流治理2005年度工程设计文件已审查批复。行蓄洪区安全建设2005年度工程，编报了黄墩湖、鲍集圩行蓄洪区安全建设2005年度工程初步设计。

2. 治淮新增三项工程。淮河流域堤防达标及河道整治工程中的淮河入江水道整治、洪泽湖大堤加固、分淮入沂整治三项工程可研报告已完成上报淮委，并通过了淮委组织的技术初审。淮河流域重点平原洼地排涝工程中的重点平原洼地利用外资项目可研报告通过了水规总院审查和世行项目认定团的认定，初步设计也于2006年初编制完成，淮河流域重点平原洼地排涝工程规划初稿也已基本完成。

行蓄洪区建设与管理规划中的洪泽湖周边滞洪区、鲍集圩行洪区规划已经完成，黄墩湖滞洪区规划正在编制。庆安、崔贺庄、西双湖三座中型水库除险加固工程初步设计通过了水利部淮委技术审查，至2005年底，规划内的中型水库前期工作全部完成。2003年淮河灾后重建怀洪新河影响工程的初步设计已完成编报，并通过了淮委组织的审查，即将批复。

【治太和治江前期工作】 完成了泖河枢纽补偿工程方案论证配合工作、开展了环湖大堤后续工程可行性研究报告的编制，完成了望虞河后续工程、新孟河及新沟河延伸拓浚工程、吴淞江拓浚工程的工程规划，为新一轮太湖流域防洪规划提供技术支撑。为稳定长江河势、保证堤防安全，为沿江开发提供保障，组织开展了镇扬、扬中、澄通三个河段的前期工作。镇扬河段整治三期工程可研报告基本完成，扬中河段整治二期工程物理模型试验基本完成，澄通河段整治二期工程治理方案完成了初稿。由长江委负责编制的长江口综合整治规划通过了中咨公司的评估

（陈长奇　徐卫东）

水利规划

“十五”期间，全省提出了“率先全面建成小康社会、率先基本实现现代化”的目标，为了更好地为经济社会发展提供有效的支撑和保障，围绕“两个率先”，全面加强规划工作，认真编制水利规划，完成了一批规划成果。

围绕经济社会发展全局，抓好中长期规划和综合规划。编制完成《江苏省水利现代化建设总体规划》，提出了全省水利长远发展的总体目标和战略布局，建立了水利现代化的评价考核指标体系；编制完成《江苏省水利信息化建设规划纲要》，提出以水利信息化推进水利现代化的各项任务；编制完成《江苏省水利发展“十一五”规划纲要》（征求意见稿），提出了“十一五”期间水利发展目标、总体布局、改革任务和建设重点，基本列入了《江苏省国民经济和社会发展第十一个五年总体规划纲要草

案》;根据水利部部署,全面开展水资源综合规划,完成了水资源及开发利用现状评价、需水预测、节水等阶段成果,正在进行水资源配置工作,节水型社会规划的主要成果,已列入《江苏省生态省建设规划纲要》。

围绕区域发展的突出问题,编制完善专业规划。在配合淮河、太湖、长江流域完成流域防洪规划的同时,编制完成了《江苏省近期防洪规划》,为加强防洪建设和防洪管理提供了指导依据;围绕省政府提出的"沿江、沿海、沿沪宁线、沿东陇海线"发展战略,编制了区域水利规划,完成了阳澄淀泖、武澄锡、湖西、里下河、秦淮河、废黄河等6个区域综合规划或防洪规划;为了适应城市化战略加快推进,组织编制了全省13个省辖市的城市防洪规划和一批县级城市防洪规划,并经当地人民政府批准实施,城市防洪建设全面展开,并带动了城市水利建设;为了贯彻城乡统筹发展、建设社会主义新农村的要求,先后编制了县乡河道疏浚、大型灌区改造、丘陵山区水源、里下河圩区治理、农村饮水安全等一系列农村水利建设规划;在配合水利部长江委完成全国水利血防专项规划的基础上,编制了江苏省水利血防专项规划等等。

围绕加强水利管理,开展资源管理保护规划工作。根据省政府《江苏省沿江开发总体规划》要求,完成了《江苏省长江干流岸线开发利用控制指导规划》,体现了加强防洪管理、在开发中保护、在保护中开发,开发利用与治理保护相结合;根据省人大颁布的《江苏省湖泊保护条例》,切实加强湖泊管理,正在开展137个湖泊保护规划编制工作;制定了《江苏省地表水(环境)功能区划》,经省政府批准,作为水功能区管理的依据,同时正在开展全省水功能区纳污能力的核定工作;根据国务院批准的《太湖水污染防治"十五"计划》,开展了《江苏省太湖地区调水改善水环境规划研究》,进行了调水改善水环境试验,并建成了一批水环境工程;为巩固苏南地下水禁采成果,推进苏中、苏北地下水管理,编制完成了《江苏省地下水超采区划分研究报告》;为了做好长江干流采砂管理工作,在配合长江委完善长江中下游采砂规划基础上,编制了《江苏省长江采砂规划实施方案》。

为了加强规划工作,保证规划质量,主要采取了以下措施:一是健全规划编制机构,积聚规划人才。随着机构改革、事业改制,规划人才流失严重,制约着规划工作的开展和规划质量的提高。为此,在设计院改制过程中,注重稳定规划队伍;在水利厅机构改革中成立规划办公室,增加了规划力量。二是运用社会力量,引入竞争机制。近年来先后委托上海勘测设计研究院、河海大学、南京大学、省社科院等单位承担规划编制任务,运用社会力量,发挥多方面的优势,并逐渐形成有序竞争的局面。三是加强基础研究,组织联合攻关。对一些前瞻性的专题研究,通过公开招标,吸引高等院校和科研院所参与合作,突破难点,填补空白,从中吸收新的规划思想和先进理念。四是争取财政支持,增加规划投入。"十五"期间每年从基建经费中划出500万元用于省级规划等基础前期工作;对重点规划进行专项安排,水资源综合规划已安排1000多万元,湖泊保护规划计划安排1500万元。

2005年全省水利规划工作的重点是完成水利发展"十一五"规划、继续编制水资源综合规划、基本完成湖泊保护规划,以及编制一批区域规划和专项规划。《江苏省水利发展"十一五"规划纲要征求意见稿》已经完成,目前正在根据省政府的统一要求,提炼形成《江苏省国民经济和社会发展第十一个五年总体规划纲要草案》的专项规划。水资源综合规划,完成了水资源和开发利用调查评价,节水、水资源保护、地下水开发利用3个专项规划和国外水资源管理实践研究、社会经济发展指标预测等10项专题研究,正在进行供需平衡分析计算,起草各流域和全省水资源综合规划报告。湖泊保护规划,根据2004年颁布的《江苏省湖泊保护条例》和2005年江苏省政府公布的湖泊名录要求，在进行地形测量及基本情况调查的基础上，完成了湖泊保护范围、功能论证、功能区划、保护对策等阶段成果，基本完成了湖泊管理体制与机制、治理措施的专题研究，目前正在汇总形成单个湖泊保护规划报告。

（丁　虎）

“十一五”江苏水利发展规划

按照国家及江苏省关于“十一五”发展规划的编制要求，省水利厅根据《江苏省水利发展“十一五”规划编制工作意见》，2005年完成水利发展规划15个专题研究报告，提出了《江苏省“十一五”水利发展规划纲要》征求意见稿，征求了省相关部门及地方水利部门的意见，并与水利部及其流域机构进行了衔接；同时按照省政府的部署，依据《江苏省国民经济和社会发展第十一个五年总体规划纲要》，与省发改委共同完成了《江苏省“十一五”水利发展专项规划》。

《江苏省“十一五”水利发展专项规划》概括总结了“十五”江苏水利发展成就，分析了水利发展形势与要求，提出了“十一五”江苏水利发展的目标与布局、主要任务，明确了规划的实施与保障措施。

水利发展思路。围绕富民强省、“两个率先”的目标，进一步调整治水思路，拓展服务领域，创新发展模式，统筹发展布局，加快从传统水利向现代水利、可持续发展水利的转变；以保障防洪除涝安全、水资源供给安全、水域环境和生态安全为主要任务，加快重点工程建设，强化水资源管理，坚持依法行政，深化水利改革，依靠科技创新，不断提升水利服务于经济社会发展的综合能力，保障和促进全省经济社会的可持续发展。

水利发展目标与布局。加强与城市现代化和社会主义新农村相适应的水利基础设施建设，完善防洪减灾、水资源供给、水环境保护和水利发展服务水利“四大体系”，建设节水型社会，提高依法行政、社会管理和公共服务水平，基本保障大面积地区的防洪除涝安全，基本满足人民群众生活、经济社会发展、生态环境改善的用水需求，在苏南等有条件的地区和部分领域初步实现水利现代化。

围绕区域发展战略，提供水利保障支撑。服务沿江开发，加强长江河道整治；配合东陇海线经济发展，加紧建设沂沭泗水系防洪工程、南水北调东线一期工程；适应“沿海开发”要求，加快海堤防潮达标建设，改善沿海地区水利基础设施条件，提高淡水供应能力；适应提升沿沪宁线地区综合竞争能力的要求，扩大骨干河网引排能力，突出河湖水环境改善；支撑城市化发展和三大都市圈建设，提高城镇防洪排涝能力，整治城市水系环境；围绕建设社会主义新农村，全面加强农村水利基础设施建设。统筹各类工程建设，建设与管理调度并重。统筹兼顾防洪、供水、水资源保护和水环境改善，协调配套大、中、小工程，工程措施和非工程措施、建设和管理调度有机结合，努力实现水利综合效益最大化。

主要指标。防洪保安：全省大部分地区一般洪涝基本不受损失，能够防御建国以来的流域最大洪涝，对经济社会秩序不造成严重影响，遇超设计标准洪水有应急对策。沂沭泗水系防洪标准达到50年一遇，淮河水系、长江干流、太湖流域的防洪能力得到巩固提高；重点低洼易涝地区除涝能力提高到5年一遇以上；大中城市防洪标准基本达到100年一遇。水资源供给：一般干旱年份生活、生产用水得到保证，生态用水基本保障，严重干旱年份或突发污染引发供水危机时优先保证居民生活用水，基本保证重点工业用水。居民生活供水保证率达98%，重要工业供水保证率95%以上；节水成效明显，灌溉水利用系数达到0.55，工业用水(除电厂外)重复利用率达到70%，万元GDP用水量250立方米。水环境保护：水功能区水质达标率65%，城市饮用水源地水质达到国家标准，全省大部分地区水域环境和生态有明显改善。农村水利：县乡河道清淤完成率达到80%以上，积极开展村庄河塘整治，提高农村河道引排能力，继续实施农村饮水安全工程，着力改善农村人居环境和生活条件。农业灌溉保证率达到75%以上，有效灌溉面积达到80%以上，80%农田实现旱涝保收，提高农业生产的水利条件。

【水利发展主要任务】 完善防洪工程体系，提高抗灾保安能力。继续巩固提高流域治理标准。加快治淮工程建设，完成沂沭泗洪水东调南下二期工程，保障淮河下游和"沿东陇海线"地区防洪安全，"十一五"争取立项开工建设治淮新三项工程，积极推进行滞洪区建设。继续整治长江河势，续建完成南京河段二期整治工程和扬中河段嘶马弯道崩岸治理，争取起步实施镇扬河段三期、澄通河段和扬中河段二期、长江口综合整治徐六泾节点等工程。长江干流堤防安全防御1954年型洪水，有条件的重要城镇和开发区段堤防提高到防御100年一遇洪潮水位加10级风浪标准。实施太湖流域二期综合治理，按照太湖流域进一步提高到防御不同降雨典型的50年一遇洪水标准和增强"引江济太"调水能力的要求，争取开工建设太湖流域二期综合治理中的环太湖大堤续建、望虞河及新孟河扩大等工程。完成重点海堤达标建设。在堤身全面加固的基础上，加快完成100公里重点侵蚀段和其它重点堤段主海堤达标建设，加固改建涵闸，达到防御50年一遇高潮位加10级风浪的标准。突出重点区域治理，有效降低区域洪涝损失。加强里下河、沂南、沂北、废黄河、太湖、南四湖湖西及中运河沿线等重点区域治理。区域重点排水河道的防洪标准达到20年一遇以上，区域除涝标准：苏南达到10—20年一遇，苏中达到5—10年一遇，苏北达到5年一遇以上。完成大中型病险水库及300座小型水库除险加固。保障水库下游地区安全，同时提高相应区域水资源调蓄供给能力。加快城市水利建设。按照国家规定的城市防洪标准，基本完成省辖市中心城区防洪骨干工程，基本形成大中城市防洪工程体系。加强洪水调度与管理体系建设，降低洪水风险。推进洪水管理，划定防洪保护区、蓄滞洪区、行洪区的范围和等级，配合流域机构编制流域洪水风险图；建立行蓄洪区运用补偿机制；实行防洪保护区按不同洪水风险分区管理，引导城镇和开发区建设、产业布局调整。加强水利信息化和水文设施建设，完善防汛指挥系统。加强河湖管理和各类涉洪建设项目管理。

加快调水工程建设，提高水资源保障水平。完成南水北调东线一期工程，提高淮北缺水地区水资源供给能力。按照国务院确定的"2007年通水，2010年全面完成一期工程"的目标，加快调水工程建设；同时，省内徐州、连云港地区年增供水量10亿立方米。完善区域调供水网络，重点提高沿海地区水资源供给水平。实施泰东河、卤汀河拓浚等工程，健全里下河内部及沿海垦区输水网络，沿海和渠北地区年增供水量10亿立方米。加强通江河道整治，提高沿江河道引水能力。建设清水通道工程，保护骨干输水河道水质。建设南水北调输水干线清水通道，完成徐州、淮安、宿迁、江都四市截污导流工程。理顺和调整排水通道，封闭泰州引江河、泰东河、通榆河、淮沭河、望虞河等主要输水引水河道的入河排污口门，争取建成"清水通道"。完善供水机制，提高水资源供给效率和效益。统筹洪水调度、供水调度、水环境调度，优化水量分配，保障有效供水。严格供用水计划管理，实行用水总量控制。建设供用水监测系统和骨干输水河道的实时仿真模型。基本建成苏北地区水资源调度管理系统，推进以灌区为单位的农业用水按方收费。

加强农村水利发展，服务社会主义新农村建设。疏浚农村河道，整治农村水环境。完成疏浚县乡河道1.5万条、长度6.5万公里、土方10亿立方米；实施村庄河塘疏浚整治，改善农村居民生活环境。全面推进农村河道长效管理机制建设。加快饮水安全工程建设，改善农村饮水条件。重点解决苏北和沿海地区高氟水、苦咸水等地区的农村饮水安全，加大饮用水源地保护力度，提高供水保证率和水质达标率。加强灌区配套和节水改造，提高用水效率和效益。进行29个20千公顷以上大型灌区、10个中型灌区的续建配套和节水改造。重点解决病险工程、设施不配套、布局不合理、渗漏损失大等突出问题。加大重点圩区综合治理力度，促进农业综合生产能力建设。重点实施里下河腹部、沂南沂北及沿湖沿河低洼圩区治理，提高农业综合生产保障能力。建设山丘区水源工程。新增塘坝蓄水3亿立方米，更新改造提水泵站，完善丘陵山区水源工程体系。

强化水资源管理和保护，推进节水型社会建设。实施用水总量控制和定额管理。建立以行政区域为单元的地表水用水总量、地下水开采总量管理制度。实施单位产品生产和服务业用水定额管理。提出全省水资源优化配置方案。调整水资源费和供水水价，在有条件地区试行用水权有偿转让。完善取水许可等各项管理制度。全面推行各类规划和建设项目水资源论证制度，严格取水许可制度，加强排污口设置论证。强化过程监督，定期调整用水控制总量和定额指标，加强用水和排水计量管理，逐步建立用水审计评估体系。严格水功能区和排污口监督管理，改善重点河湖水质。完善水功能区管理办法，实行入河(湖)排污总量控制，提出分流域水系、行政区域和水功能区的限制排污总量意见，会同有关部门切实加强入河(湖)排污监督管理。加强饮用水源地保护。划定重要引水河道和水源地的保护范围，编制饮用水源地保护规划，开展饮用水源保护行动，建立饮用水源地长效管理机制。积极开展试点示范，推进节水型社会建设。组织实施徐州、张家港等2个国家级和11个省级县(市)节水型社会建设试点，大力推广水稻节水灌溉技术及节水农艺，引导工业节水技术改造，实施800家高耗水企业(单位)节水技改示范工程，建设10个节水型城市、100个节水型社区。实施河湖保护规划，维护河湖健康生命。按照批准的湖泊保护规划，划定保护范围，明确保护目标，切实保护公益功能。完善河道分级管理，严格河道管理范围内建设项目和开发利用活动的管理。加强长江及河湖采砂管理和岸线资源的水行政管理。结合河道治理，实施13个县的血吸虫病水利防治工程。坚持预防和治理相结合，改善水土流失区生态环境。丘陵山区水土流失治理面积750平方公里，70%以上水土流失得到治理。开发建设项目水土保持达标率达到90%以上。

建立健全应急机制，保障防洪和供水安全。完善防洪抗旱减灾应急机制；增强突发水污染事件供水应急处置能力。

【规划实施和保障】 投资需求。“十一五”期间全省水利建设投资规模403亿元，其中纳入基本建设项目投资306亿元，农村水利投入93亿元(不含纳入基本建设规模的灌区改造、农村饮水、水土保持三项17.5亿元)，工程管理维护4亿元，实行分级建设、分级管理。

体制、机制改革。全面完成水管单位体制改革，培育水利工程养护管理市场。深化水资源管理体制改革，建立合理的水价形成机制。大力推进乡镇水利站改革，创新农村水利发展机制。

转变政府职能，强化依法行政。加强和规范行政许可和规划管理，改革政府投资项目的实施方式，探索“代建制”、“委托制”等管理模式。完善水法规体系建设，制定《江苏省人大常委会关于加强饮用水源地保护决定》、《江苏省节约用水管理办法》、《江苏省取水许可制度实施办法》、《江苏省河道采砂管理办法》、《江苏省滞蓄洪区管理办法》等法规、规章。加强规划目标考核，建立健全规划实施机制。

加大科技投入，提高科技水平。完善水利科技创新机制，健全科技成果推广体系。加强人才培养。以信息化带动水利现代化。

【江苏省省管湖泊保护规划】 2005年3月1日开始施行的《江苏省湖泊保护条例》明确省管湖泊由省水行政主管部门会同有关部门编制。江苏省水利厅根据要求，组织18个单位承担了分项规划、科研、测量及现状调研任务，省有关厅局提供了相关材料，完成了《江苏省湖泊保护名录》中“洪泽湖、太湖、骆马湖、里下河腹部地区湖泊湖荡、白马湖、高邮湖、宝应湖、邵伯湖、滆湖、长荡湖、石臼湖、固城湖”等12个省管湖泊及“鹅真荡、嘉菱荡、宛山荡”3个跨市域湖泊的规划征求意见稿，并征求了流域机构、省各有关部门、各相关市水利局意见，完成了2005年的预定目标。

具体成果有：规划汇总说明，规划文本14本，规划图1册（共77幅图），规划报告14本，1/万现状及规划电子图621幅，管理体制与机制、生态保护规划研究、水质保护规划研究、治理对策措施、微山湖保护规划前期研究等5本专题研究报告。鉴于微山湖涉及苏鲁边界矛盾，暂不具备规划条件，仅进行规划前期思路研究。

规划从有效发挥湖泊功能、合理利用湖泊资源、维护湖泊生态环境的指导思想出发，依据有关法律法规和防洪、水资源等规划，遵循“保护优先、可持续利用；统筹兼顾，综合治理；因湖制宜，突出重点；依法治湖，科学利用”的原则，提出了维护湖泊健康生命，保障公益性功能不衰减，开发利用有控制，湖泊经济社会功能与自然生态系统协调，人湖和谐共处的总体目标，明确了湖泊保护范围，提出湖泊保护与治理的总体要求。

规划确定了湖泊保护范围和蓄水保护范围。依据《江苏省湖泊保护条例》，设计洪水位以下的区域为湖泊保护范围，规划按“立足现状，满足防洪调蓄要求，尽量多还湖，为未来保护留有余地”的原则，依据有关法律、法规、规章、规范规定和相关防洪规划、水资源综合规划要求确定保护范围。划定12个省管湖泊保护范围总面积为8847平方公里，3个跨市域湖泊保护范围为8.6平方公里。其中洪泽湖、太湖、骆马湖、高邮邵伯湖的保护范围为3704、2592、340、840平方公里。

按正常蓄水位划定12个省管湖泊蓄水保护范围总面积为5703平方公里，3个跨市域湖泊保护范围为8.2平方公里，其中洪泽湖、太湖、骆马湖、高邮邵伯湖的蓄水保护范围为1780、2333.8、278、638.1平方公里。洪泽湖、太湖、白马湖、滆湖、宝应湖等划定了规划保留区，明确规划保留区根据相关要求控制开发。

规划确定了各湖主要功能区划，提出总体保护对策。根据各湖泊的主要功能，分别划定湖泊的行水通道、水功能区、生态功能区以及重要基础设施保护和禁采区。行水通道内禁止设障，清除一切障碍。对湖泊主要出入湖的行洪、供水河道划定行水通道，对其他中小河道提出保护要求。水功能区一级区划分为保护区、保留区、缓冲区以及开发利用控制区四种，其中开发利用控制区又进一步区划为饮用水源、工业用水、农业用水、渔业用水、景观娱乐用水、过渡、排污控制区七种二级区划。生态功能区分为核心区、缓冲区、开发控制利用区三大类，要求对核心区与行水通道等重合的部位，行水时服从行水要求，清除障碍，非行水期按生态保护的要求加强保护。

各个湖泊根据其具体情况，对功能区分别提出了具体保护对策；对渔业养殖、旅游、采砂等开发利用提出了控制指导意见。

规划研究提出了省管湖泊的管理意见。省管湖泊实行统一管理与分级管理相结合的管理体制。省人民政府建立省湖泊管理联席会议制度,省人民政府水行政主管部门是省管湖泊的主管机关,省人民政府相关部门履行省管湖泊相关的管理和保护职责。各有关市、县(市、区)人民政府应按照事权划分和属地管理的原则,落实相应管理部门的工作职责和管理、保护经费,加强对省管湖泊的管理和保护。

规划按照“划分事权、分级负责、突出重点、统筹兼顾,提高效益”的原则,明确由各级政府负责本规划的实施。规划还提出近期实施重点。

【(2005年度)水资源综合规划编制工作进展情况】 根据全国水资源综合规划总体安排,结合我省实际,在2004年工作的基础上,继续开展节水规划、地下水开发利用规划、需水预测、分流域水资源配置与平衡分析及生态需水量预测、社会经济发展与土地利用指标预测、水价弹性与节水机制等支撑专题研究工作。

到2005年底,节水规划在对现状用水水平和效率分析评估的基础上,提出了农业、工业(分主要用水行业)、生活等用水的节水标准,估算节水潜力,提出了不同水平年节水目标、措施和投资估算等;相关成果已作为基础数据在需水预测中得到了应用。水资源保护规划根据总体目标和具体要求,对我省水功能区划的成果进行了适当的补充和调整,计算了现状纳污能力,预测了污染源、并计算其纳污能力、控制量及削减量。在此基础上,确定水功能区应符合的水体功能目标,并按照水资源量、质量进行合理配置,拟定规划水域的水质功能目标要求和不同规划水平年的水质目标。地下水开发利用规划根据现有水文地质资料,系统分析了各区域深层地下水资源补径排条件;分析计算各区地下水可开采量;重新划定了地下水超采区;根据地下水可开采量和经济社会发展对地下水的需求,提出了不同水平年分区地下水规划开采量;研究浅层地下水开发利用途径;对沿海地区深层地下水和重点地下水供水水源地开发利用提出了建议。

基本完成了需水量预测:根据我省“十一五”社会经济发展规划和发展战略,分析农业、工业、生活、生态环境对水资源的需求,预测不同水平年(2000—2010—2020—2030年)各行业的需水量及其时空分配。初步完成了水资源供需平衡分析:根据供水和需水预测,分析了不同水平年缺水状况(包括时间和空间分布)和水资源供需存在的主要问题。

在相关专题研究的基础上,基本完成了江苏省土地利用与社会经济发展预测:在我省社会经济外部环境和形势分析的基础上,依据我省两个“率先”、沿江开发、宁沪信息产业带、海洋经济、东陇海产业带和苏北振兴等重大发展战略,对我省经济总量和结构、人口和城镇化、工业、三产、农业和土地利用等指标进行了不同水平年(2000—2010—2020—2030年)的预测。初步完成了生态需水量研究:研究了全省主要湖泊、控制水位站的生态水位;分析计算了全省城市生态环境用水,主要城市引水冲污用水,主要湿地生态环境用水,沿海四港冲淤保港用水等。初步完成了节水潜力分析:在对现状用水水平和效率分析评估的基础上,提出了农业、工业(分主要用水行业)、生活等用水的节水标准,估算了节水潜力。开展了水资源承载能力和配置指标体系研究:分析筛选水资源评价和配置指标;建立水资源评价和配置合理指标体系;确定评价的标准和合理指标标准;提出水资源合理配置的对策措施等。

水利工程建设管理

2005年全省水利工程基本建设紧紧围绕

着水利工程建设管理的主题，进一步规范水利建设市场秩序，加快水利工程建设，推进水利工程竣工验收，加强水利工程建设队伍建设，各项工作取得显著效果，全省水利重点工程总投资37亿元，实际完成投资40.3亿元。

【法规规章】 根据《中华人民共和国行政许可法》和《国务院对确需保留的行政审批项目设定行政许可的决定》(中华人民共和国国务院令第412号)第173项“水利工程开工审批”，结合江苏水利工程建设项目开工特点，2005年1月27日制定《江苏省水利工程开工报批管理办法》，严格基本建设程序，保证工程建设项目的正常开展。

【项目法人管理】 根据水利部和江苏省的有关规定和建设管理实际情况，年初下发了《关于进一步完善水利工程项目法人组建和申报工作的通知》，进一步规范项目法人审批制度，2005年全年批复组建17个项目法人。

【招标投标管理】 2005年，全省水利工程招标投标有淮河流域灾后重建剩余项目、南水北调东线部分工程、淮河入海水道完善工程以及其他地方重点工程等28项，共分标段300多个。上省网发布招标信息140多条，其中国家网发布120多条。招标项目资金累计18.05亿元，中标累计金额16.79亿元，节省资金率约为7%。

【工程验收管理】 2005年下达了《江苏省水利厅2005年重点水利工程建设项目竣工验收计划》。明确各市竣工验收的目标、任务，落实相应责任人。针对淮河入海水道近期及完善工程制定了《淮河入海水道近期及完善工程竣工验收计划》，推动淮河入海水道工程的总体建设步伐。

围绕验收计划，全年先后完成淮河入海水道近期工程海口枢纽、淮阜控制、羊莆桥、淮阜漫水桥等4个单项工程的竣工验收。完成穿堤建筑物、河道堤防、淮海农场渠北排灌工程竣工初验。至此，江苏实施的入海水道11个单项工程已有7个完成竣工验收，剩余4个单项正在着手单项工程竣工验收准备，为全面加快入海水道总体竣工验收进一步创造了条件；2003年度淮河流域灾后重建共有11个单项，到年底，主体工程基本完成，并且完成各个单位工程的投入使用验收，其中金湾闸、阜宁腰闸加固工程完成了竣工验收；省重点工程中，先后完成横山水库、红山窑水利枢纽、瓜洲闸枢纽、赤山闸陈家边站、新江海河闸等加固、拆建工程的竣工验收，以及石梁河水库主、副坝除险加固、烧香河北闸拆建等工程的竣工初验，另外，还完成小塔山水库除险加固、泰东河2003年度河道、桥梁等一批在建重点工程的投入使用验收。

除完成年初制定的全年验收工作计划之外，还完成盐城海堤达标西潮河闸等9座建筑物除险加固、总渠管理处的淮安一站加固改造、秦淮河管理处三项江堤达标工程的竣工验收；完成常熟枢纽自动化系统工程投入使用验收等。

【水库除险加固】 2005年以来，水利部和江苏省对水库的除险加固增大了投入，2005年全年投入资金2.8亿元，完成投资2.6亿元，大型水库中完成横山水库竣工验收，石梁河水库完成竣工初验，小塔山水库基本完成建设任务，各中型水库建设情况良好。

【资质管理】 2005年，全省水利工程建设队伍资质管理工作效果显著。完成对水利系统施工企业进行资质复查，共有130个施工企业参加资质复查，其中一级企业7个，二级企业57个，三级企业66个，经审核，一、二级64个企业全部合格，三级企业有65个合格，1个为基本合格。另外，还完成了5家施工企业申报二、三级资质的初审工作。2005年度项目经理资质复查工作中，参加复查的2155名项目经理有2153人通过复查，2人因超龄而注销。

【争先创优】 2005年上半年，开展了争创部优省优活动，我省淮河入海水道滨海枢纽工程、泰州引江河工程被水利部评为“2005年度中国水利工程优质奖”，太湖环湖大堤雅浦港枢纽工程、常熟市白茆闸改建工程、新沭河大浦抽水站工程被评为“2005年度江苏省‘扬子杯’优质工程”。下半年，开展了2005年度全省水利工程建设项目文明工地评选活动，共评选出南京红山窑水利枢纽拆建工程、无锡仙蠡桥枢纽工程、常州市武澄锡横塘片洼地治理北枢纽工程等9个“2005年度文明工地”。另外，2005年省水利厅基本建设处被水利部评为2004年度全国水利建设稽察先进集体。

（金嘉麟　赵曰平　黄仲熙）

2005年全省重点水利工程完成竣工验收情况表

序号	工程名称	验收情况	决算(万元)
1	淮安一站加固工程	竣工验收	2950
2	瓜州水利枢纽除险加固工程	竣工验收	4428
3	宜兴横山水库除险加固工程	竣工验收	9938.44
4	赤山闸、陈家边除险加固工程	竣工验收	2405.48
5	通州新江海河闸改建工程	竣工验收	3224.72
6	长江镇扬河段二期整治工程和畅洲左汊口门控制工程	竣工验收	7065.69
7	红山窑水利枢纽拆建工程	竣工验收	13243.51
8	秦淮新河闸站上游堤防达标建设工程、秦淮新河闸上游导流堤加固工程、武定门闸上游堤防达标建设工程	竣工验收	912.19

2005年度水利部优质工程

一、泰州引江河工程	
建设	江苏省泰州引江河工程建设指挥部 江苏省泰州引江河高港枢纽工程处(派出机构)
勘察设计	江苏省水利勘测设计研究院(现名:江苏省水利勘测设计研究院有限公司)
监理	江苏省苏源工程建设监理中心 扬州市扬子工程建设监理咨询有限公司
施工	江苏省水利建设工程总公司(现名:江苏省水利建设工程有限公司) 淮阴市水利机械工程总公司(现名:淮阴市水利建设集团有限公司) 扬州水利建筑工程公司 江苏三水建设工程公司(现名:江苏三水建设工程有限公司)
二、滨海枢纽工程	
建设	江苏省淮河入海水道建设管理局 江苏省淮河入海水道滨海枢纽建设处(派出机构)
勘察设计	江苏省水利勘测设计研究院(现名:江苏省水利勘测设计研究院有限公司)
监理	水利部上海勘测设计研究院 镇江兴华工程建设监理中心
施工	江苏省水利建设工程总公司(现名:江苏省水利建设工程有限公司) 盐城市水利建筑工程处 昆山市水利建筑安装工程公司 南通市第四建筑安装工程有限公司

2005年度江苏省“扬子杯”优质工程名单表

序号	工程名称	施工单位	监理单位
1	常熟市白茆闸改建工程	常熟市水利建设工程总公司	江苏省苏水工程建设监理中心
2	连云港市新沭河大浦抽水站	江苏省水利建设工程有限公司 连云港市水利建筑安装公司	江苏省水利工程科技咨询有限公司
3	太湖环湖大堤雅浦港枢纽工程	常州市武进水利工程有限公司	江苏省水利工程科技咨询有限公司

2005年度全省水利工程建设项目文明工地名单表

序号	工程名称	建设单位	施工单位	监理单位
1	南京红山窑水利枢纽拆建工程	南京市红山窑水利枢纽拆建工程建设处	江苏省水利建设工程总公司 南京市水利建筑工程总公司	南京江宏监理咨询有限责任公司
2	无锡市城市防洪仙蠡桥水利枢纽北枢纽工程	无锡市重点水利工程建设管理处	盐城市水利建筑工程处	水利部上海勘测设计研究院
3	常州市武澄锡横塘片洼地治理北枢纽工程	常州市横塘河枢纽建设处	淮阴水利建设集团有限公司	宜昌长委工程建设监理中心
4	阜宁船闸除险加固工程	盐城市灾后水利重建应急工程建设处	阜宁县水利工程处有限公司	盐城市河海工程建设监理中心
5	盐城市城市防洪工程小洋河东支闸站工程	盐城市城市防洪工程建设处	盐城市水利建筑工程处	盐城市河海工程建设监理中心
6	扬州市城市防洪沿山河综合整治工程	扬州市城市水利建设处	扬州水利建筑工程公司、扬州市邗江水利建筑工程总队、上海市青浦水利建筑工程有限公司	扬州市扬子工程建设监理咨询有限公司
7	江都市野田河南接工程	江都市野田河工程建设处	江都市水电建筑安装工程总公司	扬州市扬子工程建设监理咨询有限公司
8	赤山闸、陈家边站除险加固工程	赤山闸、陈家边站除险加固工程建设管理处	江苏省水利建设工程有限公司	镇江市华源建设监理中心
9	淮河入海水道展控调度中心	江苏省淮河入海水道管理设施建设处	南通建筑工程总承包有限公司、南通四建集团有限公司	江苏省苏水工程建设监理中心

工程质量及造价管理工作

【综述】 2005年,全省水利质量监督系统强化职业道德和机关作风建设,提高工作效率,狠抓质量监督和定额造价管理,全面完成了年度工作任务。9月份,在全国水利工程质量安全稽察工作会议上,省水利工程质量监督中心站和盐城市水利工程质量监督站被评为“全国水利系统先进质量监督集体”。省质监中心站负责质量监督的滨海枢纽工程和泰州引江河工程荣获“2005年度中国水利工程优质奖”。

【工程质量监督】 2005年,省、市两级水利工程质监站共承担了治淮2003年灾后重建工程、淮河入海水道工程(桩号94+338以下的河道及堤防、枢纽、穿堤建筑物及入海水道增补工程等)、东调南下新沂河整治海口枢纽扩建、奎濉河治理、湖洼治理工程,治太湖西引排九曲河、武澄锡引排武宜运河整治工程,海堤达标工程,病险闸站加固工程,小型水库除险加固工程,外秦淮河综合治理及三汊河口闸工程,重点水源泰东河工程,城市防洪、区域水利等一大批工程的项目质量监督工作,各项工程质量处于受控状态。

治淮重点工程:1. 淮河入海水道工程:2005年初,江苏省水利工程质量监督中心站组织召开了淮河入海水道工程质量总评准备工作会议;5月份,江苏省水利工程质量监督中心站和水利部水利工程质量监督总站淮河流域分站共同完成了河道堤防和穿堤建筑物两个单项工程的质量评定工作。渠北排灌单项工程由淮安、盐城两市水利工程质监站负责质量监督和评定。淮河入海水道工程共13个单项工程,至2005年年底,除水文通信管理设施单项工程以外,其余12个单项工程质量评定工作已全部完成。

2. 江苏省淮河流域2003年灾后重建应急工程:共有淮河入江水道加固、洪泽湖大堤加固、分淮入沂加固、苏北灌溉总渠加固、洪泽湖周边迎湖挡洪堤加固、里下河洼地治理、鲍集圩行洪区堤防除险加固、淮沭河河西洼地治理、鲍集圩行洪区移民安置保庄圩、洪泽湖周边滞洪区移民安置保庄圩、入海水道完善工程等11个单项工程。该工程由江苏省水利工程质量监督中心站与相关市水利工程质量监督站按分工,分别具体承担工程质量监督职责。至2005年底,11个单项工程中的单位工程质量评定工作已基本完成。

3. 新沂河整治工程、奎濉河治理等其他治淮工程的质量监督工作由省市两级水利工程质量监督站共同负责质量监督,工程进展顺利。

治太及其他省重点工程:会同太湖流域质量监督分站完成了望虞河、环太湖大堤工程的质量总评工作;对杭嘉湖北排通道、湖西引排、武澄锡引排工程总体质量评定工作进行了部署;完成了九曲河枢纽、谏壁站改造、武宜运河工程、烧香港三期工程和红山窑水利枢纽拆建、烧香河北闸、白茆闸改建、浒浦节制闸、淮安一站改造、赤山闸陈家边站除险加固工程、常浒河拓浚工程等工程的质量评定工作;完成新江海河闸等部分海堤达标工程质量评定工作;完成长江治江和畅洲左汊口门控制等工程质量评定工作;完成了重点水源工程泰东河时堰段河道、时堰桥、海陵段2003年度河道、兴化幸福河口段河道等单位工程的质量评定工作;完成了仙蠡桥水利枢纽工程、江尖水利枢纽工程等一批城市防洪工程阶段验收前的质量评价工作。

病险水库加固工程:小塔山、安峰山、大石埠、贺庄、塘马等大中型水库除险加固工程由江苏省水利工程质量监督中心站和市水利工程质量监督站共同负责质量监督。质量监督和管理工作进展有序，工程总体质量良好。全省小型水库除险加固工程由各市水利工程质量监督站负责质量监督，江苏省水利工程质量监督中心站负责检查指导，先后组织南京、连云港、徐州、淮安、扬州、镇江等市站开展了质量联合巡查活动，促进了工程质量管理水平的提高。

南水北调工程：2005年6月，经国务院南水北调建委办公室国调办建管函[2005]57号文批准，设立“南水北调工程江苏质量监督站”，具体负责南水北调东线江苏境内工程的质量监督工作。江苏省水利厅决定在江苏省水利工程质量监督中心站挂“南水北调工程江苏质量监督站”牌子，两站合署办公。

到2005年底，三阳河、潼河45.45公里河道、21座跨河桥梁及宝应站的单位工程质量评定工作已基本完成。刘山站、解台站、淮阴三站和淮安四站工程的质量监督工作正常有效。蔺家坝泵站和江都站改造工程在年底办理了质量监督报批手续。

2005年11月，国务院南水北调建委专家委员会对南水北调东线解台站和宝应站工程质量进行了检查，总体评价良好。

其他重点水利工程：海堤达标工程，大沙河综合治理工程，城市防洪、区域水利等一大批工程的项目质量监督工作有序开展。

各市站除做好大量的基建工程质量监督工作外，还承担了面广量大的农田水利工程的质量监督检查工作，效果较好。

【强化培训指导】 《工程建设标准强制性条文》(水利工程部分2004版)于2004年10月1日起施行。2005年初，江苏省水利工程质量监督中心站组织举办了6期强制性条文宣贯班和1期水利工程质量检测知识培训班，有500多人参加了培训学习；2005年12月，江苏省水利工程质量监督中心站又组织举办了一期水利工程质量检测人员培训班，共有质量检测、管理、施工、监理等单位的近200人参加了培训学习。

应有关单位邀请，江苏省水利工程质量监督中心站还先后派员到南通市水利局、刘山站、淮阴三站、淮安四站工地就水利工程质量监督与管理进行专题讲座，有140多名参建单位的质量管理人员听了讲座。

对县级水利工程质量监督机构工作情况进行调研。目前，我省有宜兴市、吴江市、阜宁县设立了水利工程质量监督站，为了解这些质量监督机构开展工程质量监督的情况，分析县级水行政主管部门设立工程质量监督机构的必要性，省站对上述3个质监站的组建、工作内容和工作方式进行了调研。听取了相关市水利工程质量监督站和县水利局的意见，并对县级质监机构如何开展质量监督工作和市、县质量监督机构的事权划分等事项与相关市县质监站进行了分析和探讨。

【定额造价管理】 经认真调研，广泛收集各种材料资料，完成了《江苏省水利工程概算定额2005年动态基价表》、《江苏省水利工程预算定额2005年动态基价表》和《江苏省水利工程机械台班费定额》修编工作。通过大量的对比分析，并根据有关专家的意见，对《江苏省水利基本建设工程概算编制规定》(2005年修改版)讨论稿进行了多次修改和完善，已形成送审稿。编制了4期《江苏省水利工程造价管理信息(季刊)》，在江苏水利网发布，为水利工程建设提供信息服务。

(肖志远)

工程管理

【工程管理体制改革】 2005年在各级政府的正确领导和统一部署下，全省各级水管单位严格按照省水管体制改革实施意见的精神，紧紧围绕省有关文件规定的改革任务，切实开展了水管体制改革工作，改革工作进展较为顺利，并取得了一定的成效。实施意见出台、分类定性、定岗定编、经费测算等基础性改革工作已基本结束，大多数水管单位进入了落实财政经费、深化内部改革等实质性阶段，部分县市已基本完成改革任务。一是积极出台实施意见或方案。到年底已由12个市56个县政府出台了改革实施意见。二是科学分类定性，合理定岗定编。全省水管单位均完成了单位定性，按照有关标准进行了定岗测算，许多水管单位分类定性和定编工作得到了编制部门的批复。三是完成两项经费测算工作。测算的成果得到了财政部门的认可。许多水管单位的财政性资金得到了落实，如宿迁市2005年财政性资金从无到有，落实了280多万元，取得了突破性进展。四是全面推行内部改革。各级水管单位结合自身实际情况在人事制度、分配制度、管理模式等方面进行了一系列尝试，取得了初步成效。主要是全员竞争上岗，推行岗位工资制度，尝试招标管理等。五是积极开展管养分离。按照三步走的策略，积极组建专业养护维修队伍，将维修养护工作、人员和经费等在水管单位内部进行分离，实行合同管理，同时对养护维修工程建立了详细的考核细则和严格的考核机制，加强合同管理和工程验收工作，提高了工程管理水平，降低了工程管理成本。结合省事业单位改革，进一步巩固水管单位体制改革成果，初步建立健全与改革相配套的各项制度，建立新的运行机制，进一步推进管养分离，推进维修养护工作市场化。编制《水利工程维修养护定额》，建立维修养护市场。

积极推进竞争上岗、全员聘用制度，建立符合单位特点、体现岗位绩效、分级分类管理的薪酬制度。

【水库除险加固工程建设】 继续实施小塔山、安峰山、赵村、塘马水库除险加固工程；已批复52座小型水库除险加固建设任务，批复经费13234万元，其中省补助7231万元。已经开工建设44座，累计完成总经费9854万元。对崔贺庄、大溪、海底等水库进行了维修加固。

【水利工程管理单位考核】 根据水利部和全省《水利工程管理考核办法》，积极组织各地水利工程管理考核达标申报工作。组织对高港闸站管理所和船闸管理所省级管理单位考核验收和省三河闸管理所、苏州胥口枢纽管理处及张家港长江防洪工程管理处等单位申报国家级管理单位考核初验，并做好水利部、太湖局来我省验收的有关工作。其中，省三河闸管理所为国家一级水利工程管理单位，苏州市胥口水利枢纽管理处、张家港市长江防洪工程管理处为国家二级水利工程管理单位，省高港闸站管理所、宜兴市横山水库管理处为省一级水利工程管理单位，省高港船闸管理所为省二级水利工程管理单位。通过考核达标，促进了管理工作的规范化、制度化，提高了水利工程管理水平。

【规范化管理】 为规范水利工程运行养护市场秩序，保证工程养护修理质量和运行安全，根据有关法律法规和我省水管体制改革实施意见的要求，制定了《江苏省水利工程运行养护市场管理暂行办法》，于2005年12月1日颁布实施。

抓好堤坝白蚁防治工作。4月8日，在仪征市召开了全省堤坝白蚁防治工作会议，对2004年度堤坝白蚁防治工作进行了总结，对2005年度堤坝白蚁防治目标任务等进行全面部署。由句容县(市)堤坝白蚁防治中心研制出药物—蚁克星在全省进行了推广使用，取得了初步治理效果；做好水库养护经费定额测算及编制工作。

【安全鉴定】 组织开展并指导全省水闸、泵站安全鉴定工作，为水闸、泵站工程的除险加固和更新改造做好基础。2005年共组织对淮安、盐城、南通等市共16座水闸安全鉴定工作，对556座小型水库进行了安全鉴定。

【湖泊保护规划编制】 组织开展湖泊保护规划的专题研究和编制工作。组织编制湖泊保护名录，上报省政府后向社会公告组建领导机构，编制下发总体大纲和分项工作大纲，分解工作任务，布置和督促各地认真开展工作，组织专家评审中期成果，完成文本报告及图集。

【涉河建设项目行政许可】 加强河道管理范围内建设项目的审批工作，认真履行水利部、国家计委关于河道管理范围建设项目审批规定，认真履行工作职责，为沿江岸线开发利用促进地方经济发展等提供了良好的服务，树立了行业良好形象。编制了厅第四批行政许可事项中的3项，提供有关公示内容及规范文本。按照行政许可的有关程序和要求，做好行政许可工作。全年共完成有关建设项目审批112个。

【长江河道采砂管理】 编制完成了规划实施方案，并报省政府审批，该方案省政府尚未批准。配合做好我省长江采砂管理执法工作，指导沿江部分地区吹填造地采砂论证和审批工作，共批准5项，采砂量约1490万立方米。

组织编制《江苏省大型泵站更新改造"十一五"规划报告》，并通过了水利部组织的审查。江苏省大型泵站改造"十一五"规划共42处，泵站156座，总装机功率30.90千瓦，投资13.32亿元。

【水利风景区建设与管理】 2005年11月江苏省水利厅下发了《关于成立江苏省水利风景区评审委员会的通知》(苏水人〔2005〕72号)，成立江苏省水利风景区评审委员会。陶长生副厅长担任主任委员，委员由相关处室、部门负责人担任。

根据水利部《关于做好第五批国家水利风景区申报工作的通知》(景区办[2005]4号)要求，组织开展国家级水利风景区的申报工作。江苏省姜堰市溱湖风景区、淮安市古运河水利风景区和盐城市通榆河枢纽风景区，经水利部水利风景区评审委员会的评定，被命名为"国家水利风景区"。

【省属水利工程防汛防旱】 根据省防指《关于开展2005年度水利工程汛前大检查的通知》的要求，2005年4月，河道局组织省厅汛前检查组，对省管工程开展汛前检查。对照《厅直属水利工程定期检查内容(试行)》的要求，详细检查各管理单位的自检材料、工程试验资料、工程设备，重点检查了各管理单位提出的工程存在的问题以及关系工程安全的重要部位，并提出整改意见，限期整改。对检查出来的问题要求管理单位尽快处理，加强观测检查，确保汛期安全。对正在进行除险加固改造的闸站，制订科学合理的应急处理方案，落实度汛措施。

2005年，省属水利工程科学调度，成功抗御了台风和洪水的袭击，发挥了显著的工程效益。全年泵站共排涝25.8亿立方米，抽水抗旱32.65亿立方米，引江水北调17.15亿立方米；涵闸泄洪1233.19亿立方米，引水194.5亿立方米；出动抗排机泵141台套，共排涝5802万立方米。

【安全生产】 根据厅安委会《关于加强当前安全生产工作的通知》和《关于开展"安全生产月"活动的通知》的要求，2005年1月、6月、12月，省河道局分别与省厅人事处、工管处一道组织开展了三次安全生产专项检查，结合流域内各省管工程的自身特点，对各省管工程安全生产的重点站所、重点部位和重要环节进行检查，排查安全隐患，重点加强了电气、机械设备的运行状况，水工建筑物存在的安全隐患，各种消防、救生等安全设施的设置，水陆交通工具和相关设施、设备的完好性，以及安全生产责任制的落实、安全生产组织网络的建立、安全生产工作的监督管理、职工安全意识的教育培训、建设项目安全生产的落实、单位安全管理目标的制定执行、反事故预案的制定、防恐和安全度汛措施的制订落实等情况的检查。2005年省属水利工程全年安全生产无事故。

【维修养护】 省财政厅、水利厅下达厅直水管单位维修养护项目经费共计3560.5万元。其中2005年维修养护、防汛急办等143项，经费1555.5万元；增加下达2004年维修项目60项，经费1326万元，养护经费679万元，到年底全部完成。为加强维修经费的使用和管理，2005年7月至8月，河道局对维修养护经费执行情况进行了专项检查，研究制定了省管工程的维修养护管理办法。

【除险加固】 2005年省属工程在建、开工建设及竣工完成的省管水利工程除险加固共有24项。其中二河闸除险加固工程、淮阴闸除险加固工程完成主体工程。新沂河海口控制应急加固工程、柴米闸加固工程、芒稻闸启闭机房及桥头堡建设等相继全部完工。阜宁腰闸除险加固工程、金湾闸加固续建工程顺利通过竣工验收。江都站改造开工建设。

（工管处管理科 朱友江 赵顺平 王震球）

水资源管理

【水功能区管理】 2005年，完成了全省所有水功能区的排污口普查登记，并针对部分水域取排水口犬牙交错的状况，组织编制了入河排污口整治规划。在全面开展现状调查的基础上，制定入河排污口设置的控制布局方案，明确禁止、限制设置入河排污口的水域范围；对已设入河排污口编制整治方案，并建设入河排污口管理信息系统。严格排污口监督管理。加强新建、改建或者扩大排污口审批管理，对已建的入河排污口加强监测和监督管理。

根据水利部统一部署，省厅组织编制城市饮用水源地安全保障规划。开展了“饮用水源地保护行动”，对集中式饮用水源地开展了集中执法检查，南京、盐城等地均开展了饮用水源地综合治理，搬迁污染企业、封闭排污口、关闭砂场和码头等，取得较大成效。松花江水污染事件后，各级水利部门高度重视应对突发性水污染事件的能力建设，建立健全重大水污染事件报告制度，组织制定了水利系统应急预案。

开展了省人大《饮用水源地保护的决定》的起草和立法调研等前期工作，推进了饮用水源立法的进程。开展了湖泊保护规划编制工作，为全省湖泊水功能区保护提供科学依据。开展了全省水环境容量和污染物消减量计算工作，完成了水环境容量和污染物消减量工作大纲，并经专家评审。

加强水功能区水质监测，发布了《江苏省水质通报》，泰州、盐城等地对城市水源地开展了水质旬报。遇突发性污染事故，实施应急监测方案，随测随报，为科学处置突发性污染事故提供决策依据。

【水资源开发利用】 2005年全省未发生大范围干旱，但丘陵山区旱情一度较为严重。省水利厅积极实施江水、淮水北调，江水北调及省指定大站累计抽水36.1亿立方米；充分利用洪水资源，实施“引沂济淮”，跨流域调度洪水，向洪泽湖调水1.1亿立方米，有效地缓解了淮河下游地区水源不足的矛盾。加强用水管理，提高水资源利用效率。农业用水方面，在继续推行产业结构调整，加强大中型灌区改造，推广各项节水技术，提高灌溉水利用率的同时，强化了取水许可管理。非农业用水方面，进一步强化了取水许可管理，严格水资源论证制度，不断提高取水许可水资源论证水平。所有编制的水资源论证报告，均经审查后组织有关专家进行评审。对已建取水项目，加强取水许可监督管理，建立平常加强检查，年终进行年审的工作制度，并实施超计划用水水资源费加价制度,促进企业节约用水。

【水资源节约保护】 开展节水型社会建设,提出了以载体建设为重点的工作思路,将节水型社会分解为节水型农业、节水型工业、节水型社区、节水型城市等载体,分类指导,全面推进。起草了《江苏省节水型社会建设规划纲要》,并已报省政府批准;完成了《江苏省节水型社会建设思路与对策》等专题研究,调研起草了《江苏省节约用水条例》初稿。徐州和张家港两市作为全国节水型社会建设试点单位,节水型社会建设规划已经水利部审查批复。初步确定了第一批省级节水型社会建设试点市(县)。节水型农业方面,结合灌区改造工程,推广湿润灌溉、控制灌溉等节水技术。节水型工业方面,会同省经贸委开展节水型企业创建工作,先后完成了30多家省级节水型企业的创建;从2002年起至2005年底,全省各级开展企业节水改水技术改造,已累计完成760多个示范项目;经全国节水办同意,在全国率先开展了节水型产品认定工作,先后认定发布了FC型自净式洗车废水回用装置、净废水两用式座便器等节水型产品。节水型城市和节水型社区方面,组织开展了"节水型机关"、"节水型家庭"、"节水型高校"、"节水型企业(单位)"等创建活动。

【地下水管理】 2005年是苏锡常地区落实地下水禁采的最后一年,自2000年至2005年年底,经过5年努力,累计封填深井4745眼。地下水禁采任务如期完成,使该地区地下水水位上升区和稳定区面积占总面积的比例提高到99%,地下水漏斗面积从2000年的5500平方公里减少到1468平方公里,三市市区地面沉降速率控制在每年10毫米左右,外围地区地面沉降速率总体趋于稳定。同时,地下水禁采还带动了区域供水、节水改水,全面提升了节水意识和水资源管理水平,取得了显著的社会效益、经济效益和生态效益,增强了区域可持续发展能力。苏中、苏北地区的地下水管理进一步加强,全面建立"四个一"管理制度,实现计划管理、定额管理、总量控制。完成了全省新一轮地下水超采区的划分并经省政府批准,组织各市编制完成了五年地下水压采计划,2010年底前将地下水开采总量压缩至可采总量范围以内。

【水资源公报】 2005年度《江苏省水资源公报》在省水资源服务中心等有关部门的共同努力下,完成了《公报》的编制和发布,向各级领导、有关部门和全社会公告全省各地的来水、用水、水质的动态状况,反映省内重要水事活动、水供需矛盾及其有关水资源的最新科研成果。

水资源量:2005年全省平均降水量1078.5毫米,折合降水总量1099.42亿立方米,比多年平均(1956年—2000年系列)偏大8.4%,比2004年偏大37.5%。全省水资源总量454.82亿立方米,其中地表水资源量360.98亿立方米,平原区降水入渗补给量93.84亿立方米。产水系数0.41,产水模数44.6万立方米/平方公里。全省入海水量为374.20亿立方米,其中,淮河流域371.70亿立方米,长江流域2.50亿立方米。

蓄水动态:全省8座大型水库(含洪泽湖、骆马湖)年初蓄水为57.53亿立方米,年末蓄水66.24亿立方米,当年蓄水变量8.71亿立方米。全省浅层地下水上升区面积1.19万平方公里,相对稳定区面积5.94万平方公里,浅层地下水漏斗在逐年恢复。

水资源利用:全省总供水量509.43立方米。其中地表水源供水量499.47亿立方米,占总供水量的98.0%;地下水源供水量9.96亿立方米,占总供水量的2.0%。地表水供水量中,跨流域调水51.10亿立方米。全省总用水量509.43亿立方米。各类用水量中,生产用水475.58亿立方米,占全省总用水量的93.4%;生活用水30.67亿立方米,占全省总用水量的6.0%;生态环境用水3.18亿立方米(不包括河湖补水和湿地补水),占全省总用水量的0.6%。生产用水中,第一产业用水260.10亿立方米,占生产用水的54.7%,其中农田灌溉用水232.52亿立方米;第二产业用水208.79亿立方米,占生产用水的43.9%,其中工业用水207.08亿立方米;第三产业用水6.69亿立方米,占总用水量的1.4%。生活用水中,城镇居民生活用水19.26亿立方米,占生活用水的62.8%。

水环境概况:通过对全省约591个地表水水质断面,7347公里控制河长的监测结果表明:Ⅱ类水控制河长774公里,占10.5%;Ⅲ类水控制河长1692公里,占23.0%;Ⅳ类水控制河长1405公里,占19.1%;Ⅴ类水控制河长837公里,占11.4%;劣Ⅴ类水控制河长2638公里,占35.9%。地表水超标项目依次主要为化学需氧量、氨氮、总磷、高锰酸盐指数、五日生化需氧量、溶解氧、挥发酚等。

【水资源综合规划】 根据全国水资源综合规划总体安排,结合我省实际,在2004年工作的基础上,继续开展了节水规划、地下水开发利用规划、需水预测、分流域水资源配置与平衡分析及生态需水量预测、社会经济发展与土地利用指标预测、水价弹性与节水机制等专题研究工作。

至2005年底,节水规划在分析不同规划水平年分地区分行业主要用水指标的基础上,进行了相应水平年的节水量与节水潜力的计算;相关成果已作为基础数据在需水预测中得到了应用。水资源保护规划根据总体目标和具体要求,通过对我省水功能区划的成果进行适当的补充和调整,计算现状纳污能力,预测污染源及其纳污能力、控制量及削减量。在此基础上,确定了与水功能区相对应的水体功能目标,并按照水资源量、质量进行了合理配置,拟定了规划水域的水质功能目标要求和不同规划水平年的水质目标。地下水开发利用规划核定了全省地下水的可开采量,并划分了地下水超采区;在分析地下水资源承载能力的基础上,提出合理开发、高效利用、有效保护、科学管理的布局和方案,为今后一定时期内地下水资源开发利用与管理提供了重要依据和准则,促进和保障了全省经济的可持续发展。

在相关专题研究的基础上,基本完成了生活、工业分行业、农业、生态环境等取水定额指标、需水量预测工作。基本确定了经济社会发展指标,已确定了2010年、2020年火电装机规模控制数;在前一阶段完成模型参数的率定和调试完善工作的基础上,开展了对水源调度管理的模拟工作,基本完成现状工况2000年基准年、规划水平年、2010年工况2000年基准年、规划水平年水资源供需平衡分析,并完成供水预测供水工程初步汇总工作。初步完成我省水资源配置方案与框架思路,推动了流域、区域工程方案研究。

(胡长忠　张秝湲)

水文工作

2005年,江苏省水文水资源勘测局坚持以邓小平理论和江泽民“三个代表”重要思想为指导,全面落实科学发展观,紧紧围绕全省水利中心工作和地方经济社会发展的需求,提供全面、优质、高效的水文服务。水文业务全面发展,精神文明建设成绩显著,单位发展活力明显增强,职工收入稳步增长,比较好地完成了全年工作目标和任务。

【资料整编】 地表水资料完成了1153站年158万字组的水文资料和7359个计算机内原始数据文件的审查工作,计算机各类水文数据量达86.6 mB。审查的重点是,重大水情发生期、水利工程调度运用期以及逢五年份测站水准复测考证工作。同时,抓好固态存储器自动采集数据直接进入水文资料整编系统,尤其是对系统运行缺测、成果合理性及汛期非汛期测验方式衔接进行检查。审查结果表明，测验资料质量较上年有所提高，特别是洪泽湖、骆马湖入湖出湖控制站点、入江水道、沿江沿海及引江济太、引沂济淮一线加大了监测力度，新仪器新设备得到进一步应用，水文测验科技含量进一步提高，流量测次及其时空分布均高于规范要求，较好地控制了洪水过程，流量测次满足率进一步提高；全省水位自记完好率98%，雨量自记完好率100%。

地下水资料整编完成浅层地下水资料435站年，其中地下水水位333站年，地下水水温102站年；核准深层地下水资料622站年，按照《深层地下水资料整编规定》，复审了连云港、徐州、南京、镇江、常州等五市深层地下水监测资料共118站年。还审核地下水水准考证333站。同时，按照地下水监测规范要求，完成逢0逢5年对校核水准点高程按四等水准测量标准接测，并对全省地下水监测站的基本水准点和校核水准点的高程情况进行了全面的整理与分析。按照《江苏省地下水资料质量评定办法》的规定，2005年度全省浅层地下水资料基本无差错。但在全省846眼深层监测井中，能够进行资料整编的只有653眼。且仍然存在中断缺测现象，有的亦无任何说明，尤其是非水文部门管理的测井，致使全省目前深层地下水仍然无法达到整编刊布的要求。

水质资料整编内容包括：全省地表水、地下水（深层、浅层）约1573个站点的水质资料、仪器设备的使用等。本年度，各水环境监测分中心认真执行《计量认证（审查认可）评审准则》，水质资料的质量、室内外质量控制、仪器设备管理等方面较上一年进一步提高。

【水文测报】 本年度汛期前期干旱、梅雨偏少，后期先后遭受“麦莎”、“卡努”两次强台风袭击。为做好全年水文测报工作，采取定期与不定期方式加强测报质量检查，并将检查结果及时在全省水文系统内部通报。同时，加强对旱情、汛情的分析预测工作。全年共收发水情信息120万份，编发水情分析简报115期，报汛质量在全国评比名列第五。组织开展了水文预报方案的编制工作，完成了长江、淮河流域13个水文预报方案的编制，并首次在滁河晓桥水文站洪水预报中获得成功，还较好地完成了全国水情新编码在江苏的试点工作。

【水环境监测】 全省水功能区水质监测工作进一步提高监测频次，扩大监测范围。由上年的两月一次改为每月定期监测和发布通报，范围从283个功能区、370个断面，扩大到370个功能区、472个断面，通报编发的质量和时效性也较往年有较大提高。同时，还完成了淮河流域入河排污口普查、监测工作，共调查335个排污口，实测319个排污口。针对淮河干流、邳苍分洪道、中运河徐州段、新沂河、石梁河水库上游、盐城川东港、太浦河、常州运河以及徐州、淮安、连云港等市先后发生的突发性污染事故，及时进行污染调查、跟踪监测，并编制水质快报，将污染原因、水质现状、污染趋势向有关领导部门汇报，为使污染得到及时、有效处理提供第一手资料和依据。

在经费仍然没有落实的情况下，坚持进行苏北供水干河34个市际断面的供水计量监测和成果报告的编制。继续开展了蔷薇河送清水工程、引江济太工程水质监测，编制南京、盐城等大中城市供水水源地水质旬报。加强了苏、锡、常三市地下水超采区、沉降区的动态监测，定期编制和发布《苏锡常地区地下水监测信息简报》，为实施苏、锡、常地区全面禁采、限采地下水提供了依据。

【规划与科研】 按照省水利厅布置，基本完成了宝应湖、白马湖、滆湖、长荡湖、宛山荡等5个省管湖泊保护规划的编制，并完成了13个省管湖泊规划的水质专题研究。参与了农村饮用水安全规划的编制，进行了全省城镇饮用水安全保障规划中的水质安全评价。同时为长江水资源配置、节水规划、生态需水、水资源承载能力指标体系研究等分项规划，提供了大量水文资料和分析计算成果。“全省水资源调查评价报告”已编制完成，市级水资源调查评价也基本完成。《江苏省主要水域纳污能力计算研究大纲》、《2003年里下河地区暴雨洪涝调查分析》通过专家评审，《江苏省暴雨参数图集》已经刊印，《江苏省水资源情势演变分析》获省水利科技进步一等奖。

根据部水文局和各流域机构的要求，提供了江苏省“十一五”水文发展规划的基础成果。全省“十一五”水文事业发展规划已形成初稿，待进一步讨论、修改、完善，并送审。

【基础设施及自动化建设】 2005年，全省水文设施建设共完成资金投入1646万元。入海水道、泰东河工程水文设施建设已基本完工，现已进入工程审计、验收阶段。南水北调宝应站水文设施大部分完成，苏北水资源配置工程一期一步建设工程进入扫尾阶段。铁心桥水文发展基地的前期工作基本就绪，桩基工程正在进行，主体工程已完成招投标，已进入施工阶段。积极争取和落实危旧房改造经费和水毁修复经费，一些测站危房和基本设施得到改造和重建。国家防汛指挥系统一期工程苏州、无锡、南京、盐城4个水情分中心建设实施方案已通过水利部项目办公室批准。望虞河、太浦河(江苏段)自动监测工程已完成信息监测系统招投标，并做好建设准备。与此同时，还积极做好项目储备，编制完成了“十一五”一期工程初设，编制完成了洪泽湖、骆马湖灾情信息基地项目建议书，江苏省淮河流域省界水质预警监测系统项目建议书，完成了江苏省入海水道水质水量应急监测车初步设计的编制。

【科技咨询服务】 在以往水文测验、地形地籍测量、水资源论证等优势项目基础上，水文科技咨询服务今年又有了新的拓展。积极开展了洪水影响评价、水土保持监测与方案编制、长江采砂评估、河道疏浚监测与监理、排污口设置论证等方面的新业务，承接项目上百个，涉及到水利、交通、电力、港口、国土、规划、工业、市政、城建等十几个部门。

【继续教育与岗位培训】 对新录用的大学生一律实行公开招考制度；还委托扬州大学举办了一期水文水资源专修班，对近年来水文系统非水文专业的毕业生进行了三个月的全脱产培训。还进行了中级工、高级工岗位升级考核培训，全省继续教育完成率达75%以上。同时，在水资源论证、水文水资源调查评价、水土保持监测与方案编制、计量认证、规范标准贯标、测报新技术应用、行政管理等方面举办培训班或送出培训，全省投入培训费用100多万元。有效地提高了水文队伍的整体素质。

【内部考核与管理】 继续加大对全省水文工作实行目标管理、全面考核的工作力度，修订原来的考核办法，同时将职工收入与履行岗位职责、完成任务、工作成果紧密挂钩。全系统事业津贴发放全部与岗位和职级挂钩，局属各单位均实行绩效工资与岗位系数、个人工作好坏挂钩，定期考核发放。年终奖励与单位效益和个人业绩挂钩，有效调动了广大职工生产积极性，促进了各项工作的开展。

为逐步适应财政预算体制改革的需要，努力健全各项财务管理制度，认真制定并严格执行《江苏省水文系统财务管理办法》、《江苏省水文系统固定资产管理办法》、《测站财务管理规定》、《资产采购及付款管理办法》，加强非财政性资金、工程基建资金的审计、使用、管理工作，强化内部控制，实行有效监控。

【开展先进性教育】 根据中央、省委和厅党组的统一部署，于1～6月集中开展了以学习实践“三个代表”重要思想为主要内容的保持共产党员先进性教育活动。活动期间，坚持把加强理论学习，提高思想认识放在首位，把广泛征求群众意见，自觉接受群众监督作为基础，把领导干部带头，发挥表率示范作为关键，把找准问题、深入剖析、制定整改措施作为重点，把全面落实整改、务求实效贯串始终。坚持教育活动与各项工作两不误、两促进，群众测评满意率达97%。通过教育，广大党员素质有了明显提高，基层党组织能力建设得到了加强，服务基层群众的作风有了明显转变，各项工作有了明显起色。目前，全省有7个水文局被评为市(厅)级文明单位、有12个中心站(科室)被评为省级青年文明号、有5个测站被授予全国文明水文站、有23个测站被授予省级文明水文站称号。

(梅和莹)

水政监察

2005年省水政监察总队(省长江河道采砂管局)在厅党组、厅领导的正确领导和关心下，坚持落实科学发展观和建设和谐社会、法治江苏的指导思想，紧扣水利工作中心，按照年度工作部署，不畏艰险、开拓创新，通过狠抓队伍建设这项基础性工作，保证了水行政综合执法和长江采砂管理各项工作的有效落实，取得了明显成绩。队伍建设继续走在全国前列，水行政综合执法为行业亮点，长江采砂管理继续在全流域领先。据统计，全年共出动执法巡查人员91199人次，出动清障工作人员34238人次、执法车船9282台(航)次，拆除违章建筑24490.37平方米、违章圈圩7868.8亩、违章种植4643.9亩，拆除鱼网鱼簖2507张，查处各种水事案件1344起；5次组织全省集中打击长江非法采砂行动，总队和沿江8市出动采砂管理执法人员15769人次，船艇4889航次，查处非法采砂船只388条(其中：大型吸砂王4条)，摧毁采砂机具近百台(套)，有效打击了非法采砂分子，维护了江苏正常水事秩序。

一、措施得力抓队伍，队伍建设质量进一步提高

按照“政治合格、纪律严明、业务精通、作风过硬”的建设要求和水行政执法队伍“专职化、专业化”目标，省水政监察总队以开展“保持共产党员先进性”教育活动为契机，采取六项举措狠抓队伍建设，达到了“内强素质，外树形象”的目的，队伍的专业素质和综合执法能力明显增强。

一是以先进性教育活动为契机，努力提高水政监察人员的思想素质。二是完善执法网络。通过优化整合现有力量、积极组建大队、中队等手段，形成了覆盖全省的市、县、乡和厅直工程管理处、所、闸(站)三级的水行政执法网络。苏州市针对水务一体化后工作内涵扩大的实际情况，根据城区河道、供水、排水、节水等不同的工作性质，依托部分工程管理所(站)，及时对所属大队的编制、体制、职能进行了调整，并组建相应的大队；张家港、宜兴、睢宁等不少县(市)，针对水网发达、水事活动频繁的特点，强化基层执法队伍建设，及时调整和组建部分中队。据统计，目前，总队共下属22个支队、137个大队、325个中队，全省水行政执法网络基本做到全面覆盖。三是严格资格审查。利用水利部对全国水政监察人员进行资格审查并换发水证监察证的机会，省水政监察总队本着“严把关口、宁缺勿滥”的原则，组织专人用半年左右时间，对全省所有水政监察人员的任职资格进行逐个审核，共清理近200名因学历、专业技能及年龄等方面不符合要求的水政监察员，同时将一批学历层次高，懂法律、懂水利、身体素质好的同志吸收进队，提高了整体素质。目前，全省共有专兼职水政监察员4426名。四是加强学习培训、组织技能竞赛。据统计，全年各级共举办培训班近50期，人员参训率达80%。7月至12月，省水政监察总队还首次组织了包含“基础知识考核”、“撰写研讨文章”、“执法取证技术”、“水事案例评析”、“执法业务知识”5个项目的“全省水行政执法技能竞赛”，有近500名专职人员参与了竞赛，以赛代训，以赛促学，取得了良好的效果。省水政监察总队11名同志中有3人通过全国律师资格考试。专业化建设取得了明显成果。五是健全制度规范管理。先后制订了《水行政执法岗位责任制度》、《水行政执法情况报告制度》、《重大案件处理备案制度》、《民主评议考核制度》、《执法过错责任追究制度》、《执法监督检查制度》等多项制度，用制度规范队伍建设与管理。六是落实执法保障。全省90%以上的大队装备了专用执法车，沿江市县(区)执法艇和巡逻快艇的配置率分别达88%和42%，继南京、太仓建设了执法基础后，省总队及镇江、泰州、张家港等市、县的执法基地也在积极筹建之中。目前省水政监察总队仍在为各地办理执法车辆计划，并为厅直各支队统一办理了人身意外伤害保险，解决了执法人员的后顾之忧。

二、突出主题抓执法，水行政综合执法绩效明显

2005年，省水政监察总队以加强执法巡查为基础，以"一江两道三湖"专项执法活动为主线，以督查督办重点案件为着力点的执法思路，做到了点上突破、线上带动、面上控制，点线面有机结合互为促进。

(一)落实执法巡查，有效控制发案率。坚持预防为主、防查并重执法理念，强化执法巡查制度落实。省水政监察总队在进一步细化巡查制度、制订巡查方案、明确巡查要求、落实巡查责任、采取保障措施的同时，对重点地段和复杂区域还不定期地组织人员进行现场检查，每季度下发通报，有效督促了全省执法巡查工作的落实，较好地消除了执法盲区，水事案件也从案发后查处向发案前预防转变，增强了执法主动性，减小了执法难度，节约了执法成本、缩短了执法周期、提高执法效能。2005年全省查处的1300多起水事案件中，有90%来自执法巡查，前移了执法关口，降低了发案率，实现了面上的有效控制。

(二)有效运用载体，专项执法活动有声有色。省水政监察总队从群众最关心、社会最关注、对全省经济社会发展有重大影响的大江、大河、大湖入手，继续牵头开展"一江两道三湖"专项执法活动，并及时将活动赋予新的内涵，拓展到水资源保护。基本摸清了范围内的2000多个涉水建设项目、取(排)水口、岸线占用底数，收集近1万份表格、5万条数据，为今后依法管理、执法获取了大量的资料，解决了一批历史遗留难点问题，活动期间共查处1011件，查结率99.3%，各地召开专题会议300次，刷写标语、板报等75287份，竖立固定标牌599块，广泛向社会宣传了水法律、法规，既增强了人民群众守法意识，锻炼了队伍，提高了水行政执法能力。

(三)攻坚克难，有效查处重大水事案件。2005年，省水政监察总队及时调整思路，采取多种措施，攻坚克难，从重点案件突破，抓典型，带全面，较好地带动了全省案件查处工作，共处理来信来访45次，现场直接督查督办危害严重、影响较大的水事案件20余件，既抓住了重点，又扩大了影响，为支队、大队查处难点水事案件示范引路。

(四)强化管理，严格征收水行政事业性规费。本着依据法规、加强宣传、主动服务、积极征收的原则，总队一方面加强对各级规费征收情况的监督检查，一方面对沪宁高速公路拓宽、南水北调、西气东输等重点工程的水土保持设施补偿费及太仓、张家港等地吹填造地项目的长江河道砂石资源费进行直接征收，有效防止了国家资产流失，规费征收已逐步走向正轨。

三、积极稳妥抓砂管，长江河道采砂管理井然有序

2005年，省水政监察总队(省长江河道采砂管理局)坚持以维护长江河势稳定，保障防洪通航安全为中心，一手抓打击非法采砂，一手积极稳妥落实开禁准备，长江河道采砂管理工作基本做到了规范有序，确保了长江河势稳定和防洪、通航安全，得到了水利部、长江委的充分肯定。2005年8月13日，矫勇副部长在检查江苏省长江采砂管理工作时表示“很振奋、对做好采砂管理更有信心了”；12月23日，长江委砂管局吴志广局长在参加江苏省水利厅与长航公安联席会议时表示“江苏是长江采砂管理的排头兵，创造了一系列的管理经验，今年又有了新的突破。”

一是牢牢抓住禁采管理不放松，着力控制非法采砂。针对打击长江非法采砂风险很大的实际情况，省水政监察总队（省长江河道采砂管理局）在强化硬件装备和基地建设的同时，通过执法巡查通报、督查督办、巡查和集中打击相结合等方法，及时启动与长航公安部门联合执法机制，整合全省执法力量，加大对江面的控制力度，增强对非法采砂人员的威慑力，全年共组织了5次全省重点区域统一集中打击行动，控制了非法采砂。

二是监管与服务并举，切实加强对吹填造地项目管理。为支持沿江经济开发和社会事业发展，2005年，省水政监察总队对经审批的吹填项目，严格按照“四防”（现场防乱、开采防超、运输防偷、队员防腐）的要求，着力抓好现场监管，在长江主汛期，组织了沿江专项检查，监督所有项目全部停止吹填，确保安全度汛；主汛期一结束，总队又组织现场办公，按照一船一证的要求，重新核发采砂许可证，保证建设单位合理施工进度。由于服务靠前、审查严格、监管到位，得到了长江委专项检查组的肯定。对未经审批的擅自吹填，采取相邻区域交叉巡江、由省砂管局督查或现场查处等措施，坚决叫停了6个非法吹填项目，较好地维护了长江水事秩序。

三是积极稳妥推进开禁准备，认真探索长效管理机制。在“禁”字当头严厉打击非法采砂的同时，省长江河道采砂管理局积极稳妥地推进开禁各项准备工作，3月份向省政府上报了《江苏省长江河道采砂规划实施方案》；并在长江委指导下，会同南京市水利局启动了《长江采砂管理“四个专门”建设课题》研究，对“四个专门”建设的标准、内涵和保障问题等进行了深入分析，探讨了长江采砂管理中存在的一系列深层次问题，课题成果已于10月份通过了长江委专家组验收，将作为今后长江采砂管理“四个专门”建设的重要借鉴发挥作用。

防汛防旱

防汛工作

2005年汛期，全省虽未遭受特大自然灾害的侵袭，但先后经历了暴雨、干旱、台风的考验。淮河干流发生三次中等洪水过程，7月中旬淮河发生严重的污水下泄事件；沂沭泗流域部分地区出现了近三十多年来最大洪水；春、夏两季发生了不同程度的干旱；遭受了4个台风(热带风暴)的影响。在党中央、国务院、国家防总和省委、省政府的正确领导下，省防指精心组织，科学调度，全省人民同心协力，顽强拼搏，夺取了防汛防旱和抗台斗争的全面胜利。

【汛情、旱情、污情、灾情】 2005年汛期，全省降雨量北多南少，淮北地区偏多尤为明显。据统计，淮北地区、江淮之间面平均降雨量分别为1026毫米、890毫米，比常年同期偏多56%、28%；沿江苏南面平均降雨量仅565毫米，比常年同期偏少17%。淮河以南地区6月25日入梅，6月29日出梅，梅期偏短，梅雨量异常偏少，江淮地区几近“空梅”。梅雨期间，沿江苏南地区累计平均降雨仅39毫米，只有常年梅雨量的16%；江淮之间22毫米，为常年梅雨量的10%；淮北地区同期34毫米，为常年梅雨同期雨量的19%。梅雨期，全省累计雨量最大为丰县118毫米，其余均未超过100毫米。里下河北部的阜宁、建湖、射阳、宝应等县梅雨期间滴雨未下。沂沭泗流域来水连续第三年偏多，南四湖地区出现了30多年最高水位。9月下旬至10月上旬，受连续降雨影响，南四湖地区发生了历史罕见秋汛。上级湖、下级湖最高水位分别高达35.35米、33.44米，分居1971年、1974年以后第一位；中运河运河镇洪峰流量达2680立方米每秒，为1974年以来最大流量。沂河、沭河等其他主要河道都多次出现洪水过程。沂河临沂、沭河大官庄最大洪峰流量分别为5030立方米每秒、1330立方米每秒。受嶂山闸泄洪、区间和沭河来水共同影响，9月23日沭阳站出现了4240立方米每秒的大流量、10.07米的高水位。骆马湖、微山湖及上级湖来水量、泄洪量明显偏多。其中，汛期骆马湖以上来水83亿立方米，比常年偏多92%。淮河干流汛期连续发生三次中等洪水过程，9月7日蚌埠闸(吴家渡站)最大洪峰流量为6700立方米每秒。洪泽湖以上共来水450亿立方米，为常年的2倍。长江、太湖汛情平稳。汛期长江干流控制站大通站最高水位仅13.72米，低于警戒水位0.68米，流量59200立方米每秒。受农历八月初三天文大潮和15号台风“卡努”壅潮共同影响，南京、镇江最高潮位为8.90、7.59米，超过警戒水位0.40米、0.59米。太湖平均最高水位3.60米，仅超过警戒水位0.10米。

2005年全省丘陵山区旱情一度十分严重，造成一定损失。特别是6月中旬至7月，旱情从苏南部分丘陵山区发展到淮河以南丘陵山区，沿海垦区和通南高沙土地区，受旱最为严重的主要在沿江苏南的句容、丹徒、金坛、溧阳、溧水、江宁、六合等地。全省受旱面积最多时达942万亩，其中严重受旱269万亩。因缺水造成13.4万人、1.14万头牲畜饮水困难，干旱直接经济损失8.7亿元。

2005年7月4日至7月10日，淮河上中游普降大到暴雨，淮河支流沙颍河、涡河发生较大洪水过程，长期积蓄在河道里的污染水体随洪下泄进入淮河干流，由于在汛期到来之前，沙颍河、涡河共提前下泄了12.5亿立方米污染水量，本次沙颍河、涡河下泄污水总量较往年大大减少，污水总量约3亿立方米，加之淮河干流上游来水量较大，沙颍河和涡河污染水体下泄未对淮河干流及洪泽湖水质造成较大影响。

2005年全省13个市几乎都受到洪涝或台风的不同程度袭击。有69个县市区、775万人受灾,紧急转移人口5.87万人,倒塌房屋2.03万间,损坏房屋5.75万间;农作物受灾面积1257千公顷,成灾面积699千公顷,绝收面积73千公顷;损坏堤防846处、370公里,损坏护岸353处、38公里,损坏水闸39座,冲毁塘坝26座,损坏桥涵209座,损坏机电井77座。造成直接经济总损失55亿元,其中水利损失2.6亿元。

【防汛防旱准备工作】 2005年省防指全面落实各项措施,充分做好应对可能发生水患灾害的各项准备。2月16日,省防指就发出《关于开展水利工程汛前大检查的通知》,部署汛前检查工作。各地按照省防指的统一部署,将防汛工作责任制的落实、水利工程的险工隐患处理、在建重点水利工程的度汛措施、水库安全、城市防洪设施、河湖清障拆违、各类防汛应急预案等作为检查重点。对检查发现的问题,按照轻重缓急的原则,落实相应安全度汛措施。4月份,在听取各市汛前检查情况的汇报后,省防办又派出5个专家组,对各市及省属工程影响度汛安全的重点问题进行现场会诊,研究处理方案和落实安全度汛措施。5月下旬,由省水利厅厅领导带队,分别对太湖流域、秦淮河流域、淮河下游地区及沂沭泗地区进行深入检查,召开联防会议,针对各个流域的不同特点,对做好防汛防旱工作提出更加具体的要求。5月9日,全国水库安全度汛工作电视电话会议召开后,省防指作出专门部署,对各地做好水库安全度汛工作提出明确要求。同时,省防指派出2个检查组分南北两片,对水库的安全度汛工作进行专项检查,重点加强了对水库度汛方案、抢险队伍、抢险物料和应急通讯设施的进一步落实。并严格要求各类水库按照调度批准的运用方案,严格管理,严密监测,完善预案准备,确保安全度汛。

全面落实防汛工作责任制。按照国家防总印发的《各级地方政府行政首长防汛抗旱职责》的要求,针对2005年一些地方分管领导变动的情况,对各级防汛防旱指挥部成员进行调整充实。调整落实省防汛防旱指挥部和省四大流域联防指挥部成员,落实市、县两级防汛指挥机构和防汛工作责任制,对各类重点防汛工程的行政责任人和技术责任人要求汛前落实,并在《新华日报》上公布责任制名单。在建的重点水利工程都建立了安全度汛的专门组织机构,落实了防汛抢险的工作预案和责任制。

2005年,全省重点水利基本建设计划完成投资40亿元。重点实施治淮骨干工程、南水北调、长江节点整治、海堤达标、重点区域治理、大中型水库加固和小型水库消险以及城市防洪工程等,全省防汛防旱的工程能力将进一步提高。

依法加大河湖清障工作力度。各地按照省防指下达的任务,认真组织河湖清障工作。2004年汛后以来,全省共拆除影响安全度汛的违章建筑2.4万余平方米,违法圈圩、种植1.1万余亩,清理非法占用的河(湖)岸线26.8公里,非法占用的堤防、滩地、水域等近2万平方米,查处各类水事违法案件近4000起。

修订完善各类防汛工作预案。各地针对近几年水情、工情的新变化,结合汛前检查发现的问题,认真修订完善各类防洪抢险和抗旱调水工作预案。汛前省防办专门成立预案编写组,重点编写完成了防御台风预案和水旱灾害应急预案。同时,进一步修订完善了全省防洪预案、水利工程运行调度方案、13个省辖市城市防洪预案、47座大中型水库防洪预案,并已汇编成册下发各地执行。同时,落实了苏通大桥、南水北调东线在建工程、外秦淮河三汊河口闸等主要行洪江河上建设的重点工程的度汛应急预案。

及早落实防汛物资储备和抢险队伍建设。5月下旬,省防指在汛前大检查的基础上,对全省现存防汛物资进行了一次全面清查,抓紧对消耗变质物料的补充替换，保证应急抢险需要。省级储备编织袋831万只、草包325万只、木材3935立方米、块石89.9万吨、彩条布257万平方米、土工布105万平方米、钢丝笼2.53万只、救生衣3.2万件、冲锋舟(橡皮船)104艘、钢管510吨以及装配式围井材料9950片、挡水子堤9950米、滤垫12970块等新材料。各市县也都按计划备足了防汛物资。全省共组建147万人的各类防汛抢险队伍。为提高防汛抢险的实战能力，汛前省防办编写了《防汛抢险》教材，各地组织了1.5万多人次的防汛抢险知识培训。4月18日，省防指会同省军区对列入国家名录的4个防汛机动抢险队与省军区舟桥旅，在南京八卦洲进行了抗洪抢险军地联合演练，主要演练了钢木土石组合坝封堵决口、堤防防坍塌、防渗漏、构筑防洪子堤、水上救护等15项抗洪抢险课目，明显提高了机动抢险队的实战能力。

加强防汛指挥系统建设。国家防汛抗旱指挥系统骨干网(水利部至江苏防指)通过验收，投入运行；省防汛指挥系统二期工程开工建设，新建的实时工情管理系统、黄墩湖地理信息系统、以及完善后的防汛网站、汛情监测、防汛会商等系统投入试运行；长江河道管理信息系统开工建设，部分应用系统投入试运行；苏北地区水资源配置监控调度系统一期工程通过验收，投入运行。

【防汛抗灾工作】 2005年的防洪抗台斗争中，省防指加强预测预报，科学调度水利工程，充分发挥了水利工程的防灾减灾功能。

1. 实施淮河及沂沭泗流域的防汛调度。入汛后，由于淮河上中游地区多次出现大到暴雨过程，淮河干流连续发生三次中等洪水过程。受7月上旬连续降雨影响，淮河上中游发生较大洪水过程，淮河干流息县站洪峰流量6030立方米每秒，接近历史最大值；淮河干流蚌埠闸洪峰流量达6350立方米每秒。省防指利用已建的防汛指挥系统，及时掌握淮河上中游雨情、水情及汛情变化趋势，提前一周预测到洪泽湖上中游将有100多亿立方米洪水将下泄入洪泽湖。在洪泽湖水位仅为12.04米，比规定起调泄放的汛限水位低0.46米时，果断决策，调度三河闸、入江水道、江都枢纽等骨干水利工程，提前预降洪泽湖水位，7月11日12时加大到5000立方米每秒，并于当日将63孔闸门全部提出水面，敞开泄洪，腾出洪泽湖库容，迎接上游洪峰。8、9月份淮河干流又先后发生两次洪水过程，蚌埠闸洪峰流量分别为4900立方米每秒、6700立方米每秒。省防指密切关注汛情发展和台风动向，预报调度人员及时作出水情滚动预报，并积极实施调度。8月2日在预报9号台风“麦莎”可能对我省及淮河流域发生影响时，省防指立即果断决策，调度三河闸63孔闸门全部提出水面，敞开泄洪，有力地控制了洪泽湖水位的上涨幅度，台风影响期间洪泽湖水位超过警戒水位的时间仅3个小时，最高水位只有13.53米，仅超过警戒水位0.03米，确保了流域性工程防洪安全。9月11日15号台风“卡努”登陆后，针对淮河干流洪水逐步减少的情况，为避免出现入江水道大流量行洪与台风遭遇的不利形势，省防指及时压缩三河闸下泄流量，保证了入江水道沿线工程安全。2005年淮河洪水来量大，持续时间长。8月9日6时最大泄洪流量达7480立方米每秒，自7月11日至10月17日，三河闸累计泄洪99天，泄洪水量高达396亿立方米。

联合调度水利工程体系，确保里下河地区安全。7月上中旬在连续降雨的影响下，里下河水位上涨较快，一度达到警戒水位2.00米。为尽快降低里下河水位，避免内涝损失，省防指运用调度水利工程体系，调度沿海射阳港、黄沙港、斗龙港和新洋港等四大港全力抢排涝水，最大日排水流量达877立方米每秒；全面启动江都水利枢纽四个泵站抽排里下河涝水，最大日流量达483立方米每秒；7月11日又开启高港泵站抽排里下河涝水，最大日流量达319立方米每秒。据统计，整个汛期我省盐城沿海四大港闸、江都站、高港站累计排里下河涝水83.4亿立方米。由于多个水利工程共同发挥作用，使里下河水位远远低于往年同等降雨量所造成的高水位，有效避免了大面积滞涝，保障了农业和经济社会发展的安全。

精心做好沂沭泗地区调度工作，战胜历史罕见大秋汛。2005年汛期沂沭泗地区来水明显偏多，嶂山闸长期泄洪，我们密切关注水情、工情，及时商请沂沭泗局调整嶂山闸泄洪流量，使骆马湖水位一直控制在警戒水位以内，保证了防洪安全。7月7日起，沂沭泗地区出现明显降水过程，局部地区大暴雨，一般降雨量30－100毫米，骆马湖水位上涨较快。省防指及时商请沂沭泗局调度嶂山闸于7月8日开闸泄洪并逐步加大流量，最大泄洪流量达3000立方米每秒，将骆马湖水位降到汛限水位以下。9月中下旬，沂沭泗地区出现罕见的大秋汛，骆马湖入湖流量一度接近5000立方米每秒。在沂河洪峰入骆马湖前，省防指调度嶂山闸提前泄洪3000多立方米每秒，有效地控制了骆马湖水位上涨，确保了防洪安全。由于长时间大流量行洪，9月23日起，中运河运河镇以上沿线多处出现渗漏、管涌等险情，沿线受涝严重。国庆期间邳州中运河镇水位达到25.51米，中运河干线及重要支流超过警戒水位，险情迭出。省防指于10月2日调度嶂山闸流量加大到3500立方米每秒，同时调度徐洪河刘集地涵泄洪150立方米每秒，商请淮委沂沭泗管理局，对韩庄枢纽下泄流量进行适度调整，尽可能降低骆马湖水位和中运河行洪流量，降低运河镇水位，照顾沿线抢险和排涝。10月17日，在充分分析预测南四湖和骆马湖以上水情的基础上，省防指调度压缩嶂山闸流量至300立方米每秒，同时调度柴米闸、钱集闸、沭新闸分泄新沂河洪水，为新沂河滩地及早退水、及时秋种和新沂河海口枢纽工程建设创造了条件。

2. 全力以赴成功抗击强台风袭击。今年汛期，全省受到4个台风（热带风暴）影响，其中第9号台风（麦莎）和第15号台风（卡努）均穿越我省而过，历史罕见，影响较大，特别是第9号台风（麦莎）带来了较严重损失。每次台风来临，在省防指统一调度指挥下，全省各地严密防守，积极应对，取得了抗台的全面胜利。

每次台风到来前，省防指及时跟踪、巡视台风动态，提前发出防台抗台紧急指令，明确提出各项具体措施和责任，要求各地将台风情况向省防指和当地政府实时汇报，认真做好各项工作，确保万无一失。在迎战“麦莎”、“卡努”台风过程中，根据国家防总、省委省政府的部署要求，先后两次从省水利厅抽调几十名懂技术、有经验的处级干部组成抗台抗洪工作组，由厅级领导带队分别赶往苏州、连云港、盐城、南通等最易遭受台风袭击的沿海和沿江城市协助地方指挥抗台抗洪工作。省防指还多次召开全省紧急电视电话会议，及时分析台风路径和影响程度，对可能产生的灾害和需要采取的措施进行会商，为成功防台抗台做好充足准备。

8月6日9号台风“麦莎”来临前，全省有2座大型水库、11座中型水库、100多座小型水库超汛限水位。省防指立即下达调度指令，严令超汛限水位的水库开闸泄洪，务必赶在当天晚6时台风入境前全部降到汛限水位以下，这些措施保证了全省908座水库的安全运行。针对淮河上游大量洪水下泄，及时加大三河闸泄量，通过入江水道调度淮河洪水安全入江；为防止沂沭泗上游暴雨导致洪水对骆马湖的袭击，提前开启嶂山闸腾空库容；针对灌云等一些局部地区内涝严重而排涝动力不足的情况，及时派出省级机动排涝突击队，帮助地方排涝抗灾。15号台风“卡努”袭来时，为防止大流量、高水位行洪与台风相遭遇，省防指及时调度三河闸流量由7000立方米每秒压缩至2000立方米每秒，确保了入江水道的防洪安全。

8月7日上午11时，入江水道横桥圩出现险情，3公里长块石护坡被风浪毁坏，省防指立即抢调1万吨块石和3万只草包赶运现场；8月7日中午12时，太仓市长江堤防因风浪冲击造成局部损失的险情，立即调运5000吨块石，并派出技术组赶赴现场指导抢护工作。

在整个抗台抗洪过程中，尽管水利工程出现了一些险情，但由于各地预案周密、抢护及时，全省没有一处水利工程失事，现有水利工程发挥了重要作用。

在台风到来之前，省防指通过电视、广播、报纸等新闻媒体，加大宣传力度，向公众通报台风信息，广泛普及防台风知识。同时在抗御“麦莎”和“卡努”台风时，省防指2次共组织转移沿江、沿海、危房等危险地带人员1.96万人，组织2.3万艘出港船只进港避风，确保了人民生命财产安全。

3. 超前部署，科学调度，积极做好抗旱工作。春夏全省旱情有所发展，省防指采取多方措施，着力做好抗旱工作，确保了受灾地区用水安全。

6月29日，省防指发出《关于切实加强用水管理工作的通知》，要求各地坚持防汛防旱两手准备，立足防大汛、抗大旱。重点克服麻痹侥幸思想，尽早落实抗旱预案，珍惜水源，妥善安排本地用水；切实加强用水管理，大力推广水稻节水灌溉、土壤节水保墒等技术，提高水源的利用效率；做好抗旱水源调引、储备工作；确保抗旱机组完好，保证运行安全。

根据对江淮地区水源供需形势的准确分析，及时提出了早翻江水、严格控制湖库蓄水的调水意见。4月20日起，省防指先后调度江都、淮安等站多级从长江抽水北调，一方面解决沿线地区用水问题，另一方面抽引江水补充骆马湖水源，并向徐州、连云港市补水。截至旱情缓解的7月底，江水北调省属及省指定大站累计翻水36.1亿立方米，保证了苏北地区抗旱水源。泰州引江河高港枢纽和江都东闸5—7月份累计引江水16.6亿立方米，使里下河兴化水位长期维持在1.30米左右。常熟水利枢纽6月20日起日引水量均超过1000万立方米，同时开启望亭水利枢纽向太湖补水，累计抽引江水近4亿立方米；秦淮新河闸站累计抽引江水近8000万立方米，有力地支持了镇江、南京等丘陵地区引水抗旱。

6月份，省防指先后派出6个抗旱工作组分赴旱情严重的镇江、常州、南京等地，帮助指导地方做好抗旱工作。7月1日，再次派出两个抗旱工作组，分赴旱情严重的南京、镇江、常州等丘陵山区和沿运河扬州、淮安、盐城等市，进一步落实抗旱工作的各项措施。全省累计投入抗旱人数95.7万人，机动抗旱设备9.03万台套、装机容量65.24万千瓦；抗旱用油7169吨，抗旱用电7315万度，临时解决饮水困难57万人，抗旱引水15.5亿立方米，抗旱抽水6.8亿立方米，投入抗旱资金13966万元。

7月上旬，省防指调度中运河、徐洪河等沿线水利工程，及时实施“引沂济淮”，跨流域调度洪水资源，向洪泽湖补水，调水流量最大达530立方米每秒，累计调水1.12亿立方米，有效地缓解了淮河下游地区水源不足的矛盾，实现了洪水资源化，又确保了骆马湖下游地区的防洪安全。

后汛期，省防指认真分析淮河、沂沭泗上中游水情，合理调度洪水，在确保秋汛安全的同时，又充分拦蓄洪水资源，为明年用水储备打下基础。

4. 科学实施防污调度，积极改善区域水环境。在做好防汛防旱工作的同时，省防指充分利用现有的水利工程，科学调度水资源，发挥现有水利工程防污等综合效益，积极改善地区水环境，为地区经济社会的可持续发展提供保障。

7月上旬淮河污水事件发生后，省防指通过控制污染水体的下泄流量，力求使污染水体尽可能得到稀释。根据应急调度预案，加强洪泽湖应急调度，提前关闭二河闸，沿线淮安、宿迁、连云港等市生活、工农业等用水通过中运河调引骆马湖清洁水源来解决。为尽量控制污水扩散范围，缩短污水在洪泽湖的滞留时间，省防指结合淮河洪水及时调度三河闸于7月11日开闸泄洪3000立方米每秒，并于7月12日至15日将三河闸门全部提出水面，最大泄洪流量达到6010立方米每秒。一方面提前预降洪泽湖水位，腾出库容迎接淮河洪水的到来，并通过加大三河闸泄量使洪泽湖水质较差的水体就近通过入江水道下泄长江，尽可能减轻淮河污水的危害，确保了洪泽湖周边以及下游地区饮用水源安全。

为做好南京市秦淮河水质改善，加快城市水环境建设，为十运会顺利召开做好水利服务工作，省防指科学调度，积极利用水利工程调水改善水环境。7月22日，省秦淮河水利工程管理处即时开启秦淮新河抽水站，秦淮新河闸站累计抽引长江水2.1亿立方米经秦淮新河入秦淮河，通过武定门闸，从三汊河口入江。通过调水，提高了水体的循环、自净能力，水质达到好于景观四类标准，外秦淮河水环境得到明显改善，为十运会的召开增加了亮点。

配合太湖流域管理局继续做好引江济太调水工作。至10月底，望虞河常熟水利枢纽共引长江水8.25亿立方米；望亭水利枢纽引水入湖2.0亿立方米；太浦闸向下游供水11.2亿立方米，缓解了太湖周边地区及下游上海等地用水紧张状况，改善太湖及周边地区水生态环境。

近年来逐步建成了集防汛通信、计算机网络、信息采集、防汛决策支持系统为一体的防汛指挥系统，实现了科学调度，预测预报及时准确，雨情、水情、水位、流量及时反馈，汛前腾空库容，汛中准确调度，汛后拦蓄尾水，提高信息传递的时效性，在2005年淮河抗洪和防御特大台风斗争中发挥了重要作用。

多年来坚持以行政首长负责制为中心的各项防汛责任制的严格落实。一是认真落实行政首长负责制。省政府明确各级行政首长对辖区内防汛防旱工作总负责。二是认真落实技术责任人负责制。将技术责任贯彻于汛前检查、预案完善、抢险方案制订等方方面面，着力增强科学防汛抗洪的能力。三是切实加强责任制落实情况的督促检查。省防指每年都将各级防汛行政负责人和技术责任人名单在新闻媒体上予以公布，接受全社会监督，为防汛防旱工作提供了制度上的保障。

2005年的防台防汛工作中，《水旱灾害应急预案》和《江苏省防御台风预案》发挥了应有的作用。8月6日和9月10日，鉴于9号、15号台风将对全省产生的严重影响，省政府、省防指分别向各地发出紧急通知，要求高度重视防台工作，按照防台预案，落实各项防台措施。两次强台风来临之前，根据当时全省的水情和工情，省防指迅即启动了二级应急响应行动，按照《预案》的应对程序，有条不紊地安排布置各项防台工作，做到有备无患。

2005年的防汛防台斗争中，大力弘扬伟大的“抗洪”精神，调动一切力量参加防汛抗台抢险斗争。防指各成员单位以及社会各方面牢固确立全局意识，坚持局部服从全局，以夺取防台胜利为己任，各负其责，各司其职，形成抗台防汛工作合力。

雨情、水情

2005年全省水情南枯北丰。淮河干流发生三次中等洪水过程；沂沭泗流域来水连续三年偏多；长江、太湖地区汛情平稳。

【雨情】 2005年全省降雨量明显北多南

少，淮北地区偏多尤为明显。据统计，淮北地区、江淮之间面平均降雨量分别为1190毫米、1131毫米，比常年同期分别偏多34.8%、13.0%；沿江苏南面平均降雨量仅918毫米，比常年同期偏少15.1%。

汛期，降雨量北多南少的状况尤为突出。淮北地区、江淮之间面平均降雨量分别为1026毫米、890毫米，比常年同期分别偏多56.0%、28.0%；沿江苏南面平均降雨量仅565毫米，比常年同期偏少17.0%。

淮河以南地区6月25日入梅，6月29日出梅，梅期明显偏短，梅雨量异常偏少，江淮地区几近"空梅"。沿江苏南地区累计面平均梅雨量仅39毫米，只有常年梅雨量的16.0%；江淮之间22毫米，为常年梅雨量的10.0%；淮北地区同期雨量34毫米，为常年雨量的19.0%。

梅雨期，全省累计雨量最大为丰县118毫米，其余均未超过100毫米。里下河北部的阜宁、建湖、射阳、宝应等县梅雨期间滴雨未下。

【水情】 1. 淮河流域

2005年汛期，淮河上中游多次出现大到暴雨过程，淮河干流连续出现三次中等洪水过程。

7月4日至7月10日，淮河上中游地区普降大到暴雨，局部地区特大暴雨。淮河干流王家坝站于7月13日出现洪峰水位29.14米，相应流量6090立方米每秒；7月16日吴家渡站出现洪峰水位20.44米，相应流量6350立方米每秒。7月12日入洪泽湖最大流量达8060立方米每秒。

7月27日至8月7日，淮河上中游地区再次出现大到暴雨过程。8月4日吴家渡站出现洪峰水位19.21米，相应流量4900立方米每秒。8月4日入洪泽湖最大流量达8335立方米每秒，为本年度最大值。

8月中旬至9月份上旬，淮河上中游多次出现降雨过程，淮河干流出现汛期最大洪水过程。9月7日吴家渡站出现洪峰水位19.21米，相应流量6700立方米每秒，为汛期最大洪峰流量。入江水道金湖站最高水位达11.29米(8月9日)；高邮湖最高水位8.64米(8月10日)。

2. 沂沭泗流域

汛期沂沭泗流域降雨量偏多，为丰水年份。特别在9月中下旬，沂沭泗地区出现罕见的大秋汛，沂河、中运河、新沂河出现较大流量的洪水过程。

秋汛期间，主要河道出现当年最高水位、最大流量。9月21日沂河临沂站出现年最大洪峰流量5030立方米每秒；沭河大官庄闸最大泄流量1000立方米每秒；新沭河大兴镇最大洪峰流量1420立方米每秒，老沭河新安站452立方米每秒。10月1日中运河运河站出现年最高水位25.51米，年最大洪峰流量2680立方米每秒，为1951年以来第二大流量。受嶂山闸泄洪和区间来水影响，新沂河沭阳站9月23日出现最高水位10.07米，相应最大流量4240立方米每秒。

上级湖南阳站年最高水位35.35米(9月22日)，下级湖微山岛年最高水位33.44米(10月3日)；骆马湖年最高水位为23.22米(2月2日)；石梁河水库年最高水位25.74米。

3. 长江、太湖流域

2005年长江、太湖汛情平稳。长江干流下游控制站大通最高水位13.72米(9月7日)，相应最大流量59200立方米每秒(9月8日)。9月6日至7日沿江南京、镇江站最高潮位8.90米、7.59米；8月7日江阴、天生港站最高潮位6.67米、6.38米。秦淮河东山站汛期最高水位8.80米(9月7日)，滁河晓桥站汛期最高水位10.72米(9月5日)，固城湖高淳站汛期最高水位10.18米(9月8日)。汛期太湖最高平均水位3.60米(8月13日)。

省防汛防旱指挥部成员名单

（2005 年 4 月 20 日）

指　挥：黄莉新　副省长

副指挥：刘华建　省军区副司令员兼参谋长　　吴沛良　省政府副秘书长

吕振霖　省水利厅厅长　　陶长生　省水利厅副厅长

成　员：林一峰　省发展和改革委员会副主任　　顾瑜芳　省经贸委副主任

秦　军　省公安厅副厅长　　侯学元　省民政厅副厅长

黄晓平　省财政厅副厅长　　刘　聪　省国土资源厅副厅长

徐学军　省建设厅副厅长　　蒋华年　省交通厅副厅长

张小马　省水利厅副厅长　　陆桂华　省水利厅副厅长

张耀钢　省农林厅副厅长　　吴坤平　省卫生厅副厅长

姚晓晴　省环保厅副厅长　　丁承轩　省海洋与渔业局副局长

于　波　省气象局副局长　　傅伯良　上海铁路局南京办事处副主任

丁小喜　省武警总队副总队长　　王永根　省供销社副主任

徐顺年　省农机局局长　　聂长兰　省建材资产管理公司总经理

马苏龙　省电力公司副总经理　　许二宁　省通信管理局副局长

王其敏　省石油公司副总经理

顾　问：蒋传丰

省防汛防旱指挥部下设办公室，办公室设在省水利厅，由陶长生同志兼任办公室主任。

流域联防指挥部成员名单

（2005 年 4 月 20 日）

一、骆马湖联防指挥部（驻省骆运水利工程管理处）

指　挥：吕振霖　省水利厅厅长

副指挥：李开文　徐州市人民政府副市长

马　军　宿迁市人民政府副市长

赵建华　连云港市人民政府副市长

杨运高　沂沭泗水利管理局副局长

潘志行　73071 部队副参谋长

办公室主任：问泽杭　省骆运水利工程管理处主任

二、淮河下游联防指挥部（驻省三河闸管理处）

指　挥：陶长生　省水利厅副厅长

副指挥：朱毅民　淮安市人民政府副市长

纪春明　扬州市人民政府副市长

陈还堂　盐城市人民政府副市长

丁士宏　泰州市人民政府副市长

办公室主任：刘元绘　省三河闸管理处主任

三、太湖流域联防指挥部（驻省太湖地区水利工程管理处）

指　挥：陆桂华　省水利厅副厅长

副指挥：江　浩　苏州市人民政府副市长

黄继鹏　无锡市人民政府副市长

韩九云　常州市人民政府副市长

办公室主任：颜廷举　省太湖地区水利工程管理处主任

四、秦淮河联防指挥部（驻省秦淮河水利工程管理处）

指　挥：张小马　省水利厅副厅长

副指挥：盛金隆　南京市人民政府副市长

张学东　镇江市人民政府副市长

办公室主任：陈振清　省秦淮河水利工程管理处主任

水利科技

水利科技

【科技管理】 完成《江苏省"十一五"水利科技发展规划》编制。《规划》提出到2010年，全省水利自主创新能力显著提高，科技促进水利建设和管理水平提高的能力显著增强，为水利现代化提供强有力的支撑；水利科技含量显著提高，先进实用技术得到较为广泛的推广应用，传统水利得到技术升级；力争科技投入比例不低于水利投入的2%，科技进步对江苏水利发展贡献率达到60%，江苏水利科技水平与中等发达国家科技发展水平同步。经过5年努力，要实现以下具体目标：水权制度研究、水利建设投入机制与管理体制研究、节水型社会建设中关键技术研究等课题有突破，沿海开发水资源配置研究、沿海挡潮闸下淤积治理研究、全省水利地理信息系统研究与开发、大型泵站工程建设关键技术研究等课题取得成果，每年推广2项先进实用技术，用现代技术改造现有工程设施，全面提升全省水利科技含量。

《2005年水利科技工作要点》要求各单位将增强水利科技创新能力、结合工程建设开展科技攻关、大力推广先进实用技术、加快水利信息化建设等四个方面作为全年水利科技工作重点。

开展水利科技投入调研。通过调研，对全省水利科技投入与其他省市水利厅以及省其他厅局科技投入的比较，提出加大水利科技投入必要性和紧迫性；通过对全省"十一"水利发展重点分析，提出开展沿海闸坝下游淤积治理、沿海地区水资源利用与配置课题等研究专题，并向省政府专题报告。

【科研及应用】 下达省水利科技重点项目。全省水利系统共有80个项目申报2005年度省水利科技重点项目计划。经向专家咨询论证，确定其中59个项目为2005年重点课题。

省科教中心承担的"中水回用与污水净化技术示范与推广"被水利部列为科技成果重点推广计划项目；省水科所承担的"密实土壤水稻节水灌溉技术示范推广"被科技部列为农业科技成果转化资金项目。

省河道局承担的"948"项目"大型闸门测控技术"、三河闸管理处承担的水利部重点推广项目"射水法地下连续墙技术在洪泽湖大堤防渗加固中的推广应用"、江都管理处承担的水利部技术创新与转化项目"大型泵站管理自动化控制技术推广"、省水利机械厂承担的水利部重大技术装备研制项目"疏浚清淤设备研制—STWD80型多功能清淤船"等都已按时完成，并向水利部申请验收。

水利部科技创新项目"低扬程泵站原模型水力特性换算研究"，在周君亮院士的主持下，合作单位江苏大学和河海大学都按合同要求相继开展了相关研究。

【科技成果】 2005年，组织专家评审出省水利科技优秀成果一等奖5项、二等奖7项、三等奖13项。推荐省科技进步奖评选，获省科技进步二等奖1项、三等奖3项。

"城市水环境综合治理与水生态建设研究和实践"获得省科技进步二等奖。该项目针对宿迁市水环境现状、城市发展及南水北调工程水环境质量要求，分析宿迁市城市水环境和水生态系统存在的问题，将河道生态型护坡建设、河流水景观建设与植被带截留城市面源污染有机结合，建设生态型河道和河流风光景观带，提出了系统的水污染防治模式。

"淮安市防汛防旱信息支撑平台研究与实现"获得省科技进步三等奖。该项目根据淮安市防汛防旱的实际需求，集成计算机网络技术、GIS技术、Web Services技术、现代通信技术等，采用多层体系结构，开发了防汛防旱指挥系统应用软件，可提供现场采集、无线上报、信息查询分析、汛情监视报警、三维场景模拟、以及基于GPRS的信息移动采集等功能。

“淮河入海水道工程移民实践与研究”获得省科技进步三等奖。该项目结合淮河入海水道工程移民的特点,采用理论和实践相结合的方法,对移民安置实践中出现的问题进行及时研究,分析探索河道工程移民安置的理论,对移民安置土地调整、移民安置中心村建设与城市化发展、移民组织机构与安全管理等进行了全面分析,系统总结了河道工程移民的特点、方式方法,提出解决问题的具体措施,并落实到具体的政策上,实用性强。

“淮河入海水道工程深淤土段筑堤关键技术研究”获得省科技进步三等奖。该项目针对淮河入海水道工程深淤土段筑堤有关技术难题开展研究,采用了室内土工试验和原位测试、室内物理模型试验和现场实体原型试验、现场安全监测和数值仿真计算相结合的方法,并首次将真空—堆载联合预压技术运用于水工建筑物淤土地基处理。通过科学研究,不断总结淤土上的筑堤规律,指导优化施工方案,攻克了淤土地基上筑堤的一系列技术难题,确保了深淤土段堤防施工的稳定安全和提前两年半完成。

省水利厅承担的水利部科技创新项目“生物—生态技术处理新沂河污水示范工程研究”已于2005年10月通过水利部国科司组织的验收,得到了专家高度评价,认为该成果在受污河大水体修复、充分利用当地自然条件进行多种生态技术的优化和集成运用以及将现有水利工程合理调控与生态修复技术相结合等方面均有创新。

【规范与标准】 在做好技术标准宣贯工作的同时,加强了技术标准编写的归口管理。《江苏省地下水利用规程》已作为江苏省地方标准,于2005年10月30日开始实施。江苏省河道局起草的地方标准《大中型泵站主机组检修技术规范》已完成送审稿,报省技术监督局组织验收。

【对外合作】 完成赴澳大利亚、美国、北欧、西欧等国家和地区9个出国团组考察组织工作,共派出因公出国(境)人员80人次。接待了来自荷兰、日本、美国的水管理专家来访,向来访客人介绍了江苏水利的建设情况,并探讨了技术合作可能性。此外,接待了6批国外媒体记者,安排采访了江苏省南水北调东线工程。

(周　钧)

2005年江苏省水利科技成果获奖汇总表

序号	成果名称	完成单位	完成人员	奖励等级
1	城市水环境综合治理与水生态建设研究和实践	宿迁市水务局、河海大学、省水利学会	王沛芳、葛书龙、王　飞、昌志敏、翟鹏飞、徐　斌、王吉伟	省科技进步二等奖
2	淮安市防汛防旱信息支撑平台研究与实现	淮安市防汛防旱指挥部办公室、河海大学、南京摩尔信息技术有限公司	许夕保、胡永法、李三林、高中卫、吴　际	省科技进步三等奖
3	淮河入海水道工程移民实践与研究	江苏省淮河入海水道工程建设管理局、河海大学	吴宗法、戴元峰、黄良勇、张建华、耿汉文	省科技进步三等奖
4	淮河入海水道工程深淤土段筑堤关键技术研究	江苏省淮河入海水道工程建设管理局、河海大学、南京水利科学研究院	戴元峰、彭宣茂、张　凌、刘胜松、胡为平	省科技进步三等奖

续上表

序号	成果名称	完成单位	完成人员	奖励等级
5	密实土壤水稻节水灌溉研究	江苏省水利科学研究所、水利部科技推广中心、蓝派冲击压实技术开发(北京)有限公司	张金宏、黄俊友、俞青荣、姜谋余、石贵余	省水利科技优秀成果一等奖
6	城市水系综合整治技术研究与集成应用	泰州市水利局	吕振霖、丁士宏、王仁政、龚荣山、胡正平、张　剑、钱卫清	省水利科技优秀成果一等奖
7	分布部署的集中网络管理系统	江苏省水利厅通信计算机中心、解放军理工大学指挥自动化学院	冯永勤、胡谷雨、胥光辉、钱　进、柏　屏、王美玲、吴君青	省水利科技优秀成果一等奖
8	江苏省水资源演变情势分析研究	江苏省水文水资源勘测局	马　倩、陆小明、万晓凌、毛晓文	省水利科技优秀成果一等奖
9	水闸水下建造技术研究与应用	江苏省水利工程建设局、江苏省太湖水利设计研究院、上海市基础工程公司	吴光国、陈志明、何　勇、常语锋、姜春辉、徐永根	省水利科技优秀成果二等奖
10	聚氨酯/聚脲喷涂弹性体在挡潮闸钢闸门防腐蚀中的应用研究及推广	盐城市水利工程管理处、盐城市中水实业有限公司	许德智、刘建东、徐丽华、项　明、郭先祥、蔡洪卿	省水利科技优秀成果二等奖
11	主动渗流控制和渗流监测技术	淮安市水利局、河海大学	史　展、秦忠国、周凤扬、李玉强、陈长奇、张永国	省水利科技优秀成果二等奖
12	沙土区骨干河道综合治理技术研究与应用	南通市水利局、江苏水利工程研究所、如皋市农田水利试验站、如皋市雪岸镇水利站	沈　波、吉庆丰、肖海涛、陈　宏、王桂山、孙吕林	省水利科技优秀成果二等奖
13	基于WebGIS的水利防汛防旱空间决策支持研究	泰州市水利局	胡正平、张　剑、刘雪松、苏　扬、顾　群、高　鹏	省水利科技优秀成果二等奖
14	泰州市水文化研究与实践	泰州市水利局	龚荣山、董文虎、王羊宝、蔡　浩、周照网、朱鸿宇	省水利科技优秀成果二等奖
15	水下混凝土开敞式无水检修装置	江苏省灌溉总渠管理处	郑在洲、孙洪滨、周和平、古凤英、孙　猛	省水利科技优秀成果三等奖
16	LDA5吨电动单梁起重机在直线至90度弧线段运行的应用研究	镇江市水利局、徐州市重力起重设备制造厂、镇江市工程勘测设计研究院	张志远、许国忠、鄂金书、魏　明、陈卫平	省水利科技优秀成果三等奖
17	大中型水闸工程管理数字化研究与应用	江苏省三河闸管理处、南京伟氏信息技术有限公司	刘元绘、韩成银、张友明、徐善安、张立师	省水利科技优秀成果三等奖
18	盱眙县水土保持数据库管理系统	盱眙县水务局、扬州大学水利科学与工程学院	曹翠保、蔡守华、詹万林、曹培炘、金殿国	省水利科技优秀成果三等奖
19	深厚海淤土基础处理中搅拌桩建造技术研究	江苏省淮河入海水道工程建设管理局、淮安市水利局	史　展、刘　松、奚建猛、何开胜、张志好	省水利科技优秀成果三等奖

续上表

序号	成果名称	完成单位	完成人员	奖励等级
20	苏州市城市规划区浅层地下水开发利用研究	苏州市水利局、江苏省地质调查研究院	楚敏明、姚炳魁、王彩会、钱春健、缪晓图	省水利科技优秀成果三等奖
21	蜂巢格网防护工程技术研究	苏州市西塘河引水工程建设管理处、江阴格宾金属复合材料有限公司	蒋小欣、翁大朋、张金龙、陈习庆、顾　明	省水利科技优秀成果三等奖
22	变频恒压农田供水系统研究与应用	常熟市水利技术推广站、扬州大学信息工程学院	徐振祥、陶宇君、莫岳平、冯丽萍、王俊农	省水利科技优秀成果三等奖
23	龙王山水库群洪水预报调度系统研制与开发	淮安市防汛防旱指挥部办公室、武汉大学水利水电学院、盱眙县防汛防旱指挥部办公室	胡永法、宋星原、李三林、韩品元、葛恒凤	省水利科技优秀成果三等奖
24	节水灌溉工程经济评价方法研究	盱眙县水务局、扬州大学水利科学与工程学院	姚玉祥、蔡守华、曹翠保、詹万林、高中光	省水利科技优秀成果三等奖
25	混凝土综合防腐技术在海口泄洪闸防氯盐侵蚀中的研究和应用	盐城市水利建筑工程处	崔绍炎、周顺钊、商志清、周阜军、谷源远	省水利科技优秀成果三等奖
26	淮河入海水道一级堤防劈裂灌浆设计与应用的研究	江苏省淮河入海水道工程建设管理局、江苏省工程勘测研究院有限责任公司、江苏省水利勘测设计研究院有限公司	胡为平、戴元峰、宋意勤、王新生、张亚中	省水利科技优秀成果三等奖
27	渠道固化土防渗试验与应用研究	宝应县水利技术推广中心、江苏机电排灌工程研究所	张正平、蔡守华、李　俊、郭春元、黄华仁	省水利科技优秀成果三等奖

江苏省水利学会

【概况】 2005年，江苏省水利学会在中国水利学会、省科协、省水利厅、河海大学、南京水科院等有关单位领导的关心和支持下，认真贯彻“三个代表”重要思想，以科学发展观为指导，按照建设社会主义和谐社会的要求，以“求实、民主、科学、创新”为宗旨，紧紧围绕全省水利中心任务，与时俱进，谋求发展，富有成效地开展了各项工作，取得了可喜成绩。学会继续被评为科普宣传先进集体，在省科协第七次代表大会上被授予科协系统先进集体奖牌。

【组织建设】 学会自身建设是学会生存和发展的重要基础。学会一直重视加强学会自身建设，不断完善内部管理，提高服务水平，使学会在水利建设和科技发展中起着桥梁、纽带和助手作用。在科协的具体布置和技术支持下，学会建设制作了自己的见面网页，及时宣传报到学会，增加了学会面向社会的窗口。学会还通过各种会议，把学会工作任务和要求，层层贯彻落实。3月18日江苏水利学会在射阳召开水利学会工作暨表彰大会。会议认真贯彻省科协第七次代表大会精神，总结经验，表彰先进，研究工作，全面开创水利学会工作的新局面，团结和动员全省科技工作者为推进江苏水利事业发展继续奋斗，为构建江苏和谐水利作出新的贡献。出席会议的有学会常务理事、理事及各市水利学会的理事长，各专业、工作委员会的主任和厅直属单位有关领导。会议听取了戴玉凯理事长题为“和谐水利:迈向现代水利的新境界”的工作报告。大会听取了盐城市水利学会、自动化专业委员会的工作经验介绍。大会还对南京市水利学会等7个市级先进学会,昆山市水利学会等13个县(市)级先进学会,水工结构等6个专业委员、省水利勘测设计研究院有限公司等5个厅直属单位、陈开源等10位热心支持学会工作的局领导、吴金泉等5位先进理事长,钱钧等64位学会工作先进个人,予以表彰。

【学术交流】 学会是学术交流的重要渠道,学术交流是学会的立会之本,开展学术活动是学会的重要任务之一,是学会工作的主旋律,是科技人员永恒的需求,是学会工作中最具生命力、也是最具吸引力和凝聚力的工作之一,繁荣学会的学术交流是学会的主要任务。一年来,学会针对水利上的突出问题和难点、热点问题,举办了一系列学术研讨活动。

6月14日,江苏省水利学会在淮安市召开“人与自然和谐相处治水理念”座谈会,部分市水利学会理事长、相关专家出席了会议。戴玉凯理事长作了“关于人与自然和谐相处治水理念的思考”主题报告,无锡市学会就“浅水型污染湖泊治理的探索和实践——五里湖综合整治的经验和启示”作了专题发言,随后与会专家就如何围绕“人与自然和谐相处”的理念开展水利工作分别发表了意见。本次会议,时间虽短,但内容丰富,收效明显。

8月12日,江苏省水利学会在盐城召开“农村水利发展研讨会”,水利专家齐聚盐城,旨在研究“两工”取消和农村税费改革的情况下,农村水利未来工作思路、投入机制、组织形式等,为江苏农村水利发展出谋划策。专家们就如何在新形势下继续搞好农村水利建设,保障农村人民群众生命财产安全,维护社会稳定和全面、协调发展,构筑和谐社会献计献策。

6月9日水工结构专业委员会在连云港召开学术年会,会议听取了连云港近几年水利建设情况及建设中的一些难点问题的介绍,并实地考察了临洪枢纽和烧香河北闸拆建工地。还就设计院的改制及改制后的动作进行了讨论交流。11月18日,专业委员会又在南京河海大学召开学术交流会。会议围绕南京外秦淮河治理、长江护岸四面六边体框架群护岸技术以及红山窑水利枢纽工程膨胀性红砂岩地基处理技术进行研讨。会议还参观考察了河海大学江宁校区和水动力试验室、南京水科院铁心桥试验基地、南京市外秦淮河治理工程、以及秦淮河三叉河口闸工地。

10月9—10日泵及泵站专业委员会和江苏省农业机械学会排灌机械专业委员会在江都水利工程管理处召开第三次全体委员会议暨2005年学术交流会。就泵站工程管理及与泵站工程建设密切相关的其他重大问题、泵站工程建设的新技术、新方法、新工艺等内容进行了交流。会后由扬州大学学报出版了论文专集。

【科普宣传】 省水利学会充分发挥科普工作主力军的作用,以努力提高全民水危机意识、节水意识、保护意识,保护生态、保护水资源和防止水污染意识为科普重点,努力传播水利科技知识,宣传党的治水方针、政策,全方位开展科普工作。

3月22日上午,江苏省水利学会联合江苏省水利厅、南京市水利局在南京鼓楼广场联合举办广场咨询活动,纪念3.22第十三届“世界水日”暨3.22至3.28第十八届“中国水周”。江苏省水利厅厅长吕振霖、副厅长张小马、南京市水利局局长陈开源、省水利学会水法研究专业委员会主任洪国增等走进广场,欣然接受市民咨询。市民们看着发放的资料,对水资源、水安全等问题表示出极大的关心,咨询台前,前来咨询的市民络绎不绝。

今年的科普宣传周期间,学会根据省科普宣传周领导小组的统一部署和要求,5月19日在科普周开幕式主会场山西路广场设置宣传咨询台开展节水科普宣传和咨询，组织6名专家为广大市民提供咨询，发送节水知识科普读物，通过宣传使市民了解保护水资源并认识到节水的重要性；共发放宣传资料800余份，接待咨询100余人次，受到广大市民好评。

为协助省科普宣传周领导小组办公室搞好“科学发展看江苏”大型图片展，我会积极组织科技人员收集图片和编写资料，按时提供了9个展板的高质量图文资料。本次图展在山西路广场展出，受到了广大市民的一致赞扬。

在参加省科普宣传周领导小组统一部署的广场咨询活动的同时，结合本单位的实际情况，因地制宜充分利用水利厅现有媒体资源，在水利厅大门口布置横幅，在水利大厦大厅电梯口电子屏幕上滚动播出全国第五届科技活动周暨江苏省第十七届科普宣传周的宣传口号，形成了浓厚的科普宣传氛围。

在科普法颁布三周年期间，学会走向社区，与秦虹社区共同布置了科普展台，宣传科普法和节水技术。

科普宣传的一个重要对象是青少年，学会每年都要组织一次少年夏令营，8月8—10日，江苏省水利学会在宜兴成功举办2003年江苏青少年水利科技夏令营，参加这次夏令营的有来自扬州、南京等地优秀中学生，其中有曾获得优秀团员、优秀少先队员、三好学生等光荣称号；也有参加南京市信息奥林匹克竞赛的获奖选手，本次夏令营紧紧围绕主题安排活动，参观横山水库并安排了丰富多彩的活动内容。广大营员普遍反映收获很大，大家都表示今后要从自己做起，用实际行动来节约用水，保护水环境。有的营员还立志将来继承父辈事业，从事水利，从事水环境保护。

【以人为本】 人才是建设现代水利的根本力量，也是学会工作富有朝气和前途的主力军。21世纪是知识经济时代，是科学技术的世纪；是一个以知识、智力、资源的占有、配置、分配、使用为最重要因素的时代，这个时代最显著的特征，就是对人才的关注与培养。2005年省水利学会向省科协专家库推荐专家32名、江苏省科技奖候选人1名，学会一贯重视培养会员的主人翁意识和参与意识，注意在学会内部营造一种尊重人、信任人、关心人和理解人的氛围，充分发挥广大会员的主观能动作用。学会通过开展各种形式的活动，密切与广大水利科技人员的联系，全心全意为科技人员服务，对他们的科技成果、学术论文，组织评比、交流、奖励。2005年省水利学会分别向中国科协学术年会推荐论文10篇、向中国水利学会年会推荐论文14篇、青年论坛4篇、博士论坛1篇、华东片学术年会13篇、中国水利学会城市专业委员会2篇。

对学会的老领导、资深的老专家、老学者和年老体弱、患病住院的会员组织看望和慰问。4月21日和11月7日，江苏省水利学会分别在苏州和连云港召开水利学会老理事长联谊会。全省各市水利学会老理事长参加会议。会议分别听取了两市水利(务)局局长对本地水利特色的介绍，并开展热情洋溢的讨论，再进行实地考察，发挥老水利工作者的余热。

江苏省水利学会于元月31日在南京召开迎新春学会工作座谈会。省水利厅机关各处室和在宁厅直单位领导出席会议，学会向大家一年来对学会的关心和支持表示衷心的感谢！并向到会领导及通过他们向广大会员致以新春的问候！还向大家介绍了学会一年来的工作。到会领导畅谈学会工作，充分肯定学会对全省水利的贡献。会后学会还向到会领导及各单位的每一位会员发放了慰问品。一方面感谢机关会员对学会工作的关心与支持，同时也给会员送去一份关怀与温暖。正因为如此，现在全省出现了人人热爱学会，个个以会员为荣的景象。

（徐　斌）

水利经济

财务管理

2005年是我省水利"十五"计划的收尾之年，全省水利财务队伍认真贯彻党的十六届五中全会和省委十届九次全会精神以及建设和谐社会的总体要求，开拓进取，扎实工作，较好地完成了年初确定的各项工作任务，在推进改革、制度创新、资金筹措、加强监管、队伍建设等方面取得了一定成绩，促进了我省水利事业的发展。

【积极筹措和合理调度资金】 2005年我省水利建设任务十分繁重，南水北调工程全面展开，新一轮治淮工程开始实施，其余重点工程按计划有序推进，水利各项事业健康发展。全年省以上水利资金总量达24亿元，其中水利基本建设投资18亿元，水利事业费6亿元。尽管政府不断加大对水利的投入，但资金的供需矛盾仍显突出。我处一方面抢抓机遇积极工作，研究政策，争取资金的倾斜；另一方面坚持轻重缓急的原则，合理安排调度资金，保证了防汛抗旱、重点工程建设以及企事业单位改革与发展资金的需要，很大程度上缓解了资金供应不足的矛盾，取得了良好的效果。今年筹集各种水利建设资金8亿元，还贷资金10亿元，为全面实现治淮、南水北调等重点水利工程年度建设目标和偿还贷款提供了强有力的资金保障。在资金使用安排上，立足全省水利发展的大局，努力做到"三个结合"，即与省委、省政府的重大决策结合、与全省水利重点工作结合、与全省经济、社会发展的需要结合，为水利改革和发展提供有力的支撑。

【稳步推进公共财政体制改革】 财政三项制度改革是财政资金管理方式的重大变革，过去的一年里全省上下积极总结经验，大胆探索，进一步适应了财政三项制度改革。一是部门预算改革进一步深化。随着部门预算改革全面推开，预算法制观念深入人心，预算编制程序化，预算执行制度化，预算考核规范化，逐渐向预算改革的目标迈进。预算编制质量明显进步。厅属各单位十分重视预算的基础数据、基础资料的管理，建立健全了预算管理规章制度，对事业单位基本支出和水利业务经费定额进行了认真测算，为预算管理的科学化和规范化奠定基础。通过加强预算基础工作，水利和财政部门得以全面地了解和掌握当前水利事业发展的实际状况和资金保障水平，为争取财政资金支持奠定了很好的基础。从省本级看，2005年、2006年财政补助经费有了较大增长。二是国库集中支付改革全面展开，依法理财观念得到加强。到目前为止，厅属预算单位全面实行财政国库集中支付，部分重点基建项目也实行了财政直接支付。各单位在操作上熟练掌握和运用国库集中支付程序，主要把好国库集中支付审核关，从资金流动环节上对预算实行实时监控，提高预算资金控制管理能力，国库集中支付改革取得了明显成效。三是政府采购工作稳步进行，财政资金使用效益不断提高。我处积极探索，在部门预算编制中强化了政府采购预算，完善采购制度，推行政府采购。全省各地不少单位都根据实际情况建立了本单位的物品采购、服务管理制度，对办公设备、劳保用品、办公用品、油料、零星材料配件购置、汽车服务、印刷等项目采购，采用招投标、邀请招标、询价等多种方式确定供应单位和服务商，实行定点采购、协议供货，有效节约预算资金，防止腐败现象的发生。

【配合做好各项审计检查工作】 2005年又是一个水利审计年。从2月28日起，省审计厅即对我厅2004年度部门预算执行情况进行了审计，到4月底基本结束；从5月8日开始省审计厅又对我省2001年至2004年度水利建设资金筹集、使用管理情况进行了审计，一直到9月底，现场审计才基本完成。本次审计持续时间长，延伸单位多，审计要求高，延伸审计了苏州、南京、泰州、淮安、盐城5个市以及大部分厅属单位。通过统筹安排，精心组织，并取得了良好效果，省审计厅对我省水利财务管理的总体情况给予了充分肯定，对我厅今后的财务管理特别是资金管理方面提出了意见和要求。

【完善制度建设，加强资金监管】 2005年把制度建设和资金监管作为重要内容，常抓不懈。今年在贯彻现行的水利财务管理制度的基础上，对有关制度办法进行进一步的修订、补充、完善。一是进一步严格水利资金管理，规范单位经济行为。先后制定了《江苏省水利厅过闸费收取内部控制制度》，加强船舶过闸收费流程内部控制和收入管理；颁发了《江苏省水利厅经济合同管理制度》，规范厅直单位经济业务活动行为；出台了《关于进一步加强厅属单位财务管理工作的通知》，对单位财务会计岗位内部牵制、资金管理、账务处理程序、票据管理、财务检查制度、政府采购和集中采购管理、实物资产管理等方面提出具体管理规定；出台了《江苏省水利厅关于加强水利基本建设财务管理工作的意见》，针对今年审计检查中发现的问题，结合财政支出体制改革，对如何加强基建财务管理工作提出具体意见。二是资金监管力度进一步加强，收支行为日趋规范。各预算单位统一思想，加强领导，对资金监管的重要性和责任感有了进一步的认识，不断改革财务监管机制，狠抓内审工作，采取全面检查与重点巡视相结合的监管方式，加强对重点工程竣工财务决算、法定代表人离任进行审计，对直属单位的预算执行和财务管理情况进行全面、深入的检查。

【加强水利国有资产管理】 进一步加强水利国有资产管理。一是继续推进水价改革，积极开展水利工程供水计量试点。为进一步贯彻《水利工程供水价格管理办法》，积极推进计量收费，今年在南京、无锡、南通、盐城开展供水计量试点，省厅在经费上也给予了适当支持。二是各项收费政策继续得到贯彻落实，增加了水利投入，解决了一些实际困难，维护了水利部门的切身利益。三是进一步加强资产监管，规范了水利国有资产管理的各项基础工作，保证了水利国有资产的安全完整。四是做好企事业单位改革、改制工作。继去年省设计院、工勘院、太湖院按要求完成改制建企任务后，今年省水建公司、咨询中心等单位也已完成改制工作。

【加强财务队伍建设】 不断优化财务审计队伍和提高财务审计人员素质。一是健全财会机构，优化财审人员结构。经过努力，省级各单位的财会机构逐步健全，人员配备逐步到位，近两年获得高级职称人员持续增加，水利财审人员学历结构、职称结构得到有效改善。二是狠抓财会人员的继续教育，不断提高业务素质和知识水平。各单位根据自身情况，采取多种形式，利用多种机会，不断对财会人员进行知识更新和技能拓展，使财审人员的业务水平和政策水平有明显的提高。三是始终强调和重视财会人员的职业道德教育。各单位始终把这项工作作为一件大事来抓，教育广大财会人员树立正确的人生观、世界观和价值观，自觉维护财经纪律，做到依法理财、廉洁奉公。通过对财会人员进行规范化培训、整顿会计秩序、加强监督检查等一系列工作，使单位会计基础工作不断得以完善、规范。

水利审计

2005年水利内审工作，紧紧围绕水利建设和管理的重点，坚持“全面审计，突出重点”的原则，认真贯彻《审计法》、《审计署关于内部审计工作的规定》，严格遵守各项内部审计准则，在基本建设资金审计、厅直单位财务收支审计、经济责任审计、内审制度建设和内审人员培训等方面，积极开展内部审计工作，认真履行内审职责，充分发挥内部审计的监督、评价和服务职能，为维护财经法纪、加强单位内控管理作出了积极的努力。全年审计资金 49.36 亿元，查处违纪违规金额 2280.87 万元，提出加强管理的意见和建议 190 条。

【水利基本建设项目审计】 全年共组织实施淮河入海水道及淮河流域灾后重建应急工程部分项目、江海堤防达标建设、部分涵闸除险加固以及灌区改造等 34 个单项工程的竣工决算审计，审计基建资金 17.31 亿元，初步核减违规资金 505.79 万元，审定实际完成投资 15.95 亿元，基建结余资金 1796.10 万元，提出促进工程建设及基建财务管理的审计意见和建议 65 条。加强了水利基本建设专项资金的监督管理，节约了国家投资，保障工程顺利竣工验收，发挥社会效益。将淮河入海水道近期工程竣工验收作为首要工作目标，积极开展竣工决算审计。为保障淮河入海水道近期工程的顺利验收，根据水利部《关于淮河入海水道近期工程验收有关问题的批复》的精神，及时制定审计工作计划及审计方案，一方面积极与淮委协调配合，及时掌握审计工作进展情况，全面了解和掌握审计动态和审计信息，做到心中有数。另一方面认真开展由我省负责实施的工程竣工决算审计工作，对受托的社会审计机构加强业务指导和监督，与工程主管单位、建设单位和社会审计机构多次召开审计协调会，认真听取与会各方的工作汇报，每月对审计实施情况进行了解统计，对照工程批复的建设内容，逐项排查，并根据已完成的工程进度，不断重新调整审计实施方案，明确节点，以利下一步审计工作的顺利进行。对已完工的合同项目，造价审核先行介入，在确保审计质量的前提下，尽可能地加快审计进度，提高审计效率。以"三个安全"为工作目标，加强重点水利工程竣工决算审计工作。根据"任何工程不经审计，不得组织竣工验收"的原则，对横山水库除险加固、淮安一站加固改造、通州市新江海河闸改建、长江镇扬河段和畅洲左汊口门控制等重点工程实施了竣工决算审计。在审计立项上，根据年度工程验收计划和审计申请，及时与政府审计部门和流域机构内审部门联系，明确审计权限。对确定由厅组织审计的项目，认真收集有关工程、财务资料，分析项目情况，精心制定审计方案。针对建设资金在运动过程中的关键控制点和主要环节开展工作，从项目法人责任制、招标投标制、建设监理制、合同管理制入手，既全面审计，又突出重点，对审计中发现的问题，既严肃财经纪律，又从水利行业实际出发，针对被审计单位存在的违纪违规问题，认真研究解决。现场审计结束后，认真复核审计报告，努力做到客观公正，并对审计发现的问题和处理意见专门下达审计决定，保证了工程的顺利验收。进一步开展后续审计工作，做到件件有回音，事事有落实。根据基本建设审计法规相关要求，开展对水利基本建设工程审计的跟踪问效工作，明确落实整改工作的具体时限，对审计下达的审计决定、审计意见和建议都要进行逐一整改，对结余资金的分配及使用情况、尾工实施和预提费用的实际开支情况等重要内容进行审计监督，确保审计工作的效果和质量，使审计工作落实到位。继续开展在建工程的审计工作，以积极的服务，达到有效的防护。为加强水利专项资金的使用管理，对重点建设项目，本着"防患于未然"的原则，及早介入，关口前移，对江堤达标部分在建工程进行了事前和事中审计检查，紧紧抓住资金流程这根主线，从前期立项到工程招投标、从开工建设到价款结算实行重点审计，对检查出的问题及时提出整改意见，并督促相关单位纠正落实，进一步完善内部控制制度，加强财务管理，提高建设管理水平，为最终的工程竣工决算审计做好准备工作。积极配合有关单位,开展审计调查工作。配合水利部、太湖局做好对治太两河工程和环太湖大堤工程进行总体工程竣工决算审计工作,提供审计需要的相关资料,对审计过程中发现的问题,积极联系建设单位及相关单位进行解释说明,帮助审计人员作出实事求是的判断,并对共性的问题及其解决方法进行整理汇总,使审计少走弯路。

【厅直单位财务收支审计】 根据厅领导的要求和年度工作计划,我处今年对厅直9个水利工程管理处2004年度管理工作责任状中有关经济指标的完成情况和内控制度执行情况进行了审计,组织力量对厅物资总站、江苏水利外经公司、省水科所、苏北供水局等12个单位的2004年度财务收支情况进行了审计。今年针对淮沭河管理处出现的经济问题,我们对往年厅直事业单位审计工作进行了认真的总结。调整了审计重点,加强对三级核算单位,尤其是经营实体、工会、后勤中心等单位的审计。注重审计单位本级和所属单位之间及所属单位之间的资金往来。把防汛、岁修、抗旱等专项经费的使用情况作为审计重点内容,抓住专项工程“是否做?做多少?报支多少?”等主要问题,按照专项资金的走向自上而下地检查,对处属经营实体承包的专项工程还要测算一下利润率,以考核工程成本的合理性。继续检查各单位票据和合同管理两方面的工作,对单位的现金、银行存款等使用管理情况都进行了检查。现场审计结束后,我们及时与被审单位交换意见,对审计中发现的问题提出处理意见和建议,会同有关管理处就财务管理工作中碰到的难以处理的问题进行了会商。并要求各单位在审计报告送达后将整改情况及时书面上报我处。全年共审计24家,审计资金15.41亿元,查处违纪违规金额1775.08万元,提出改进工作意见和建议110条。

【领导干部离任经济责任审计】 今年,我处先后对省骆运管理处、江都管理处、省水科所、厅质监站4名厅直单位的法人代表实施了任期经济责任审计,累计审计资金16.64亿元,提出合理化建议15条。在被审对象中,其中1名领导干部的任期长达7年,审计结束后就要退休,老同志对他最后一班岗的工作评价尤为看重;还有一名领导干部已调任流域机构担任重要处室领导职务,如何对他们任期内的经济责任作出客观公正的评价压力较大。为此,我处在进点前,主动向纪检监察和人事部门了解干部的情况,听取他们的意见,掌握第一手资料,以免遗漏重大问题。明确审计目的和依据,通报工作程序、审计范围、审计内容等,听取被审人员的述职报告,进行执法公示。尔后召开座谈会,让了解情况的人员在较小的范围内对被审干部作出客观评价,了解群众的声音,便于掌握领导干部详细、真实的情况,尤其是账面难以发现的情况,从而确定审计重点和难点,为财务资料审计打好基础。从被审人员任期内单位财务收支、资产使用管理和保值增值、单位和个人执行国家法律法规、内控制度评价等方面入手认真地审查考核,实事求是地对其任期中的成绩与不足作出客观、公正的评价,指出单位在内部管理上存在的薄弱环节。被审人员和所在单位对审计报告均未提出异议,审计结果上报厅领导后,得到厅领导的高度重视。

【专项审计】 今年内审工作重点之一就是制止和严肃查处做假账、违反财经纪律、营私舞弊、弄虚作假等行为。根据厅领导的指示,会同厅纪检部门对淮沭河管理处近年财务收支进行了专项审计。重点审计2000—2004年部分防汛、岁修、抗旱专项经费的使用管理情况、过闸费等收支情况,对龙埝管理所等私设“小金库”的收支情况进行了详细审计,对审计中发现的问题提出了处理意见和建议,会同管理处就今后有关收支情况提出意见，出具了审计调查报告向厅领导进行了汇报。此次专项审计不仅为单位挽回了部分经济损失，堵塞了漏洞，也促进了单位加强财务管理和内控制度建设。

配合厅纪检监察部门，对淮河入海水道移民补偿费开展了深入细致、实事求是的审计调查工作，提供了客观、准确、可靠的依据，对信息专报反映的每个问题坚决查实查透。

【改制企业经营管理审计】 今年是省水利勘测设计研究院、省工程勘测研究院、省太湖水利设计研究院改制后的第一年。为掌握改制企业的经营管理情况，以及其真实性合法性，以维护我厅所有者权益，提高投资效益。根据董事会意见，我处组织对3个勘测设计单位2004年财务收支、工效挂钩、离退休人员提留经费等内容进行审计。对在职同志关心的可分红利、董事长绩效工资、工效挂钩情况和老干部关心的离退休人员经费提留使用等热点问题进行专项审计，在报告中专门披露，认真履行内审服务职能。

【内部审计管理工作】 根据水利部淮委的要求，对《治淮基本建设项目竣工决算审计报告大纲》的征求意见稿进行了学习讨论，提出了修改意见。此后结合我省水利基本建设实际情况，提出了贯彻执行意见。参加了部审计室组织的《水利部政府(集中)采购审计办法》的讨论，交流内审工作经验。及时完成了水利部、省审计厅布置的2004年内审年报统计上报工作。配合淮委举办了《治淮基本建设项目竣工决算审计报告大纲》培训班，组织参审人员进行了系统学习。组织全省部分内审人员参加了国家审计署组织的培训，取得了较好的效果。进一步完善了我厅的水利基建项目审计文档，使之具有更强的操作性。

(陆倩慧)

水利多种经营

2005年，全省水利多种经营工作围绕新时期治水思路的调整，围绕水资源的可持续利用，围绕水利改革的重点，进一步明确思路，充分依托行业优势，挖掘工程潜力，整合行业资源，全方位搞好水利经营管理。

【任务完成情况】 2005年全省水利多种经营实现总收入104.57亿元，利润5.71亿元，收入中一产、二产、三产分别完成3.88亿元、73.08亿元、27.61亿元，占比重分别为3.71%、69.89%和26.40%。年末全省水利多种经营资产合计405.89亿元，所有者权益311.71亿元。

【水土资源开发】 大力开发利用水土资源，挖掘新的经济增长点。昆山市水利局根据当地土资源大量缺乏的实际情况，紧紧抓住市政府“关于向河湖底开发利用土资源的决定”的机遇，从组织、管理、收费等方面规范了合理开发土资源工作，为水利经济的发展开辟了新路径，先后配合市重点工程实施了对白莲湖、傀儡湖、淀山湖的取土工程，共规划围湖取土1.2万亩，取土量2295立方米，既保证了经济发展所需用土，又清除了湖底淤泥，增加了河湖蓄水量，提高了防洪能力和水文质量，还增加了经济收入。一些地方利用沿江、沿河岸线，新建码头堆场，采用出租方式运作经营，为经济发展打下了基础。

大力发展供水产业。各地利用自来水建设的有利时机，抢抓机遇，积极争取和参与自来水供水建设和管理。仪征市加快建设城市水环境综合治理工程，由香港中国荣信集团作为投资方，负责工程的建设、监理，公开招投标选择施工单位，各项目竣工验收后移交仪征运营管理；仪征负责工程设计，并自项目移交之日起10年内回购该项目的全部资产。整个工程包括污水管道系统、城市排水系统等7个建设项目，以及河道整治、灌区改造等5个已建转购项目。

开发利用风景资源，大力发展水利旅游业。水利旅游业已成为我省水利经营工作新的经济增长点。2005年全省又有三家单位被评为国家级水利风景旅游区。到目前为止，全省已有江都水利枢纽等十一家单位获国家级水利风景区称号。加强对过闸费的征收管理。如通州市水利局充分利用新江海河闸改造工程优势，改造后的套闸也成为通州市水利局又一个经营收入的亮点，过闸费年收入可达到250多万元。

【水利建筑业】 2005年，全省水利建筑业的收入达36.15亿元，占全省水利经营总收入的34.57%。各地水利施工企业抓住基础设施建设加大投入的有利时机，积极参与市政、交通、水利等工程建设，通过加强水利建筑企业的内部管理，整合水利施工资源，扩大水利建筑企业规模，以实力、服务、质量和水平赢得市场，提高市场占有率。并将经营服务范围拓展到水利监理、咨询等业务领域。一些建筑施工企业在做好工程承建的同时，充分发挥自身机械和设备的优势，对外租赁建筑设备，提高了资源的利用率，搞活了企业资源，取得了可观的经济效益。如淮阴水利建设集团有限公司每年通过设备租赁，年获利近百万元。

【国有资产监督管理】 随着水利企业改制工作的逐步完成，各地加强了对水利国有集体资产的经营管理监督工作。淮安市水利局通过实行水利会计委派制、审计监督制度化等经济管理手段，科学划分水管单位内部的货币资本、生产资本和商品资本的合理比例，以统收和集中支付的会计形式，强化增收节支管理，将水管单位内部经营性存量资产推向市场，为水利经营提供必要的资本保证。以淮安市城市水利资产经营有限公司为经营主体，通过水利国有资产划拨的形式，调整资产布局，进一步优化水利存量资产。据统计，淮安市城市水利资产经营有限公司目前已经拥有水利经营性资产1.5亿元，水、土等资源性贮备资产近3亿元，为淮安市水利集约化经营创造了条件。昆山、常熟等一些市、县，进一步挖掘存量资产和应收账款的潜力，努力激活死账、坏账，并利用水系调整、泵站建设、工业建设的机遇，扩大房地产开发，走出了一条物业经营的新路子。

（魏红蓓）

水费工作

2005年全省水费工作者在厅党组的正确领导和厅有关处室的大力支持下，正确分析形势，调整工作思路，团结协作，积极稳妥推进水价改革，加强水费工作规范化、制度化和水费管理现代化建设，使全省水费工作步入了稳定、健康的发展轨道。

【水费收入与支出】 2005年全省水费收入42674万元（不包括县及县以下机电排灌水费，下同），与2004年相比增加了1984万元，增幅为4.9%。其中农业水费24905万元，较去年增加了808万元，占总收入的58%；工业水费12890万元，较去年增加了202万元，占总收入的30%；自来水厂水费3308万元，较去年增加了463万元，占总收入的8%；水产水费1018万元，较去年增加了331万元，占总收入的2%；其他水费收入551万元较去年增加203万元。

全省水费支出42635万元，其中工资支出11433万元，占总支出的27%；燃料费、维养费13197万元，占30%，折旧、大修费7467万元，占17%。

【水价改革】 年初，配合国家发改委、水利部、交通部三部委在江苏进行的水利工程水费“船闸、航运实行单独分类”的专项调研活动，调研后，国家发改委复函认同了江苏对船闸、航运实施分类计费的做法，目前《江苏省水利工程供水价格管理实施办法》正在进一步协调中。配合相关部门做好“十一五”期间江苏省水利工程供水体制与水价改革的规划专题研究。

【计收管理】 2005年农业税全面取消，部分基层干部和农民认为水费也要一并减免，出现了对农业水费的继续征收思想准备不足，缴费积极性下降的现象，给水费的收缴管理工作带来了难度。为此，一方面积极向省政府有关部门汇报收取农业水费的重要性，争取领导的理解与支持，另一方面要求各地做好水利工程水费的宣传解释工作，同时在《新华日报》公示了水价标准，并以文件形式向各市统一下发了水费宣传标语，收到了较好的效果。为进一步规范收费行为，探索水费工作的新思路，开展了农业水费计收管理调研活动，分别向厅领导做了《当前农业水费计收工作形势的调研报告》和《关于农业水价改革有关情况的汇报》专题报告，深入分析当前水价改革存在的问题，并提出建议，受到厅领导的重视。

5月份召开全省水价工作会议，总结2004年度全省水利工程水费工作、交流经验、表彰水费工作先进单位和先进个人，部署全年的工作和各市缴省水费指标任务。

按省地税局的统一部署，全省水利工程水费专用发票2005年进行了改版，为此，专门转发了省地方税务局有关文件，同时要求各地严格按工作程序，规范票据使用，加强票据管理，做好年度票据征订、领用、发放工作，保证收费工作顺利开展。

为扶助困难群众，在全省开展了对2005年因灾减产减收农民水费的调查摸底、核实减免金额和兑付工作，省厅发放专项减免金费125万元，市县配套1400万元，全部发放到困难农户手中。

【水费管理现代化建设】 为了适应水费计收管理工作的新要求，提升全省水利工程水费工作的现代化管理水平，开发了“江苏省水利工程水费信息管理系统”，在2004年经试点运行的基础上，2005年再次对系统进行了修改完善，并初步完成工业水费电脑开票系统的设计框架。根据各市去年补助经费的使用情况和今年推广使用水费信息管理系统的具体实施方案，6月份下发了《关于补助各市2005年度水利工程水费信息管理系统运行设备经费的通知》，对经费使用和推进信息化工作提出了明确要求。12月份，召开了水费信息系统培训会议，为明年的水费计收工作提前做好准备。

为加强供水计量设施的更新改造，以计量促收费，2005年，省厅选择南京、无锡、南通、盐城为首批供水计量试点地区。南京市开发了无人值守的智能化水资源管理系统，在全市安装了23个监测点，无锡市在9家较大的取水单位安装了14台超声波流量计，两市都初步建立起覆盖全市的取水计量管理网络，实现了对取用水单位的取水量实行全面监控和在线管理，在促进了工业水费收缴的同时，也推动了水费由协商收费向计量收费的转变；南通、盐城两市在农业用水计量方面，分别开展了农灌量水设备的开发研究和灌区管理体制的研究，探索“专管机构+用水协会+用水户”的管理体制。

（水利产业经济管理中心）

2005年全省实收水费情况统计表

单位：万元

市别	实际完成数	其中			备注
		农业水费	工业水费	其他	
南京	2581	840	1738	3	
无锡	2120	146	1974		
徐州	3528	2346	756	426	
常州	1768	908	858	2	
苏州	5920	841	5077	2	
南通	4755	3853	899	3	
连云港	2768	1993	775		
淮安	2191	1639	550	2	
盐城	6879	5828	1030	21	
扬州	4336	3034	1296	6	
镇江	1418	894	497	27	
泰州	2240	1934	306		
宿迁	2170	2126	44		
合计	42674	26382	15800	492	

水利物资总站

2005年，总站立足水利、开拓市场，紧紧围绕“两个率先”的工作大局和站职代会确定的年度工作目标，一手抓经济效益，一手抓文明创建。防汛职能经受了新的考验，市场经营在起伏跌宕中取得了新的进展。全年销售钢材19万吨，水泥1.2万吨；调运防汛块石3.45万吨，草包6万只，编织袋7万条，土工布0.5万平方米，彩条布0.5万平方米；新进库块石2万吨。全年实现销售额5.65亿元，较去年增加16%，收入总额1650万元，支出1497万元，实现利税153万元，收入比年初职代会通过的预算1400万元增加17.8%，支出较年初预算1300万元增加15.1%，较好地完成了年初制定的各项任务。

【防汛物资准备工作】 按照“防大汛、抗大灾，防患于未然”的工作思路，年初制订了2005年省级代储防汛物资计划，共下达代储草包325万只，木材1100立方米，应急灯1000只。汛前与省防办、厅监察室、财审处组成三个检查组，开展汛前防汛物资大检查，对检查中发现的问题和隐患，及时向省防指报告，确保了全省防汛物资足额和完好。8月5日至7日，九号台风“麦莎”正面袭击，总站紧急派出了两个工作组进行现场协调，在全站干部职工的有力支持下，不折不扣地完成了省防指的各项调令。

【水利工程物资供应】 为提高工程中标率，在工程投标准备阶段，做了大量信息收集工作。通过网络、媒体和工地交流，超前获取了许多工程项目招标的信息，重点把苏、鲁、皖的钢材、水泥生产厂家的产品、价格、运输、资质、联络方式等方面的信息收集整理备用。工程中标后,我们及时把重点转移到驻工操作上。组织人员进驻工地,严格规范供应流程,做好供应服务工作。在供应中,遇到问题及时到工地进行协调处理。由于服务到位,受到业主、监理的一致好评,中标的南水北调刘山、解台、淮四和新沂河海口扩建工程项目进展顺利。

【经营工作稳步推进】 2005 年钢材市场形势较前一年更为严峻,为保持较好的盈利水平,平时对国家相关的财政、货币政策,钢铁行业自身投资规模等进行仔细分析,从而抓住了年度仅有的 3 轮阶段性上涨行情,规避了 3—6 月份长达 4 个月的暴跌行情。我们还根据市场行情的变化,积极调整营销策略和部分销售渠道,调整充实了部分经营人员,采取了适应市场的定价机制,加大跨区域联动销售,努力规避货款回笼的风险,提高市场的竞争力。此外,我们在继续保持和巩固现有资源采购渠道的基础上,又与徐州、江阴等地钢厂建立了代理销售关系,使我站在南京建筑钢材大户的地位更加巩固。去年总站被中国物流信息中心授予了“全国百强钢材营销企业”的称号,在市场上的知名度、信誉度进一步提高。

(柏 霖)

精神文明建设

机关党建和精神文明创建

2005年，机关党委在省级机关工委和厅党组的领导下，在厅机关各部门、厅属各单位的支持配合下，坚持以邓小平理论和“三个代表”重要思想为指导，紧紧围绕厅党组中心工作，切实加强厅系统党的思想、组织、作风和制度建设，完成了厅党组交给的各项任务，为确保全厅年度工作的顺利完成提供了重要的思想组织保证。

【先进性教育活动】 按照中央、省委的统一部署和厅先进性教育领导小组的工作要求，机关党委认真履行厅先教办牵头部门的工作职责，紧紧围绕实践“三个代表”、推进“两个率先”、加快水利现代化建设这个主题，认真贯彻先进性教育活动的指导思想、总体要求、指导原则和各阶段工作具体要求，整体推进了厅系统15个基层党委、3个党总支的169个党支部、2000多名党员参加的厅系统先进性教育活动，完成了先进性教育活动各个阶段的任务，达到了提高党员素质、加强基层组织、服务人民群众、促进各项工作的总体目标。

具体抓了十二项工作：一是抓前期准备，统一思想，提高认识，明确任务。二是抓计划安排，制定《实施计划》，细化操作程序，任务分解到位，确保上下联动和整体推进。三是抓会议组织，先后组织动员大会、先进事迹报告会、学习交流会等各类会议17个。四是抓情况汇总，采取定期上报与随时电话催要相结合的办法，按时完成各阶段上级交办的各项任务。五是抓文件起草，先后起草教育活动《实施意见》、各阶段工作通知、总结、情况汇报等各类文件30多件。六是抓骨干培训，明确各阶段具体工作目标、方法步骤和时限要求。七是抓工作督查，先后多次对厅直各单位、机关各支部的阶段性工作进行督查，确保整体推进。八是抓信息宣传，在江苏水利网先进性教育专栏共编发信息442条，编发《简报》22期，有效营造了先进性教育氛围。九是抓典型引路，及时发现并推广了多个单位的督学制度、领学与点评制度、“关键词”导读制度和“三想、三看”等典型经验；十是抓工作台账，明确专人负责，规范台账管理，共整理归档长期档案为88件，短期档案为639件。十一是抓整改措施，通过强化组织协调，促进了厅系统各单位整改方案、整改措施制定和长效机制的建立，协助厅领导推进了党组整改方案的全面落实和加快落实。十二是抓“回头看”，先后对7个厅属单位开展了“回头看”抽查和督促，并组织10篇反映厅系统先进性教育整改成果的专稿发表在江苏水利网站首页上，促进了“回头看”工作的全面落实。

【党建工作】 开展“七一”评比表彰活动。在厅系统先进性教育活动的基础上，组织了自下而上的推荐评优工作，厅老干部处党支部被评为省级机关先进党支部，高淳水文站的沈来宝同志被评为省级机关优秀共产党员；厅机关党委表彰了厅系统先进党支部22个、优秀共产党员58名、优秀党务工作者10名。

发展党员工作。坚持发展党员工作“十六”字方针，严格按程序确定发展对象9名，接收预备党员8名，预备党员转正15名，确定入党积极分子3名，指导厅属管理单位进一步加强党员发展工作的规范化、程序化，并加强对聘用劳务用工人员的教育培养。

落实党组整改方案中有关党建工作的内容，加强基层党组织建设，指导督促届期已满的江都水利工程管理处等5个厅属单位党委（总支）的换届选举工作，对原规计基建党支部调整为规计处党支部和基层处党支部，指导建立了1个省重点水利工程建设处临时党支部。

同时在总结厅系统先进性教育活动经验的基础上，着力于建立厅系统党的先进性建设长效机制，对《厅系统党建工作制度》和《厅机关和部分事业单位“双目标”创建工作考核办法》作了进一步修订和完善。

完成了党组织、党员基本信息库管理系统升级、维护和2005年党内年报统计、党费收缴等工作，截至2005年12月31日，党组织关系直属于水利厅的党员数为1717人。

开展思想政治工作人员专业资格评审工作。共推荐4名申报对象参加高级政工师的评审，经厅思想政治工作人员专业资格中级资格评审委员会评审，有9人被评定为政工师，3人转评为政工师。

【精神文明建设】 组织开展“全国文明单位”、“江苏省文明单位”和“江苏省文明子行业”推荐申报活动，江都水利工程管理处被评为“全国文明单位”，秦淮河管理处被省委、省政府评为“省级文明标兵单位”。

根据水利部思想政治工作研究会的统一部署，先后组织厅直管理单位和无锡等4个市水利局开展了“思想政治工作与基层水利管理单位和谐建设”调研活动，在此基础上，起草完成并上报了“江苏省基层水管单位思想政治工作与和谐单位建设”调研报告，并在12月12日全国水利系统思想政治工作会议上交流了思想政治工作与和谐单位建设的经验。

根据省级机关工委的部署要求，组织厅机关和部分厅直单位110多名职工参加了普通话测试和竞赛活动，有99名同志通过了普通话测试，有1名同志获得省级机关普通话决赛三等奖。

组织厅系统广大职工响应省委省政府号召，积极参与6个“资助千人”慈善捐款活动和“寒衣暖人心”捐赠活动，共计捐款10.8万余元，棉衣、棉被等物品797件，

落实厅党组工作要求，组织银河艺术团赴南水北调刘山、解台站和淮三、淮四工地进行了慰问演出。还组织开展了全省水文化研究等活动。

【工会共青团】 采取多种方式大力开展了“一法五条例”的学习宣传和贯彻落实工作。厅工会翻印《一法五条例汇编》5000余册发给职工，组织厅系统4000多名职工参加全国“四五”普法知识竞赛活动，并组织厅直单位50名工会主席参加省总干和各市总工会组织的培训。在此基础上，指导厅属各单位工会和“三院一公司”工会分别在工管体制改革和改制工作中，依法开展职工维权工作，起步开展对聘用劳务用工人员入会工作，保障聘用劳务人员的合法权益。经多方测评，厅工会被省总工会评为2005年工会系统“四五”普法先进单位，被中国农林水工会授予“2005年省级工会工作先进单位”称号。

组织基层工会积极开展创建文明窗口、水利重点工程劳动竞赛、合理化建议和争先创优等活动。江都水利工程管理处工会和泰州引江河管理处高港船闸管理所分别被评为“全国模范职工之家”和“全国模范职工小家”，省秦淮河管理处工会、省泰州引江河管理处工会和三河闸管理处工会被为“省模范职工之家”，淮河入海水道建管局被评为“江苏省五一劳动奖状”，省淮阜控制工程处被评为“功臣集体”，建设局马志华同志被评为“功臣个人”。

认真开展了送温暖、献爱心、帮扶解困活动。先后组织慰问金15万元，陪同省、厅领导看望系统特困职工、特困劳模、重病职工等67户；陪同厅领导为宿豫区水利厅“春蕾班”送去水利厅职工捐款2万元，为65位小学生做了校服。在第15个“全国助残日”前夕，组织机关和在宁厅直单位职工捐赠物品3000余件，被省残联授予“爱心捐赠单位”称号。工会还组织了厅机关和部分事业单位的200多名职工参加拔河、登山等健身活动。

此外，厅团委也开展了“五四”评比表彰活动，并组织了义务植树、球类比赛、拓展训练等

适合青年特点的活动。

（罗明秀　刘　洋）

人事管理

【干部体制机制改革】　一是开展了部分副处级领导职位竞争上岗活动。通过组织动员、自愿报名、民主测评、面试答辩、竞职演讲、组织考察、厅党组集体研究确定，由4位同志分别担任长江河道采砂管理局、省淮沭新河管理处、三河闸管理处、骆运管理处副主任。二是开展了事业单位工作人员公开招聘工作。我厅率先对省属事业单位进人实行考试招聘制。厅属事业单位首批共招聘了53名高校应届毕业生。招聘工作得到了省委组织部、省人事厅的充分肯定，也得到了基层单位和考生的一致好评。三是完成了咨询中心改制工作。省水利工程科技咨询中心是全省101个生产经营类改制单位中第一个完成改制后工商登记的单位。改制过程中，拟定了人员分流安置方案；制订了人员费用剥离提留、净资产处置方案，及时在省产权交易中心公开挂牌，确保了国有资产不流失；协同咨询中心拟订了改制后企业的公司章程及股权设置方案，确保了第一次股东大会的顺利召开，按时完成了改革任务。咨询中心改制后，人心稳定，业务量逐步回升。四是完成了事业单位分类定性的基础工作。在摸清家底、理清职能的基础上，提出对厅属事业单位分类定性的初步意见，经党组研究后确定行政管理类事业单位5个，社会公益类事业单位26个，并正式上报省编办。

【人才队伍建设】　一是开展全省水利系统人力资源规划调研。牵头对全省水利系统开展了队伍建设调研工作，了解当前水利队伍建设状况，对省水利系统人力资源现状进行分析，认真查找与水利事业发展不相适应的问题，分析原因并提出针对性的建议；二是进一步加强专业技术干部队伍建设。调整了水利工程专业技术职称申报条件、评审程序，修订了评审赋分标准，2005年共有83人通过工程师评审，120人通过了高级工程师评审，9人通过教授级高级工程师评审。同时加强了高层次专业技术人才培养，做好省“333工程培养对象”培训、休养、考察及其他服务工作。三是积极做好人才引进、培养工作。四是进一步完善人才激励表彰机制，根据省委组织部、省人事厅有关精神，加大对事业单位分配制度的改革，合理拉开收入差距，使分配向一线倾斜，向优秀人才倾斜。五是经党组研究确定，2名援藏干部继续在拉萨水电局任职；1名干部到灌南县任科技副县长；2名干部到地方水利局挂职；3名同志参加扶贫。

【职工教育培训】　一是突出抓好党政领导干部的培训。以培养具有世界胸怀和战略眼光、具有现代领导能力的水利干部队伍为目的，举办了厅系统处级干部学习会暨领导干部任职培训班；以创建学习型组织为主题，开展了公务员处级干部拓展培训；选派了6名处级干部参加了省“四五”普法学习班和省委党校处级干部培训班；按照省委组织部的要求，在处级以上公务员范围内（含参照管理的干部）组织了“菜单式选学”培训报名工作，全厅共有63人参加学习，占应参加学习人数的90%。

二是进一步加强公务员的培训教育。继续抓好信息化知识和电子政务培训，对2004年未参加电子政务考试和考试不合格人员开展了第二期培训考试工作；按照5年轮训一遍的要求，大规模选调公务员参加党校培训，共选派了14名科级公务员参加省委党校的科级干部培训班；有步骤地组织开展了公务员法培训工作，制定了学习培训计划，组织了《中华人民共和国公务员法》知识考试。三是开展水利系统领导干部培训工作。10月下旬在河海大学举办了为期一周的市县水利局长专业理论培训班。四是加强组织人事干部队伍素质培训。为了使组织人事干部全面提高业务素质和履行岗位职责的能力,8月份,举办了厅系统组织人事干部培训班。五是进一步重视技术工人培训。开展了闸门运行工、泵站运行工、水文勘测工和通用工种的等级岗位培训;开展了全省水利系统泵站运行工、闸门运行工和其他工种技师的推荐、培训和评审工作;开展了全省水利系统第三届泵站运行与维修工技能竞赛活动。六是加强新进人员的培训教育。对厅系统新进60名大专院校毕业生进行了岗前培训。

【安全生产管理】 一是根据水利部和省安全生产监督管理局要求,部署了重大节日期间的安全生产工作和组织开展安全生产月、安全生产周活动;二是组织了安全生产大检查,对省重点水利工程、重点水利建设工地安全工作进行综合性检查,通过检查,进一步落实安全生产责任制,消除安全生产隐患;三是根据上级有关部门的要求,部署做好化学危险品和有毒有害物品的专项治理工作。

【表彰奖励】 为了表彰先进,进一步调动水利工作者的工作积极性和创造性,激励他们更好地为全省国民经济持续发展服务。一是根据人事部、水利部《关于做好全国水利系统先进集体和劳动模范、先进工作者评选工作的通知》要求,积极做好全国水利系统先进评选工作。经过层层推荐、差额评审、全面公示、有关部门批准,我省有3个单位被评为先进集体,8名同志获先进工作者荣誉称号,享受省级劳模待遇。二是做好苏锡常地区地下水禁采先进表彰工作。会同省人事厅、省建设厅、省国土资源厅联合组织了"苏锡常地区地下水禁采先进集体、先进工作者"表彰评选工作。经基层推荐、省评选工作领导小组评审通过,30个单位获先进集体、30名同志获先进工作者荣誉称号,享受市厅级劳动模范待遇。

(夏方坤)

江苏省水利厅系统部门负责人名录

（2005年12月31日现任领导岗位负责人）

一、厅机关

厅领导：

党组书记、厅长：吕振霖

副厅长：张小马、陶长生、陆桂华

纪检组长：朱泳富

党组成员：张小马、陶长生、朱泳富、陆永泉、王逸珠

厅办公室：

主　任：朱海生

调研员：张嘉涛

助理调研员：杨宝荣

厅规划计划处：

处　长：毛桂囡

副处长：施红怡

助理调研员：凌松山、徐卫东

厅政策法规处：

处　长：洪国增

副处长：曹东平

厅水资源处（省节约用水办公室）：

处　长：吴泽毅

副处长：李春华

厅工程管理处：

副处长：陆一忠

厅人事处：

处　长：王逸珠

副处长：韩全林、韦普和

助理调研员：张晓迅

厅财务审计处：

处　长：高　文

副处长：张古军、沈建强

助理调研员：徐元亮

厅科技与对外合作处：

处　长：张春松

助理调研员：陈辉

厅基本建设处：

处　长：金嘉麟

调研员：胡为平

助理调研员：赵曰平

厅农村水利处：

处　长：朱克成

副处长：汤建熙

调研员：刘有勇

助理调研员：倪明娟

厅机关党委：

书　记：朱泳富（兼）

副书记：罗明秀、吴瑞清

厅工会主任：谭国惠

厅老干部处：

处　长：杨利生

副处长：何峰

助理调研员：陈鹤昌

驻厅纪检组、监察室：

副组长：任晓明

监察室主任：任晓明

监察室副主任：俞雪生

正处级纪检监察员：印解陵

二、厅属企事业单位

省防办室：

副主任：郑在洲（正处级）、朱德伦、季红飞

省水利工程建设局：

局长、分党组书记：陆永泉

副局长、分党组副书记：戴元峰

副局长：倪健民、陆泽群

总工程师：陈志明

纪检组长：倪健民

办公室主任：宋品超

办公室助理调研员：徐茂倩

项目处处长：刘胜松

项目处副处长：何勇

项目处助理调研员：吴光国

处　长：方桂林

财物处副处长：潘良君

政治处处长：倪健民（兼）

政治处副处长：黄良勇

省水政监察总队（省长江河道采砂管理局）：

总队长：张小马（兼）

副总队长：洪国增（兼）、徐殿洋（正处级）、黄章羽

助理调研员：陈玉兰

省南水北调工程建设领导小组办公室：

主　任：吕振霖（兼）

副主任：张劲松

综合处副处长：袁连冲

计划建设处副处长：刘丽君

拆迁办主任：祁朝标

省水文水资源勘测局：

局长、副书记：陈锡林

书记、副局长：朱昌福

副局长：贾锁宝、唐运忆

副书记、纪委书记：张　凯

南京分局局长：陆文林

镇江分局局长：傅太生

常州分局局长：李家振

无锡分局局长：张泉荣

扬州分局局长：王万新

苏州分局局长：张晓波

南通分局局长：刘建生

连云港分局局长：李太民

盐城分局局长：许仁康

徐州分局局长：李明武

淮安分局局长：洪国喜

省苏北供水局：

局　长：黄海田

副局长：朱月新

总工程师：戴敬秋

省河道管理局：

局　长：陈学富

副局长：杨　淮、于　涛

省水利工程规划办公室：

主　任：叶　健

副主任：陈振强

厅机关后勤服务中心：

主　任：刘建伟

副主任：周长全（正处级）

省水利信息中心：

主　任：潘　杰

副主任：冯永勤、盛家宝

省水利产业经济管理中心、江苏水利经济实业开发公司：

主　任、总经理：戴伟如

副主任：王致道、徐　舒

省水利科教中心：

主　任：戴伟如（兼）

省水资源服务中心：

主　任：常本春

副主任：张建华

省农村水利科技发展中心：

主　任：蔡　勇

副主任：葛书龙（正处级）、唐合年

省水利工程质量监督中心站：
副站长：蒋建云
总工程师：顾文菊
省水利物资总站：
站长、党委书记：蒋建新
副站长：焦爱华
副书记：刘　飞
总会计师：程执杵
省水利科学研究所：
副所长：黄俊友、王珍兰
省骆运水利工程管理处：
主任、副书记：问泽杭
副主任：肖俊东、丁淮波、钱帮永
省淮沭新河管理处：
主任、副书记：刘明智
书　记：陈万荣
副主任：李淮东
省蔷薇河送清水工程管理处：
主　任：刘明智（兼）
副主任：许永平
省灌溉总渠管理处：
主任、书记：郑在洲
党委副书记、纪委书记：关　翔
副主任：谷　杉、孙洪滨、张加雪（兼）
总工程师：戴启璠
省淮河入海水道管理处：
主　任：郑在洲（兼）
副主任：张加雪
省三河闸管理处：
主任、书记：刘元绘
副主任：韩成银、唐荣桂
省江都水利工程管理处：
主任、书记：汤　超
副主任、副书记：汤正军（正处级）
副主任：王葆青
纪委书记：史建华
省秦淮河水利工程管理处：
主任、书记：陈振清
副书记、纪委书记：彭永峰
副主任：钱　钧
省太湖地区水利工程管理处：
主　任：颜廷举
副主任：郝春明、陈卫冲
总工程师：陈立（正处级）
省泰州引江河管理处（省灌溉动力管理一处）：
主任、书记：王积生
副主任：徐铁涛、钱福军
纪委书记：徐　明
省灌溉动力管理二处：
主任、副书记：朱昌全
省人民政府驻上海办事处水利处：
处　长：夏德怀

纪检监察工作

2005年,全厅纪检监察工作在省纪委、省监察厅和厅党组的正确领导下,坚持以"三个代表"重要思想为指导,认真落实中央纪委五次全会、省纪委七次全会、全国水利系统反腐倡廉工作会议的部署及厅党组的要求,以水利经济建设为中心,积极开展以三项任务为重点的反腐败斗争,进一步加强水利工程建设执法监察和纠风工作,积极为全省水利中心工作服务。

【切实落实党风廉政建设责任制】 抓好责任分解,落实党风廉政建设责任。年初厅党组制订了《2005年江苏省水利厅党风廉政建设工作有关处室、单位责任分解的意见》,将厅机关党风廉政建设工作责任进行了分解、细化为25项具体工作内容,明确到相关的职能部门和具体责任人。在2月初召开全省水利纪检监察工作电视电话会议,对全省水利系统2005年纪检监察工作任务进行了研究和部署。会上,厅党组与厅直各单位党委(总支)、省淮河入海水道建设管理局等重点水利工程建设单位签订了党风廉政建设责任状,厅机关和部分厅直事业单位处以上领导干部就本人在党风廉政建设方面向厅党组作出承诺,签订了党风廉政承诺书。

积极组织协调,抓好2004年度全厅党风廉政建设责任制的检查考核。在厅党组的领导下,成立了2004年度党风廉政建设责任制检查考核领导小组,由厅领导和厅党组成员带队,从相关部门抽调人员组成7个检查考核组,于2005年1月份,对厅机关各处室、厅直各单位、省淮河入海水道建设管理局等41个领导班子及137名领导班子成员执行党风廉政建设责任制及廉政建设承诺书的情况进行了检查考核,共召开座谈会22个,192人参加了座谈,个别谈话104人,提出整改意见108条。

协助做好2004年度厅党组落实党风廉政建设责任制情况的自查工作和厅级领导班子和领导干部述职述廉测评工作。

【深入推进领导干部廉洁自律工作】 抓好违反规定收送现金、有价证券和支付凭证、跑官要官、配偶子女及其身边工作人员利用领导干部职权和职务影响非法牟利、利用婚丧嫁娶聚敛钱财和参与赌博等五个方面的问题,总体情况较好。

制定下发了《江苏省水利厅系统工作人员禁酒规定》,提出厅机关、厅直事业单位的工作人员在工作日午间、值班和驾驶机动车三种情况下必须实行禁酒。同时,在任何时间、任何场合严禁酗酒。7月中下旬,对各单位落实《禁酒规定》的情况进行了检查。

制定下发了《江苏省水利厅厅直水利工程管理单位公务用车管理办法》(试行)(以下简称《公车管理办法》),从7月1日起执行。以核定单位公务车数量、核定单位及领导干部全年公务用车费用总额的办法,加强对九大管理处公务用车的管理,以达到节约费用,提高公务用车使用效率,防止公车私用的目的。通过清理,厅直9个管理单位共核减公务用车17辆,年减少费用19.8906万元。7月中下旬和年底,通过听汇报、查看资料等形式,对各单位落实《公车管理办法》的情况进行了专题检查,并针对检查中发现的问题,向九大管理处进行了书面通报,要求各单位及时进行整改。

制定下发了《江苏省水利厅公车处理暂行办法》。规定凡是经过省级机关事务管理局或省厅核定后各单位多余的公务车(不含报废汽车)必须经过公开竞价程序进行处理,并规定了具体的处理程序。

【强化惩防体系制度建设】 组织厅机关有关处室,对近年来围绕我厅权力运行过程中容易诱发不廉洁行为和腐败现象的重点部位和环节制定的规章制度进行了梳理完善。根据省纪委的要求，及时上报了我厅近年来的制度建设情况和2005年反腐倡廉制度建设工作计划。2005年全厅共修订完善制度12项，新制定制度11项。

【做好来信来访和案件查处工作】 2005年，驻厅纪检组共收到人民来信65件，其中转有关市水利局、厅直单位和其他部门办理45件，要求报结果的31件，已报结果28件；自查12件，已全部查结。

2005年，全厅共立案查处违法违纪案件4件6人，已给予党纪政纪处分6人，刑事处罚2人。其中处级干部1人，科级干部4人（其中2人被判处有期徒刑缓刑，1人免于刑事处分）。通过查办案件，挽回经济损失78万余元。

【进一步加强执法监察工作】 突出重点水利工程，加强工程建设执法监察。落实党风廉政建设责任制，在年初召开的全省水利纪检监察工作电视电话会议上，厅党组与省淮河入海水道建设管理局、省南水北调"三潼宝"工程建设局、刘山解台建设处签订了党风廉政建设责任状；普遍实行"双合同制"。在南水北调、新沂河整治工程等省重点水利工程中，实行了"双合同制"，签订廉政合同20份，将项目法人、施工单位、监理单位和重大物资材料供应单位相互之间的廉政建设规定通过廉政合同进行约定，并将廉政合同作为招标文件的组成部分写入招标文件；参与对重点水利工程建设项目招投标工作的检查监督。共对淮河入海水道、南水北调、新沂河整治工程、江都闸加固工程以及厅水利后勤服务中心附楼等工程共20多批40多个标段招投标的跟踪监督。在入海水道扫尾工程中，全程监督了5批18个标段的招投标，通过招投标节省投资200多万元；认真核实信访举报。共收到反映工程建设中有关问题的人民来信4件，分别组织人员及时进行了调查了解，并对违纪违规问题进行了严肃处理；编辑《江苏省水利工程建设执法监察制度汇编》，加强对全省水利工程建设执法监察工作指导。收集整理了涉及工程建设管理、招标投标、质量管理、基建财务、监督检查等方面的法律法规及政策性文件66件40余万字；加强联系沟通，积极协助省纪委省监察厅组建派驻南水北调东线江苏段工程纪检监察工作组。

开展防汛物资执法监察。5月份联合省防办、厅财审处、省水利物资总站等单位组成执法检查组，分苏南、苏中和苏北三片，集中人员、集中时间，在汛前对省级防汛物资、防汛责任状要求各市储备的防汛物资和省供销系统代储的防汛物资的到位及管理情况进行了专项的执法监察。检查组既查看了有关账册的登记情况，还深入到各防汛物资的储备现场进行实地察看。对检查中发现的问题，都当场提出了明确要求和建议。

积极开展调查研究，强化县乡河道疏浚规范管理。11月初，驻厅监察室联合厅农水处和省财政厅有关部门有重点地选择有关市县就已实施项目的建设管理情况开展了调查研究，协助修订了县乡河道疏浚工程建设管理办法。

【积极开展行风建设】 制定下发了《2005年全省水利系统纠风工作的意见》。对清理和纠正水利建设领域拖欠工程款、农民工工资和土地补偿费、减轻农民负担、治理河道"三乱"等工作进行部署；7月份联合厅政法处下发了《关于对水利系统贯彻执行行政许可法情况开展监督检查的通知》，在各市水利部门自查的基础上，组成专项检查组，对全省水利系统贯彻执行行政许可法情况进行了检查，并将检查情况和我省水利系统贯彻执行行政许可法的情况及时向省监察厅、省法制办和水利部进行了汇报；开展水利部门管理河道的"三乱"监督检查。7月下发了《关于对全省水利系统所辖船闸等收费站(点)治理“三乱”情况进行检查的通知》,要求各市水利(水务)局、厅直水利工程管理单位,对照检查内容进行自查自纠。8月至9月上旬,驻厅监察室会同厅财审处组成检查组,通过现场察看、暗访、听取汇报、召开座谈会和查阅资料等方式方法,先后对厅直泰州引江河管理处、江都管理处、总渠管理处、淮沭新河管理处、三河闸管理处、太湖管理处和连云港、盐城、泰州、无锡、镇江等市水利(水务)局所辖河道船闸等收费站点治理“三乱”情况进行了抽查。从各市水利(水务)局、厅直水利工程管理单位上报的自查情况和抽查的结果来看,全省水利系统所辖河道收费站(点)“三乱”治理情况总体良好,“三乱”现象现已基本杜绝。同时,针对检查中发现的少部分船闸站点未严格按照规定做好收费公示、公示项目不全、个别船闸闸票管理比较混乱、岗位设置不合理、缺乏相互制约等问题,也与各有关单位领导交换了意见,并提出了整改要求。检查结束后向厅领导进行了专题汇报,并分析了存在问题的原因,提出了四点具体改进的意见和建议。

【加强党风廉政宣传教育】 印发了《2005年全厅纪检监察宣传教育工作要点》。对今年全厅纪检监察宣传教育工作的指导思想、工作内容、时间安排和组织领导等方面作出了具体规划和安排。

积极部署学习党中央、国务院下发的《建立健全教育、制度、监督并重的惩治和预防腐败体系实施纲要》,印发了《关于组织开展〈实施纲要〉和〈学习纲要〉知识竞答活动的通知》,组织订购《实施纲要》和《学习纲要》1584本,《知识竞答试题集》640本,竞答试题600份,及时发放到机关处室和厅直单位党员干部手中。2005年7月下旬至8月中旬,组织厅机关和28个厅直单位951名党员、干部参加了本次知识竞答活动(其中厅级领导干部7人,参赛率为100%;处级干部165人,参赛率为100%,优秀率为100%;科级干部446人,参赛率为99.6%,优秀率为100%。科以下党员干部321人,参赛率为100%,优秀率为100%)。

召开案件通报会,加强警示教育。全厅共征订党风廉政建设教育片10种48盘,宣传教育书籍2243本。在6月下旬召开的全厅公务员和在宁厅直单位科以上干部及非在宁厅直单位处级干部共250余人参加的大会上,驻厅纪检组将近年来全省水利系统发生的违法违纪案件情况进行了剖析和通报,并组织收看了原宿迁市委常委、开发区管委会主任曾鸿翔《以我为戒,警惕人生诱惑》电教片,以发生在身边的人和事,向全厅广大党员干部特别是党员领导干部开展了警示教育。

开展廉政文化建设。7月份,制定下发了《关于在全厅开展廉政文化研讨活动的通知》,在厅机关和厅直单位部署开展了以廉政文化建设为主题的廉政文化征文活动。共有26人提交了研讨征文。并及时进行汇总后上报省纪委和省级机关纪工委参加有关廉政文化的征文活动;以省淮河入海水道工程建设管理局副局长胡为平同志先进事迹为题材,组织人员代表省级机关参加了全省廉政文化演讲比赛;11月,厅党组制定下发了《关于在全厅开展廉政文化“进机关、进工地、进家庭”活动的实施意见》,从指导思想、主要内容、目标要求等方面对2006年廉政文化进机关活动进行了具体部署。

【强化纪检监察组织自身建设】 加强业务培训,提高工作能力。5月份和12月份,分两批安排全省水利系统纪检监察干部41人参加由中纪委、水利部联合举办的全国水利系统纪检监察干部综合业务知识培训班。11月份选派1名同志参加了省级机关纪工委举办的《实施纲要》学习班学习。

加强调查研究,加强队伍建设。驻厅纪检组对厅直单位专职纪检监察干部现状进行了研究和分析，并形成专题调查意见报厅党组。省江都水利工程管理处和省泰州引江河管理处配备了专职纪委书记。

建立片会制度，加强沟通联系。年初，驻厅纪检组提出了分苏南、苏中、苏北三片每半年召开一次纪检监察部门负责人座谈会的意见，建立了片会制度。6月中下旬和12月下旬，分别召开了两次片会，厅直单位和各市水利纪检监察部门负责人参加了座谈会。

突出工作重点，加强信息上报。2005年共上报省纪委、省监察厅和驻部纪检组、监察局及厅办公室、厅水利网站等单位各类信息12条，其中有5条信息分别被驻部纪检组和厅水利网站采用。

（纪检组、监察室）

老干部工作

2005年，按照全国、全省老干部“双先”表彰大会对老干部工作提出的新要求，紧紧围绕厅党组中心工作，把开展保持共产党员先进性教育活动与落实老干部政治待遇紧密结合起来，从思想、生活、学习、活动等方面全面加大服务工作力度，不断满足老同志不同层面的需求，提高老同志晚年生活质量。老干部处党支部被中共江苏省委省级机关工委评为先进党支部。

【扎实开展“先教”活动】 首先，扎实有效地在老干部党员中开展保持共产党员先进性教育活动。上半年，按照厅党组和厅“先教”活动领导小组的统一部署，突出把开展老干部党员先进性教育活动，作为落实老干部政治待遇的重要内容来抓，“先教”活动取得了较好的成效。

具体做到：“先教”活动的计划和基本步骤不少，“规定”动作的目标不降，“自选”动作的方向不偏，离退休党总支中心学习组的带头作用不差，较好地完成了“先教”活动各个阶段的工作任务。特别是在老干部党员中组织开展的“中央党校张蔚萍教授的专题辅导报告”；《新时期党员老同志如何保持先进性》的党课，《优秀共产党先进事迹录像报告》；组织开展“重忆先烈光辉业绩，发扬革命优良传统”为主题的党日活动和扶贫帮困，交纳一次特殊党费等主题教育实践活动，使党员老干部普遍受到了一次马克思主义党建思想和党建理论教育，进一步增强了党性观念，坚定了保持革命晚节的信心。老同志们认为，虽然离退休了，但离休不能离党，退休不能褪色，必须始终牢记自己是一个共产党员，时刻不能忘记党员的义务和责任。

进一步深化老干部的政治理论学习。下半年，集中组织举行了以《当代资本主义的新变化和发展趋势》和《深入学习贯彻十六届五中全会精神》为主题的政治理论专题讲座，举行了《国际安全战略与台湾问题》的形势报告会，引导老同志深刻领会十六届四中、五中全会精神，理解“三个代表”重要思想的科学内涵和精神实质，准确把握科学发展观和构建和谐社会的基本内容和要求，加深对重大理论问题和国际国内形势的正确认识，使老同志们思想适应新形势发展的要求，保持与党中央在政治上的高度一致。

第三，老干部阅读文件、参加重要会议、参观考察、重大节日走访慰问老干部等规定和制度进一步得到坚持和完善。11月15日，组织离休干部一行40余人，参观了南京长江三桥、奥体中心和秦淮河整治、秦淮新河抽水站、汉河闸等城市水利建设工程，老同志们对南京城市建设和水利事业的发展留下了深刻的印象，对江苏“两个率先”和富民强省战略充满了信心。

【纪念抗战胜利60周年】 2005年是中国人民抗日战争暨世界反法西斯战争胜利60

周年。以纪念活动为契机，在离退休干部中广泛开展了以“激情满怀忆往事，心胸开阔看未来”的主题教育活动，同时采取多种形式开展纪念活动。广泛宣传老同志的历史功绩，焕发老同志的革命激情，在厅系统营造了尊重老同志、关心爱护老同志的浓厚氛围。

一是在厅机关和在宁事业单位全体离退休干部中举行了“纪念抗日战争暨世界反法西斯战争胜利60周年知识竞赛”。二是组织厅老年文艺演出队，分别参加了南京市鼓楼区华侨路街道纪念“八·一”建军节举行的“双拥”和省委老干部局为“纪念抗日战争胜利60周年”举行的文艺演出活动。三是在厅系统举办纪念抗战胜利60周年抗战老战士风采图片展。生动展示了16位抗战老同志的立功受奖勋章、荣誉证书和奖状等实物65件，以及他们的亲身经历和为中华民族解放事业作出贡献的英雄事迹，在厅机关起到了弘扬和培育民族精神，加强爱国主义教育的良好效果。四是召开纪念抗日战争胜利60周年座谈会，厅党组成员、副厅长张小马在会上讲话，并为抗战老战士、老同志颁发了中国人民抗日战争胜利60周年纪念章，发放慰问品，走访慰问抗战老同志。五是为庆祝省第18个敬老日暨纪念抗战胜利60周年举办厅系统离退休老干部文艺汇演，14个参赛单位，共演出15个节目，将系列主题活动推向高潮。演出声情并茂，展现了水利系统老同志的良好精神风貌，博得了观众阵阵掌声。

【完善文化养老机制】 随着经济社会的发展，老干部在物质生活得到基本满足的情况下，对精神文化生活的要求越来越高。为此，着力突出在文化养老上下功夫，从老同志的生理、心理和兴趣爱好专长等特点出发，加大对老干部的组织引导，完善文化活动基础设施，拓展活动领域，丰富活动内容，积极创造条件为他们文化养老搭建平台，多层次、多渠道、多方位满足老同志的文化生活需求。

以老年文体协会为载体，积极组织引导文化养老。一年来，充分发挥协会组织的群团作用，广泛发动并吸纳更多的老同志走出家门，参加到文化活动中来。始终注意坚持活动的群众性、层次性、多样性、有益性。实现由单一性向多元性、少数人变多数人的文化养老过渡。

以老干部活动室为阵地，提供条件保障文化养老。厅老干部活动室具有了一定的规模和良好的条件，已形成了相对稳定和规范的三大类20多个活动项目的格局，构建起了文化养老的基本框架。充分利用阵地资源，加强管理，凸现文化养老服务功能，使许多老同志把活动室作为“第二个家”，在这里消除孤独和寂寞。在这里获得晚年生活乐趣和发挥余热的渠道。目前，厅机关和在宁事业单位离退休干部289人，参加老年文体协会的有172人，约占总数的60％。

【提高管理水平】 管理服务好老干部，发挥职能作用是贯彻落实“三个代表”重要思想和构建和谐社会的体现。11月上旬，举办了全省水利系统老干部工作培训班，全省水利系统老干部工作部门的负责同志和老干部工作者共50余人参加了培训。培训班邀请省委党校两位专家教授分别作了内容丰富的专题报告，总结了近两年来全系统老干部工作情况，表彰了全省水利系统13个老干部工作先进集体和16位老干部工作先进个人，交流了老干部工作经验和做法，作了题为《认真学习贯彻十六届五中全会精神，按照构建和谐社会要求进一步做好老干部工作》的主题发言，围绕构建和谐社会如何做好水利系统老干部工作，进行了广泛的研讨。通过培训，拓展了工作视野，提高了认识水平，激发了服务热情，理清了工作思路，明确了努力方向。

日常工作中，严格按照省委老干部局和厅党组对老干部工作的要求，带着真情为老干部服务，做到把老干部的需要作为工作的第一选择，把老干部的满意作为工作的第一目标，以饱满的热情，周到的服务，细致的作风，切实为老干部安度晚年提供服务保障。一年来共走访慰问老同志80余人次，安排老同志参加健康疗养15人次，协调鼓楼区民政局支持免费为12位空巢老人安装了“电子保姆”；及时帮助两位突发病老人送医院抢救，避免了事故的发生；协调解决了6位老同志的医药费自费困难问题。处理好老干部的来信来访，关注改制企业单位的老干部工作，6次赴扬州、泰州等厅属单位，与老干部座谈对话，做说服稳定工作，避免了老干部群体上访事件的发生，保持了老干部队伍的稳定。

（老干部处）

水利宣传工作

【在主流媒体进一步加大对外宣传力度】

1. 农村水利的宣传。按厅领导要求，积极配合农水处，深入基层采访，跟踪报道。从年初开始，在《中国水利报》以头版头条的醒目位置刊发相关报道，接近年底又以2篇头条《描绘城市的“后花园”》、《江苏水利为新农村添彩》作结，其间还有数篇报道。在《新华日报》也以大篇幅连续刊发了有关农村水利建设的内容，比如靖江农村水利建设。在《江苏经济报》上也有如江阴水利等内容的头版头条相关报道。在《扬子晚报》也刊发了大篇幅报道。造成了一定的社会影响，形成了农村水利宣传高潮。

2. 深层次宣传。通过对水文化的深入理解、生态水利的深度挖掘，先后在《新华日报》发表一批有思想性的文章。比如《秦淮河：枯水期依然水清清》、《随院士行走江苏千里南水北调线》、《水质安全佳节水意识淡——北京大学生眼里的南水北调》等一批深度报道。

3. 新的治水思想、科学理念的宣传。结合先进性教育和江苏水利实际，吕厅长适时提出了“把握两个规律、科学治水”的重要认识。我们围绕这一思路，借助《群众》杂志、《扬子晚报》等媒体，大力宣传了这一思想。

4. 水行政执法宣传。配合水行政执法总队，深入禁采一线，采写新闻报道，在《新华日报》、《中国水利报》、电视台等媒体大力宣传水行政执法的艰巨性、复杂性，并在江苏水利网开展影响较大的系列报道。

5. 突发性宣传。除在各种媒体上宣传入海水道外，还制作了专题片《绘就彩虹江淮间》、《大地腾龙润江淮》、《沧海横流谱千秋》、《淮河蛟龙入海记》等。另外，我们还加班加点制作了画册、展板等，为淮河入海水道的全面验收做好各种准备。此外，针对新华社个别记者错发的江苏水利有关报道、以及有关小报关于六合洗砂池误当水库、连云港水闸乱收费等反面报道，中心都及时安排记者采写正面报道，缩小负面影响。

总体来说，这一年在各类媒体发表水利方面报道约上百余篇，图片报道也不少。

【江苏水利网站宣传】 今年网站宣传呈现的特点是：以系列性报道为主、挖掘典型，进行广泛而深度的宣传。从第一阶段的不休克，到第二层次的图文并茂，到目前第三阶段的系列深度报道，无论是内容还是形式，都给人以耳目一新的感觉。最初以无锡水利11篇系列报道开了先河，全部由信息中心同志撰写。通过我们的引领作用，发动全系统同志积极投稿，后由信息中心和基层同志共同努力，陆续推出了农村水利、重点工程、水行政执法等系列报道。此种深度报道，影响力巨大，许多基层同志主动提出要我们帮他们宣传，同时也加强了他们自身的力量配备。有的局长对搞信息宣传的同志提出要求的是：“打开网站，就要看到我们的新闻。”目前，江苏水利网点击率大大提高，更新速度超快，在各级政府网站中不多见。另外,我们网站还对各种会议进行及时报道,为大型活动做专题报道。各类大型网站引入我们江苏水利网的次数越来越多,说明我们江苏水利网影响力正在进一步扩大。

【《江苏水利》杂志工作】 全年高质量地出版了12期《江苏水利》。以科学发展观为指导,积极配合厅党组的中心工作,注重科学理念的提升与普及,专业知识的传播与研究,做到雅俗共赏,深度与广度相结合。卷首语从学习科学化到和谐水利,从社科高度认识问题,农村水利除发表厅领导文章外,还从《聚焦农村水利》到《让亮点更亮》再到《认真出效率》,从另一角度宣传科学理念。

举办了五里湖杯、水利经营与水价改革、生命之水等征文活动。通过征文,形成了系统化的宣传。

【史志年鉴工作】 史志方面,组织编辑出版了《江苏水利大事记》;对史志的续志方案进行了修改,并上报厅领导,同时对史志续志经费预算也向厅领导、财审处进行了汇报,争取早日启动续志工作;指导无锡市水利志的编辑出版工作,并组织有关专家对无锡市水利志进行了评审;此外,对《河湖大典·淮河篇》的编纂工作召开了专家咨询会,并对组织续志和编纂《河湖大典·淮河篇》做了大量前期工作。在年鉴方面,组织相关部门配合,编辑出版了2005年度江苏水利年鉴。

(水利信息中心)

省直单位

骆运管理处

【概述】 2005年,江苏省骆运管理处以“三个代表”重要思想为指导,贯彻落实“十六届五中全会”精神,树立科学的发展观,实践先进的治水理念,建设和谐的水管单位,深入开展党员先进性教育活动,大力开展党风廉政建设,团结一心,深化改革,制度创新,扎实工作,全处的各项事业又取得了新的成绩。

【工程管理】 首先是通过汛前、汛后检查夯实设备管理基础,始终保持工程设备的最佳投运状态。其次加强了各项岁修工程的管理,严把工程的质量关、安全关,加强对岁修工程的财务管理,保证了经费的使用安全,全年共完成岁修经费346.5万元,分别实施了沙集站下游拦污栅更新工程、泗阳一站4台机组大修工程、处机关网络通讯设备维修及设备更换等工程项目31项。第三是推行了“设备到人”责任制,形成全方位、多层次,人人参与,齐抓共管的工程管理新局面。

【防汛抗旱】 2005年春夏之际,淮北地区干旱少雨,全处所辖五大泵站加强机组的安全运行管理,由于抽水期间河道水草较多,影响了机组的安全运行,各抽水站将后勤人员组织起来,打捞水草,从而保证了翻水任务的完成,全年五大泵站共翻水8.7亿立方米,为徐、宿地区的工农业生产提供了水源保障。“入梅”之后,黄淮地区雨带较为活跃,为此,该处认真贯彻落实省水利厅吕振霖厅长在“骆马湖地区防汛工作紧急会议”上的七点要求,未雨绸缪,积极备汛,战胜了“麦莎”、“卡努”两次强台风对辖区的影响,10座涵闸共泄洪64亿立方米,所管工程全部安全度过汛期。处抗排队按省防指指令,累计抗排出机71台套,作业28800台时,抽排水1000多万立方米,胜利完成了上级交给的抗洪排涝任务。同时该处将服务外延,积极参与地方水环境建设,利用所辖水利工程,提高中运河的纳污能力,为宿迁市建设湖清水秀的园林城市做出了贡献。

【水政执法】 水政监察支队紧紧围绕队伍的思想建设、组织建设、作风建设开展工作,内强素质,外树形象,积极维护单位的合法权益。充分利用“世界水日”、“中国水周”和“四五”普法的契机,积极开展水法规宣传,全处职工的水法规知识得到了进一步增强,支队获得了全省水行政执法技能竞赛第一名。一年来,支队认真开展水行政执法巡查工作,发现问题及时处理,将水事违法案件消灭在萌芽状态,全年共查处和制止各类水事违法行为5件,拆除违章搭建房屋一处、黄沙经营场所一处,结案率100%,维护了水管单位合法权益。

【综合经营】 该处出台了新的《综合经营管理办法》,确立了“深化改革、开拓市场、抢抓机遇、加快发展”的经营思路,进一步搞活激励机制,大力开展水利综合经营,不断壮大单位的经济实力。加强了经营项目的管理,保证了所有项目无亏损经营;积极拓展外部经营空间,主要承接了宿迁闸加固工程中上下游围堰施工和“导流”工程,取得了较好的经济效益;各小水电生产单位利用丰水的有利时机,开足马力生产,小水电生产收入创历史新高。全处超额完成了省厅下达的30万元的减亏指标,综合经营利润比2004年增长了20%,全处的经济运转情况良好,职工收入有了一定增加,实现了八届一次职代会提出的职工收入提高10%的目标。

【建设资源节约型水管单位】 从建立、健全各项规章制度入手,加大增收节支力度,重点压缩行政管理费用开支,实行了人员经费由处统一控制标准,通过考核发放,日常公用经费指标包干使用的经费管理方式,进一步强化预算的约束力,确保费用支出结构和内容符合部门预算要求。通过创建节约型机关、节约型所站，推进增收节支工作，从点滴做起，从节约一张纸、一支笔、一度电、一滴水做起，深挖节支潜力，全处管理经费同比下降了20%。

【职工教育】 2005年确立为职工教育年，出台了《职工教育管理办法》，进一步完善激励机制，鼓励职工自学成才，成立了职教领导班子，制定培训计划，设立培训基地，先后开办了运行班长培训班、安全员培训班、网络自动化培训班、科级干部培训班等各类培训班28个，共96期，培训内容涵盖了管理处绝大多数岗位，参加培训人员达1100人次，参加培训人数占全处在岗职工总数的96%，职工全员的整体素质得到了提高，在"全省水利系统泵站运行工技能大赛"中，该处两名选手获得了较好的名次和成绩。

【共产党员先进性教育】 全处252名党员全部参加了第一批先进性教育活动。宣传动员阶段，广大党员积极参加学习培训、撰写党性分析材料，集中学习培训时间达到60多个小时，领导干部读书笔记均超过2万字，一般党员超过1万字；分析评议阶段，处党委和各支部共召开各类座谈会33场，征集到意见建议120条，开展谈心活动500余次，召开民主生活会12次，大家坚持以增进团结为原则，本着对党、对同志、对事业高度负责的态度，开诚布公，畅所欲言，认真开展批评和自我批评；整改提高阶段，处党员先进性教育领导小组明确思路，制定切实可行的整改方案和整改措施，开门整改，把群众是否满意作为根本评判标准，落实整改项目30多项。通过党员先进性教育活动，党员素质明显提高，基层组织得到加强，促进了全处各项工作的开展。

【廉政建设】 认真学习《建立健全教育、制度、监督并重的惩治和预防腐败体系实施纲要》，广泛开展廉政宣传，创建单位廉政文化。调整并完善了管理处党风廉政建设领导小组，处党委与处属各支部签订了党风廉政建设责任状，建立领导干部述廉制度，设立了廉政举报箱，自觉接受群众监督。把党风廉政建设与各项工作一起布置，一起要求，一起考核。处纪检监察部门积极参与到干部选拔、职称评定、招工、物资集中采购等职工较为关注的行政事务中，行使监督职能，定期对处属各基层单位进行财务检查和审计，从源头上控制和预防了违纪、腐败的发生。

【精神文明建设】 遵循"以人为本，科学发展，构建和谐单位"的理念，在处理单位的各项事务中，坚持"公平、公正、公开"的原则，减少矛盾的发生，努力维护单位的稳定。为此，从提高工作的透明度入手，建立相应的管理办法和制度，在制度的执行上自觉接受群众的监督，对不涉及保密的文件，均通过网络在网上公布，使职工有知情权，通过这一系列措施，取得良好的效果。

工会在全处范围内开展创建"职工之家"活动，增加"职工之家"中体育、文化用品的投入，丰富职工的工余文化生活，使职工对单位有亲切感、认同感，组织开展演讲比赛、运动会等集体活动，组织"文明职工"、"文明家庭"、"文明单位"评选活动，树立广大职工的"主人翁"意识，激发他们爱岗敬业的热情。处女工委员会做好女职工的"贴心人"、"代言人"，积极维护女职工的合法权益，加强女工组织建设，发挥女工在两个文明建设中的积极作用。在夏季高温期间和传统节日中，处领导深入到生产一线慰问职工，对生活困难或生病职工登门看望，帮助解决他们生活中的实际困难，让他们感受到单位大家庭的温暖。2005年，实行职工医疗费改革，使职工医疗费的管理走上了健康的轨道，通过以上活动的开展，职工的精神面貌和综合素质得到明显提高，处抗排队潜水班长孙建国就是其中代表之一，2005年度他获得全国"劳模"的光荣称号。

（王业宇）

淮沭新河管理处

【概述】 2005年，该处以邓小平理论和“三个代表”重要思想为指导，全面贯彻十六大、十六届五中全会精神，树立科学发展观，坚持以人为本，科学治水，经营富水，改革兴水，全面发展的方针，一手抓好先进性教育活动，一手抓好日常管理工作，做到两手抓，两促进。该处克服二河闸、淮阴闸等工程边加固，边运行的矛盾和汛期新沂河长期行洪的困难，通过合理调度，淮沭河沿线累计供排水300多亿立方米；完成了向连云港送清水的任务，共排污水3.5亿立方米，送清水10多亿立方米；全处经营收入再创新高，比上一年度增长18%。“三个文明”建设齐头并进，管理处获得“省级园林式单位”、“淮安市四城同创先进单位”、“全省水利系统信息工作先进单位”、“全省水利系统档案工作先进单位”；有6个下属单位继续保持“市级文明单位”称号，4个下属单位获得和保持“县级文明单位”称号，淮阴闸管理所被省水利厅授予全省水利系统文明单位称号，二河闸水文站被水利部授予全国文明站，管理处团委被团省委评为“五四红旗团委”。

【防汛抗旱】 与常年相比，苏北地区2005年上半年干旱少雨，年末雨水也偏少，而汛期降水则偏多。上半年，淮阴闸累计降水242毫米，相当于常年同期的70%，淮北地区旱情严重；而汛期，淮北地区平均降水1039毫米，比多年平均多55%。上半年，该处二河闸、淮阴闸等工程运行均以抗旱供水为主，结合航运、发电进行控制，做到工程加固和供水两不误。汛期，骆马湖入湖水量为81亿立方米，比去年同期偏多18.6%，嶂山闸先后7次开闸泄洪，最大泄洪流量4000立方米每秒。由于沂沭泗洪水大量过境和本地降水产生了大量的内涝水，使新沂河沿线长期处于排洪、排涝中，加之汛期受三次台风影响，使沿线工程的安全调度运行难度大大增加。面对困难，该处坚持防汛抗旱并重，排污引清并举，严格汛期值班制度，加强工程巡视，并多次组织技术人员深入调查污水、洪水、干旱时期大用水水情，通过全处上下共同努力，圆满地完成了苏北供水、蔷薇河送清水和新沂河行洪等水情调度工作任务。2005年，淮沭河沿线工程闸门控制运行近1500多次，累计供排水300多亿立方米；为确保清污分流而调度相关工程挡污、冲污、排污、保航等1000余次，新沂河海口控制工程泄洪历时近100天，泄洪总量近80亿立方米；蔷薇河送清水工程沭阳排污地涵排泄污水3.5亿立方米，向连云港送清水10多亿立方米。

【水政水资源】 在第十八届“中国水周”期间，突出“生命之水”宣传主题，利用张贴标语，悬挂条幅，散发传单，设立宣传咨询点、出黑板报、广播及水法宣传单等多种形式，积极开展水法规宣传活动。水周期间共张贴标语500多条，散发传单3000余份，悬挂横幅30多幅，书写墙标50多条。通过宣传，增强了广大干部群众遵守水法规的意识，收到了一定的社会效果。举办了水政监察员培训班和法律知识培训班，提高水政执法人员素质。同时，认真开展水行政执法巡查工作，及时发现，及时查处，依法维护自身权益，依法查处了蔷薇河地涵管理所管理范围内的一起违章搭建，拆除了二河闸管理所管理范围内历史遗留的6户房屋。汛期，还会同淮安市水政监察支队开展一次联合执法行动，对二河闸上下游水面围网进行了集中清理，确保河道行洪安全。

【水利基本建设】 二河闸加固工程于2005年6月25日完成水下工程，12月底已完成全部建设任务；淮阴闸加固工程于2005年3月21日完成水下工程，4月30日完成主体工程，8月5日工程全部完工。

新沂河海口控制应急加固工程、柴米闸加固工程已于2004年完成主体工程,并通过水下验收。2005年5月20日柴米闸加固工程全部完工;2005年7月新沂河海口控制应急加固工程完成了质量评定,单位工程质量等级评定为优良,8月完成了工程竣工决算审计及工程档案专项验收,8月11日已向省水利厅申请工程竣工验收。

【综合经营】 2005年,继续牢固坚持以经济建设为中心,通过积极采取多种措施,努力克服不利因素,加大创收力度,提高了经营收入,比上一年度增长18%,再创历史新高。一是加强船闸、小水电运行管理,努力实现收入目标。针对闸费征收方面存在的问题,该处及时采取措施,一是加强对收费人员的教育,加大收费人员交流轮岗力度;二是成立收费督查组,不定期开展督查活动,并将收费标准、收费人员岗位工号张贴在收费大厅,收费员挂牌上岗,设立举报电话,使收费行为既受督查组检查,也接受船民监督;三是积极研究并实施船闸收费管理的自动化监控和微机收费管理,修订了《闸费征收人员管理办法》和《过闸费征收管理办法》,所有闸费票据、登记簿、值班记录簿全部由管理处统一印制、发放,从教育、制度、组织和技术措施上加强了收费管理。同时,该处继续开展创建文明示范窗口活动,实行文明管理,礼貌待客,不断提高服务水平,吸引了船源,增加了收入。小水电管理部门采取积极有效办法,经常与水情调度部门和上下游有关单位联系,调节最佳发电水位组合,延长发电时间,提高运行效率。四是积极探索,大力开展综合经营。对现有的土地、水面、门面房、码头进行逐项摸底,并通过租赁、承包、合作等经营模式发挥效益,做到无荒地、荒水面和基本无闲置房屋。同时,加强全处的合同管理,做好合同款额催收工作。

【内部改革】 按照省水利厅的统一部署,结合实际,该处进一步完善了内部改革方案。一月份完成了全处科级干部竞争上岗工作,全处符合条件的36名科级干部均参加了双向选择、竞争上岗。二月份完成了职工竞争上岗工作,根据实际工作需要合理设岗,明确岗位职责、任职条件、岗位系数和聘用期限,分淮阴、沭阳、灌云、机关四片进行了竞争上岗,并签订了聘用合同。

【先进性教育活动】 2005年1月至6月集中开展了以学习实践"三个代表"重要思想为主要内容的保持共产党员先进性教育活动。在整个先进性教育活动中,把提高素质、增强能力、改进作风、促进工作作为教育活动的重点,精心组织,周密安排,扎实推进,圆满完成了各项任务,取得了较好的成效。在省水利厅先进性教育活动督导组组织的先进性教育活动满意度测评中,总体满意和基本满意率为100%。

【党建及精神文明建设】 一是加强理论学习,提高党员理论水平。该处以先进性教育活动为契机,加强理论学习;组织广大党员观看了任长霞、牛玉儒、张云泉等先进人物事迹报告,举办了一期科级干部理论学习会和一期入党积极分子培训班;在干部选拔任用方面,提拔了3名科级干部、引进了一名科级干部,有13名科级干部进行了内部交流,有2名正科级干部通过竞争上岗被提拔为副处级干部。二是加强党建工作,进一步规范组织生活。及时对淮阴闸、二河闸等7个基层党支部进行了改选。并与11个基层支部签订了《2005年党建和精神文明建设责任状》,进一步规范组织生活。2005年有3名预备党员转正,新发展了3名预备党员,新确定了6个积极分子。三是精心筹备,顺利召开第五次党代会。11月16日,顺利召开了第五次党代会,审议通过了上届党委工作报告和纪委工作报告,选举产生了中国共产党江苏省淮沭新河管理处第五届委员会和纪律检查委员会,大会取得了圆满成功。四是积极开展文明创建活动,树立良好的水利形象。该处切实加强对基层创建工作的督查和指导工作,积极宣传文明创建活动的重要意义,引导广大干部职工充分认识创建活动对单位各项工作的促进和保障作用,使创建活动在全处蔚然成风。五是注重发挥工会、共青团作用。上半年召开了处八届三次职代会,讨论通过管理处行政工作报告、工会工作报告、财务工作报告、提案情况说明、招待费使用情况说明等职工关心的热点和难点问题,还召开了管理处第一次女职工代表大会,体现了职工当家作主的权利。处团委积极开展创建青年文明号和“五四红旗团委”活动,获“省五四红旗团委”称号,引导团员青年为全处各项事业发展贡献青春才智。

(王正春)

灌溉总渠管理处 淮河入海水道工程管理处

【概况】 2005 年,全处以科学发展观为指导,抓住各种机遇,抓紧改革主线,抓好发展第一要务,保持防汛防旱安全,充分发挥工程效益,着力发展水利经济,注重科技创新与管理创新,加强三个文明建设,立足现实,着眼长远,围绕发展,谋求突破,较好地完成了年度各项目标任务。全处紧扣先进性教育主题,认真开展学习动员、分析评议、整改提高,先进性教育取得应有成效。内部改革工作稳步推进单位秩序井然,运转良好,效果明显。工程管理水平不断提高,工程安全运行的长效机制初步形成。全处各泵站累计安全运行 1.27 万台时,抽水 11.6 亿立方米,涵闸安全泄流 83.5 亿立方米。综合经营效益稳中有进。水利经营的总体格局基本形成,效益逐步显现。全处年实现经营收入 1190 万元,净收入比上年增长 10%。三个文明建设成果丰硕,管理处连续被评为“全省水利先进单位”,处党委连续 12 年被评为“先进党委”,还先后获得“全省水利科技、老干部、水政监察”等近 10 项工作先进,被地方政府授予“淮安市文明行业”。

【工程管理】 完善措施,工程管理的制度化、规范化建设向纵深推进。工程管理是单位的主业,全处按照责任到位、措施到位、工作到位的要求,进一步健全“运行规程”、“操作规程”、“安全规程”,始终把工程的运行管理作为重点,抓好汛前工作,工程管理的制度化、规范化建设得到加强,工程效益得到发挥。强化责任,防汛防旱工作一着不让、有序开展,全力做好六个方面的工作,一是思想重视;二是组织严密;三是职责明确;四是制度透明;五是应急措施齐全;六是防汛物资有效储备。不断创新,安全生产长效机制初步形成。按照以人为本的原则,坚持“安全第一,预防为主”的方针,创新管理手段,狠抓事故隐患整改,科学、有序、规范地开展全处的安全生产工作。着重把好五关:责任关、质量关、进度关、资金关和安全关,加强工程的维修养护。把握自主培训、外送培训、现场培训和技术传、帮、带四个重点,加强对技术工人的技术培训。加强督查,依法管理工作成效明显。

【水利建设】 精心组织,水利基本建设收到预期效果。狠抓机遇求发展,咬定项目不放松,全力推进在建工程项目的建设与管理。一是抓亮点,树形象,基本完成入海水道展控调度中心等管理设施建设。2005 年 9 月,处机关顺利搬迁到新址办公。二是抓重点,保质量,阜宁腰闸除险加固工程顺利通过竣工验收。工程顺利通过专家组验收,单元工程合格率 100%、优良率 87.82%。三是抓难点,促效益,5 月 18 日完成了淮安抽水一站加固工程的竣工验收工作。历时四年的淮安一站加固改造工程,画上圆满句号。

【综合经营】 优化结构,水利经营总体格局基本形成,效益初现。一是适应改革,申请成立公司。全处结合管养分离，申请成立了“江苏省苏淮水利建设开发有限公司”，将原分别挂靠有关科室的防腐公司等7个经营单位与实体全部划归公司管理。按现代企业管理模式，结合实际，明确公司内部分工，制订公司管理的各项规章规程，水利经营总体格局初步形成。二是突出重点，抓住支柱产业。科学调度水情创造机遇，保证处管所有水电站运行发电，并保持运行工况最佳；开展效能监察堵塞漏洞，加强对船闸生产经营的监管，保证过闸费足额到位。三是千方百计，开展对外经营。利用现有的资源、资质、技术和设备，先后承接并完成了滨海大套抽水一站、二站的电气试验和主变吊芯检修、楚州城区泵站机电安装、苏州望亭立交工程的水下检修、清安河泵站管道喷锌、入海水道淮阜控制工程55000平方米绿化等一系列工程项目，为全处创造了一定的经济效益。全年全处实现综合经营收入1190万元，净收入比上年增长10％。

【水利改革】 着眼长远，水利改革工作完成既定目标。根据省厅批复的改革实施方案，较好地完成了水利改革的阶段性目标。一是精简内部机构，科学设置岗位。改革后，全处共有7个职能科室、14个工程管理单位和1个维修养护中心。管理处按照省厅核定的476个内部改革管理岗位，结合所管工程实际，对内部岗位进行了调整，进行了科学设岗。二是完善管理体制，理顺相应关系。重点研究建立和完善了内部管养分离的工程管理体制；完善了财务管理体制，全面推行会计委派制；完善了全处经营管理体制，成立“江苏省苏淮水利建设开发有限公司”。三是完善了管理机制，激发内部工作活力。科级干部进行双向选择、竞争上岗。技术干部岗位实行评聘分开，按照技术岗位职数和单位需要，采用“竞聘、双选、择优”的聘用办法。职工进行双向选择、竞争上岗。四是明确岗位职责，实行目标管理。理清各单位部门的职权和义务，做到职能到位；细化了岗位职责，力求责任到位；制订了各单位的目标任务，确保目标到位；跟踪检查年度目标任务的完成情况，做到考核到位。五是健全各项规章和保障制度，为全处干部职工办理了医疗保险，规范了正常的工作秩序。

【精神文明建设】 扎实推进，党风廉政与文明建设再上新台阶。加强党风廉政建设。一是落实党风廉政责任制；二是深入开展以《建立健全教育、制度、监督并重的惩治和预防腐败体系实施纲要》为主要内容的学习宣传活动；三是创新教育形式，处纪检部门组织科级以上干部及其家属，收看警示教育片，进行廉政知识竞赛，开展争当“廉内助”活动；四是加强源头治理，工程招投标、大宗物资采购等均由纪检部门参与监督。

加强文明创建。管理处、处属各单位积极开展文明创建活动。2005年，管理处被评为省水利系统文明单位、淮安市文明行业，南运西闸、淮阴站等管理所也完成了市级文明单位的申报工作。

加强队伍建设。全年共调整科级干部9名，引进了5名大学生，发展了4名预备党员，并有6名预备党员按期转正，干部职工队伍整体战斗力得到加强。

【环境建设】 高品质做好环境建设工作，全力打造园林式管理单位。环境建设主抓两个重点，一是精心做好淮安水利风景区的规划建设工作，风景区被水利部授予国家级水利风景区的称号；二是抓处属各单位的环境整治及建设工作。

统筹规划，按步实施，精心做好淮安水利风景区的建设。2005年，全处在进一步做好处大院环境整治的同时，重点抓好新办公区建设。安澜宾馆、入海水道展控调度中心及淮河微缩景观等工程相继竣工。管理处以建精品工程为目标，狠抓施工管理，确保工程质量、进度、安全、效果等满足设计要求，从总体方案到细部设计，从施工质量到视觉效果，都反复考察、精心比选、力求佳作；以建精品工程为目标，狠抓展控中心展览室展陈概念性方案的设计和展陈文案的编撰，通过“跑、看、学、研、思、比、改”等细致的过程，方案得到了有关领导、专家的认可和较高评价。

淮河入海水道沿线管理单位抓住入海水道管理设施建设机遇，做好环境建设与整治工作，面貌有很大的改观。滨海枢纽被盐城市定为市重点旅游景区。阜宁腰闸管理所抓住腰闸加固改造机遇进一步改善了办公环境。

（张玉露　卞金标）

三河闸管理处

【概述】 2005年，三河闸管理处以党的十六届三中、四中全会精神和“三个代表”重要思想为指导，紧紧围绕年度工作目标，发扬“创业、创新、创优”的精神，扎扎实实开展各项工作，在精神文明建设、水利工程管理及水利经济发展等方面取得了一定的成绩。

【工程效益显著】 2005年，淮河汛期水情是前枯后丰，旱涝急转，外洪内涝，夏秋连汛，但该处工程安全运行，充分发挥了流域性骨干工程的作用。三河闸工程自7月11日起，持续大流量行洪127天，泄洪405亿立方米，蒋坝最高水位13.73米，中渡实测最大流量7620立方米每秒，中渡最高水位12.73米。石港站累计运行53天，排涝3亿立方米。最大排涝流量126.7立方米每秒，蒋坝站累计排涝110万立方米。

【合理调度确保工程安全运行】 2004年年底，三河闸管理处机关搬迁到洪泽县城办公，2005年的汛期是三河闸管理所独立面对的第一个汛期，为实现工程管理工作的平稳过渡，确保三河闸工程的安全运用，该处合理调度，做了周密细致的部署和努力。一是充实职工队伍，加强技术力量。早在2003年开始的水管单位体制改革时，三河闸管理处就结合改革的需要，对三河闸管理所职工队伍进行调整和充实，将一些技术水平高、业务能力强的技术干部调整到三河闸管理所工作，共充实大学专科以上学历的技术干部5名，闸门运行中级工以上工人7名。二是加强汛前检查，确保工程安全。由于原属蒋坝抽水站管理的工程和原属管理处机关的一些职能划归该所，检查、保养的工作量增加，管理任务复杂，人员相对减少。对此，三河闸管理所做到凡是该所管辖的工程，不分距离远近，一律全查；凡是对工程安全度汛有影响的工程，不分工程数量多少，一律严查；凡是存在工程隐患的部位，不分工程范围大小，一律细查。注重检查与保养结合，注重检查与考核结合，注重软件与硬件结合，注重检查与提高技术水平结合。全所职工用了40多天的时间，对所属工程进行了全面细致的保养，解决了工程存在的一些安全隐患，为工程安全运行打下了基础。三是加强领导，靠前指挥。三河闸工程7月11日起运行以后，管理处领导根据省防办对淮河近期汛情的预测，排定了处领导在三河闸工程现场指挥防汛的值班表，和职工同吃同住，统筹防汛工作，一起检查巡视，确保工程安全运行。处有关职能部门加强和三河闸管理所的联系，及时协助解决工程运行工程中遇到的自动监控系统网络通信、水文测流等问题，确保工程安全运行以及水情数据的及时和准确率。

【国家一级水利工程管理单位通过验收】 2003年，江苏省三河闸管理所申报国家一级管理单位，由于该所管理的堤防基础条件差，没能通过。为此，三河闸管理处加大申报的工作力度，整修堤防，修筑堤顶道路，种植草皮，提高工程标准，改善工程的环境面貌。6月30日通过水利部组织的国家一级水利工程管理单位的验收，这是三河闸管理处在水闸工程管理上获得的又一项荣誉，也是淮河流域和江苏省省属水利工程第一家通过国家一级水利工程管理单位验收的单位。12月23日举行了授牌仪式，国家水利部建设与管理司、水利部淮委、江苏省水利厅领导以及厅直单位代表参加了授牌仪式。

【基建工程建设】 完成了三河闸北岸护坡加固工程和洪泽湖大堤堤基堤身防渗处理工程，投入使用验收，其他工程如三河闸闸门监控系统工程、三河闸下游北岸护坡加固处理工程、处防汛综合楼工程均已完工，并组织了财务审计和竣工决算，正待上级验收。今年防汛岁修、防汛急办等工程项目17项，经费264万元。为确保工程的质量和进度，该处在严格执行处工程项目管理办法的基础上，参照基本建设项目的管理要求，加强规范化管理，目前所有工程项目已全部完成并通过了验收。

【水利科技工作】 主持完成《大中型水闸工程管理数字化研究与应用》，并荣获省水利优秀科技成果三等奖。与其他单位合作完成的《水利科技档案管理数字化研究》通过省科技厅的鉴定，达到国内先进水平。水利部重点科技推广项目"射水法地下连续墙技术在洪泽湖大堤上的推广应用"目前已完成鉴定、验收的准备工作，等待水利部的验收。

【水政监察与安全工作】 水政监察大队增加执法巡查的次数，由每周2次提高到3次，并加强节假日巡查，发现案情及时报告。全年执法巡查行程2万公里，执法人次860人次，查处水事案件3起，清除洪泽湖大堤违章种植2万余平方米。在省厅举办的全省水行政执法技能竞赛中，荣获厅直单位第二名。在安全工作中，十分重视安全工作的检查与落实，做到常抓不懈、警钟长鸣，与各职能单位和部门签订了安全责任状，加强对职工的安全教育，提高职工的安全意识，并组织开展了两次安全生产大检查，对各单位所管工程、安全场所进行安全检查，发现隐患、抓紧整改、及时消除，确保全处工程安全和人身安全。

【水利经济】 三河闸管理处防腐公司在市场竞争日益激烈的条件下，不断开拓进取，派业务人员多方寻求施工业务。在工程施工中，更是尽责尽力，千方百计降低成本，确保施工质量和安全。为全处水利经济的发展，做出了不懈的努力。一年来，完成大唐岩滩水力发电厂、扬州水机厂、南京水利局等单位的防腐施工工程1.5万平方米的防腐喷锌施工任务，完成产值110万元。同时，为进一步拓展防腐业务，加强我处综合经营活动的管理工作，起草出台了《江苏省三河闸钢结构防腐公司业务联系奖励办法》，进一步调动了全处职工关心、支持、参与防腐业务联系的积极性。三河船闸通航收入突破200万元。在水土资源开发方面，采用种、养、租、包等形式，大力开发利用水土资源。全处共栽树8000余株，目前水土资源利用率超过95%。三河闸小水电在三河闸工程长时间行洪的条件下，合理利用泄洪时机，对水电站设备进行全面维修保养，在闸门关闭后水电站迅速投运，全年发电量突破130万度。

【保持共产党员先进性教育】 2005年保持共产党员先进性教育工作在全国深入开展，全处坚持思想到位、组织到位、措施到位，达到了"提高党员素质，加强基层组织，服务人民群众，促进各项工作"的目的，得到了省水利厅党组以及洪泽县委的表扬。一是加强组织领导，提高思想认识。按照厅党组对先进性教育活动的安排，我处立即召开党员大会，传达了省水利厅先进性教育活动动员大会主要精神，对全处保持共产党员先进工作作出了部署。二是严格既定标准，扎实开展学习。广大党员干部把先进性学习活动当作增强自己政治理论修养、提高自己综合素质的机会，正确处理好学习和工作的关系，统筹好组织学习和自学。在整个先进性教育活动学习过程中，全处每位党员不仅学足了40个学时，而且做了2万字以上的读书笔记，82名党员写了1000字以上的学习心得，机关党员和基层党员干部撰写了56份调研报告。三是广泛征求意见，深刻进行整改。在征求意见阶段，通过设立征求意见箱、公布征求意见电话等多种形式广泛征求党内外的意见，征求意见人员面广，层次丰富，取得实实在在的效果。全处共征求意见395条，党委和各党支部对征求到的意见进行整理，分别形成书面意见并反馈。在整改阶段，处党委将征求到的意见进行梳理、归并，共形成意见43条，整改35条，还有8条因客观原因也向职工作出了详细的说明。党委在抓好各个单位党组织和广大党员整改工作的同时，把党委自身的整改工作作为重点，并以此引领全处整改工作的扎实开展。经过群众测评，我处先进性教育活动职工满意率99%。

【党建、精神文明工作】 一是在日常管理工作中，始终坚持“以人为本”的理念，牢固树立职工是我处发展根本动力的思想，把职工支持不支持、职工高兴不高兴、职工满意不满意作为各项管理工作的出发点。二是加强教育构筑防线。组织党员干部学习落实中纪委五次全会、省委七次全会的有关精神，进一步明确党风廉政建设的责任和要求，不断增强拒腐防变意识。制定了实施细则，全面落实责任制，层层签订责任状，形成“一把手”负总责，分管领导各负其责的齐抓共管的局面。三是十分重视管理处的队伍建设和党委领导班子的自身建设，坚持党委集体领导下的分工负责制，坚持按照处党委议事规则和管理处行政工作规则办事，遇事多商量、多沟通，注意发挥领导班子集体的智慧，努力做到决策的民主化和科学化，在具体的事务中坚决做到公开、公平、公正，为形成管理处讲实话、办实事、求实效的良好氛围起到了模范作用。四是坚持党建带团建开展团员主题教育活动，该处团委于11月1日至11月30日进行增强团员意识主题教育活动，开展了“我为团旗添光彩”系列主题实践活动、举办“学理论知团情”知识竞赛等适合水利青年特点的学习活动，开展“新时代新风采”团员标准讨论活动，进一步增强团员意识，健全团的组织、活跃团的工作。五是以多彩的文体活动陶冶职工情操，管理处机关搬至洪泽县城，为丰富职工业余文化生活，处工会积极筹建活动场所，建成并开放阅览室及活动室，订阅各种报刊杂志，购置活动器材建成室外休闲健身活动场。处工会及各基层工会积极开展各种职工喜闻乐见的文体活动，做到每个季度活动一次。先后举办汉字录入、珠算、飞镖、象棋、乒乓球、篮球、钓鱼、套圈等大家喜闻乐见的活动，活跃了单位气氛，也陶冶了职工情操。

（吴晓兵　盛蓉蓉）

江都水利工程管理处

2005年是江都管理处历史上不平凡的一年，南水北调东线江都站改造工程开工，第一次党员代表大会胜利召开，管理处荣膺三项国家级先进集体称号，意义十分重大。一年来，该处以党的十六届四中、五中全会精神为指导，以开展党员先进性教育为契机，认真实践“三个代表”重要思想，牢固树立科学发展观，发扬求真务实和“创业、创新、创优”精神，团结拼搏，负重奋进，三个文明建设都取得长足进步和可喜成绩。一是先进性教育深入开展，党建工作成果显著；二是工程管理不断强化，减灾效益充分发挥；三是加固改造稳步推进，管理水平逐步提升；四是综合经营蓬勃发展，经济效益再创新高；五是创建工作和谐有序，文明窗口再展风采；先后被中央文明委命名为“全国文明单位”，被中华全国总工会授予“模范职工之家”称号，被人事部、水利部评为“全国水利系统先进集体”等荣誉称号。

【南水北调江都站改造工程顺利开工】

2005年9月6日，南水北调江都站改造工程建设处正式挂牌成立，在省南办、省水源公司、省水利厅等单位的正确领导下，经过积极筹备，12月22日，南水北调江都站改造工程正式开工，此次改造内容包括：三站改造、四站改造、变电所改造、西闸除险加固、东西闸之间河道疏浚等，工程共投资2.6亿元，计划于2008年底完成。

【荣获"全国文明单位"称号】 管理处自1997年以来，先后荣获"水利部文明服务示范窗口单位"、"江苏省文明单位"、"全国创建文明行业工作先进单位"，2005年10月再获精神文明建设最高荣誉"全国文明单位"。在12月23日—24日湖南长沙召开的全国精神文明建设工作会议上，汤超主任代表江都管理处接受了授牌，并在会上作了《坚持以人为本 促进和谐发展 实现文明创建工作的新跨越》经验交流发言。2005年管理处还被中华全国总工会授予"模范职工之家"称号，被人事部、水利部评为"全国水利系统先进集体"。

【抗洪减灾效益显著】 2005年淮河洪水量大，台风袭击次数多，工程运行时间长。一年来，通过强化管理，不断创新，提升水平，增强能力，实现了全年工程安全运行无事故，抗灾减灾效益发挥显著。全年抽水站抽水北送17亿立方米，排除里下河涝水14亿立方米，东闸引水20亿立方米，入江水道万福、水平、金湾等泄洪420亿立方米，为苏北地区国民经济的健康发展和人民生活的安定幸福作出了贡献。

【经营效益再创新高】 通过发挥自身人才、技术、设备、资源等优势，开拓了机电安装、科研设计、餐饮服务等经营市场，发展了"代管运行"业务，经济效益已连续5年增长10%以上，2005年增长12%。同时完成了ISO质量体系认证及工程设计、绿化经营等资质申报，为经营发展增强了后劲。

【技能竞赛蝉联冠军】 通过深入开展"每月一课"、"每月一试"和"每年一考"活动，职工整体素质逐年提高。在2005年12月17—21日举行的全省第三届泵站运行与维修工技能竞赛上，管理处选手周咏健、王军、周传福等分获第一、第二和第五的好成绩，蝉联了三届泵站运行与维修工技能竞赛的冠军。

【水管体制改革通过验收】 作为全国水管体制改革试点单位，先后推进了"管养分离"，落实了干部制度、用工制度、分配制度改革，顺利通过省水利厅组织的水管体制改革验收。管理处还参加了水利部组织的改革经验交流会，在改革方面的做法和成效得到上级部门的认可。

【外事接待】 2005年5月3日江泽民同志、10月30日国务院副总理曾培炎、10月4日水利部部长汪恕诚等领导先后来处视察，管理处全年接待省部级领导达52批次，接待参观人员3万多人次。

【第一次党代会顺利召开】 在对党支部进行调整和换届选举之后，2005年11月，经过酝酿和准备，成功召开了历史上第一次党员代表大会，79名正式代表和部分列席代表参加了会议，选举产生了第六届处党委和纪委，加强了党组织建设，提高了党组织的战斗力。

【党员先进性教育成效显著】 按照省水利厅统一部署，2005年1—6月，管理处结合实际，扎实有效地开展了保持共产党员先进性教育活动，提出了"理想信念记心，献身负责在岗，改革创新争前，富民强处率先"的先进性教育具体目标，同时坚持边学边议边改，圆满完成了先进性教育学习动员、分析评议、整改提高三个阶段的任务，先进性教育群众测评满意率达99.1%。

（沈宏平　李　丽）

泰州引江河管理处

【概述】 2005年，江苏省泰州引江河管理处认真贯彻落实党的十六大和十六届四中、五中全会精神，紧紧围绕“富裕和谐”奋斗目标，全面落实科学发展观，努力走加快发展、科学发展、和谐发展之路，促进了各项任务的顺利完成。水利工程安全高效运行，高港闸站全年为苏北、里下河地区引水20.6亿立方米，排涝4.7亿立方米，精神文明和政治文明建设加快推进，保持共产党员先进性教育活动成效显著，处党委和纪委换届选举顺利完成，党的自身建设得到加强。2005年，该处被省总工会评为“模范职工之家”，被省建设厅评为“江苏省园林式单位”，被泰州市评为“绿化先进单位”。

【工程管理】 以争创省级水利工程管理单位为契机，扎扎实实地加强水利工程管理工作，努力推进工程管理规范化、现代化，较好地发挥了水利工程在水安全、水供给和水环境治理方面的综合作用，为区域经济发展，为江苏实现“两个率先”做出一定的贡献。高港闸站管理所和高港船闸管理所分别被省水利厅评为“省一级水利工程管理单位”和“省二级水利工程管理单位”。

全面落实责任制，促进工程管理工作落到实处。管理处和处属各单位均成立了防汛防旱工作领导小组，明确行政负责人和技术负责人的防汛防旱工作责任。积极落实了工程设备管理制度和安全生产责任制度，并将《江苏省水利工程管理考核办法》及考核标准中的具体要求纳入汛前、汛后检查工作中去，确保了水利工程设备完好、运行正常。认真制定各类预案，及时排除事故隐患。进一步修订《防汛预案》和《反事故预案》，建立反事故应急处理机制，并组织职工学习《反事故预案》，掌握对突发事故的应急处理方法和技能。

【水政执法】 2005年3月28日，近200名高港枢纽周边村民以泰州引江河建设期间征地标准偏低为由，封堵管理处大门，并准备冲击高港船闸。针对上述情况，该处一方面组织人员进行劝阻，另一方面迅速向当地政府汇报，请求帮助解决。泰州市公安局出动防暴大队拘留了1名寻衅滋事的村民。随后，该处会同地方政府，与当地村民代表进行了多次商谈，政府部门承诺对部分生活困难的村民实行低保，由此基本解决了群众上访围堵问题。

【行业管理】 该处根据省厅颁发的《江苏省泰州引江河工程管理规定》，按照行业管理的要求，制定了《泰州引江河河道工程管理考核实施细则(试行)》，对泰州、扬州两市河道管理情况进行量化考核，将考核结果和下达经费进行挂钩。在具体管理中，该处依法制止了引江河沿线非法取土，核实、上报了江苏金堰交通工程有限公司未办理水利工程用地相关手续，进行高港大桥南侧桥梁施工情况。

泰州引江河作为向里下河地区供水的主要通道，水污染的预防十分重要。该处一方面按照泰州引江河管理规定，加强24公里沿线的排污控制，另一方面根据引江河通行船舶多，化学危险品运输量大，容易产生污染的实际，加强对过往船舶的宣传、管理，并成功处理了2005年3月两列船队在高港船闸下游搁浅导致原油泄漏的情况，最大程度上减轻了对引江河水的污染。

【水利经营】 以市场为导向，以效益为目标，抓好化纤机械生产、沃特龙大酒店经营管理和高港船闸运行管理工作，促进了经济效益的稳步上升。

继续巩固化纤机械生产销售。完成了盐城厂商的生产线设计和宁波厂商的风送管道设计及年产3万吨生产线中切断机刀盘和卷曲机卷曲箱的测绘，并对七辊牵伸机、S655卷曲机、SCⅡ型切断机等进行了技术改进。加强对产品主要零部件的生产，以随时满足用户的需求。

努力提高旅游开发服务水平。旅游开发龙头项目沃特龙大酒店注重在环境的美化、餐饮娱乐的特色化及服务的个性化上下功夫，以优雅的环境、精致的美食和温馨的服务赢得社会各界好评，取得了良好的经济效益和社会效益，2005年6月被省旅游局评为“三星级酒店”。

加强高港船闸运行管理。继续对船闸自动运行信息管理系统进行修订和完善，并加强人员培训，熟悉和掌握操作方法。根据运行现状，结合自动运行信息管理系统的运用，精简远方登记站职工50%，精简出的人员组成现场管理员，协助进行航道管理和船舶登记工作，保障了航道畅通。另外，该处还积极组织开展了复线船闸的可行性研究设计。

【精神文明】 高举邓小平理论和“三个代表”重要思想伟大旗帜，从全面推进可持续发展、构建和谐社会的高度出发，以保持共产党员先进性教育活动为动力，切实加强党的建设和精神文明建设。

深入开展保持共产党员先进性教育活动。从2005年1月起，在泰州市委和省水利厅党组的正确领导下，该处认真开展了先进性教育活动，使广大党员受到了一次全面的党的理论知识教育和深刻的党性锻炼。经过广泛性的民主测评，广大职工对该处先进性教育满意率达到100%。

切实加强党组织的自身建设。制订和印发了《党建工作目标管理考核细则》、《党员目标管理考核细则》，把党建工作的考核范围、考核内容量化成百分制进行考核。2005年12月26日，召开了第二次党员代表大会，全面总结了第一次党代会以来的各项工作，明确了下一阶段党建目标和思路，并选举产生了新一届党委和纪委。

深入开展丰富多彩的精神文明创建活动。该处以争创文明单位为龙头，以加强职工思想道德建设为主题，深入开展了“树立水利行业新形象，建设人民满意好行风”、“三走进，三服务”、“学习身边人，争做贴心人”等活动，继续开展了先进集体、先进个人评比活动。2005年底，全处共有260名职工向省慈善总会捐款13000多元。

【基础设施和环境建设】 高港枢纽生活区职工食堂全面建成、处职工之家装修一新投入使用，枢纽生活区交通桥加紧建设。绿化植树和养护工作也有条不紊地进行，其中高港枢纽新栽水杉2200多株、行道树100多株、草坪2000平方米、美人蕉14000多斤，使单位的绿化美化品位不断提升。

（李　翔）

秦淮河水利工程管理处

【概述】 2005年，秦淮河管理处全面贯彻落实党的十六大精神和“三个代表”重要思想，用科学发展观统揽全局，重点突出和谐水利这个主题，大力弘扬“三创”精神，在发展中创新，在创新中发展，努力实现强单位、富职工、兴行业的目标。被省厅评为厅属工程管理先进单位；连续三次获得“省级文明单位”光荣称号，并被省委省政府评为“江苏省文明单位标兵”。

【工程管理】 该处精心组织工程汛前检查和维修保养，汛前检查工作获得省厅的好评。在工程观测、水文观测中，力求做到精益求精，观测资料在省厅资料整编评比中名列前茅。工程项目按管养分离模式实行合同管理，坚持单项工程施工管理卡制度，确保项目和经费无一结转。汛期，全面落实各项防汛责任制，认真修订防洪预案和反事故预案，坚持点线面结合，科学调度，充分发挥工程防洪、排涝、抗旱、引水冲污等功能，取得了显著的社会效益和经济效益，为流域经济发展和南京市城区防汛、水环境改善作出了贡献。

【基本建设】 2005年，该处完成秦淮新河闸、武定门闸上游堤防达标建设和秦淮新河闸上游导流堤加固竣工验收工作；完成武定门站二期加固和秦淮新河闸站加固质量评定、竣工决算初审和资料整理归档工作。秦淮新河闸站概算调整于2006年经省厅审核安排、落实经费计划后将在短期内完成竣工验收。在工程建设中，积极引进推广新设备、新材料、新技术，完成了秦淮新河站1＃泵水导轴承运行推广研究和秦淮新河站流量率定等。落实了水文设施、设备维修保养及运行经费，对秦淮新河闸上下游水位观测井进行清淤，对观测房进行改造。同时，高度重视工程竣工验收和建档工作，严格按照省厅科技档案管理规定，认真收集、整理各项技术资料，资料档案齐全规范。

【引江换水】 近年来，该处认真贯彻厅党组的治水新理念，针对秦淮河水质日益恶化的状况，经过认真调查研究，多方案比选，从资源和环境的角度提出了引江换水的构想，并于2005年正式启动"引江换水"工程。同时，还专门成立了领导小组，以高度负责的精神，科学严谨的态度，集中力量，抓好各个环节的落实。自2005年7月22日至12月30日，秦淮新河抽水站抽引长江水2.3亿多立方米，武定门节制闸排放6.6亿立方米，大大改善了外秦淮河的水质，保证了景观水质的要求。几代人梦寐以求的桨声灯影秦淮河的胜景已重现在古城南京市民的面前，为十运会胜利召开提供了优美的水环境。2005年8月22日上午，省委常委等领导考察外秦淮河整治工程，看到河面清波荡漾，省委书记李源潮高兴地说，秦淮河终于成为一条流动的河、美丽的河了！引江换水工程得到省、市领导的充分肯定和广大市民的普遍赞誉。《新华日报》、《中国水利报》、全国各大网站等新闻媒体都进行了报道，在国内外引起了很大反响。

【水政执法】 进一步加大执法宣传力度，切实做好"四五"普法宣传工作，认真完成"四五"普法考核总结工作，并结合"世界水日"、"中国水周"等主题活动，广泛开展水法宣传，不断提高广大职工和周边居民的水法制意识。加强队伍规范化建设，组织开展法律法规知识讲座，积极参加省厅组织的各类培训班，2005年人员轮训率达60％以上，岗前培训率达100％。坚持有法必依，执法必严的原则，对侵占堤防、乱搭乱建的违章事件及时进行查处，保障行洪安全。全年查处水事案件四起，结案率100％。

【安全生产】 继续加大安全生产宣传力度，全面贯彻执行国家安全生产法律法规和方针政策，切实加强对安全生产工作的领导，充实完善安全生产网络，每班组下设安全员，并对安全员进行技术培训，发放安全员津贴。层层分解落实安全生产责任，严格执行各项规程，积极开展定期不定期的安全检查和反事故预案演练，发现隐患立即整改，全年未发生人身和设备事故。

【综合经营】 2005年，该处党委始终把发展作为第一要务，紧紧围绕两个"率先"的目标，以创新的思路、科学的发展观统筹规划经营工作，以强化内部管理增添发展潜力为着力点，以巩固现有经营项目增添发展实力为立足点，以加快水土资源开发增添发展活力为切入点，不断谋求新的经营亮点，保持了持续增长的良好势头，综合经营全年创利比去年递增20％，创建处以来最好的经济效益。充分利用水土资源优势，加快水土资源开发，多方筹资兴建一幢综合楼，积极做好新河百亩开发前期工作，培育了新的经济增长点，不断增添管理处经济实力。加强房屋租赁管理，对节制闸一条街的经营业态进行了调整，营造良好的经营环境。一年来全处门面房收入可超百万余元，成为单位可持续发展的重要经济基础。金陵机电设备安装处和机械加工厂充分利用技术、设备和人才的优势，以良好的信誉、优质的服务，赢得了用户的信赖。苏水酒楼改造了两个包间，提高了接待档次。

【内部管理】 为适应人水和谐的治水新理念，推进水利工作再上新台阶，该处创新管理方法和手段，进一步激发管理活力，增添发展潜力。严格按照《党政领导干部选拔任用条例》的有关规定，制定人事制度改革方案，在全处范围内实行干部任职试用期制，大力推行民主推荐、竞争上岗、考察预告、任前公示、聘用制等选人用人制度，2005 年，先后有 4 名科级干部经过民主推荐的方式走上了部门领导岗位。完善激励机制，加强对处机关工作的考核，制定考核目标，签订考核责任书，并将考核等级与奖惩挂钩。继续与下属管理所、经营单位签订经营承包合同，量化经营指标，强化考核制度，合理拉开分配档次，推行经营单位负责人收入与工作目标、工作业绩挂钩的分配制度。积极推行管养分离，以金陵机电设备安装处为依托，配备一定的专业技术维修工人，强化技能培训，负责处属水利工程的维修养护、大站维修项目实施。在工程项目的实施过程中，实行合同管理，确保了工程维修质量。严格财审制度，完善内控机制，制定并实施《公务用车实施细则》，执行《物资集中采购管理办法》，着力清理内部往来，降低成本费用，防范经营风险，执行情况在财审处抽查后受到表扬。开源节流，增收节支，圆满完成单位预算，全面完成了各项经济考核指标，全年创利比去年增长 20%，职工个人收入增长 10%。财务决算和内控工作均得到省厅表彰。

【党建工作】 该处在厅党组的正确领导下，认真贯彻省委统一部署，紧密结合工作实际，精心组织，深入开展先进性教育活动。切实抓好学习动员、分析评议、整改提高三个阶段的工作，做到了“规定动作”不走样、“自选动作”有创新，取得了明显成效，达到了提高党员素质，加强基层组织，服务人民群众，搞好各项工作的目的。在各个阶段的民主测评中，群众满意率均达 100%。

通过开展先进性教育活动，该处在以下几方面取得了明显实效:进一步坚定党员的理想信念，增强党员干部实践“三个代表”重要思想的自觉性，党员的综合素质得到了提高；进一步加强党组织的建设，严格按照《中国共产党和国家机关基层组织工作条例》、《江苏省水利厅党建工作制度》要求，完成 5 个党支部的换届选举。在本着慎重发展、保证质量的原则下，加大入党积极分子的培养，发展 4 名新党员，为党组织增添了新生力量；进一步加强民主管理和民主监督，坚持党委中心组学习制度和定期民主生活会制度，增强领导班子的凝聚力和战斗力；进一步加强党风廉政建设，学习贯彻中共中央《建立健全教育、制度、监督并重的惩治和预防腐败体系实施纲要》，组织全处助理以上党员干部参观南京监狱，引导党员干部树立“以腐为恶，以腐为耻”的观念。及时与处属各部门签订“党风廉政建设责任状”，层层落实责任制，全年未发生一起违纪违法事件，做到“三安全”；进一步转变了机关作风，提高了机关工作质量和办事效率，得到了全处广大干部职工的一致好评；进一步健全和完善保持共产党员先进性的长效机制，确保共产党员先进性作用得到充分发挥。

【精神文明】 党政工团齐抓共管，目标明确，措施落实，先后组织了“文明单位”、“文明职工”、“文明服务示范窗口”和“先进党支部”的创建活动，积极开展了一系列职工喜闻乐见的文体活动，凝聚人心，鼓舞干劲。切实为职工办实事，认真落实职工和离退休老干部各项待遇，组织全处职工及离退休老同志体检，筹集资金近百万元对职工住宅区、办公区和秦淮新河所等地方进行环境整治，绿化、美化、亮化了处容处貌。处工会被省总工会评为“省模范职工之家”;机关党支部被省水利厅评为“先进党支部”;秦淮新河闸管理所荣获省厅“文明示范窗口单位”称号,其团支部被省级机关工委命名为“青年文明号”。

强化职工教育,提高职工素质,继续推行每月一试制度,组织技术工人和经营单位服务人员技能大比武,举办业务理论知识讲座,鼓励职工在报纸杂志上投稿,发表文章。2005年,先后在《工作与学习》、《政工研究》、《江苏水利》等刊物上发表了10多篇文章,在江苏水利网上发送信息近30余条。

(陈振清 倪棠庆 刘竞湄)

省太湖地区水利工程管理处

【基本概况】 2005年全处工程管理水平有了新的提升,综合经营实力有了新的增强,长效管理有了新的举措,职工收入有了新的增长,单位面貌有了新的变化,处强人和有了新的气象。全年常熟泵站共引排水15.2亿方,共完成工程建设项目经费1950万元,共创造经营收入1320万元,共投入近500万元的自有资金新建和改造全处工程及职工生活生产等设施条件。全处先进性教育整改内容已全部落实到位,年初制定的目标任务已完成和超额完成。全处安全生产无事故。

【工程管理】 2005年汛期,太湖地区雨情、水情比较正常,没有发生重大汛情、灾情。汛前认真抓好工程汛前检查。通过各单位自查、管理处集中检查,对处属工程机电设备、水工建筑、防洪应急预案、物资储备和抢险队伍配备等硬件、软件都进行了逐一的检查,彻底查清工程存在的安全隐患,并及时整改完善。并顺利通过流域机构抽查和省厅检查组检查,以良好的工程状况、精干的管理队伍、完善的预案措施、有效的组织网络、充足的备品备件迎接汛期的到来。同时做好太湖联防办工作,参加太湖局和省水利厅组织的专家组检查苏锡常三市防汛准备工作,加强望虞河河道行业管理工作,积极开展水政执法检查,确保河道行洪畅通和防汛效益的最大发挥。

8月6日,台风“麦莎”登陆浙江并正面袭击太湖地区,管理处在第一时间迅速反应,在召开紧急会议,启动应急预案,做好防御台风的各项准备。9月11日,台风“卡努”接踵而来再次正面袭击太湖周边地区,全处立即转入战备状态,在省厅的统一指挥下,各项准备工作紧张有序。在两次防台工作中,根据调度指令,启动防洪应急预案,为太湖地区防洪、排涝、供水作出了贡献。常熟枢纽共引排水13.5亿方,泵站开机2682台时,抽水2.2亿方,节制闸引排水11.3亿方。吕振霖厅长在指导太湖地区防台工作时,对太湖处积极主动地启动应急预案、科学有效的工程调度给予了充分肯定。汛期结束后,管理处及时部署防汛工作总结和汛后保养工作,各管理所立即转入汛后工程检查保养中去,目前都已基本完成所管理工程的检查、维修和养护工作。

【综合经营】 在经济宏观调控带来了新挑战时,面对苏南友邻船闸通航量下降,闸费收入下滑的现状,一方面,加强对船闸的管理和对船民的服务,确保收好收足闸费。如丹金闸管理所通过规范管理、提高服务水平,加强与海事、水警等部门的协作,使闸费收入再创新高。面对“引江济太”运行与通航的矛盾、月城河桥梁施工的影响和通航量减少、收费点分散的压力,通过加强管理,并采取了电脑售票、视频监视和加强资金管理的有效做法,进一步修定完善规章制度,定期交流值班人员,确保了资金和人员的安全,取得了较为理想的成绩。另一方面,积极开创经营新渠道,充分利用水土资源和人才技术的优势,在苗圃种植、房屋开发租赁和对外服务上做文章,如海事房出租、处机关房屋开发都取得效益回报，这一系列的举措，保证了管理处经济指标任务的全面完成，实现了全处经营收入再创新高。

【工程建设】 2005年先后实施了常熟泵站自动化改造、月城河桥的建设、常熟枢纽完善项目和新闸清淤、丹金闸护坡维修、望亭视频监视系统工程，进一步提高工程安全和管理水平。

针对望亭枢纽工程设计标准低、工程老化损坏严重且近年通航量增加的情况，利用春节通航船只少、施工影响小的有利时机，自筹128万元的资金，实施了墩墙除险加固改造，采用粘贴钢板的可行技术，提高了工程安全条件。

2005年春节刚过，常熟管理所立即投入泵站自动化改造，他们到外省电站、泵站等自动化控制水平较高的工程进行学习调研，在改造过程中多次优化、调整改造方案和设备选型，提高了自动化改造的水平。面对常熟泵站自动化改造资金紧缺的现状，自筹资金80余万元投入改造，从而提升了整体形象和科技含量，得到了领导和专家的肯定，并顺利通过工程验收。

10月份自筹资金30多万元，对望亭枢纽实施了视频监视系统和船舶计数系统的建设。目前已进入最后调试阶段。该工程完成后，将为全处局域网的统一开发和整合，实现全处网络监视一体化创造条件。

【组织建设】 根据厅党组的统一部署，于12月1日至2日分别召开了全处党员大会、第二届第一次职工大会和全处团员大会，并顺利选举产生新一届党总支委员会、工会委员会和团总支委员会，厅党组、厅工会和厅团委已批复同意选举结果。12月中下旬，又先后完成了下属单位和处机关的党、工、团组织的建设工作，全处党、工、团组织建设工作已全部落实完成。

【队伍建设】 管理处对干部的配备、重要岗位的人事安排、重大项目的实施等方面的决定都坚持听取意见、集中讨论、民主决策，在干部选拔上严格按照党政领导干部选拔任用的规定执行，近两年，全处先后选拔了一名正科级、七名副科级领导干部充实到中层领导班子中来，并在实践中得到了组织的肯定和广大职工的拥护。另外，管理处还进一步加强职工队伍的培训，注重做好基层单位职工的业务技能培训工作。

【制度建设】 在2004年度制度框架基本形成的基础上，进一步修订和完善了26项管理制度。7月份以来，围绕建立长效管理机制的目标，在深入学习省水利厅各项规章制度的前提下，组织力量赴兄弟单位调研，在借鉴他们先进管理经验的基础上，结合处情、人情和工情，重新修订了包括行政管理、财务管理、工程管理、组织人事管理和职工福利待遇等方面的26项制度。各项制度经过处务会议、处办公会多次讨论研究并上网征求职工意见后，现已印发全处各单位贯彻执行。

【保持共产党员先进性教育】 2005年在厅党组的统一领导和部署下，积极组织参加了首批教育活动，并胜利完成先进性教育三个阶段的各项任务。

学习动员阶段。以处党总支为中心、各支部为主体，按照要求，根据规定，系统学习了先进性教育规定篇目，并通过举行心得体会交流大会、开展党课教育和到南京雨花台等革命圣地重温入党誓词等活动，使全处职工坚定了对党的信念，提升了思想道德素质，深化了新时期对党的认识，增强了投身现代水利事业的使命感。分析评议阶段。处党总支坚持走群众路线，采取民主生活会、群众座谈会、发放征求意见表、设置意见箱、开展谈心活动、寄发信函等多种形式，广泛征求全处广大职工意见。经过处先进性教育办公室全面梳理，处党总支从长效发展、内部管理、职工培训、职工待遇等四个大的方面十九项具体内容入手明确整改提高的目标。整改提高阶段,管理处坚持“以人为本”,认真落实了各项整改措施,切实改善职工生产工作和生活条件、维护职工基本权益、丰富职工文化活动、提高职工生活福利待遇,为全处职工办了实事:一是改善职工工作生活条件。全处共筹集数百万元资金改造了常熟枢纽的办公室和招待所,配备了必要的办公设施、设备;新建瞭望亭枢纽办公楼,对蠡河枢纽控制室、售票室增设了空调;新建完成月城河枢纽的遮阳棚。常熟和丹金闸管理所都新建和扩建职工宿舍楼,望亭管理所职工住房和生活条件也正在改善中,各单位在改善基层职工就餐条件的同时,解决了部分单位的吃水问题。另外,对常熟枢纽、望亭枢纽进行绿化、亮化、美化改造,为职工营造舒适的工作生活环境。二是切实维护职工的基本权益。管理处从职工利益出发,对职工住房、医疗和职工子女入学、就医等费用结合地方规定,修订和制定了相关政策。如:在住房方面,管理处组织成立了专门班子,根据地方房改的相关规定,对符合条件未参加房改或房改面积不足的12名职工重新进行了测算,在全处范围内公示后,及时补发住房补贴。医疗和子女教育方面,及时研究调整了有关规定,切实保障了职工应有的基本权益。三是丰富职工文化生活条件。主要从硬件和软件两个方面加以改善。硬件方面,针对各基层单位的实际情况,常熟、望亭、丹金闸管理所及处机关都完善了职工的活动设施。软件方面,组织如“太湖杯”乒乓球比赛、赴浙江、南通参观学习、“四五”普法知识测试等活动。四是提高职工福利待遇水平。管理处逐步提高了职工的收入水平,为使广大职工共享改革发展成果,在奖金福利发放上坚持按“提高基数、降低系数、实物平均、共同致富”的做法。近日又参照地方规定调整了职工的住房公积金和住房补助的标准。近年来职工平均年收入上涨10%以上。今年,管理处又调整了误餐费、出勤津贴、卫生用品等相关补助,改变职工福利的发放形式,从多个方面增加职工的收入。管理处还统一组织职工到太湖工人疗养院进行体检。

【精神文明建设】 党风廉政建设方面。注重加强党风廉政教育,全处未发生一起违法违纪事件。年初与各管理所签订了党风廉政建设责任状,将党员干部教育与党员先进性教育相结合,通过组织干部收看廉政讲座、廉政教育故事片,举办法规知识培训等,认真抓好党员干部的思想作风建设。在车辆管理方面,严格按厅有关规定,坚决执行出车审批制度,每季度都将用车情况进行集中公示,还顺利通过省审计厅和水利厅组织的水利财务审计工作,在资金使用上的规范性和合法性得到了审计人员的肯定。

【重要活动及表彰】 全年先后承接了全国厅局长会议代表、十运会水利观摩团、省厅老干部代表、太湖及黄河流域会议代表、云南省水利参观团等多次大型活动。全年我处共在水利目标管理、工程管理、文明单位评比、档案管理、水利宣传等多个方面获得集体和先进个人表彰。

(黄晓东)

灌溉动力管理二处

【概述】 2005年,省灌溉动力管理二处(以下简称二处)坚持以科学发展观为指导,深入贯彻“三个代表”重要思想,认真落实2005年水利目标管理任务,以开展党员先进性教育为契机,进一步理顺管理思路,健全各项制度,抢抓发展机遇,围绕两队建设全面推开工作。一年来,处党委团结一致,全处职工齐心协力,较好地完成了灌云防汛排涝、防汛物资入库及仓库规范化管理、内部用人制度改革等各项工作,全处多种经营创收基本稳定,职工收入有所提高，精神文明建设成绩显著，单位环境、职工面貌及内部管理有了新的起色。

【防汛抢险】 2005年，二处针对长江淮河流域可能出现的洪涝灾害，超前谋划，防患于未然，充分做好“抗大旱、防大汛、抢大险”的各项准备工作。

做好汛前准备，组织实战演练。2005年初，从防汛责任制入手，完善以行政首长负责制为核心的防汛抢险各项制度建设，制定突发灾情时各种预案，建立健全二处内部防汛抢险工作责任体系及管理网络，细化各部门的具体职能和工作责任。汛前对128台套柴油机泵进行调试、维修、养护，配备100台套装卸工具，自装了10台电动泵控制柜，准备54台电泵电缆线，做好防汛排涝的硬件准备工作。4月中旬，二处抢险队参加了防办组织的军地抢险实战演练，圆满完成了对连云港市抢险队的抢险技能培训工作。同时二处还开展了冲锋舟操作救护训练，组织64名新老冲锋舟队员在大泉水库进行为期11天的冲锋舟操作、潜水作业、水上救护训练，增加冲锋舟操作手的数量，提高抢险应急能力。

完成物资入库工作，规范仓库管理。积极做好防汛抢险仓库新增物资入库工作，新增防汛物资近200万元，建立了仓库红外线防盗监控系统，加强仓库的安全管理。同时对编织袋、土工布、彩条布、子堤等物资堆放进行了重新规划，确保物资存储安全、堆放整齐、空气流通、进出方便，更加符合消防要求。

组织抢险排涝工作，发挥水利职能。3月29日，京沪高速公路淮安段发生车祸，并造成氯气泄漏事故。二处接省防指紧急调用照明器材的电话通知后，立即组织抢险人员及照明器材，并于次日零时到达事故发生地。8月初出动50台套柴油机、59名职工赴灌云排涝，圆满地完成了排涝任务，受到当地灾区政府及群众的一致好评，获赠锦旗10面、感谢信5封，充分发挥了二处防汛抢险、抗旱排涝的水利职能。

【水利改革】 2004年底至2005年初，按照省厅关于水管单位分类定性改革的要求，二处开展了以“双向选择、竞争上岗”为原则的人事与分配制度改革，进一步创新用人机制，合理设置岗位，明确岗位职责，加强岗位管理，细化职责考核，为实现“现代化、专业化、规范化”目标营造科学、健康的用人环境。

整合机构。在1999年、2002年两次改革的基础上，二处进一步加大改革的力度，整合机构，按照改革、发展、稳定三者稳步推进的原则，深挖潜在资源，优化人才配置，努力实现体制理顺、机制搞活、机构合理、人员精干、职责明确、运行高效的改革目标。此次改革设置机关科室4个、处属单位2个（抗旱排涝机动队和防汛抢险机动队）、内部设岗104人。撤销机电设备厂，工会合并人事科。

内部公开竞聘。二处改革以中层干部竞聘上岗为重点，分步实施，层层推进。坚持公正、公平、公开的原则，通过竞聘演讲、民主测评、任前公示等环节，2004年底完成了13名中层干部的选拔聘用。2005年元月一般职工双向选择、竞争上岗全面开始。全处88名职工通过竞聘演讲、民主测评，找到了适合自己的岗位。

完善改革的配套工作。二处分配制度改革与用人制度改革同步进行，岗位工资仍采用系数法，拉开差距，根据每月绩效考核确定发放标准。双向选择、竞争上岗工作结束后，二处积极稳妥地做好人员变动交接工作、聘余人员工作及聘用人员合同签约工作，完善上岗人员的岗位管理，制定了新的岗位职责考核细则，巩固改革的成果，进一步推动和促进二处发展。

【综合经营】 机械队和抗排队利用现有设备寻找市场，抗排队出动12台柴油机配合玄武湖地下隧道施工排水等，全年完成毛利6.50万元。机械队积极压缩开支，既抓住现有业务，又注重设备维护，保证机械的完好状态，全年完成产值38.60万元，2005年全处劳务输出、仓储收入和其他经营收入共创收176.00万元。

【安全生产】 为配合6月份“安全生产月”的开展，二处召开安全会议，组织安委会对全处安全情况进行了检查，处办公室对全处灭火器进行了重新灌装，并根据需要，配置了新的消防器材，如灭火器、消防栓、消防水带等。同时加大安全生产宣传力度，组织全处职工进行“安康杯”安全生产知识考试，利用宣传栏等载体加大宣传，牢固树立职工安全生产意识，确保全年安全生产无事故。

【职工教育】 3月初，二处结合机务恢复工作，组织抗旱排涝机动队30名男职工进行拆装机、故障排除、工作原理等方面的业务培训。6月初，二处组成考核小组，对培训人员进行“六对一”的现场操作考核，即6个考官考核1名学员，确保培训能够真正起到效果。同时拟定详细职工培训计划，开展职工继续教育。按照厅人事处要求，对职工进行现代科学技术、现代经济管理、法律制度等7个专题知识教育，进一步提高职工文化素质。

【先进性教育】 2005年1月，二处按照中央、厅党组、六合区委的部署，在全处党员中开展了保持共产党员先进性教育活动，经过动员准备、学习培训、民主评议和整改提高四个阶段的工作，基本完成了先进性教育的各项任务，取得了教育活动的预定成效。整个教育活动，从学习到整改，处党委高度重视，合理安排，精心组织，扎实运作，全体党员积极配合，上下联动，在岗党员活动参与率达到了100%。处党委做到每个阶段有动员、有部署、有总结，坚决按照中央及省厅党组的要求，一着不让抓好先进性教育工作，制定了动力二处共产党员先进性的具体标准，在每个阶段群众满意度测评中，满意度达100%。

在先进性教育活动中，二处党委听取了省厅党组、省厅督导组及群众意见和建议，先进性教育领导小组和办公室加强对基层支部学习的领导和指导，制定整改方案，着力抓好整改。对收集到的涉及单位发展、队伍建设、福利待遇等方面的4类21个问题，处党委召开专题会议，逐条进行分析研究，明确整改意见，将整改措施分解细化、落实到具体部门、具体责任人，列出整改时间表，在此基础上正式形成了《省动力二处党委保持共产党员先进性教育活动整改方案》，主要内容包括党委自身建设、队伍发展、两队建设、党建及思想政治工作等五个方面整改措施，并在一定范围内进行了通报。在开展先进性教育的实践中，二处积累了丰富而宝贵的经验，研究制定了党员领导干部联系点制度、理论学习制度、党员干部谈心制度、干部教育培训制度等一系列规章制度，逐步形成了使党员“长期受教育，永葆先进性”的长效机制，对二处今后工作和学习起到了积极的作用。

【精神文明】 二处始终坚持“两手抓、两手都要硬”的方针，努力加强组织建设和精神文明建设，提高全处党员、职工思想政治素质，为二处实现“现代化、专业化、规范化”目标提供精神支持和智力保障。

抓好组织建设，保持队伍稳定。二处用人制度改革后，人员配置、机构设置都作了调整。处党委及时改选各基层党支部和团总支，并在各支部中开展谈心活动，征求二处建设与发展的意见，进一步加强与职工的沟通交流。同时还加强对各党支部的指导与管理，扩大处党委中心组学习的范围，开展各项党员活动，表彰了2004年度工作突出的7位优秀党员、1个党支部，进一步加强党组织的凝聚力与战斗力，保持二处的整体稳定。

强化思想政治工作，及时解决改革中的新问题、新矛盾。建立处领导干部群众点和群众来访接待日制度，将每月第一周的周二下午作为领导接待群众上访时间，建立干群沟通平台。年初，部分离岗休养人员因工资待遇问题到单位上访。处党委通过积极沟通，耐心说服，及时制止了上访人员的过激行为，避免了因矛盾激化造成的不良影响。

继续改善处内环境。6月，二处投入3万多元改造南生活区用电线路，保证职工用电安全。购置办公柜22只，电脑5台、空调6台，改善办公条件。同时绿化处内空地，重砌东围墙达0.13公里。在省厅支持下，改建2栋防汛物资仓库，进一步美化处容处貌，增加了仓储面积。

组织召开四届六次职工代表大会。4月初，二处召开了四届六次职工代表大会。会议审议通过了处行政工作报告、财务工作报告及工会工作报告等，并经过讨论，通过了野外工作补助补充规定等有关职工福利待遇等方面措施。会上还表彰了2004年先进单位和先进个人。同时会议还分组讨论了二处今后的发展思路，充分发扬民主，交流思想，群策群力，共谋二处发展大计。同时开展春节送温暖活动。处领导、工会春节前抽空到困难职工家庭慰问，共慰问困难家庭35户。

加强党风廉政建设工作。年初处党委分别与二处基层支部、各单位和中层干部签订了《党风廉政建设责任状》、《精神文明建设责任状》、《干部廉政建设责任状》等。同时二处加大民主监督力度，开辟了纪检（审计）公示栏，公布较大数额的物资采购、废旧物资的处理、岁修工程造价及经济合同的洽谈签订等情况，加强对工会、食堂的经济账目的审计和管理，保证二处经济活动有序开展。8月初二处成立由纪检、审计、财务、工会等部门主要负责人和职工代表组成的机器设备处理小组，对原机电设备厂金加工闲置设备进行登报公告、公开拍卖处理，纪检、监察、审计严格把关，做到全程监督，公开透明。12月中旬，又完成了原设备厂锻造设备的处理售卖，这批废旧设备分别以39.20万元、53.28万元、15.52万元的价格公开售出。

省水利勘测设计研究院

【综述】 2005年，江苏省水利勘测设计研究院有限公司以“三个代表”重要思想和科学发展观为指导，以发展经济为主要任务，突出抓好南水北调、淮河治理等水利建设前期工作，进一步加强生产经营管理，充分调动和发挥各方面积极性，经过全体员工的共同努力，实现了经济持续稳步增长，三个文明建设同步发展，全年签订设计合同33项，合同金额4270多万元；咨询合同58项，合同金额1000多万元；建筑设计合同13项，合同金额130多万元；下达规划设计任务书112项，委托勘测任务书38项；完成并出公司的项目124项，出文字报告1500多万字，概预算书1万多页，图纸（折合1号图）4600多幅。年内，公司被江苏省水利厅和扬州市评为“文明单位”，获得中国水利企业协会授予的“全国优秀水利企业”荣誉称号。

【水利前期工作】 在南水北调、加快治淮建设以及湖泊保护规划等前期工作任务重、时间紧、要求高，规划、可行性研究、初步设计、招标设计和施工图各阶段任务交叉进行的情况下，该公司抓住发展机遇，多次召开专题生产工作会议，研究分解落实任务，认真组织和动员广大员工加班加点，协调整合市县设计力量，较好地完成了各项水利前期工作任务，基本满足了项目的审查、立项和开工建设的需要，同时也为全省水利工程建设安排提供了项目储备，得到了顾客（业主）的肯定和好评。

南水北调工作。主要配合中水淮河工程有限责任公司编制完成了总体可行性研究报告，开展了皂河一站、淮安二站加固改造，高水河整治初步设计;刘山站、解台站、淮安四站、江都站改造施工图设计;江苏段截污导流工程可行性研究汇总以及相关移民征地、水土保持、环境评价等设计工作。

淮河治理工作。主要完成了东调南下续建新沂河整治工程初步设计,中运河和骆马湖堤防加固初步设计,新沭河治理工程可行性研究,重点平原洼地排涝利用外资项目可行性研究,治淮堤防达标建设中新增三项入江水道整治、洪泽湖大堤除险加固和分淮入沂整治可行性研究,淮河流域行蓄洪区安全建设实施方案(修订)等。

长江治理工作。主要完成了长江岸线控制开发利用规划,开展了秦淮河流域防洪规划,张家港江堤扩大初步设计、一期施工图设计,镇扬河段年度工程施工图及招标设计,澄通、扬中、河口段二期整治可行性研究。

完成或开展的其他工程项目。主要完成了5个省管湖泊保护规划的文本和规划报告(征求意见稿),安峰山水库除险加固工程招标及施工图设计、下游河道整治工程可行性研究和初步设计,泰州引江河复线船闸可行性研究,西藏墨达灌区部分干渠的初步设计、招标设计、施工图以及施工配合,西藏拉萨水利科技服务中心等一批工民建项目。开展了南通熔盛船坞工程施工图设计、省内外部分新建电厂水土保持方案等一批工程咨询项目。由该公司与扬州大学联合承担的"十五"重大技术装备项目"立式轴流泵及装置研制"进展顺利,并通过水利部组织的总体验收。

【深化改革】 该公司改制一年多来,不断完善制度,深化内部改革,努力为公司的发展稳定增加活力。一是组织了内设机构优化、薪酬制度调整和绩效工资核算方式创新等事项的问卷调查工作,提出了下一步发展改革方案(总体框架)。二是积极探索工程代建制和工程总承包新路子,抽调各专业技术骨干组建了淮阴三站工程建设处,参与南水北调工程的建设管理,为公司的发展培育新的经济增长点。三是举办了公司发展战略研讨会,省内外许多领导、专家献计献策、传经送宝,开拓了公司近期管理、远期发展的思路。在此基础上,研究拟定了公司五年发展规划纲要。四是制定或修订了《股权管理办法》、《部门工作职责》、《岗位职责》、《薪酬管理规定》、《项目承包办法》、《技术质量管理奖惩办法》等15项规章制度。五是改进工作目标管理方式,生产部门实行全成本核算管理,与公司签订了承包合同;管理部门实行目标管理,与公司签订了绩效考核责任书。

【人力资源管理】 该公司坚持以人为本,重视加强人才培养和人才队伍建设,进一步调整人才结构,提高员工整体素质。一是继续做好工资薪酬管理,提高员工住房公积金缴纳基数。二是择优录用了8名新员工,外聘专业技术人员69人次。三是完成了19名专业技术人员的职称申报工作。四是组织了42名专业技术人员参加注册土木工程师考核认定。五是组织专业技术人员参加各类资格考试和培训共219人次,61人次取得了资格证书。

【技术质量管理】 该公司继续认真贯彻质量方针和质量目标,强化全体员工的质量意识,全年无一起重大质量和安全事故发生。一是按计划开展了年度内审、管理评审,通过了北京中水源禹质量体系认证中心对该公司年度质量管理体系第二次监督审核。二是组织了出公司的产品质量评定。全年完成出公司的124个项目中,优级品率13.7%,优良品率95.2%,合格率100%,产品质量良好。三是开展了档案管理升级达标工作,取得了省特二级档案管理单位的荣誉称号,档案管理工作上了一个新台阶。四是投资近60万元,购置升级了CAD软件65套,并成为正版化应用示范单位。五是组织了年度优秀工程咨询成果奖的申报,南水北调东线一期骆马湖至南四湖段江苏省境内可行性研究报告获全国优秀工程咨询成果三等奖，梅梁湖泵站工程水资源认证报告书获江苏省优秀工程咨询成果一等奖，淮河入海水道滨海枢纽和泰州引江河工程获中国水利工程优质奖。

【经营管理】 该公司以市场为主导，努力将技术优势和资源优势转化为市场优势和经济优势，取得了较好的成绩。一是积极闯市场，承接了一批行业外项目，市场项目所占份额有较大增加，船坞、码头设计成为公司经营的新亮点。二是注重做大做强该公司的特色专业，在水土保持方案、洪水影响评价和水资源论证等方面的项目比例明显增加，取得的效益明显，市场占有率和信誉显著提高。三是积极参与了省内外多项工程的设计投标，中标率有所提高，同时也积累了一定的投标经验。四是加强企业诚信管理和宣传，提升企业的形象，继续保持了全国“守合同、重信用”和省“重合同、守信用”企业称号。

【财务管理】 该公司不断加强财务管理和会计核算，围绕增收节支开展工作，以适应现代企业制度管理的要求。一是加强制度建设，有效地控制了业务招待等费用的支出。二是从抓岗位分工、流程核算入手，加强会计基础工作，确保会计核算的每一个环节的工作质量。三是加强内部控制，明确会计电算化岗位职责，加大复核、稽查力度，防微杜渐。四是准确、及时地提供财务信息，为公司经营管理层正确决策提供依据。

【政治文明、精神文明建设】 该公司在建设物质文明的同时，加大政治文明和精神文明建设的力度，实现了物质文明、政治文明和精神文明同步发展，政治文明、精神文明建设取得了新成效。一是按照省水利厅党组的要求，开展了以实践“三个代表”重要思想为主要内容的保持共产党员先进性教育活动。经过半年的努力，整改方案中涉及的八个方面29条措施已基本落实。二是修订了政治文明、精神文明考核办法，开展了年度党风廉政建设、社会治安综合治理、计划生育等政治文明和精神文明建设专项考核工作。三是与工会签订《集体合同》和《工资专项合同》，维护了用人单位和员工的合法权益。四是开展合理化建议活动，鼓励员工积极参与民主管理和民主监督。五是开展各种有益身心健康的文体活动，成功承办了省水利厅工会苏中片“润扬杯”乒乓球比赛的组织工作。六是开展“青年文明号”和“五四红旗团委”创建活动。年内，两个青年班组被共青团江苏省省级机关确认为“青年文明号”，团委被共青团江苏省委授予“五四红旗团委”称号。七是做好离退休老干部的服务工作。组织离退休老干部参加省水利厅“纪念抗战胜利60周年”演唱会和书画展，按时足额发放离退休干部费用，力所能及地解决离退休干部的实际问题。八是做好统战工作。定期向民主党派成员和无党派人士通报公司改革发展工作情况，听取他们的意见和建议，为他们开展活动提供场所和经费。

（童利忠　沈宝华　车金荣）

省工程勘测研究院有限责任公司

2005年是“十五”计划的最后一年，也是江苏省工程勘测研究院有限责任公司（以下简称“公司”）改制走过的第二个年头。在全年的工作中，公司以邓小平理论和“三个代表”重要思想为指导，认真贯彻落实党的十六届五中全会精神，以科学发展观为指导，坚持抓好发展这个第一要务，大力开拓市场；坚持抓好内部改革，改进管理方式和经营模式；坚持开发人才资源，为公司发展提供后劲保障；坚持加强党的建设和精神文明建设；坚持以人为本，量力而行提高员工福利待遇，保障员工队伍稳定。在这一年里，公司工作任务重、工作头绪多、工作难点突出，公司始终围绕抓中心工作、大局工作不放松，始终保持三个文明建设协调发展。全年实现财务结算收入 4965.08 万元，超预算（4800 万元）3.4%，实现利润总额 118.40 万元，超预算（115 万元）2.96%。2005 年，公司获得多项荣誉，被江苏省精神文明建设委员会授予“省级文明单位”，被扬州市委、市政府授予“市级文明单位”。

【生产任务完成情况】 2005 年，公司坚持抓好发展这个第一要务，大力开拓市场，一着不让抓生产。（一）只争朝夕，埋头苦干，全面完成生产任务。年内公司坚持把为重点水利工程做好勘测、施工服务作为首要任务。主要成果有：一是完成南水北调工程建设前期勘测工作，为开工建设的刘山站、解台站工程、淮阴三站、淮安四站及输水河道、江都闸站改造工程等做好各阶段勘测服务工作。并在省南水北调工程建设领导小组办公室的组织下，开展了我省南水北调工程征迁安置补充调查和实物量复核工作。二是完成以治淮为重点的流域防洪工程建设前期勘测工作，重点完成中运河、骆马湖堤防加固工程初设阶段的勘测工作，完成洪泽湖堤防、分淮入沂工程、新沭河工程、入江水道整治及河洼治理可研阶段的勘测工作。三是承接了淮河入海水道运西段防渗处理工程施工、绿色砼施工、刘山闸站地连墙施工等。四是进行了骆马湖、洪泽湖等省管湖泊保护性规划的前期测绘、调查等工作。（二）以市场为导向，积极参与市场竞争。在确保水利重点工程前期勘测、施工任务完成的同时，公司积极发挥自身优势，加大生产经营力度，承接了许多合同性勘测、施工项目，主要有：完成常熟小白茆沙围堰工程地质勘察、苏州五龙港工程地质勘察、江都站工程地质勘察、张家港六干河口护坡工程地质勘察，进行苏南运河“四改三”工程测量、张家港朝东圩港闸枢纽地下连续墙工程、上海老港垃圾处理场振动沉模防渗墙工程施工、句容水库劈裂灌浆施工、横山水库加固除险项目施工等。特别是上海老港城市固体废弃物填埋场振动沉模防渗墙施工，赢得了该项目业主和总承包单位的一致好评。（三）多业并进，同步发展。年内，公司坚持一业为主，多业并进，全面发展的战略方针。主业经济稳健发展，市场份额不断占领扩大。同时在工程监理、岩土测试及多种经营等方面也都取得了丰硕成果。监理中心始终坚持“在立足本省水利工程施工建设的前提下，创造条件，扩大监理业务范围”的经营思路，不断拓宽业务领域，扩大经营规模，在移民征迁监理方面取得了显著成绩。全年共承担监理项目 8 项，主要有滨海县海堤达标和北八滩渠拓浚工程、张家港市华达码头附属工程、南水北调淮阴三站淮安四站及输水河道征迁工程、新沂河整治工程征迁监理工作。实现货币收入 217 万元。岩土测试公司在“科学管理、规范服务、优质创新、诚实守信”的十六字方针指导下，今年承接合同性桩基检测大小工程 480 项，主要有宝应行政中心档案馆、扬子江药业集团有限公司综合楼、绿扬新苑安置小区四期工程桩基检测等，合同工程量 550 万元。勘察工程咨询中心尽管人手少，但他们紧紧抓住市场，及时捕捉信息，认真洽谈项目，先后承接了扬州移动公司、江阴扬子江船码头、扬州中学新校址及扬州涵闸管理处、扬州市政建设处等单位委托的项目，完成合同工程量 250 万元，到账 240 万元。2005 年，公司共完成工程地质勘探 99 项，钻探进尺 29 万标准米；测绘项目 81 项；桩基工程 3 项，劈裂灌浆工程 6 项、连续墙工程 4 项、振动沉模防渗板墙工程 1 项、垂直铺膜工程 2 项、绿化砼护坡工程 1 项；工程监理 8 项；桩基检测 480 项。

【内部改革】 年内，公司以市场为导向，从加强公司发展谋略的研究、转变机制入手进行系列改革。一是加强公司战略管理与发展谋略的研究。本着战略先行的原则，年初公司制定了《公司五年发展规划纲要》，并以此为基础，细化、确定了公司总体目标战略、经营发展战略、人才发展战略、内部改革战略。如，总体目标战略方面，公司提出，产值、利润逐年增长，员工收入逐年提高，公司资产得到增值保值，股东股本得到收益回报，公司适应市场能力不断增强，促进持续发展。经营发展战略方面，公司提出一抓水利专业市场，二开拓社会大市场，三拓宽新的业务领域。逐年扩大社会市场占领份额，拓展岩土工程设计、软土地基处理、水利工程质检、地质灾害评估等业务，在条件成熟的市县成立经营办事处，聘用专职经营人员。人才发展战略方面，公司提出一抓好懂技术、会经营、善管理的企业经营管理者队伍建设，二抓好一专多长、技术水平高、创新能力强的专业技术人才队伍建设，三抓好技术熟练、技能强的劳务层队伍建设。二是根据各生产部门的特点，实施不同的承包经营模式。公司采取租赁、承包、合并、重组、股份制改造等多种形式，签订新一轮承包协议。对地质勘察处、测绘处、岩土工程二处采取了分公司承包经营模式，按不同项目结算收入的相应比例上缴管理费，明确盈余分成比例。对岩土工程一处在限定经营范围的前提下采取彻底放开的承包模式，明确管理费上缴额度。对科技服务部实施子公司承包模式。对测试公司、工程监理部实施定额上缴承包。对设备管理处实施定补承包。对后勤服务中心实施剥离承包。三是搞活经营机制，提升经营业务能力。一个企业的经营状况好坏直接关系到企业在市场上的表现。年内公司以“更新理念创新机制，整合资源扩大规模，推动公司经营工作再上新的台阶”为主题，号召公司员工重视对资源和能力的深度开发，强化经营管理工作，争创经营的跨越式成果。公司在认真分析经营资源、运作机制及市场能力的基础上，从经营激励机制、创新经营管理模式入手，在苏州成立办事处，聘请专职经营人员，从而初步建立了适应市场环境运作的、经营目标管理制度及配套的绩效考核制度，激活了经营人员闯市场的积极性。公司还组织召开生产经营专题工作会，对制约经营开发步伐的生产组织环节进行剖析，提出对经营组织结构及程序进行再造，使经营手段、管理程序更加规范化，经营资源发挥更好的使用效益。此外，公司加强与中国华水建设工程总公司联系、合作，以鸿基公司为基础在江苏成立中国华水建设工程总公司驻苏办事处，从而可使用中国华水建设工程总公司的水利水电一级资质在市场承接施工项目。四是完成了科技服务部、岩土测试中心等公司所属单位的公司制改造。结合公司工作实际，重新组建了江苏兴水工程质量检测有限公司、兴水测绘科技有限公司，初步形成了以资本为纽带、集权与分权相结合的母子公司管理体制。从运作的情况看，势头较好，潜力较大，有发展基础。

【内部管理】 一是建立和完善各项管理制度。对公司出台的各项管理制度进行了汇编，出台了公司生产业务介绍奖励暂行办法、公司管理部门费用包干实施办法、公司集体宿舍管理规定等制度，聘请咨询公司启动了公司绩效管理和薪酬制度设计。二是加强了资质管理。年内，经国家和省有关部门考核认定，公司再次获得了国家建设部颁发的“综合甲级勘察证书”、国家测绘局颁发的“甲级测绘资格证书”，取得了省水利厅批准的“水利工程质量检测单位资格证书”，公司质量保证体系也顺利通过了 ISO9001 国际质量体系复核认证。三是加强财务管理。首先是实行预算管理，“以收定支，成本倒算”，预算覆盖全部成本、费用支出，使全年预算控制在指标内。其次是强化管理成本控制，管理部门部分费用实行包干使用，把业务招待费，差旅费，部门用车里程费，通讯费、手机费和办公费分解到各管理部门，进行考核控制。各项包干费用超支不补，节余按一定比例提取给部门。四是继续实施目标管理。对 2005 年工作目标任务进行分解，明确完成各项目标任务的分管负责人、负责部门、责任人、完成时间及措施要求。与各部门签订了《党风廉政建设责任状》、《社会治安综合治理责任状》、《计划生育责任状》，落实了各项责任。五是抓好质量管理。制定了2005年度质量目标、质量管理工作计划，使公司质量管理有要求、有目标。年内，公司质量保证体系得到有效运行和持续改进，完成的700多项成果合格率100%，优良率98%，无重大顾客投诉。公司的“确保淮河入海水道绿化砼试验施工质量QC小组”和“全数字摄影测量系统在淮河入海水道基础数据制作中的应用QC小组”分别获2005年度省级工程建设(勘察设计)优秀QC小组二、三等奖。在由扬州市建设局组织开展的扬州市2005年度建设工程优秀勘察设计项目评选中，我公司报送的扬州大学中心图书馆工程勘察、望虞河河道横断面及穿湖荡长江口水下地形测量、泰州市长江堤防加固工程勘察分获优秀工程勘察一、二、三等奖。在省测绘局组织的江苏省优质测绘工程评选中，我公司报送的宝应城区(北部)控制网1/1000数字化地形图测绘、望虞河河道横断面及穿湖荡长江口水下地形测量均获三等奖。

【科技进步】 一是加大科技投入力度，加强硬件建设。逐步落实科技进步实施计划，购置台式计算机3台、便携式笔记本电脑2台、数控电动击实仪、超声波检测仪1台套、小型GPS 8台套，购置了胶装机、压痕机、覆膜机、酸度计、分光计、打印机、复印机和生产用车等。科技设备投入80余万元。二是加大科研力度，培植新的经济增长点。编制了劈裂灌浆施工工法，并已申报。进一步加强了SWS多波列数字图像工程勘探与工程检测技术的研究。购置水化试验设备，开拓水化检测试验项目。投资10万元对射水法地下连续墙设备进行技术改造。年内，由我公司参与完成的“淮河入海水道工程移民实践与研究”和“淮河入海水道一级堤防劈裂灌浆设计与应用的研究”分别被省水利厅评为2005年江苏省水利科技优秀成果一等奖和三等奖。由我公司参编的水利行业标准《中小型水利水电工程地质勘察规范》2005年7月1日起由水利部批准发布实施。

【人才培养和队伍建设】 (一)加大人才开发力度，努力提高员工素质。先后派出40余人次参加计算机应用、施工项目经理、经济管理、档案管理、人事管理、监理工程师、注册岩土工程师、造价工程师、计量规范等岗位培训、学历教育和工作适应性教育。围绕高新技术和公司生产发展需要，通过“送出去”与“请进来”等方式让职工参加各类学术、学会技术交流，促进职工业务技术水平的提高。根据公司五年发展总体规划，初步拟定了公司人才引进、培养五年发展专题规划。(二)队伍建设有新突破。公司坚持用发展凝聚人心，以事业检验干部，凭实绩选用人才，论素质建设队伍，一是加强领导班子建设。各级领导班子团结协作，作风民主，开拓创新，勤政廉政。二是加强经营管理知识的学习。年初制定《公司中层领导人员理论培训计划》，举办多期中层干部学习会，邀请大学教授来公司举办现代企业管理知识和法制宣传讲座，努力提高经营管理水平，增强市场竞争意识和改革创新能力。三是加强人力资源开发与人才队伍建设，制定了《公司“十五”人力资源建设规划》。四是加强职工岗位适应性和技能性培训。加强职业技能鉴定工作，评审和推荐技师、高级技师。推荐技术工人参加全省钻探工职业技能大赛，并获奖。推荐人员加入扬州市测绘专业专家人才库。

【先进性教育】 根据省水利厅党组的统一部署，公司开展了保持共产党员先进性教育活动，坚持“两促进、两提高”原则，集中整改了一批关系到公司发展和员工切身利益的突出问题。通过保持共产党员先进性教育活动，公司各级党组织的战斗力和凝聚力不断增强，党员干部队伍的理论素养明显提高，政治意识、大局意识、责任意识进一步强化，达到了“提高党员素质、加强基层组织、促进各项工作”的目的。在由省厅组织的先进性教育群众满意度测评中，总体满意和基本满意率达到100%。

【精神文明建设】（一）党风廉政建设不断加强。公司认真贯彻《条例》精神，加强对各级党组织和广大党员的教育、管理。不断提高民主生活会质量，使每个党员始终处于党组织的关心、帮助和管理监督之中。认真做好党员的纳新和评优工作。坚持标本兼治、综合治理，惩防并举、注重预防的方针，完善制度，加大源头预防和治理腐败工作力度；落实党风廉政建设责任制，形成反腐倡廉的整体合力。（二）各项教育活动主题鲜明。抓好党的基本理论、基本路线、基本纲领教育，爱国主义、集体主义和艰苦创业教育。召开年度总结表彰大会，对公司涌现出的一批双文明先进集体、班组，十佳文明职工，安全生产先进集体、班组、个人，工会活动积极分子进行大会表彰，在公司内弘扬了正气，树立了新风。开展纪念建党八十四周年系列活动，集中开展“学习‘三个代表’重要思想，永葆共产党员先进性”主题党课教育活动，表彰了一批先进党支部和优秀共产党员。（三）精神文明创建活动丰富多彩。公司相关组织充分发挥自身优势，认真履行职责，深入开展爱国卫生运动、全民健身活动、普法宣传教育活动。工会加强了“职工之家”建设。组织职工参加了水利系统苏中片职工乒乓球比赛、“一办法五条例”知识竞赛、计算机操作技能竞赛，承办了苏中片棋牌赛，充分展示职工奋发向上的昂扬斗志和勇于进取的精神风貌。开展“献爱心、送温暖”活动，对困难职工及困难职工遗属进行补助。为一名患白血病的居民和患病员工捐款两万余元。深化“青年文明号”、和“巾帼建功”“姐妹情献爱心”活动，计划生育率保持100%。连续多年组织员工参加扬州市无偿献血活动，被扬州市政府办公室评为无偿献血先进单位。公司重视关心员工生活，组织十佳员工去厦门旅游，组织开展职工运动会、迎春团拜会等形式多样的文化娱乐活动丰富职工的业余文化生活，增强了企业的凝聚力。

【为职工办实事】 年内，公司对员工始终关怀备至，坚持“五必访”制度，常年开展“送温暖”活动，不定期走访、慰问军属、离退休老干部、伤残病人及困难户，把关爱直接送到了员工的心坎上；花费6万元为员工进行健康体检。除按规定为员工交纳“三险五金”外，为解决职工因生大病和家庭突发困难的后顾之忧，公司还投入16余万元为员工办理了“员工大病补充医疗商业保险”，参加了“扬州市直在职职工住院医疗互助会”，使员工在意外或患病时多了一层“保险”。为给员工子女提供医疗保障，体现单位对员工的关爱，公司对员工子女门诊医疗费实行定额包干发放使用，并为员工子女办理了住院医疗商业保险。为符合房补条件的4名职工逐步兑现住房补贴12余万元。对贷款购房的同志提前支付改制经济补偿金。春节、端午节及时为员工发放福利。

（耿汉文　黄水清）

市县水利

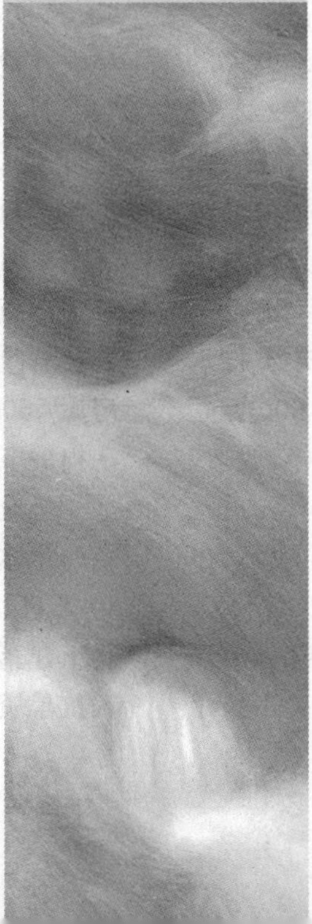

南 京 市

【概况】 2005年,全市水利工作在工程建设、防汛防旱、水政执法、水资源管理等方面取得了显著成绩,加快了全市水利现代化建设,为经济社会发展提供了水利支撑和保障。

【水利建设】 2005年,全市水利建设计划总投资4.62亿元,其中还贷本息9500万元,绿色南京1000万元,水利工程建设实际投入3.57亿元。完成外秦淮河水环境整治三汊河口闸工程、长江南京河段二期整治年度工程、红山窑水利枢纽拆建工程、小型水库除险加固15座,水利血防综合整治工程48.7公里、赵村水库除险加固工程等重点水利工程。同时完成防汛急办、岁修工程,县乡骨干河道清淤工程600万立方米,淳东灌区第五期改造续建工程,节水灌溉示范区建设,全年全市农田水利建设共投入劳动累计工112万个,完成土石方2190万立方米,是计划量的110%,其中机械施工土方量1785万立方米;加固圩堤131公里,土方量达507万立方米;新开、疏浚大中沟241条329公里;新建改造塘坝559面,增蓄水量达1000万立方米;新建防渗渠道85公里;改造排灌站112座;改造中低产田3140公顷;建设吨良田860公顷。同时,继续加大对农村水利工作的力度,重点推进河道清淤、灌区改造及节水灌溉、水利帮促及山丘区水源工程等4项工程建设。着力提升农村水利服务"三农"的能力,全年全市完成600万立方米土方的疏浚任务,50座泵站的更新改造。此外,南京市水利局还挂钩帮促高淳县开展水利建设,全年审批下达8个水利帮促项目,市补资金达575万元。

【防汛防旱抗台工作】 2005年,全市经历了严重干旱、强降雨和多次台风的袭击。汛情:汛期(6—9月)全市平均降水量641.4毫米,与常年同期相比,偏多一成。2005年,汛情与往年不同,主要出现在9月份。9月2日至8日,受上游来水及中下游干流附近强降雨影响,长江中下游干流水位出现一次明显快速上涨过程。4日长江下关高潮水位开始超过警戒水位,7日最高水位达8.90米,累计超警戒水位天数8天。9月3—4日,受台风"泰利"影响,滁河流域发生一次强降水天气过程,平均降水量达100毫米,滁河晓桥水位快速上涨,5日4时最高水位达到10.72米,超过警戒线1.22米,超警戒水位天数4天。秦淮河、两湖地区因受长江水位顶托及区域降雨影响,秦淮河东山站9月6日最高水位8.86米,超警戒水位天数9天;9月9日固城湖高淳站最高水位10.19米,超警戒水位天数7天;石臼湖蛇山最高水位10.15米,超警戒水位天数7天。

旱情:2005年1—6月,全市降雨量为292毫米—604毫米,比常年同期偏少四成。由于降水少、分布不均,一些水库和塘坝蓄水量较常年同期明显偏少,造成部分区县出现比较严重的旱情。据统计,全市农作物受旱面积达65.51万亩,受旱旱情最严重的为溧水县,受旱农作物面积达30.7万亩,其中严重受旱面积9万亩,干枯1万亩;部分集镇饮用水源紧张,近5万人饮用水发生困难。

台风:汛期影响南京市的台风共有4个,其中以9号台风"麦莎"风雨最强、造成的损失较为严重,对全市的防汛工作产生了较大影响。据统计,全市农田受淹面积10万亩,损坏房屋5600间,损坏输电线路28公里,直接经济损失5000万元。

经统计,面对多种恶劣气候影响,市级储备防汛木材300立方米、草包70万只、编织袋30万只、块石10万吨、土工布3.3万平方米,共组建落实1100支的防汛抢险队伍。全市投入抗旱资金达3685万元,14条骨干抗旱翻水线有9条开机翻水，总计翻水量达2200万方；实施火箭人工增雨作业8次，发射火箭弹42枚，有效缓解了全市的旱情，取得了全市防汛防旱和抗台工作的全面胜利，确保了人民生命财产的安全和生活生产的正常进行，为经济建设和社会可持续发展做出了新贡献。

【水政执法】 2005年，南京市水利局先后参与《南京市长江岸线资源管理条例》等7个文件的立法论证。开展《南京市水资源保护条例》的立法起草工作，并已被市人大列入2006年立法计划。在全市聘请11位行风监督员，并主动接受人大、司法机关及媒体的监督，做到有报道就有结果、有建议就有汇报的良性沟通机制。据统计，全市共查处各类水事违法案件190余起，清除河中土方23820立方米，铲除违章种植43.4公顷，拆除拦水坝埂（施工围堰）24处，拆除违章网簖67处，消除违章搭建近32000平方米，出动清障人员近9400人次。共制止和查处各类水事违法行为184起（不含打击长江非法采砂案件），结案率90%以上，有效地维护了正常的水事秩序。

【禁采工作】 2005年，南京市两支禁采执法大队共出航执法420个航次，平均每月38个航次，扣押非法采（运）砂船58条次，共抓获非法采（运）砂船261条。依法查处非法吹填2处，扣押非法吹填采砂船5条，限期拆除吹填围堰。长江南京水域的禁采管理秩序总体稳定，非法采砂活动已得到有效遏制。

【水资源管理】 2005年，水资源费征收总额超4000万元。对集中南京市80%以上饮用水源的长江夹江实行永久封航，对河西新区到江心洲间长13.6公里的“夹江”进行取、排水口整治。全市已完成97个水功能区的确界立碑工作，对其中24个饮用水功能区的水质和水量，每月进行一次通报，对长江等六大重点饮用水源地水质开展旬测旬报工作。同时完成4家取水户的地下水资源论证审批工作。

【水利工程管理】 2005年，南京认真做好湖泊规划工作。南京市境内的石臼湖、固城湖、玄武湖、莫愁湖、紫霞湖、前湖、月牙湖、百家湖等8家湖泊被列入江苏省保护名录。根据《江苏省湖泊保护条例》规定，石臼湖、固城湖的保护规划由省水利厅负责编制，我局积极配合省水利厅规划办等有关部门开展工作，目前这项工作已基本完成。按照江苏省水利厅“十五”期间堤坝蚁害全面达控的防治目标，全年安排市级白蚁防治经费32万元。全市利用白蚁活动盛期，已投药35000包。对列入2005年达控计划的10.3公里流域性堤防、3座水库进行重点达标治理，确保全市堤坝不因白蚁危害而出现大的险情。狠抓工程建设管理，认真做到招标工作“公开、公平、公正”地进行，全年共完成招投标项目24项，项目金额达3.1亿元，节约资金2000万元左右。

【水利科研成果】 2005年，南京市水利局成功申报《水库精养鱼池青鱼套养模式试验》、《淳东灌区渠道防渗效果和衬砌率研究》和《南京市水资源智能化管理系统》3项省水利厅科技重点项目，共获补助经费9万元。成功申报《系砼块软体排护岸技术应用》、《南京市各典型年农业消耗水资源量的控制》和《南京市水资源监测管理系统》3项市科技计划项目，共获补助经费30万元。同时，《正四面六边体护岸技术应用》被列为市科技人才培养项目，获补助经费3万元。完成《水下护岸工程自动定位控制系统研究》、《砼铰链排护岸工程定额及质量验评标准的分析研究》的鉴定工作。完成了《南京市水利工程建设招投标管理信息系统开发》的验收工作，促进了我市水利工程招投标工作的发展。

【外秦淮河水环境整治三汊河口闸工程】 该工程总投资14937万元，是南京市2005年“迎十运”重点工程之一，也是外秦淮河综合整治的关键项目。工程采用先进的双孔护境门方案，主要功能是汛期提高防洪能力，非汛期抬高外秦淮河水位，改善城市河道景观，并引入石臼湖水、长江水改善秦淮河水质。已在“十运”前建成并发挥工程效益，成为秦淮河风光带上的一道靓丽景观。

【“十五”计划完成概况】 2005年，是全面完成“十五”计划的最后一年。“十五”期间，在省委、省政府、市委、市政府的正确领导下，在省水利厅的关心支持下，南京市的水利建设紧紧围绕社会经济发展大局，以“抗洪保安全、抗旱保水源、抗灾保发展、洪涝旱渍兼治，城乡统筹、突破单一功能，发挥综合效益”为指导思想，以全面增强防洪保安能力、恢复提高已建工程效益为原则，从单纯为改善农业生产条件逐渐向为整个城市社会经济发展提供良好的水环境转变，加快发展步伐，着力水利基础设施建设，提高抗御洪涝旱渍等自然灾害的能力。水利工程建设成绩斐然；水资源统一管理和保护初见成效；依法治水得到进一步加强；水利改革有力推进；水利科技成果丰硕。

（周　珍）

无锡市

【水利建设与管理】 2005年，全市水利工作紧紧围绕推动“两个率先”、构建和谐宜人新无锡的城市发展方略，以建设无锡山水名城为目标，进一步理清工作思路，突出城市防洪和水环境综合整治工作，大力推进农村水利和水资源工作再上新台阶，在防汛抗台、水利规划和前期、各项水利管理和党的建设、机关效能建设等工作中都取得较好成效。综观全年工作，防洪保安、水环境治理和水资源管理三条主线非常明显，人与自然和谐共存、可持续发展的治水思路更加清晰。全年水利工作的成绩主要表现为“四新”：一是突出重点，全力以赴，取得今年防汛抗台工作新胜利。二是咬定目标，狠抓落实，水利各项目标任务取得新成绩。三是依法行政，加强效能，水利各项管理工作又有新突破。严格标准，长效管理，局保持共产党员先进性教育出新成果。在投入上，全年共完成各类水利建设投资10亿元，是2004年的1倍多，其中市级投入5.4亿元，县级投入4.6亿元。在防洪建设上，无锡城市防洪工程建设全面实施，仙蠡桥枢纽基本建成。在水环境治理上，城市河道综合整治全面推进，城乡河道清淤完成最后一年的清淤任务。调水改善水环境工作力度进一步加大。在改革上，水利四项改革工作企业改制工作全面完成，事业单位改革全面启动。在管理上，工程规范化管理水平明显提高。水资源管理工作加强，提前完成了省下达的五年地下水禁采封井任务。

【封井禁采任务提前完成】 9月7日，完成5年1100眼深井的封填任务，在苏锡常三市中率先完成了禁采封井任务，比省政府规定的最后期限提前了100多天。随着禁采封井任务的全面完成，我市地下水开采量已由2000年的5286万立方米压缩到了“零”（除去特种行业按规定保留开采量的深井），地下水降落漏斗面积已得到有效控制，水位埋深60米以下面积稳定在970平方公里左右，与2000年相比，地下水水位上升的监测点占到了总监测点的84.6%。

【淤泥固化技术推广应用正式启动】 全市淤泥资源非常丰富。从2001年开始，市委市政府投入大量资金对蠡湖进行综合治理，在六大骨干工程中，重要的工程就是生态清淤和退渔还湖工程，南泉镇建立的两个大型堆淤场，面积有860亩。从2003年开始，市政府又制订了三年的城区河道综合整治计划，对城市骨干河道进行清淤疏通。从1998年至今，城乡河道清淤工程已进行了八年，面广量大的城乡河道65%都实现了清淤工程。如果我市湖泊河网的淤泥全部得到疏浚，按平均堆积3米高计算，这些淤泥要占用大量河道两旁的耕地。近年来虽然也对清除出来的淤泥进行了再利用，比如在八年城乡河道清淤过程中，利用淤泥进行圩堤的加高加固，复耕复垦，但用量很少，利用率不高，经济效益不大。

淤泥固化技术是国家高新技术“火炬计划”项目之一，涉及到生态修复、资源再生利用、环境保护等众多领域。它是通过向淤泥中加入固化材料来固结疏浚淤泥，使其具有良好工程特性。经固化处理后的疏浚淤泥可成为市政工程、堤防加固工程、道路工程、填方工程的良好原料。通过应用淤泥固化技术，可以减少了二次污染，减少自然资源的开采，减少占用良田。

为了推广应用淤泥固化技术，11月19日，市政府黄继鹏副市长主持召开无锡淤泥固化领导小组第一次会议，对淤泥固化技术的推广提出要求。按照部署，专门成立专业企业进行这项技术的市场推广。政府积极引导，在相关政策、资金上予以扶持。市发改委、水利、国土、环保、建设、财政等部门综合协调，按照“技术进步原则、市场化运作原则、政府引导原则、先试点后推广原则”扎实有效地推广淤泥固化技术，将这项利国利民的大事做好。

【全国生态系统保护与修复试点市规划启动】 11月底，“全国水生态系统保护与修复试点市”规划工作启动，这是我市申报全国四个水生态系统保护与修复试点市的重要依据。本次规划的范围是无锡市行政区域，规划对象主要为境内河流、湖泊、水库等地表水域。根据地理位置及其水环境现状将规划范围分为三个区域，即锡澄地区(包含无锡城区、新区、锡山区、惠山区、滨湖区、江阴市)、太湖湖区、湖西区。规划目标到2020年。在规划的编制中，强调了规划要与国民经济和社会发展总体布局和规划相衔接，确定水资源的开发、利用、治理、配置、节约、保护等方面的目标、任务和重点。并与国土整治、防洪减灾、生态环境建设、水资源综合规划、排污口整治、饮用水水源地保护、河道整治等规划相协调与衔接。12月底，规划初稿完成。

【《无锡市水旱灾害应急预案》出台】 2005年12月，《无锡市水旱灾害应急预案》出台。该预案从组织指挥体系、预警机制、应急响应、善后处置、保障措施等方面做了详细规定，按照洪涝、旱灾的严重程度和范围将应急响应行动分为四个等级。灾害一旦发生，市防汛防旱指挥部将会根据不同情况启动相关应急程序，并立即组织实施抗洪抢险、排涝、抗旱减灾和抗灾救灾等方面的工作。《无锡市水旱灾害应急预案》具有一定的前瞻性、超前性，极大提高了我市对各类水旱灾害的应急反应能力。

【启动农村面源污染控制技术课题研究】 科技部863重大科技专项——“河网区面源污染控制成套技术”在宜兴地区设立了农村生活污水处理、农田节氮控磷、河网区水质强化净化与水体修复、河口区污染控制与生态修复等七个专题的研究和示范工程，这是我国第一个对面源污染控制进行硬件和软件系统研究的课题。

面源污染主要发生在农村，是农田化肥农药、禽畜粪便和生活排污进入水体后导致水体中氮、磷的含量超标而引起的水体富营养化现象。为此，科技部、省水利厅、无锡市政府专项拨款5500万用于农村面源污染的前期研究及示范工程。一年来，由科技部组织的课题组在宜兴大浦镇修建的示范工程广泛利用芦苇、茭草等挺水植物吸附蓝藻，利用生物膜净化、土壤吸附、植物吸收等方式处理生活污水，已经取得了良好的生态效果，有效遏制了部分河道的面源污染问题。

【锡、常两地联合执法 确保饮用水源地安全】 10月初，无锡水政监察支队接到宜兴市民投诉：当地新建镇自来水厂有一取水口受到污染，严重影响饮水安全。经查实，原因在于其上游常州金坛市境内，一个13条渔船和两条住家船聚集形成的固定渔市将大量死亡鱼虾和生活垃圾、污水抛入河中。10月10日，支队派员前往常州市水政监察部门协调处理此事，希望取缔该渔市，得到了常州方面的支持。10月12日，无锡、常州两地水利部门和水政监察队伍赴现场办公，按照省厅"保护饮用水源地"的要求，劝服渔民将两条住家船拖离新建水厂取水口，另外十三条渔船也保证今后不在取水口保护范围内活动。

【五里湖生态修复工程通过竣工初验】 10月12日，无锡市五里湖综合整治工程—五里湖生态恢复工程通过市级竣工验收。五里湖生态恢复工程是五里湖综合整治工程的重要组成部分之一，其实施范围为西五里湖面积约3平方公里内的1410亩水域，实施内容主要包括基底修复、修建围隔(围栏)、放养水生动物、种植水生植物等，工程概算总投资为2096万元。该生态恢复工程的完成，极大地改善了五里湖的水环境。

【梅梁湖泵站向梁溪河试运行调水成功】 新建成的大型水利工程梅梁湖泵站从9月28日下午3时起向无锡城区梁溪河调水，这是该泵站第一次向城区河道试运行调水。太湖水被抽入梅梁湖泵站，并以平均45.8立方米/秒的流量进入梁溪河。调水1小时后，梅梁湖至三山岛水域水体开始缓慢流动。水利水文部门在此次调水中共布设了8个水质监测站点，对调水前后梅梁湖、蠡湖、梁溪河的水量、水位、水质等指标进行分段监测。经过三次水质的监测分析，调水前，梅梁湖、梁溪河水质均为劣于五类水，除蠡湖大桥和五里湖闸东两处水质较清外，其他几个监测点水质浑浊并有蓝藻。调水20小时后，梅梁湖、梁溪河各监测点水质指标有了极为明显的变化，特别是氮、磷指标变幅较大。30日上午的各项指标已全部达到国家环保标准，10月1日8时，梁溪河整个河道水体水质状况已基本接近调水前梅梁湖三山岛北部水域水质，梁溪河原有的水体已得到有效的置换，水体流动明显，在鸿桥断面，监测到水中溶解氧含量已达到7.0毫克/升，是调水前的3倍，而氨氮指标持续下降，水质明显好转。

梅梁湖泵站经过70个小时的连续运转，到10月1日下午1时，共向梁溪河调入1200多万方的太湖水，设备运行一切正常，初次试运行调水成功。与仙蠡桥、江尖水利枢纽等城市防洪工程实施联合调度，将有效改善无锡城区水环境。

【无锡城区水文遥测及图像监视系统投入使用】 无锡市城区水文遥测及图像监视系统由33个水位遥测站、4个雨量遥测站、36个视频监视站及中心站组成，是目前我国水情自动测报领域首个大规模、多站点采用CDMA/1X通信网方案的实用化城市水情数据采集与图像监视一体化系统。该系统经受住了2005年汛期的严峻考验，特别是在抗击"麦莎"、"卡努"台风中发挥了重要作用。系统的投入使用，将加速实现无锡的防汛业务信息采集自动化，提高防汛信息采集、传输、分析、决策的时效性和科学性水平，为领导防汛指挥调度决策提供信息保障。

【7家节水示范单位通过省级验收】 9月13日—14日，惠山区无锡振达特种钢管有限公司、江阴市文林染整厂、无锡海江印染有限公司、比图特种纸板有限公司、吉祥印染有限公司、江苏蝶美集团，滨湖区宏达光电有限公司等7家单位节水技改项目顺利通过省级验收。先后投入经费1161万元；实现年节水420.2万立方米(其中可减少地下水开采量42万立方米)，年节省开支468.4万元，同时也减少了污水的排放，部分单位实现了污水的"零排放"。

【仙蠡桥水利枢纽穿运地涵竣工】 6月17日，无锡城市水利工程仙蠡桥枢纽穿运地涵竣工。仙蠡桥水利枢纽工程是无锡城市防洪工程——运东大包围的关键枢纽，也是城市防洪八大枢纽中第一个开工建设的项目。该工程集防洪排涝及调水改善区域水环境的功能于一身，分布于京杭运河的南北两侧，由南北枢纽和连接南、北枢纽的穿运地涵组成。该工程创出国内最大内径顶管法穿涵施工之"最"。地涵工程的正式竣工，标志着仙蠡桥水利枢纽水下部分已基本完成，为6月20日主汛期前开坝放水创造了基本条件。

【防汛防台】 今年我市总的汛情是，前期降雨偏少，后期台风偏多。6月份入梅晚，出梅早，梅雨期仅3天，梅雨量接近历史最低。7月份气温高，雨量少。8月上旬和9月中旬我市先后遭受自1997年以来对我市影响最大的第9号台风"麦莎"和第15号台风"卡努"的正面袭击，给我市带来了大风及强降雨，造成了较大的灾害，致使我市284家企业进水，4108户民房进水，3304间房屋受损，1030间房屋倒塌。全市受淹农田40.455万亩，其中成灾面积9.96万亩。台风过境致使全市堤防损坏9.59公里，机电泵站损坏4座，桥涵损坏57座，护岸损坏36处、1.07公里。全市受灾人口达48.68万人，全市直接经济损失2.68亿元。

【超前细致部署备汛】 经过三轮的汛前检查，全市共查出各类堤防险工险段97处，长18.79公里，病涵16座，病闸22座，病泵站17座。并及时进行了处理，制定了度汛应急预案，明确了行政及技术责任人。全市汛期共组建抢险队伍1215个，总人数31636人。今年备汛物资充足，共储备防汛物资(包括镇级)草包42.41万只，编织袋313.3万只，木材1159.4立方米，以及土工布、块石等。在修订《无锡市2005年度防洪预案》的基础上，着重对城市防洪预案及横山水库防洪预案进行了修订，使防洪预案更加实际、更具可操作性。把拆除城区河道筑坝作为今年备汛的重中之重，加大工作力度，依法行政，对109条阻水坝埂提前进行拆除，确保汛期行洪畅通。

【全市合力抗击台风】 今年汛期台风活动频繁，其中9号、15号台风中心穿过江苏，对我市特别是宜兴等地影响较大。面对严峻的抗台形势，中央、省、市领导高度重视，严密部署，各级部门紧急行动，全力抗台。在抗击两次台风过程中，针对容易出险的江、湖、河、库堤防、低洼圩区以及危旧房屋、工棚、简易房屋、建筑工地、广告牌、船只等，各级市防指24小时巡查监测，并落实应急抢险预案，确保查险、抢险两个重要环节措施到位，不出问题。据统计，在抗击15号台风中，全市投入抗灾人数达4.16万人，上堤巡逻1.83万人，组织抢险人员1.88万人，投入机泵动力7807台18.55万千瓦，控制或消除险情73处。8月6日至8日，在抗击5号台风过程中，白屈港、新夏港抽水站共向长江排水2035万方，有效降低了锡澄地区内河水位，为抗台工作争取了主动。

【"十五"回顾】 "十五"是新世纪第一个五年计划期，是无锡经济发展明显提速、综合实力持续增强、城市功能显著提升、和谐社会建设初见成效的五年，也是无锡水利发展史上投入、建设力度最大的五年。五年来，在市委、市政府的正确领导下，全市各地认真贯彻落实科学发展观，按照人水和谐的治水理念和资源水利的治水思路，大力推进水利现代化建设，圆满完成了"十五"各项任务，为全市经济社会发展提供了重要支撑，水利自身建设也呈现出良好的发展势头。

过去的五年，是无锡治水工作思路实现重大转变的五年。"十五"期间，无锡市委、市政府始终坚持把水利工作摆在重要位置，无论是经济社会发展全局性的重大部署，还是城乡建设、"三农"工作的重大决策，都十分重视水利工作的保障作用。各地按照市委、市政府的部署，按照科学发展观的要求，结合无锡实际，对新时期治水思路进行了积极探索和实践。一是坚持人水和谐、统筹治水。以水资源的可持续利用为中心,统筹考虑水的问题与经济社会发展全局的关系,统筹考虑生活、生产、生态用水,统筹考虑城市水利与农村水利,实现可持续发展。二是坚持标本兼治,科学治水。遵循水的自然规律,兼顾水安全、水资源、水环境,努力实现从控制洪水向洪水管理转变。注重政府职能与市场机制的结合,在水利建设、管理与水资源配置等方面更加注重发挥市场机制的作用,提高水资源和水环境的承载能力。三是坚持以人为本,依法治水。切实保障人民群众饮水安全,解决好与人民群众利益密切相关的水问题。推进依法行政,推进水利信息化,突出社会管理和公共服务,全面提高水利建设管理的综合水平。

(卢伯生　冯晓红　周绚霞)

徐 州 市

【概况】 2005年度,全市的水利工作在省水利厅和市委、市政府的正确领导下,坚持"三个代表"重要思想为指导,认真落实科学发展观和十六大五中全会精神,以全面提高工程标准和加强管理为重点,以水资源节约、优化配置和保护为核心,以体制创新和科技创新为动力,抢抓机遇,奋力拼搏,水利现代化建设水平明显提高,综合服务能力进一步增强,各项工作取得了显著成绩,两个文明建设获得双丰收,圆满完成各项目标任务,全市累计完成水利建设投资6.3亿元,完成土方9000万方。同时战胜了1974年以来的最大洪水,为我市经济社会持续、快速、健康发展提供了有力的支撑。

【防汛抗灾】 2005年,全市平均降雨量1163毫米,较多年同期平均偏多四成,特别是7月份降雨400毫米,为近40年来降雨最多的年份,9月份,全市平均降雨量175.8毫米,列建国以来同期第三位。南四湖出现了35.35米的高水位,中运河洪峰流量高达2680立方秒/秒,均为1974年以来的最大洪水。面对严峻的汛情,狠抓各项措施的落实,全力以赴,防汛救灾,圆满完成了任务,将灾害损失降低到了最低限度。

认真开展汛前大检查工作,做到早部署、细安排、严要求。2月底至4月初,组织3次汛前检查工作,4月中旬,省防指又派出专家检查组来检查、指导,有力促进了各项工作开展。根据检查情况,市防指连续制定下达了《徐州市主要险工险段及安全度汛措施》、《徐州市2004年重点防汛工程存在的主要问题及防汛任务》和《2004年河湖清障任务》,各地按照"分级管理、分级负责"的原则,认真抓落实,于主汛期前全部落实各项水利工程安全度汛措施。

狠抓各项非工程措施落实,及时制订落实了防汛值班制度,汛期中,各级防汛机构坚持昼夜24小时防汛值班,保证了汛情、灾情等各种防汛信息快速、准确的传递;加大投入,超额完成省下达的防汛物资储备任务。汛前市级储备到位草袋和编织袋71.3万只,块石3万吨,土工布4万平方米,彩条布2万平方米,木材180立方米、救生衣4000件,另外还陆续购置了应急灯、打桩机等一批抢险应急物资;协调指导徐州军分区加强了以基干民兵为主的防汛抢险队伍建设,组建了一个民兵冲锋舟连,增强了防汛抢险的快速反应能力;及时落实各类防汛工程的防汛抢险责任人,并将徐州市区防汛排涝工程防汛抢险责任人名单在新闻媒体上进行公布,接受社会群众和舆论的监督;根据工情变化,修订完善了《徐州市城区防洪预案》、《徐州市防洪预案》、《黄墩湖滞洪区运用方案》及云龙湖、庆安、高塘、阿湖、崔贺庄5座中型水库等防洪抢险预案,各类预案保证了汛期防汛工作紧张有序地进行,发挥了巨大作用。

全力防汛减灾。一是高度重视，积极组织。面对今年严重的汛情、灾情，市委、市政府主要领导亲自调度受灾情况，并亲赴湖西地区、中运河沿线，现场检查指导，并作出具体部署。市水利局及时派出以局负责同志为组长的工作组以及专家组，坚持在抗灾救灾一线指导工作，抓好各项救灾措施的落实。二是科学调度各类水利工程。在省防指和流域机构的大力支持下，及时加大嶂山闸泄量和开启挖工庄西闸，为中运河安全泄洪和沛县排涝创造条件。市、县防指还对干支河道实行24小时监控，相继调度京杭运河、徐洪河、郑集河等开闸泄洪，腾空河道，降低水位，为尽快排除灾区积水创造条件。同时各级迅速组织力量，清理疏通内外三沟，突击降排积水。针对外河水位高，部分地区涝水难以自排的情况，省、市抗排队及时出动架设临时排涝机组50台套，全力支持沛县强排涝水。三是高效运作，抢险救灾。7月31日夜间，市区西郊王窑湖马山水泥厂一带，3平方公里的土地积水0.8—1.2米，1600多名群众遭围困。灾情发生后，我局仅用3天时间，突击组织大型挖掘机械40余台套，按50年一遇防洪标准，平地开河1公里，疏浚河道2公里，及时解除了市郊王窑湖地区的险情并基本解决该地区的防洪排涝问题。四是全面发动，掀起群众性抗灾热潮。全市累计投入抗灾人数23.35万人，动力11.13万千瓦，共清除阻水障碍556处，控制或清除险情87处，排涝面积308.16万亩，排涝水量8亿方。确保了中运河等流域性堤防的安全，将沛县苏北堤河沿线损失降到最低限度。另外，加强水源调度，积极做好翻水调水工作。调引江淮水2.25亿方，市直各站翻水2.23亿方，各县(市)翻水达5.1亿方，满足了全市工农业用水需求。

【加强防汛指挥系统建设和信息统计上报工作】 按照省防指的要求，逐年投入，加快防汛指挥决策支持系统建设步伐。已完成气象卫星云图接收系统，省、市、县三级防汛专用网络工程，2005年我市又投入资金50万元，汛前在市区故黄河、奎河、三八河、丁万河及奎河片区实施完成了12处市区水雨情遥测站点的建设，并入徐州水文局水情网。这些系统工程的建成，使各类防汛信息的处理和传递更加准确及时，为各级领导指挥防洪抗灾工作提供科学依据，增强了防汛工作的快速反应能力。同时去年汛期，我市共编报防汛防旱信息、简报15期，准确及时地为各级领导提供了决策信息。针对今年出现的灾情，按省防指和灾情统计制度的要求，及时填报并重视落实核灾工作，各类报表、信息按旬、月、年报的要求，做到有签字、有盖章、及时上报，统计数字准确、真实，及时为领导指挥抗灾提供了决策依据。

【加强规划设计前期工作】 市水利局高度重视规划设计工作。认真贯彻落实省水利前期工作会议精神，专门成立"市水利发展'十一五'规划工作领导小组"、"市南水北调前期工作领导小组"、"市水资源保护规划领导小组"，为各项规划前期工作提供了组织保证。先后编制《徐州水利发展'十一五'规划》、《湖西、沿运排涝规划》、《废黄河地区水利治理规划意见》。同时，集中人力、物力、财力，先后组织编制完成了南水北调前期工作中的东线一期睢宁、邳州两站的勘察设计及移民安置可研报告，完成城市防洪古黄河治理、泉山水库、王瑶河治理等7项工程的勘察设计及可研报告工作；完成东调南下二期沂沭邳三条河道的可研报告，并报淮委审查；另外还完成了省重点工程和地方基建工程中的睢北河、大沙河治理工程的施工图设计等。

【全面完成重点工程和地方基建工程】 顺利实施了南水北调东线一期刘山、解台站年度工程；全面完成了东调南下王庄闸水毁加固二期工程，国家重点病险中型水库高塘、阿湖除险加固；实施了李楼水利枢纽改建、睢北河治理、大沙河治理等省级地方基建年度工程；完成了边界治理丰县苏北堤河三期工程等。在工程建设过程中，严格按照基建程序、全面推行三项制度、加强规范管理，保证了工程建设的顺利实施。另外，2005 年计划内，总投资 8300 万元的奎濉河治理工程，省 8 月份批复，10 月份开工，年底前将完成投资 5000 万元。这些工程的上马实施，不仅进一步提升了全市的防洪减灾能力，而且也进一步增强了全市水资源的调蓄能力和水环境的承载能力。

【严格执行基本建设程序】 在工程实施中，重点把住五个环节，实现报建、开工申请、质监申请、招标申请四个百分之一百，对市场主体实行静态控制，动态管理。并切实履行工程建设项目的设计审批，按照工程审批管理权限，由水利部、省、市分别对工程进行初设审批后，再对相关工程进行施工图设计审批，从而完善了工程设计审批的各个环节。设计文件符合规程、规范要求，保证设计质量。在设计文件中，严格按照有关规范、规程和强制性规范的要求编制规划设计文件，已审查的设计项目，均顺利通过了省厅、省计委、淮委的设计审查。同时，对报批文件严格把关，并提出初审意见。对报批文件组织专家对项目进行预审，认为项目符合统一规划要求，有利于促进当地经济社会发展，则同意转报省厅；认定必须由有相应资质的设计单位完成设计文件；对项目设计文件进行严格审查，并赴实地察勘，根据各不同阶段设计文件规范要求及工程具体情况提出初审意见上报省厅。计划统计报表及时上报。按省厅计划处具体要求，及时上报在建工程统计月报、水利基本建设统计年报、水利综合统计年报；并及时向市计委、市统计局等相关单位提供统计数据，积极配合工作。

【严格执行各项建设管理制度】 严把市场准入关。对市场主体实行静态控制，动态管理，以保证工程质量和合理、充分发挥投资效益，不存在违法分包现象，不存在无证、越级或挂靠承接业务的行为，也没有发现工程层层转包、违法分包、规避招标和虚假招标的现象。规范招标投标行为。按照《招投标法》等法律法规的要求，严格实行招投标制，2005 年我市符合招投标条件的工程全部实行招投标，共招标 17 项，招标率达到 100%，无一起违法违纪、违规行为发生。文明生产措施落实，安全生产无事故。我市安全生产工作坚持“安全第一，预防为主”的方针，按照“深挖隐患，狠抓防范，落实责任，管理前移，强化网络”的整体要求，明确责任人，落实责任制，2005 年，水利部专门组建稽查组对我市的城市防洪工程、地方基建工程进行全面稽查，稽查结果表明，各项支出合理，建设程序规范，为水利建设树立了良好的形象。建设管理基础工作进一步夯实。按省厅具体要求，及时上报在建工程统计月报、水利基本建设统计年报、水利综合统计年报；并及时向市计委、市统计局等相关单位提供统计数据，有力地促进了工程建设。

【工程管理体制改革稳步推进】 认真贯彻国务院和省政府有关水利工程管理体制改革的有关文件，全面推进以“分类定性”和“管养分离”为主要内容的水利工程管理体制改革，按照省政府的要求，制定了《徐州市水利工程管理单位体制改革意见》，并由市政府批转执行。各县(市)水利工程管理体制改革方案已经同级政府审批实施；抓好工程维修养护积极筹措资金，并在省厅支持下，完成防汛岁修、急办项目 159 项，完成经费 771 万元，对所下达的项目，严格监督质量进度，保质保量地按期完成，汛期经历了大洪水的考验，并发挥了作用。

工程运行安全无事故。建立并严格执行规章制度。制定下发了《关于加强水库工程安全度汛、安全检查、落实防汛责任制》，坚决杜绝各类安全事故的发生。各单位均配备了专职的工程管理技术人员，明确了各工作岗位的职责，工程管理步入制度化、规范化轨道。同时，认真组织工程安全检查工作。根据工管单位的具体情况，在各单位自查的基础上，重点检查各单位的安全生产制度建设、维修保养情况、工程维修项目完成情况及事故隐患。按照分级管理、分级负责的原则，对查出的事故隐患立即整改，对汛期无法加固的工程，进行应急处理，确保工程安全运行。严格执行《水闸、泵站养护规程》标准，明确岗位的职责，全面实施工程养护工作，使工程运行、维修、保养逐步实现了工程管理工作的制度化、规范化。由于安全工作认识到位、工程管理制度健全、落实措施得力，全市水利工程未发生任何安全责任事故。

【认真做好小水库除险加固工作】 完成60座小水库的安全鉴定，并按省批复要求，正在按期进行倪园、柴窝、艾山等7座小水库的除险加固。

【农村水利建设】 2005年，全市累计完成投资1.27亿元，投入劳动积累工1817万工日，完成土方8250万方，疏浚县乡河道163条662公里，开挖疏浚大沟159条527公里，中沟502条814.8公里；新建塘坝22处，新建改造泵站233处9543千瓦；新建防渗渠道361公里；配套小沟级以上建筑物3675座，改造中低产田8.3万亩，建设高标准农田5.6万亩，新增节水灌溉面积6.2万亩，增加旱涝保收田19.7万亩。这些基础设施的建设，净化了农村水环境，增加了河道输水能力，改善了农村生产条件，并可以实现年节水1000万方。

【认真贯彻落实《省政府关于加强农村水利建设的意见》】 1.制定了关于提高农业综合生产能力促进农民持续增收的实施意见。明确提出了：加强水利基础设施建设，提高农田抗灾能力。强化人水和谐理念，统筹水安全、水供给和水环境综合治理，加快重点工程建设，突出小型农田水利建设。并制定了农业综合开发和世行贷款灌溉农业项目资金不低于70%用于农田基础设施建设。村内的农田水利建设主要通过“一事一议”筹资筹劳解决。等具体措施。2.制定了关于2005年全市农业和农村工作目标考核的意见。市委、市政府为进一步突出工作重点，明确目标任务，强化责任措施，确保全面完成今年农村经济社会全面协调可持续发展，下发了《关于2005年全市农业和农村工作目标考核的意见》，把农田水利建设（县乡河道疏浚）列为考核指标之一，明确由市水利局负责考核。对考核成绩较好的县（市）进行表彰并对作出突出贡献的业务主管部门和个人给予适当奖励。

山区水源工程进一步完善。作为市委、市政府为民办的十二件实事之一，2005年累计完成投资1400万元，开挖大口井（水窖）273座，建设塘坝（滚水坝）82座。在具体实施中，坚持科学规划、因地制宜、突出重点，综合考虑天上水、地表水、地下水、外来水，“四水并用”，优先解决困难程度大的特困村和特困户，建集中供水点，解决吃水问题，使有限的投资发挥了最大的经济和社会效益。

灌区节水改造进一步加强。新沂沂北灌区节水改造项目，三期工程于去年11月6日开工，今年4月初基本完成，5月25日通过市级组织的水下阶段验收，共配套建筑物涵闸21座站6座其他建筑物11座，完成土石方7.1万方，总投资375万元。另外，沂北灌区二期工程扫尾工作，已完成17座建筑物的施工，投入经费123万元。截止到现在，二期工程累计完成建筑物119座，完成投资1200万元。

农村饮水安全。2005年度，组织编制完成了《徐州市农村饮水安全评估报告》。实施了丰县农村饮水安全工程，计划解决2.2万人，总投资800万元。按照基本建设程序组织实施，目前已完成4眼饮水井及110公里管道的安装，工程量已完成60%。

【水行政执法及水资源管理水行政执法力度】 2005年，市水利部门按照“依法治国”的基本方略，全面贯彻落实依法行政、依法治水建设纲要，投入水法制宣传资金840余万元，接受教育人数达500多万人次，广大干部群众的水法制意识明显增强；开展了卓有成效的水利立法工作，《徐州市堤坝管理条例》、《徐州市防洪实施办法》等八部水事地方法规列入徐州市人大常委会和市政府的五年立法规划，其中《徐州市堤坝管理条例》、《徐州市地下水资源管理条例》已出台，《徐州市河湖采砂管理条例》调研及起草工作也已完成，即将出台；实行水行政执法责任制，先后出台了《行政执法评议考核办法》、《行政许可实施办法》等规范性文件，制定了《徐州市水利局机关首问负责制》，设立行政许可中心，开展一站式服务；切实加强水政执法队伍建设。进一步建立健全各级水行政执法网络，采取分片(5—6个乡镇为一个中队)、分区域(以区域性河道为主)或以相对集中的水利工程管理单位为中心(闸、站、所)等形式设立水政监察中队，在中队的建设中要求全部达到"五有"规范，执法网络建设已经延伸到村，我市各县(市)、区水政监察执法网络体系建设已基本完成。按照各类水法律法规，加大了水行政执法力度，全局组织联合执法活动20余次，直接查处水事违法案件300余起，全市还共出动水行政执法人员1万余人次，清除违章种植5000多亩、网箱1万多只，打击非法采砂船42条，有力地打击了违法分子的嚣张气焰，维护了安定的水事秩序。

严格实施取水许可制度。以创建"三优三满意"为目标，增强主动性，讲求实效性，多为取水单位着想，完成徐州彭城电厂三期、贾汪阚山电厂等24项重大取水项目的论证、审批，在部、省重大项目审批程序督察中，没有一起因取水许可审批滞后，影响共建设的；

努力推进节水型社会试点建设。紧紧抓住我市被列为水利部节水型社会建设试点地区的机遇，编制完成了《徐州市节水型社会建设试点规划》，并通过水利部组织的专家评审。组织实施了徐州师范大学等11家单位的节水技改项目，并通过验收，可实现年节水490万方。推广使用IC卡智能水表42台，完成省政府支持苏北发展考核的一项任务。

水资源费征收力度加大。把水资源费征收标准的调整和落实作为首要任务，加强与用水户的联系和协调，做好服务，对拒不交费的钉子户，充分运用法律手段，确保水资源费征收到位。通过各种措施的落实，全市征收水资源费5000余万元，其中市级征收地表水380万元、地下水1100万元。另外，严格执行省下达的地下水开采计划，压缩开采900万方，每月上旬及时完成21条河道、45个重点水功能区检测断面的水质检测，上报省厅。对160个排污口进行了两轮水质检测，对市区300眼水井划定了保护范围，得到省厅检查组的肯定。

【水利科技】 2005年，市水利局紧紧围绕水利现代化建设这个中心，坚持以科技为先导，加强水利科技的研究、管理和先进成熟技术的推广应用，完善水利信息化建设，给水利事业的发展注入新的活力，较好地完成了2005年水利科技目标管理任务，使水利建设和管理中的科技含量、技术水平都有创新和提高，加快了"科教兴水"的步伐，为全市水利科学技术的繁荣和水利事业的发展作出了积极的贡献。

【建立"徐州市水利局科技发展基金"】 根据《中共徐州市委 徐州市人民政府 关于建立科技创新责任制的意见》(徐委发〔2004〕20号)文件精神，建立"徐州市水利局科技发展基金"，每年从同级水利事业费中安排20万元，专项用于我市水利科技研究与先进成熟水利技术的引进推广，扶持具备研究开发价值的科技项目，努力提高我市水利科技创新的能力和整体效率。

【完成《徐州市"十一五"水利科技发展规划》编制工作】 为全面贯彻"以人为本、全面、协调、可持续发展"的科学发展观和构建"人水和谐"的治水思想，服务于社会经济发展，我市水利科技工作与时俱进，加强创新，不断进步，以科技进步应对水利工作新局面、新特点。为适应新时期社会经济发展的需要，逐步解决我市经济社会发展中面临的饮水安全、水资源短缺、洪涝灾害、水污染和水土流失等重大水问题，坚持全面规划、统筹兼顾、标本兼治、综合治理的方针，坚持“科教兴水”和“可持续发展”战略，坚持“有所为、有所不为”的原则，把握我市“十一五”水利科技发展战略、总体布局和重点科技项目，根据上级要求，积极组织完成《徐州市“十一五”水利科技发展规划》编制工作，明确了“十一五”时期我市水利科技工作的指导思想、发展目标和主要任务。

【完成2005年度水利科技项目申报工作】 共申报6个项目，有3个项目列入省厅水利科技项目计划。在2005年的水利科技项目申报工作中，要求各县(市)区水利(务)局及局属各单位、局机关各处室，根据省厅文件要求及项目指南，紧密围绕水利工作中急需解决的技术问题，认真组织，积极申报。我局对申报的水利科技项目加强论证，努力提高项目质量。经初审后，2005年我局向省厅申报了“特种经济作物田间排水技术推广应用”、“徐州市不同类型区土壤侵蚀模数测定技术应用”、“石灰岩地区小水库防渗技术推广应用”、“山丘区雨水利用技术与生态维护综合治理模式推广应用”、“铜山县山区水源工程技术推广应用”、“清污两水闭路循环技术推广应用”等6个科技项目。经省厅研究评审，“石灰岩地区小水库防渗技术推广应用”、“铜山县山区水源工程技术推广应用”、“清污两水闭路循环技术推广应用”等3个项目被批准列入省厅水利科技项目计划。

（张 琦 陈 飞）

常州市

【综述】 2005年，全市水利工作紧紧围绕市委、市政府的工作部署，按照保障防洪安全、保障水资源供给、保护水环境和提高农业综合生产能力的要求，坚持城乡水利统筹，建设管理齐抓，全年完成建设投资5.83亿元。各级财政对水利投入有了新的增长。市级可用财政对水利的投入突破5000万元，其中用于农村水利投入达到1050万元，创历史新高。全年争取中央和省级财政对常州投入达9218万元，有力地确保了各项任务的完成。

【重点工程】 列入国家流域治理内容的武宜运河拓浚、武澄锡西控制线口门建筑物、漕港河南段整治、环太湖大堤加固工程进展顺利。武宜运河拓浚工程全面结束，累计完成土方220万方，共建成桥梁7座，节制闸11座，涵洞41座，电灌站18座，石驳7公里。武澄锡西控制线口门建筑物、溧阳塘马水库、金坛海底水库除险加固主体工程全面结束。武澄锡西控制线工程完成节制闸等口门建筑物建设9座。塘马水库、金坛海底水库均具备防洪蓄水条件。溧阳戴埠河、金坛下塘河拓浚2项省基建工程均达序时进度目标。漕港河枢纽档案通过省水利厅组织的专项验收。规划前期工作服务治水思路转变这一中心，组织开展水利发展“十一五”规划、常州城市防洪规划修订报告、市区水系规划等规划的编制工作，提出不同层次的规划工作目标和指标，取得了一系列规划成果。加大建设管理力度，城市防洪及水环境整治工程、武宜运河、西控制线口门建筑物工程、水库除险加固等工程，全部采取公开招标方式，择优选择承建单位，规范建设管理。

【城市防洪和市区水环境整治】 城市水

利建设市场化融资在攻坚克难中取得突破。通过努力，完成了市区青龙、薛家相关开发地块的测算、调查工作，办理部分土地前期开发的立项报批手续，利用市水利投资有限公司平台做好融资，向银行贷款1.3亿元，对城市水利建设项目的顺利推进起到了有力的支撑作用。城市防洪横塘河北枢纽主体工程建设全面完成。市中心区9.5公里防洪墙应急整治工程、9处居民区洼地除涝工程在汛前完工，当年发挥效益。市区水环境整治一期工程水利项目通过竣工验收。二期10条河道整治水利工程建设年度任务基本完成，建成换水闸站7座，护岸1300米，完成土方6.5万方、混凝土和浆砌块石2万方。通过整治，城区断头河浜进一步得到理顺和沟通，生态环境有了新的提高和改善。金坛、溧阳城市防洪规划年内通过上级业务部门审查和同级政府批准，部分项目年内已开工实施。

【农村水利】 认真贯彻落实省政府加强农村水利建设的意见，积极应对“两工”取消，“一事一议”建设小型水利工程的新形势，创新思路，创新发展。在工作思路上，突出抓好河道清淤、水源工程、圩区治理三项工程。在投入方式上，突出增加政府投入，实施好财政扶持政策，市级财政预算内资金用于农村水利的投入首次突破千万元。在推进措施上，突出以点带面示范引导，区分平原圩区、丘陵山区、城郊结合部三大治理，明确主攻方向，实施分区治理，有效遏制了农村水利建设可能滑坡的态势。2005年投入农村水利建设资金3.24亿元，较2004年增长20.1%。完成土方1757.2万方，占计划任务的109.8%。完成各类配套建筑物1834座，占计划任务的107.8%。改造中低产田6.01万亩，占计划任务的120%。镇村河道疏浚效果显著。全市完成河道疏浚417条、702.9公里，均超出省下达计划指标数。在推进河道清淤工作的同时，稳步推进镇村河道长效管护试点工作，全年新增镇村河道长效管护乡镇1个，新增镇村长效管护河道54条，管护长度达206.4公里，切实做到河面无杂物、河坡无垃圾、河岸无垦植，发挥疏浚工程效益。金坛旭红河、白龙荡中心河，溧阳周山河，武进农发区内河、潘家河，戚区潞横河等54条河道通过一年的试点，保持了水净流畅面貌，达到了确定的硬件质量标准，得到省、市领导的充分肯定和沿河群众的广泛好评。

【水资源管理和节水工作】 认真开展水资源保护工作。一是强化入河排污口的调查登记和监督工作。在全市范围内、根据《水法》《江苏省水资源管理条件》和部《入河排污口监督管理办法》的规定，进一步开展入河排污口的调查登记，加强排污口调查、登记和监测工作，督促取水户如实申报排污资料。以澡港河水功能区水质达标管理为试点，会同新北区，对春江镇范围内的工业企业用水和废污水排放情况进行调查，共调查各类企业88家，提出了废污水接管进网，拆迁入区、关停并转，升级改选污水处理设施削减排污量等对策建议，完成《沿江化工区及澡港河沿线工业污染的调查报告》报市政府。二是全面开展入河排污口整治规划的编制，明确市域及金坛、溧阳、武进四个单元，分区开展规划编制前期调查工作并取得阶段性成果。三是扎实做好饮用水水源地保护工作。开展集中式生活饮用水水源地排污口的专项调查和执法检查，重点对沙河、大溪水库、塘马水库、茅东水库等14处城镇集中式生活饮用水水源地的非法设置排污口、乱堆乱入渣土，违章种植养殖，影响水源地水质或取水工程安全行为进行集中整治。加强地下水水资源管理工作，圆满完成地下水五年封井禁采任务。五年来填封在册深井933眼，地下水封井限采任务全面告捷。稳步推进节约用水工作。举办了首届城市节水宣传周专题报告会和节水成效巡展，参会参观人数达1.2万次，社会反响良好。在去年水利、质监、经贸三部门联合颁发的城市工业和生活用水产品定额的基础上，会同建设局、经贸委联合下发《关于常州2005年用水计划及考核办法的通知》，下达了2005年城市自来水的用水计划。举办节水统计、水量平衡测试培训班，以市区特殊行业用水深井和市直管的用水大户为重点，以武进区为试点，稳步推进智能水表等新型计量设施安装工作，规范取水行为。面上节水工作也在积极推进向县区延伸，金坛、溧阳已经起步，武进区部分节水项目建设已经展开。全年完成省级节水示范项目建设5个，企业水量平衡测试6家，3家企业通过创建省级节水型企业初审。2005年市区完成节水技改项目17项，投入资金1487.3万元，形成年节水能力1528.1万立方米。全市工业用水重复利用率达69.8%，万元GDP取水量达184立方米。不断强化水文管理工作。按照水功能区管理的要求，组织水资源监测中心开展全市河道、湖泊水量、水质的同步监测、地下水动态监测、地面沉降和重点企业排污监测，及时提供全市水环境监测报告、地下水动态监测报告和地面沉降监测报告，适应新时期确保饮用水安全的要求，加大对集中式饮用水水源地的水质监测频次，由原来的每季1次调整为每月1次，及时将监测报告报送省厅、市政府和市区有关部门。

【防汛抗台】 2005年全市汛期降水量较历年偏小，雨日较少，汛期面平均降水量为545毫米，为历年值的81%。在时空分布上呈现“前枯后丰”，旱涝急转等特点。全市6月26日入梅，6月29日出梅。出梅后持续高温，丘陵山区出现较重旱情。8—9月受台风影响3次。其中第9号台风“麦莎”和第15号台风“卡努”影响较大。全市上下认真贯彻“安全第一，常备不懈，以防为主，全力抢险”的工作方针，确保全市度汛安全。全市汛前备汛工作做到超前、扎实、充分。2月份开始的汛前检查共查出各类险工险患150处，其中重点险工22处。对检查查出的问题，按照“分级管理，分级负责，分级负担”的原则，积极采取措施，认真处理。防汛职责更加细化。针对乡镇、街道领导变动较大的情况，在5月10日召开的全市防汛防旱工作会议上进行专门部署，加强督查。各类重点防汛工程均在汛前落实行政责任人和技术责任人。推行市防指成员单位挂钩联系县区制。汇编市、辖市（区）防汛预案，修订完善防洪抢险、防旱调水、防范台风预案，落实施工导流方案和抢险应急预案，确保安全度汛。物资储备充分保障。市、市（县）区和镇三级储备防汛物资草包86.19万只、编织袋179.6万只、木材429.27立方米、铁丝20725公斤、元钉5932公斤、土工布2.8万平方米。其中市级储备三袋75万只，块石1万吨，木材30.25立方米。市防指对市区防汛抢险应急支队进行灌草包、筑子堰、架机泵等实战演习，确保在关键时刻拉得出，打得响。四是行洪清障任务全部完成。在汛前进行防汛预演，试机试水，围堰整治，规范河道范围内建设项目的管理，鬲湖等骨干河道湖泊的围网整治，特别是对高速公路新建、扩建和312国道改建等工程建设堵塞河道，影响防洪安全的行业进行查处，确保行洪畅通。科学调度确保用水安全。防指自5月1日起恢复昼夜值班制度，市防汛办建立定期会商制，及时做好水利工程的调度运行。6月26日出梅前后，出现高温无雨天气，金坛、溧阳丘陵山区旱情持续发展，3万多群众出现饮水困难，5万亩农田因缺水无法按时栽插。面对严峻旱情，市委、市政府领导心系“三农”，先后6次深入一线察看灾情，现场办公。市防指坚持把抗旱作为头等大事来抓，积极督促、指导，联系增加抗旱地区用电负荷，调拨抗旱经费。气象部门抓住有利时机在丘陵山区实施3次人工抗旱增雨作业，确保了山区生产、生活用水安全。

【水利管理】 高度重视水利法制管理。以《水法》《防洪法》《行政许可法》为重点的“四五”普法宣传取得明显成效。顺利通过省厅、市级机关工委组织的“四五”普法考核总结验收。贯彻实施《行政许可法》，起草《常州市长江防洪工程管理办法》报市政府颁布施行。编印《常州市水利局行政审批服务指南》等多个政策文件向社会广泛公示。严格取水许可事项执行情况监管，主动做好建设项目水资源论证报告的评审，在常州国电、312 国道改线等事关常州发展项目的涉水审批上，与上级主管部门提前沟通，提供靠前服务。指导钟楼、天宁两区水利部门，协调城区街道城管科，协商开展水政水资源管理工作，对两区 9 个老城区街道，开采浅表层地下水或取用地表水洗车、餐饮、菜场养鱼等经营性活动的用水单位进行普查登记、发证和日常管理，共核查登记用水企业达 80 余家。切实加大水行政执法管理力度。针对城区在实际执法过程中出现的新情况和新问题，对支队直属大队进行重新整合和调整，组建 4 个区水政监察大队，提高城市水政执法快速反应能力。扎实开展“一江两道三湖专项执法活动”和“饮用水源地保护行动”“打击长江非法采砂行动”，共出动执法巡查人员 1211 次，开展打击长江非法采砂执法活动 10 余次，查处违章建筑和违章占用 11815 平方米，违章圈圩、种植 50 余亩。沟通与协作，妥善处理了丹阳与武进，金坛与宜兴等边界地区水事纠纷。有序推进工程运行管理。建立健全管理各项规章制度，修订完善工程控制运用计划，严格操作规程，确保了水利工程安全运行，无重大事故发生，充分发挥工程效益。长江堤防工程管理处、河道管理处等单位全面实行竞争上岗、全员聘任制。市及辖市区结合各地实际，均出台体制改革实施意见。着力净化市河道社会化保洁管理，对列入市级管理的 17 条河道重新划分标段，完善管理考核机制。新增城郊结合部 12 条河道进入市河保洁范围，添置船只，公示监督电话，接受社会监督。积极开展市河换水释污工作。充分发挥水利工程作用，利用长江高潮位，及时组织沿江各闸抢潮引水，对市区河道进行换水，确保“双创”复查圆满成功和顺利通过省级园林城市验收。

【《常州市长江防洪工程管理办法》颁布施行】 7 月 13 日正式颁布。该管理办法是根据《中华人民共和国防洪法》、《江苏省水利工程管理条例》和《江苏省长江防洪工程管理办法》（以下简称《办法》）的规定，结合本市实际组织起草的。《办法》对行政区划调整后，长江防洪工程的管理体制、管理范围和职责进行进一步明确，重点规范了企事业单位在开发利用长江岸线资源的过程中自建的长江防洪工程如何建设与管理的问题以及长江防洪工程管理范围内的建设项目审批程序、条件、规定了长江防洪工程的管理和保护范围、管理权限。《办法》的出台，为合理开发利用长江岸线资源，加强江堤、港堤、洲堤，55 座沿江大中小型涵闸站和枢纽工程的管理，确保长江防洪工程体系的完好与安全，提供了具体的依据。

【开展城市防洪规划报告修订工作】 根据大运河南移、区域水环境要求和流域二轮治理规划的实际情况，委托水利部上海勘测设计研究院，开展了常州城市防洪规划补充报告的修订工作。依据新城市布局，修订的常州城市防洪体系将以南移后的大运河常州城区段为界，分为两个片区，实行南北分治，其中运河以北为运北片和潞横革新片；运河以南分为湖塘片和采菱东南片。中心城区在内的运北片是这次规划修订的重点，修订将综合考虑防洪、排涝、水质、生态环境、景观等方面的要求，将片区内河道分为三级内河，实行三级水位控制。通过大片区、小片区、低洼区三级控制工程和河网调蓄，进行工程的布局和控制水位的选择，在保证城市防洪安全的基础上，使整个防洪布局更加合理，为实现“以人为本，人水和谐的城市治水目标奠定良好的基础。”

【开展沿江化工区和澡港河沿线企业废污水排放调查】 为强化饮用水源地保护，市水利局会同新北区水行政主管部门对新北区春江镇范围内，沿江化工区以及澡港河沿线(百丈以北)的工业企业用水和废污水排放状况(包括对化工区内即将投产、扩大生产规模和近期将要搬迁进入化工区的企业的用水量和废污水排放量)进行了调查和预测，调查各类企业88家，通过调查及对相关单位用水量、废污水排放量、江边污水处理厂处理能力等情况综合分析比较，摸清了沿江化工区以及靠近化工区的澡港河沿线的工业企业用水和废污水排放现状。在此基础上，提出了废污水接管进网，拆迁入区、关停并转，升级改选污水处理设施削减排污量等对策建议，完成《沿江化工区及澡港河沿线工业污染的调查报告》。

【周密部署减轻“麦莎”、“卡努”台风危害】 积极组织抗御台风“麦莎”、“泰利”、“卡努”。8、9月份受台风影响3次。其中第9号台风“麦莎”和第15号台风“卡努”影响较大。根据气象预报，及时掌握台风动向和汛情，全面落实各项防台措施，市领导靠前指挥协调，各方迅速行动，通力合作，抗台工作有惊无险。在台风来临前，要求各级防指及早做好准备工作，随时启动防范台风预案，加强对工程防守，特别是对重点工程和薄弱环节，增补抢险物料，落实防风浪措施，落实抢险队伍。台风过境前，沿江堤通江涵闸全数关闸挡潮，翻水泵站做好开机准备。台风过境期间，针对局部地区受灾，防指调度沿江口门加大排水力度，各闸积极抢排涝水。对个别受淹严重的城区地区，及时调拨抗排机械，支援基层防汛抢险。并专门派出工作组，赴溧阳、武进、新北检查指导防台工作，协助防灾救灾。台风过境期间，依托市、区两级电台、电视台在媒体上滚动播放台风即时情况，宣传普及汛情信息和防台救灾知识。第15号台风“卡努”影响期间，认真落实梁保华省长和省电视电话会议精神，市领导亲临现场指挥，对滞留在我市沿江、鬲湖、长荡湖居民和渔民实施紧急转移安置，4小时内转移船民6000余人，社会反响良好。台风过境期间，由于处置得力，全市积水区域、受淹人口、造成的损失，均有明显减少。

【开展“一江两道三湖专项执法活动”和“饮用水源地保护行动”】 4月下旬开始在全市范围内相继开展了以整治重点河湖水事活动秩序为目标的“一江两道三湖专项执法活动”及以保护饮用水源安全为出发点的“饮用水源地保护行动”。“一江两道三湖专项执法活动”，主要涉及长江和太湖、鬲湖、长荡湖，“饮用水源地保护行动”主要涉及长江魏村取水口和武进、金坛、溧阳城区及乡镇的中小型饮用水源地。在为期4个月的专项执法活动中，水行政主管部门共出动执法人员近百余次，核查沿江、沿湖及各饮用水源地内违法占用及乱布乱设排污口、堆放污染源50处，集中执法10次，有效规范了河湖水事秩序。

【圆满完成常武地区地下水封井禁采目标】 2001年以来，全市上下坚决执行省人大常委会《关于在苏锡常地区限期禁止开采地下水的决定》，突出行政推动，克服不利因素，采取有效措施，大力推进地下水封井禁采工作，至2005年底，常武地区填封在册深井933眼(其中市区503眼，武进区430眼)。不在册深井160眼(市区24眼;武进区136眼)，全面完成了省政府下达的五年封井禁采任务。地下水封井禁采工作取得显著成效，地下水水位逐年回升，区域地质环境得到明显改善，城乡供水能力明显增强，水资源得到优化配置。常武地区深层地下水开采量已由2000年的6744万立方米压缩到2005年的303万立方米，超采区地下水漏斗区面积从2000年的644平方公里缩减为300平方公里。据监测，2005年常州市区含水层平均水位比禁采前平均回升9.22米，地面沉降比禁采前的年平均下降120毫米减少到目前的3.7毫米。5年时间，全市累计投入节水技改资金5336.5万元，实施节水技改项目80个，形成节水能力8711.6万立方米。用于供水工程和管网建设的资金18亿元，建成供水能力达30万立方米常武供水一期工程，铺设供水主管网340多公里、镇域管网1040公里。使城乡居民在较短的时间内喝上了放心水、优质水。

【常州制药厂等3家企业成功创建江苏省省级节水型企业】 年内，常州制药厂有限公司、宝钢集团常州冶金机械厂、常州变压器厂等3家企业的创建省级节水型企业工作先后通过省、市水行政主管部门和经贸主管部门的考核验收和审批，被省水利厅、省经贸委授予"江苏省节水型企业"称号。3家企业为我市医药、冶金行业主要用水大户，年用水量均在30万立方米以上，企业一贯重视用水、节水管理，目前，3家企业用水车间冷却水和工艺水均采用循环利用和串联利用等节水工艺，实现了优水优用、一水多用，企业用水重复利用率均96%以上，间接冷却水循环率已达99.3%，工艺水回用率达92.9%，在行内属领先水平。

【横塘河北枢纽工程获全省水利建设文明工地称号】 横塘河北枢纽工程是城市防洪横塘片区及武澄锡低片治理的一项重要控制工程。工程于2005年3月15日正式开工以来，枢纽建设处针对工程建设管理需要，积极落实以项目法人制为核心的"四制"，多方面采取措施，强化管理，狠抓工程质量，加快工程进度，确保安全生产，积极创建文明建设工地，在全面完成年度建设任务的同时，顺利通过省水利厅组织的考核验收，被表彰为全省水利建设文明工地。

【编制完成2007－2010年县乡河道疏浚规划】 根据省水利厅《关于做好2007－2010年县乡河道疏浚规划工作的通知》精神和《江苏省2007－2010年县乡河道整治规划编制提纲》要求，经辖市区水利部门共同努力，历时4个月，全面完成了《常州市2007－2010年县乡河道疏浚规划》。按照规划，我市在2007－2010年将疏浚县、乡级河道431条，总长度1630.3公里，总土方2836.8万方，总投资约29201.2万元。其中县级河道41条，长363.7公里，土方760.6万方；乡级河道390条，长1266.6公里，土方2076.3方。2010年，争取将淤积严重的县乡河道全面疏浚，使城乡河道水环境得到显著改善，从而优化常州的人居环境，为常州建设生态城市提供支撑和保障。

（张井勇　张萍霞）

苏州市

2005年，苏州市水利水务工作改革成果进一步深化，发展步伐进一步加快，水利水务建设顺利推进，防汛抗旱防台取得胜利，供排水能力得到显著提高，依法治水工作全面加强，水资源管理工作不断强化，工程管理水平继续提高，科教兴水取得成效，精神文明建设喜结硕果，各项工作进步显著，有力地保障和促进了苏州市国民经济及社会事业的持续稳定发展。全年共投入水利水务建设资金12.1亿元，其中水利投入5.1亿元，水务投资7亿元。

【涉水规划】 2005年，苏州市水利水务部门按照"防洪是前提、水环境是重点、水务是特色"的总体思路，坚持"统筹兼顾、标本兼治、综合治理"的原则，完成了《苏州市水利(水务)"十一五"规划纲要》；《苏州市河网水系总体规划》已经通过了省水利厅主持的技术审查，专家评价该规划指导思想正确，规划理念新颖，研究范围合适，基础资料详实，内容全面，重点突出；《东太湖退田(渔)还湖规划》的前期工作抓紧进行；《苏州市水资源综合规划》编制工作完成初稿；针对我市防洪方面存在的流域性防洪标准不高，区域行洪出路不足，城市防洪能力薄弱，特别是中心城区防洪标准偏低等问题，《阳澄淀泖地区防洪规划》已开展修编前期工作;《苏州市湖泊保护规划》做好基础调查、监测等前期工作;《苏州市城市防洪规划》修编工作已经启动。太仓市完成了《太仓市水资源综合规划报告》和《太仓圩区治理规划》并通过审查,常熟市完成了《常熟市水资源综合规划报告》并通过审查。

【水利科技】 2005 年苏州市水利水务部门根据全国和省水利科技工作会议提出科研的重点,努力开展了水资源节约保护、水环境保护与水生态修复技术、防洪工程建设技术、水利信息化技术等方面的研究开发。2005 年全市正在实施的科技项目共 21 项,其中新批准立项的 8 项。当年承担的科技项目中共完成 9 项,其中已通过鉴定的 6 项,提交试验研究报告的 2 项,计划验收的 1 项。其中,苏州市水利局承担参加的水环境保护治理的《城镇河道生态混凝土的开发及应用》、《减轻农业面源污染的水稻非充分水肥耦合技术研究》两项省科技重点项目于 2005 年 6 月通过了省科技厅组织的科技成果鉴定。常熟市水利局紧密结合沿江重点工程的建设研究高性能建材技术,经过两年多努力先后完成了《水工建筑物掺聚丙烯纤维混凝土技术的试验与应用研究》和《常熟市浅层地下水开采工艺及开发利用研究》两项省水利重点科技项目。张家港市水资源管理处为加强饮用水水源的安全监督管理,也开展了创新研究和实践,成功研究开发了由水源地水质自动监测预警、移动应急监测、实验室固定监测和突发事件应急对策预案四部分组成的饮用水源地水质立体化监测保障系统。苏州市河道处完成的《关于苏州城市河道的历史沿革及维护管理研究》软课题也顺利通过了市科协组织的专家评审验收。经省水利科技评审委员会评定,《蜂巢格网防护工程技术研究》、《苏州市城市规划区浅层地下水开发利用研究》和《变频恒压农田供水系统研究与应用》三个项目获得了 2005 年度江苏省水利科技优秀成果三等奖,《蜂巢格网防护工程技术研究》和《吴江市地下水水位水量自动监测管理信息系统》分别获得苏州市科技进步二等奖和三等奖。

加快成果转化,抓紧示范推广。在生态工程技术方面,大力推广生态混凝土技术、蜂巢格网防护技术,吴江市水利局在经济开发区庞山中心河西端泵站引水河道、三船路南京邮电学院吴江职业技术学院南侧段、太浦河蚂蚁漾段应用建设了 3200 多米生态护坡示范工程,目前护坡上的高羊茅草生长情况良好,达到了既建好稳固的河岸防护工程,又利于水生态的保持或修复的成效。昆山市千灯、张浦的现代农业园也新建了 600 米的蜂巢格网生态护坡;在新型防汛抢险材料和建设材料方面,张家港市水利局根据现有防汛抢险用编织袋存在的缺陷,研究将水工建筑新材料土工布增加强度,制作装土袋,替代强度差、损耗大的草包或易滑动的编织袋,提高防汛抢险工程的安全可靠性,2005 年共生产储存了防汛专用土工布袋 30 万只,常熟市水利局在沿江水闸建设中试验应用掺纤维防裂混凝土等高性能混凝土,有效提高了工程质量;在节水灌溉技术方面,常熟、太仓等地继续在蔬菜花卉、经济作物种植区积极推广变频恒压供水技术、喷灌和微喷技术,在水稻生产中推广非充分灌溉技术,促进了节水灌溉示范区建设;在泵站电机控制新技术、新装备方面,吴江、相城等地继续推广应用电动机软起动软停车技术,在 7 座泵站安装了 JQZ 型软起动器 22 台套。

【防汛防旱防台】 2005 年汛期苏州市总降雨量比常年偏少,水情正常。降水时程分布不均,降水时间主要集中在 8—9 月份,梅雨期特别短,梅雨量特少;先后四次受台风影响、两次受台风正面袭击,其中 9 号台风"麦莎"是 1997 年以来影响苏州市最为严重的一个台风,造成了一定的灾情和人员伤亡;全汛气温异常偏高,晴热天气持续时间长。苏州市防汛防旱指挥部(以下简称市防指)在市委、市政府的正确领导下，依靠各级、各部门和广大干部群众的共同努力，密切配合，协同作战，周密部署，科学调度，战胜了台风和持续高温少雨等灾害，为保障苏州市经济发展和社会稳定做出了新的贡献。

【防汛准备】 为做好2005年的防汛防旱工作，市防指在2月17日就向全市发出了《关于做好2005年防汛防旱准备和开展汛前大检查的通知》，部署各地及早开展汛前检查，切实做好安全度汛的各项准备。到3月中旬末，各地汛前检查基本完成。3月下旬，市防指检查组用3天时间对苏州城区平江、金阊、沧浪三个区的防汛准备工作情况和重点工程、险工险段进行了详细的检查；4月5日至6日，市防指又派出8个检查组到5个县级市和吴中、相城、工业园区和高新区，对流域性河湖堤防及在建工程可能影响安全度汛的重点险工隐患进行逐一排查，并与有关市、区研究落实了处理方案和安全度汛措施。4月30日，市政府召开全市防汛防旱工作会议，会议对全省防汛防旱工作会议的精神进行了贯彻落实，对苏州市的防汛防旱工作做了全面部署。会上，江浩副市长代表市政府与各市、区签订了防汛工作责任状。5月中旬，王荣书记、阎立市长、徐建明副书记、江浩副市长等市领导查看了张家港、常熟、太仓、吴江等地的重点水利工程和部分险工地段，并对防汛防旱工作提出了要做到"组织落实、人员到位，防范在先、责任到位，制定预案、措施到位，查明隐患、整改到位"的要求。

【防汛组织】 严格按照省与市签订的防汛责任状的要求，苏州市积极开展各项工作。各地全面落实了以行政首长负责制为中心的各项防汛责任制，各级政府根据人员变动情况及时对防汛防旱指挥部成员进行了调整和充实，层层签订了防汛工作责任状。重点堤防、涵闸等水利工程都落实了防汛责任人。全市共组建群众性防汛抢险队1973个、共42129人。其中，民兵抢险队1076个22929人，河道管理单位抢险队175个2836人，机关抢险队114个3189人，城镇街道抢险队181个3797人，其他专业抢险队427个9378人。积极做好防汛物资储备工作，共储备草包180.89万只、编织袋88.93万只、木材471.3立方米、毛竹3万枝、树棍6665枝、元钉4.77吨、铁丝14.3吨、柴油3438吨、块石1万吨、土工布5万平方米。其中，省政府明确要求苏州市市级储备的草包25万只、木材70立方米、土工布5万平方米、块石1万吨也全部落实到位。

【防汛清障】 由于近年来水法规宣传力度和清障力度不断加强，同时加强了巡查力度，确保了引排水畅通。2005年全市共清除笼梢网、网簖、地笼等523处、乱垦乱种10700平方米、乱堆物料88处、违章建筑268平方米、拆除筑坝72条。昆山4月份专门对行洪河道的束、堵、填、围等行为进行了执法和清障；常熟清障工作准备早、宣传广、责任明、组织好、标准高；太仓对长江堤防管理范围内的违章设施进行了复查，杜绝了违章建设回潮；张家港做到了清障工作常抓不懈，基本杜绝了河道设障行为；高新区对40余条各类"三无"船只占住河道行为进行了联合执法清障。与此同时，苏州市各地进一步加大了河道疏浚清淤的力度，共新开、疏浚各级河道2269条，并继续积极开展河道"双清"活动，常年进行清淤保洁，一方面增强了河网的调蓄、行洪和引水能力，另一方面又改善了水环境。

【水情雨情】 2005年汛期5—9月全市降水量比常年偏少，也比2004年汛期偏少，面平均降水量为575.7毫米（根据17个报汛雨量站统计，以下同），较多年平均值662.3毫米（1951—2003年统计值）偏少13.1%。汛期降水时空分布不均，梅雨量特少。5月份86.2毫米，与常年同比偏少16.0%；6月份46.7毫米，与常年同比偏少73.6%；7月份131.3毫米，与常年同比偏少11.4%；8月份207.8毫米，与常年同比偏多60.2%；9月份103.7毫米，与常年同比偏少1.1%。5—9月全汛降雨量575.7毫米，比常年偏少13.1%。从全汛降水总量来看，2005年汛期基本上属于略偏枯年份。进入汛期后，为了科学调控河湖水位，市防指针对各阶段不同的水情实况和天气趋势，进行合理的水情实时调度。5－9月共调度沿江各闸向长江排出水量11.5亿立方米，引水11.7亿立方米，为工农业生产和生活提供了可靠的水资源保障。

【梅雨】 2005年苏州市6月25日入梅，比常年推迟9天；6月29日出梅，比常年提前9天；梅长5天，比常年的24天明显偏短。梅雨期的主要特点：入梅特别迟，出梅明显提前，梅雨期特短；梅雨带未在苏州市上空经过或停留，6月27日、28日两天出现的都是热雷雨，而不是梅雨锋雨带降水；梅雨期降水量特少，且降水分布不均。梅雨期内除25日浏河闸有2毫米降水、29日有6个站分别降水1－26毫米外，主要降水都集中在27日和28日两天午后，全市平均雨量仅32.6毫米，比常年偏少84.8%，为建国以来仅次于1978年的枯梅。同时，今年梅雨期的降水分布极不均匀，降水量最多的太仓七浦闸90毫米，降水量最少的昆山仅12毫米，苏州市区为14毫米。

【台风】 2005年汛期苏州市先后受到了“海棠”、“麦莎”、“泰利”和“卡努”等四个热带气旋活动的影响，热带气旋影响较常年偏多，其中“麦莎”和“卡努”先后正面袭击苏州市，给苏州市带来了一定的损失和灾情。据统计，全市共有3461户住宅、198家企业、72个仓库一度进水、268条(处)道路积水；5944间房屋、4335间棚舍和18733米围墙倒塌、9896间房屋损坏；15156公顷农田短时受淹、15193公顷农作物受灾、8575公顷农作物成灾、2354公顷农作物绝收，6160公顷林果苗木和3414公顷水产养殖受损；狂风暴雨还造成全市505杆输电线杆损坏、654条次供电线路中断，并倒折通讯线杆159杆、损坏通讯线路126.4公里、中断光缆2根、中断配线电缆4根、损坏小灵通基站5处，沉船264条；共有303公里堤防、57.3公里护岸、13座水闸和12座泵站受到不同程度损坏。全市直接经济损失8.16亿元，因灾死亡3人、受伤11人，受灾人口116.2万人。

【雷暴】 2005年汛期，苏州市发生局地雷阵雨和雷雨大风等强对流天气较多，共出现雷雨大风12次，其中4次伴有冰雹，出现龙卷1次。其中较剧烈的过程有：6月2日张家港出现雷雨大风，最大风速达32.1米/秒(11级)，局地出现直径6毫米的冰雹；6月22日，吴江出现局地强对流引起的小型龙卷，造成32户居民、3家企业受灾，有12人受伤，其中3人重伤；6月28日，苏州、吴江、常熟出现9—10级雷雨大风，吴江最大风速达27米/秒(10级)，苏州、昆山还分别出现了鸽蛋、黄豆大小的冰雹；7月30日，张家港和太仓出现冰雹，其中太仓冰雹直径达1.5厘米；8月17日，出现区域性雷雨过程，各地普遍出现雷雨和7级大风，其中东山出现局地暴雨，吴江出现局地冰雹，直径约2厘米。

【长江汛情和潮位】 2005年汛期长江干流总体水情偏枯，苏州市上游来水量明显偏少，其中5、7、8月份大通来水量偏少，6、9月份来水量略多；汛期大通站最大流量为59200立方米/秒(9月8日9时18分)，比历年汛期最大流量平均值(59910立方米/秒)略偏小；受“麦莎”台风增水的影响，8月初长江口河段遭遇风暴潮，各地出现超警戒水位的高潮位。5月份长江大通来水量785亿立方米，比2004年同期来水(801亿立方米)偏少2%，比多年平均同期(907亿立方米)偏少13.5%，最大流量为42200立方米/秒。6月份大通来水量1205亿立方米，分别比2004年同期(925亿立方米)、多年平均同期来水量(1091亿立方米)偏多30.3%、10.4%，最大流量为49700立方米/秒。7月份大通来水量1071亿立方米，比2004年同期(1130亿立方米)偏少5.2%，比多年平均同期来水量(1356亿立方米)偏少21.0%，最大流量为45800立方米/秒。8月份大通来水量1093亿立方米，比2004年同期(1130亿立方米)偏少3.3%，比多年平均同期来水量(1360亿立方米)偏少19.6%，最大流量为51400立方米/秒。9月份大通来水量1260亿立方米，比2004年同期来水(990亿立方米)偏多27.3%，比多年平均同期来水量(1108亿立方米)偏多13.7%，最大流量为59200立方米/秒。2005年长江口河段的最高潮位出现在8月7日“麦莎”台风及农历七月初三天文大潮共同影响期间。7日凌晨，江阴肖山站最高潮位6.67米、浒浦闸站下游最高潮位6.10米、徐六泾站最高潮位5.95米、白茆站最高潮位5.72米、杨林站最高潮位5.88米、吴淞口站最高潮位5.03米，分别超过警戒潮位0.28—1.17米。

【水情调度】 在汛期的各个阶段，苏州市防汛防旱指挥部始终高度重视水情调度工作，针对各阶段的天气状况和实时水情，进行合理调度。5—9月共调度沿江各闸向长江排出水量11.50亿立方米，引水11.76亿立方米，引水总量和排水总量基本相当。引水主要集中在降雨偏少的5—7月份，而8、9月苏州市连遭台风袭击降雨偏多，则以排水为主。所以，尽管2005年汛期气温明显偏高、梅雨特少，总降雨量也偏少，但全市各地河湖水位始终保持在比较正常的范围内，既确保了防洪安全，又提供了有效的水资源保障和较好的水环境。

【引江济太】 2005年，“引江济太”调水通过常熟水利枢纽累计引水量9.54亿立方米，入太湖的水量1.98亿立方米。引江济太调水试验工程自2002年启动以来，三年来共通过望虞河引进长江水超过65亿立方米，其中入太湖超过30亿立方米，增加了流域水资源的有效供给，促进了河网水体的流动，改善了太湖水体水质和河网水环境和水生态系统。同时，通过太湖东岸口门的常年开启，保障了下游地区的供水安全，取得了很好的社会效益、经济效益和生态效益。

【水利工程建设与管理】 2005年苏州市共完成水利建设投资5.1亿元，各地严格按照基本建设程序上报工程建设项目并组织实施。在工程建设过程中，严格执行项目法人制、招标投标制、建设监理制和合同管理制，确保工程质量。水利工程建设全部按照计划完成，农村水利建设任务超计划实施。

【水利基本建设】 2005年苏州市水利基本建设工程共24项，货币工作量为51377万元。完成了老海坝节点抛石护岸、太仓浏河南港堤护岸、马桥护坎、填塘固基、娄江防洪挡墙、吴江市太湖大堤防汛公路、常浒河城区段整治工程、太仓城区水环境综合整治、吴江骨干河道整治、三里塘河道工程、苏东运河整治、九里圩整治以及相城区城市防洪等14项工程。张家港朝东圩港枢纽工程、永旺至陶氏江堤重建工程、常熟江堤达标续建和太仓荡茜河工程等跨年度工程抓紧实施。全年累计完成江堤重建800米、抛石护岸800米、填塘固基18.3公里、江堤护岸护坎1.23公里、新建节制闸7座、太湖堤顶防汛公路13公里。

【农村水利建设】 2005年，苏州市开展以防洪保安和水环境整治为重点的农村水利建设，精心组织、周密部署、加大投入，全面完成了各项任务。全市完成总土方2764万方，是计划的121%，其中加高加固圩堤191公里，疏浚各级河道2593条、1791公里，结合水系调整新开河道42条、43公里、267万方，拆坝建桥建涵70座；新建改造、维修三闸235座，完成排灌站182座、274个流量，新建护岸179公里。常熟、太仓、吴江、吴中等地的国家级节水灌溉示范工程相继开工建成，河道保洁长效管理工作得到加强，农村河道环境面貌得到改观。

【农村河道长效管理】 全市各地制定了农村河道长效管理办法和考核办法,加强河道管理宣传工作,建立了各级河道长效管理机构752个,河道管理人员8239人,形成了市、县、镇、村四级管理网络。按照市级奖励、县级补助、镇级配套、村级补充的办法,2005年度投入河道长效管理资金近5000万元。同时加强河道管理考核工作,做到县级每半年考核一次、镇级每季度考核一次、村级每月考核一次,河道环境面貌发生了根本性变化,呈现天蓝、水清、地绿的新景象。

【工程管理体制改革】 2005年按照省厅的工作目标要求和苏州市体改工作的总体步骤,苏州市水利水务部门要求各地按照"管养分离"和"管办分理"的方针,坚持"该建则建、该撤则撤"的原则,采取"政府财政购买公共服务"的思路,进一步调整或建立健全水利工程管理的管理机构,重新确定单位性质和职能,并进一步明确分阶段目标任务。市属管理单位苏州胥口水利枢纽管理处、苏州市西塘河工程管理所、苏州市河道处,以及常熟市望虞河管理所、张家港市河道管理处、张家港市长江防洪工程管理处、张家港市长江治理工程管理处、吴江市河道处、太浦河工程管理所、吴江市堤闸管理所、瓜泾口枢纽工程管理处、高新区堤闸管理所、太仓市堤闸管理处、太仓市长江防洪工程管理处、太仓市河道处等单位的分类定性已获政府批准;昆山、吴中等市的水管单位的分类定性亦已与体改办达成一致意见;昆山市按照"体制理顺、合理归并"的思路,计划按行政管理和公益事业两类性质,调整和理顺管理体制,分别负责淀山湖防洪工程和辖区镇级以上河道的管理机构。全市水管体制改革工作市属单位和常熟、张家港的改革方案已经落实报批,全员聘用、竞争上岗工作也已经完成。

【水利工程管理】 一是加强水利工程管理规范化建设。树典型,常熟市长江河道管理处通过了水利部组织的"国家一级水利工程管理单位"验收,为全市水利工程管理树立了榜样;抓促进,胥口水利枢纽工程管理处和张家港长江防洪工程管理处通过了国家二级验收;抓督查,通过相互间的检查、考核评比,使全市水利工程管理单位的管理水平都有了显著的提高。二是大力搞好水利工程管理组织网络化建设。昆山市水利局在各镇水利站设立了河道工程管理员岗位,负责全镇范围内的河道、堤防、涵闸工程的管理工作,为全市的河道工程管理提供了宝贵的经验。其他市、区工程技术人员的工作重点,也由以往的工程建设为重点转移到工程建设与工程(河道)管理并重上来,并逐步向以工程(河道)管理为主要的目标的管理上来,为今后的水利工程管理和河道(湖泊、湖荡)的管理创造了良好的组织保证。三是积极推进水利工程管理现代化建设。充分运用苏州水利门户网站——"苏州水网"和苏州市水利局办公自动化系统,加大水利水务宣传力度,不断提高工作效率。2005年,苏州市大中型水闸实现了管理信息自动采集与传输,胥口水利枢纽管理处完成了现代化的升级改造工作,通过先进技术的引进和推广,系统运行管理和维护的加强,加快水利工程数据库和管理信息化建设,提高了工程管理手段。全市的长江堤防、太湖堤防、太浦河、望虞河、淀山湖工程、城市防洪工程、西塘河引水工程等管理单位都着手编制完成了现代化管理设施发展规划,争取在"十一五"初组织实施,并在苏州市实施联网统一调度和指挥,确保资源共享,逐步建立起具有现代工程标准、现代监控手段、现代管理体制、现代管理队伍的工程管理体系。

【城市水务工程建设与管理】 2005年,苏州市水务部门紧紧围绕市委、市政府做出的决策部署,继续以保障现代化建设事业,促进经济发展为目标,不断加大城市水务工程建设力度,加快城市防洪工程建设步伐,加强水资源保护和水污染防治，不断改善城市水环境。全年共完成水务工程投资7亿元。

【城区防洪工程】 苏州市城市中心防洪工程西、南面以新京杭大运河为界，北以沪宁高速公路为界，东至苏嘉杭高速公路形成一个大包围，面积约84平方公里。设计防洪标准为200年一遇、排涝标准为20年一遇。工程主要有十大枢纽、十二座小型水闸、十四座老闸改造等工程组成，计划投资6.67亿元。2005年度计划完成青龙桥枢纽工程，元和塘、澹台湖枢纽、仙人大港、胥江枢纽、东风新枢纽、大龙港等6座枢纽及部分小型闸改造工程开工。截至年底，青龙桥枢纽完工，元和塘、东风枢纽、澹台湖、仙人大港枢纽、大龙港枢纽、南庄泵站等6座枢纽泵站相继开工。其中，元和塘枢纽完成闸底板混凝土浇筑、部分翼墙砌筑及闸室墙砌筑；东风枢纽、澹台湖、仙人大港枢纽、大龙港枢纽等完成工程围埝、零时工程等工程，共计完成投资15208万元。

【市区水环境综合治理工程】 为解决市区水环境水质问题，苏州市于1995年提出了市区水环境综合治理的初步方案，确定了“苏州市水环境综合治理工程项目”。(1) 污水管网工程。工程的主要目的是提高截污、收集及输送能力，对已建管网进行配套完善，对部分容量不足的泵站实施增容改建，总投资3.23亿元。计划新建污水管道108.05公里；新建污水中途提升泵站12座，改(扩)建8座；改造19个新村小区的排水管网，铺设D300以下污水管106.64公里。截至2005年底，共计完成投资3.1亿元，敷设污水主管道91公里，新建辛庄、福星、城南、玻纤路、东大街、金石街等污水泵站9座，改造乐桥、悬桥、平直、相门、南环东、外河桥、城东等污水泵站9座，改造朱家庄、苏安新村、永林新村、杨枝塘、里河新村、木杏、钟楼、竹辉等老新村污水管道19个。(2) 污水处理工程。计划新建福星、娄江污水处理厂，规模分别是8万立方米/日和6万立方米/日，总计投资2.94亿元。两座污水处理厂分别于2002年底和2003年初建成投运。(3) 引水工程。工程目标是从太湖金墅港引水至古城河网，以稀释冲散城区河内污水。新建35万立方米/日引水泵站1座，建设增压泵站1座，铺设输水管道29.56公里(其中DN1800管道26.6公里，DN1000管道2.96公里)。工程投资2.97亿元。截至2005年底，项目共计敷设引水管线28公里，引水头部完成设备安装进入调试整改阶段，增压泵站经论证后缓建，完成投资2.8亿元。

【世行贷款太湖流域城市环境项目苏州子项目】 太湖流域城市水环境利用世行贷款项目，苏州市子项目共4个部分组成，除吴中区项目外，市区项目有挡污工程、河道清淤和福星、娄江污水处理厂扩建工程等。(1) 污水入侵控制工程。该项目是在胥江、上塘河于运河交汇处设水闸，以控制内外河水流，达到控制水流，改善环境，提高防洪排涝能力的目的。项目总投资13508.87万元。胥江枢纽工程包括南支和北支。南支设3孔节制闸，净宽30米，闸长110米；北支设单孔净宽15米节制闸和净宽12米船闸，闸长100米。工程投资估算为7564.39万元。上塘河闸，闸址位于来枫桥于江枫桥之间，设等外级船闸1座，闸宽34米，闸长100米。工程投资估算为5939.48万元。项目共分4个采购包，截至2005年底，项目前期准备工作基本完成，2006年上半年将开展采购招标和工程施工建设，项目计划于2007年完成。(2) 河道清淤工程。本次清淤任务是对环城河以外的淤积河道进行清淤。工程计划清淤河道65.7公里，清淤土方128.7万方，投资估算为6127.11万元。项目共分6个采购包，其中1、2包已完成招标采购工作，3、4包的采购前期准备工作已完成，计划2006年上半年实施，其余2个包将在2007年实施完成。(3) 福星、娄江污水处理厂扩建工程。由于福星和娄江污水处理厂实际处理量均已达到一期设计的能力，雨季更是超越了设计能力，随着污水支管到户工程的实施，污水管网将进一步完善，污水接纳率的大幅提高，污水量将迅速增长，为保证城区水环境安全，加快福星、娄江污水厂二期建设显得十分紧迫。福星污水处理厂扩建，设计规模为10万立方米/日，娄江厂为8万立方米/日，工程投资额为23048万元。项目为国际采购招标，2005年底已完成资格预审工作、招标文件编制工作，并已报省项目办转世行审批。

【中心城区河道整治工程】 为全力打造苏州“水天堂”的形象，苏州市自2003年起，计划分三年实施中心城区河道整治保洁工程，打通断头浜8段3697米、拓宽束水段6段582米、恢复中张家巷河1000米等工程。2005年底苏州市完成束水段拓宽工程（城河钱万里桥东285米、临顿河跨塘桥北80米）和断头浜打通工程（青龙河450米）各1段，鸭脚浜东段河道整治（427米）、仙人大港桥重建工程。完成鸭脚浜西段打通工程招标工作、卧金浜打通工程的拆迁许可证申领工作，与上海铁路局签订了青龙河穿沪宁铁路箱形桥代建协议，年底已经开工，年度完成投资4389万元。同时，沧浪、金阊新城区中的西郭桥河、红菱浜、齐白桥河、青龙河、友谊河、城湾河、小觅渡桥河、新郭河等也都进行了清淤整治，整治河道长度10公里左右，清淤土方约19万立方米。河道整治的同时，城区保洁工作也在有条不紊的展开，苏州市的保洁标段从2004年的19个90公里增加到了2005年底的23个，总长达106.8公里，管理范围东到苏嘉杭高速公路，北至沪宁高速公路，西、南至大运河。

【老城区供水管网改造工程】 为改善老城区供水质量，提高供水服务水平，保证供水压力。自2003年起，苏州市计划用3年时间，对老城区建成年代久、材质差、老化易爆管、漏损严重的供水管道进行更新改造，总投资1.76亿元。2005年完成申庄路、虎丘西路等13条道路供水管道的改造工作，由巷、腊梅里等16条道路供水管道的招标工作，包括学士街在内的其余11条道路的管道工程因为需要配合道路实施而暂时不能施工。截至2005年底，累计完成供水管道改造43公里，完成投资6000万元。

【老新村管网改造配套项目】 2005年起，苏州市开始实施老新村改造，为改善老新村居民居住环境，保证自来水、污水管网正常运行，结合老住宅改造一并配套实施供水、排水管网改造。年度计划完成三元一村、东环、里河一村等三个试点新村的配套管线改造，工程进展顺利，2005年底，三个新村均已完成年度管线改造任务，完成投资520万元。

【市区污水支管到户工程】 为了进一步完善苏州城市污水管网收集系统，提高污水截流处理率，削减河道污染总量，改善城市水环境，苏州市自2002年起，对具备条件的道路、街巷、小区等实行污水管网支管到户，进一步完善新村、街坊、学校、医院等地区和单位的配套支管，解决只有污水干管没有污水支管的问题，将污水截流送入污水管网。共需敷设各类管径的管道384公里，建设穿河建筑物37座。截至2005年底，累计敷设468公里排水管道，其中，污水管道350公里，雨水管道118公里。目前整个工程进展顺利，污水收集成效明显，随着污水管网普及率的提高，苏州市的日污水处理能力从2002年的5.75万吨/日，提高至目前的19.25万吨/日，污水年处理总量从2002年的2114.46万吨提高到2005年的7220.04万吨，城区生活污水处理率也从2002年的30%提高到65%。

【苏州市相城水厂建设工程】 为解决以相城区为主的苏州市区北部区域及古城区周边新开发地区的供水问题，提高居民生活质量，保证安全供水，苏州市决定在相城区新建水厂一座。苏州市相城水厂设计总规模为70万立方米/日，一期工程建设规模为30万立方米/日。水源地为太湖,取水口位于高新区金墅(白洋湾取水口北侧),厂址选择按照靠近供水量发展中心或水源地的原则,选择在相城区苏虞张一级公路与黄埭塘交叉点的西南侧,按照总规模征地约362亩。工程总投资估算为92840.51万元。2005年计划完成征地拆迁等前期工作,水厂土建开工,实施部分管线铺设,工程投资2.5亿元(后调整为1.8亿元)。截至年底,厂区厂地平整已完成;征迁工作基本完成;苏虞张、太阳路等7条主要道路的规划管线已经确定;浑水管白洋湾水厂互通和穿越沪宁高速的部分清、浑水管道已经完成,沿苏虞张公路厂前区段和227省道等清、浑水管工程基本完成;湘太路、环湖南路等清水管工程正在施工。实际完成管道敷设30公里,土方回填45万方。累计完成货币工作量19200万元。

【水政与水资源管理】 2005年,全市水利部门认真组织宣传水法规,坚持开展巡查工作,严肃查处各类水事违法案件,积极开展水行政执法网络建设,搞好立法前期工作,逐步完善水法规体系,强化水资源管理,加强节约用水工作,加大水质监测力度,取得了新的成绩。

【政策法规】《苏州市蓝线管理办法》已于2005年11月7日以苏州市人民政府苏府[2005]121号文颁布,于2005年12月1日起执行;《苏州市节约用水管理办法》初稿基本完成。苏州市水利系统还出台了规范性文件33项。同时认真抓好《苏州市排水管理条例》、《苏州市河道管理条例》的贯彻实施工作。全面学习贯彻《行政许可法》,对14项行政许可项目的内容重新进行修订,完善6个项目的办事程序,压缩6个项目的承诺时间,新增3项非行政许可审批项目,进一步提高服务质量。

【水法规宣传】 2005年3月22日是第十三届"世界水日",3月22日至28日是第十八届"中国水周"。苏州市充分利用这次向社会宣传水法、宣传水利(水务)事业的机会,围绕"保障饮水安全、维护生命健康"的宣传主题,开展了形式多样的宣传活动。3月22日下午,在最繁华的观前街玄妙广场联合举行了"保障饮水安全、维护生命健康"大型主题宣传活动。3月23日,苏州市水利局团委和局直属单位团组织的青年团员们在平江历史街区举行水法宣传活动。常熟市组织开展水法宣传周"十五个一"活动,举行了包括文艺专场演出、水法宣传电视专题片和系列短剧、电视有奖知识问答、报纸宣传专版、"关注生命之水"广播节目等15项宣传活动,通过创新形式扩大了宣传覆盖面,提高了宣传效果。昆山、吴中区、太仓、局直属单位等在水法宣传周期间,利用电视、广播安排水法宣传公益广告,都起到了良好的宣传效果。全市共悬挂横幅、标语1600余条、黑板报200余块、宣传画1300余张,发放宣传资料18万余份、宣传品35万余件、发放宣传手册270余份,树立固定宣传标牌30余块。

【水政执法】 各地积极开展"一江二道三湖"专项执法活动,不断加强水政监察队伍巡查力度,严厉查处水事违法违章行为。2005年全市共出动执法巡查人员7298人次,巡查3035次,现场处理水事违法违章行为161起,立案查处27起,主要有:违章建筑21起、违章取土15起、违章占用43起、违章凿井16起,罚没款60万余元,有效地维护了水事秩序。严厉打击长江非法采砂,全面抓好"清江"、"巡江"行动,共出动执法巡查人员1785人次,执法船236航次,抓获非法采砂人员190人次,非法采砂船47条,拆除采砂设备52套,罚没款80余万元,有力地打击了长江非法采砂行为,江砂禁采工作取得明显成效。针对春节期间易发生非法采砂活动的特点,苏州市水政监察支队和沿江三市水政监察大队根据省厅要求和局领导的指示,分别于1月13日、2月2日开展了联合"清江"、"巡江"行动。两次行动共出动执法人员206人次(公安36人、海事6人、新闻单位6人、水政监察人员158人),执法车55辆,执法船14艘,共抓获非法采砂船只17条,非法采砂人员90人,捣毁采砂设备20余套。2005年4月20日至5月20日为省厅统一确定的打击长江非法采砂集中整治月,为确保集中整治月活动取得良好效果,苏州市水政支队专门于5月18日,组织沿江三市水政监察大队联合公安、海事、新闻等部门,对我市境内长江水域非法采砂活动进行了一次集中打击,当日共出动水政监察员91人、长航公安14人、水警9人、海事6人、执法车辆16辆、执法船4艘,抓获非法采砂船6条、非法采砂人员10余人,拆除吸砂泵体、捣毁动力装置等14套、对未按规定停泊的9条采砂船进行了整治。张家港市水政监察大队在加强日常巡查的同时,认真配合澄靖两市江段的执法检查;常熟市水政监察大队在整治月活动中,为加大易发生非法采砂水域和江段的法规宣传工作,投资3万余元,制作3块固定的水法律法规宣传牌;太仓苏沪执法基地的作用发挥好,境内吹填采砂施工规范有序。

【水资源管理】 加强水功能区管理,有效保护水资源。2005年根据省政府划定的“保护区”、“保留区”、“缓冲区”和“饮用水源区”等59个重要水功能区的水质每月进行监测,实行水功能区水质每月通报制度,向市四套班子和市环保管有关部门通报水质监测情况,并在苏州市水利局的政府网站上向社会公布。强化排污口监督管理,对新建入河排污口按照水利部22号令要求严格执行入河排污口论证、审批制度。对老的入河排污口进行全面的普查登记,进一步摸清了河湖水功能区排污现状,为开展入河排污口整治规划的编制提供基础资料。制定封井计划,继续做好地下水限期禁采。2005年是苏锡常地区地下水限期禁采的最后一年,非超采区封井进入最后攻坚阶段,苏州市封井计划为219眼,大部分在边远偏僻地区和用水矛盾相对集中地区,禁采形势十分严峻。苏州市根据实际情况,按照“能封则封,水到井封,尽量早封”的原则制定封井计划,并组织对全市2798眼深井开展全面的普查,防止出现重新启用的现象,对封井档案进行了整理。11月16日省人大常委会副主任洪锦炘率执法检查组检查了我市5年来的禁采工作,对我市的地下水禁采工作给予了高度评价。5年来,苏州市累计封填深井2798眼,全面实现了地下水5年禁采目标,地下水位明显回升,环境地质状况得到改善,地下水降深50米漏斗线已经消失,40米漏斗区面积由2000年的1346平方公里减少到127平方公里。全面实施依法管水,加强取水许可监督管理。认真组织取水许可年审工作,根据规定在年初对全市取水许可证集中组织年审,非农业用水许可证的年审率达到100%,农业用水许可证年审率达到92%,2月底完成了总结汇总。根据国家计委和水利部15号令和22号令的要求,对新建、改建、扩建的取排水工程项目严格执行水资源、排污口论证制度。全年共完成42个(其中28个县级)水资源和排污口设置论证。

【创建节水型城市】 积极开展创建节水型城市活动,2005年根据创建方案的要求,苏州市对照《导则》规定的各项指标逐项进行了疏理,对没有达到指标如城市计划用水率、间接冷却水循环率、锅炉蒸汽冷凝水回用率、工艺水回用率、城市污水集中处理率、城市污水回用率、城市自来水损失率、工业水平衡测试率等任务,进行全面分解落实,明确重点,采取措施,扎扎实实开展创建工作。召开了创建节水型城市动员大会,创建工作全面启动。召开了部门分管领导会议和联络员会议,布置了下阶段的工作。邀请北京、徐州和扬州的专家对我市创建工作进行培训,取得了比较好的效果。同时,对部分责任单位的行动情况进行了调研,并结合实际,制定详细的行动计划。

2005年全市共进行45项节水技改项目，总投资达3287.1万元（水利局补助45万元），今年的节水技改主要是循环用水和改水。通过上节水改水项目，改地下水为地表水，为封井工作的提前完成创造了条件。强化用水计划考核，重点加强对地下水用水单位的计划考核，坚持每月抄表考核一次，维护计划的严肃性；苏州市区对月用水量超过1000吨的自来水用水单位纳入计划用水考核范围，对超计划用水的单位按2—5倍征收加价水费。

【水质监测】 2005年共对全市236个断面监测1636点次，从监测情况看，单项评价（DO、I_{Mn}、BOD5、NH3－N、FN）超国家《地表水环境质量标准》（GB3838－2002）Ⅲ类水的分别为：56.1%、62.1%、30.7%、69.9%、3.4%，五项指标较2004年分别下降了5.3、2.8、11.1、1.9、11.4个百分点。综合评价236个监测断面中，Ⅱ类水占总监测断面的2.1%，Ⅲ类水占11.0%，Ⅳ类水占11%，Ⅴ类水占6.8%，超Ⅴ类水占69.1%。超Ⅲ类水监测断面占86.9%，较2004年上升了3.2个百分点。

（汪　频）

南　通　市

2005年，全市水利工作依据全市总体发展思路，以服务农村产业结构调整和城市综合协调发展为主线，结合南通水利新的发展形势，形成了振作风、谋改革、求发展、保稳定，强考核、明奖惩、创一流的整体水利工作思路，与时俱进，开拓创新，扎实工作，圆满完成水利各项任务，推动了南通水利事业持续快速的发展。

【防汛工作】 全市防汛防旱工作按照“安全第一、常备不懈、以防为主、全力抢险”的方针，进一步完善防汛指挥系统建设，全面提高科学决策水平，做到防汛所抗旱并举，全面提高防汛防旱工作水平。全市市、县两级财政累计投入除险加固和岁修经费约1315万元，确保险段及病险涵闸维修加固在主汛期前完成。修订完善防洪预案，依法加大河道堤防清障工作力度，开展了长江南通段水上安全专项整治行动。特别在全市遭遇了近50年来罕见旱情时，我们全力以赴，迅速启动南通市防洪抗旱调度方案，采取积极措施，最大可能保证全市用水需求。在遭遇9号台风（麦莎）、15号台风（卡努）的正面袭击和13号台风（泰利）的边缘影响时，我们在市委、市政府的领导下，沉着迎战，部署周密，措施扎实。派出16批次工作组织强化督查，确保各项措施落实到位，使灾害损失降到最低，取得了防汛防旱以及抗御台风斗争的全面胜利。充分发挥水利工程效益，对全市重要河道和水利工程实施水情调度，九圩港闸等沿江大中型闸全年引江水量31.9亿方，沿江沿海大中型水闸排涝水量26亿方，确保了全市安全度汛，省防指领导给予高度评价。

【水利建设】 2005年，全市水利干部职工发扬连续作战、无私奉献的精神，求真务实、扎实工作，水利建设上了一个新台阶。全市重点水利设施建设完成投资1.035亿元，超额完成了市政府下达的1亿元投资计划任务。组织实施了如东洋口外闸抢险工作、双桥套闸工程、如海运河一期整治等一批工程。在抓紧重点工程建设的同时，认真做好工程竣工验收工作。灾后重建项目、通州新江海河闸工程、启东协兴闸拆建工程等一批重点工程相继竣工并通过验收。海安淮河灾后重建工程也按计划完成了圩口闸的拆建任务，全市的江海堤防已基本成为防洪保安的生命线、综合经营的经济线、旅游观光的风景线。

【行业管理】 继续推行以项目法人责任制为核心的水利工程建设管理体制改革，深入贯彻《招标投标法》、《水利工程建设项目招标投标管理规定》等工程建设一系列法律法规，狠抓招投标管理，严格市场准入制度，项目的质量、投资、工期得到了有效的控制。率先尝试单因素招标，不设标底招标、最高限价招标等，有效遏制了串标、抬标现象。2005 年，我市重点水利工程公开招标 33 项，公开招投标率均达到 100%。33 项工程总概算价 10358 万元，总标底价 8659 万元，总中标价 8051 万元，为国家节省投资 608 万元。另外在海门市通启河整治工程中还尝试实行了招标代理，取得很好的效果。

【农水建设】 全市各地加强了农田水利基础设施建设，加大农村河道疏浚和整治力度。全面按计划圆满完成了市政府下达的年度农村水利建设任务，重点是农村县乡河道疏浚任务，2005 年度我市共完成总土方 7693.24 万方，其中中沟以上土方 3810 万方；配套小沟以上建筑物 4099 座，其中中沟以上建筑物 1203 座。完成县组河道疏浚 28 条段、216 公里、712.28 万方，乡级河道疏浚 196 条、628.59 公里、1142.78 万方；按计划完成了 36 座里下河圩口闸更新改造任务，省政府、省水利厅把我市农村县乡河道的主要做法和经验在全省进行了介绍和推广。

【水资源管理】 依据新《水法》和南通市水资源保护规划，坚持全面规划、统筹兼顾、标本兼治、综合治理的原则，对水资源进行利用保护、优化配置、高效利用。开展了饮用水源地保护行动，对全市区域内取水口、排污口情况进行调查登记，开展了集中式饮用水源地执法检查。认真开展排污口调查登记及排污口整合规划工作，全市共调查登记 508 家企业，并在全省率先完成规划工作大纲并通过领导小组的审查。大力推动排污口设置审核制度，认真按照"安全、环保、绿化"的要求，进行退水对水环境影响的评审及排污口设置的审核。对长江沿岸排污口进行了调查，对排污口的数量、位置、污水排放量、主要污染物年排放总量等进行了分类登记，严格检查，规范要求。各地全方位、多层次加强地下水管理，积极开展我市地下水压采方案编制工作。开展了全市水资源管理工作大检查，进一步提高了我市水资源管理依法行政、依法管理水平。认真做好水质监测，强化水功能区监督管理，对全市 83 个断面进行水质监测，对全市 46 口监测井进行地下水动态水位监测。同时逢单月对南通市重点水功能区进行监测和通报，进一步推进水资源保护和水污染防治工作的开展。对主要功能区完成确界立碑，有的县(市)对重要的三、四级河道也进行了确界立碑，加强了水资源的保护工作。

【城市防洪】 为深入贯彻落实市委、市政府"五城同创"的创建目标，进一步改善市区河道面貌，提高主城区水环境质量，我们按照"清淤、畅流、整洁、绿化"的目标要求，认真落实市区河道整治任务，圆满完成了市政府下达的 4000 万元市区河道整治任务。2005 年，我们除了断续对整治的河道进行清淤、护岸外，还着重解决了城区西、南片的水系引排通畅问题。我们根据潮汐变化规律，加大了主城区骨干河道的水体置换力度，每月初一至初三、十五日至十八日定期换水，使大部分主干河道的水质由死水变成了活水，水质得到了较大的改善，城市水环境得到了明显提高。为处理好南通东至狼山港铁路项目建设水系的调整，我局还编制完成了狼山港铁路专线地下段水系调整初步方案，并获得了好评。为了配合做好通吕运河沿线整治规划工作，我们组织有关部门编制了节制闸、九圩港闸河口整治规划，并已上报省水利厅批准。

【沿江开发】 加快新通海沙和新开沙夹槽整治开发基础工作。多次召集海门市、市开发区及有关人员召开会议，统一思想，提高认识，研究工作部署，层层落实工作任务，责任分解到人，积极推进工作的开展。新开沙夹槽整治工程方案已经初步确定，新通海沙整治工程2005年完成了水下地形测量、水文测验、预可阶段的地质勘探工作，编制完成了环评大纲；委托南京水利科学研究院进行河工物理模型试验，已取得部分中间成果，定床物理模型试验工作已经结束，正进行资料分析整编工作；委托长委进行河势及防洪影响评价、工程预可等研究工作，其中防洪影响评价初稿已形成，工程预可研已经完成，工程方案基本确定开发区已经开始进行初设阶段的地质勘察工作。

【水利改革】 2005年，抓住机遇，将各项水利改革不断推向深入。一是抓好水资源管理体制改革工作。坚持以供定需，以供定发展，发展节水型工业和节水型农业，逐步进入节水型社会。积极指导、帮助、扶持取水大户做好节水管理、节水技改工作。针对不同的取水户及各自的用水状况，采取不同的节水方案，强化节水技术改造，做到循环利用，一水多用，全面推开了地下水循环利用技术改造工作。二是抓好农村水利建设改革工作。积极落实农村基层服务体系“以条为主、条块结合”的管理体制，做好农村乡镇水利站调查研究工作。在农村水利示范项目上，引入竞争机制，采取“竞标承诺”的办法确定示范项目建设，并在项目管理上执行基建程序，实行“四项制度”。三是积极开展事业单位改革工作。在工程管理单位改革中，大力推行了人员定编，实行竞争上岗，提高了水管单位的活力。目前，各县市均加大了水利工程管理体制改革的力度，水利改革进展顺利。

【工程管理】 加强水利工程管理，进一步建立健全水利工程管理制度，落实水利工程管理责任制，组织了全市一级河道的巡查。继续深化水管单位管理体制的改革，全市6个县(市)基本完成出台了《水利工程管理体制改革工作实施方案》。组织了全市水利工程管理单位目标考核的培训，受到了良好的效果。努力提高工程管理信息化水平，委托河海大学进行开发南通市工程管理信息系统，对水利工程管理中建设管理各阶段的业务信息进行动态管理。初步实现对南通市水利工程的建设管理网络化，数据处理规范化，水利工程数据共享化。继续积极做好水利工程管理范围内建设项目的审批转报工作，对于王子造纸、中远川崎等重点建设项目，处处为业主着想，不厌其烦做好跟踪服务，为他们排忧解难，出谋划策，并多次带领业主单位赴水利部长江委员会或省水利厅向有关领导进行专题汇报，得到了各级领导的理解和支持。2005年市水利部门办理了近百项水利工程管理范围内行政许可建设项目，办结率100%，真正做到“便民、高效、廉洁、规范”，得到了业主单位的广泛赞誉。

【依法治水】 认真抓住队伍建设这个根本不放松，执法队伍素质明显提升。加大了水政监察队伍规范化建设力度，如皋、海安召开了全市水政监察队伍规范化建设现场会。进一步完善和健全了水行政执法工作制度、内部管理制度和举报制度，积极组建中队，使全市水政监察队伍在规范化建设和内部管理等方面都有了长足进步，基本建成巡查执法活动能覆盖全市所有水工程管理范围的水政监察巡查网络。对全市所有专职水政监察员进行了轮训，开展了轰轰烈烈的水政监察员执法技能比赛，在省总组织的执法技能比赛中，取得了第四名的优良成绩。为巩固长江南通段多年来的禁采成果，有效遏止盗采长江砂土的行为，我市始终贯彻“陆治水打”的原则，在水面上我们采取定期巡查与不定期检查相结合、常规巡查与突击巡查相结合、自己执法巡查与有关部门联合执法相结合、说服教育与行政处罚相结合的办法。克服人员少，工作量大的困难，通过认真组织，缜密计划，精心安排，组织开展的多次“清江”行动，对非法采砂船只坚决给予查处。结合开展长江执法大检查和保障饮水安全专项执法活动，对全市近百公里的长江岸线进行拉网式检查，坚决打击那些非法侵占水利工程和为非法采砂取土提供方便的行为。全年执法巡查达1700余人次，案件查处199例，没有发生一起错案，实现了零错案、零复议、零起诉。

【水利科技】 2005年共完成了各类水利科研和技术推广成果6项，这是近年来所取得成果最多的一年，在全省地级市中遥遥领先，并且呈现的是全面开花的喜人局面。6项鉴定成果中有2项达到国际先进水平、1项达到国内领先水平。而且获奖成果等级全省遥遥领先，获水利部大禹水利科学技术三等奖1项（全省水利系统仅此1项）；获江苏省农业技术推广三等奖1项，全省水利系统也仅有这1项；获江苏省水利厅优秀科技成果一等奖1项、二等奖1项；南通市政府科技进步三等奖2项。获奖成果无论是获奖等级还是获奖数量，都在全省水利系统内继续保持了领先地位。2005年市水利部门组织撰写的《浅析税费改革后农村水利投入机制的构建》调研报告被中国社会科学院农村发展研究所社会问题研究中心评为2005年度"三农研究创新成果"三等奖，水利科技取得了丰硕的成果。

【水费征缴】 加大水费征缴工作力度，全市共收取水利工程水费4700余万元，圆满地完成了省里交给的工作任务，为全市水利工程供水运行管理、保障工农业用水起到支撑作用。全市以工作考核为手段，规范水费管理工作，考核已成为规范我市水费工作管理的重要手段。加强了水费资金征缴和管理力度。水利工程水费实行经营性收费管理以来，水费专管机构已从过去的单纯性收费转变为收费与水费资金管理并存的格局。明确规范征缴程序，建立健全了收费公示制度，自觉接受社会的监督，使水费资金征缴使用有序规范，公开透明，让有限的水费资金发挥最大的作用。

【"十五"计划完成情况】 "十五"期间南通水利建设得到了全面发展，水利总投入16.55亿元。防洪能力得到全面提升。基本完成江海堤防达标建设任务，长江治理投入2.7亿元。海堤达标投入2.1亿元；城市防洪工程建设开始启动，"十五"期间投入近4.3亿元。里下河圩区改造取得一定成效，调整合并圩区10个，更新改造圩口闸80座，培修加固、重建圩堤250公里。水利建设管理规范，对水利建设进行项目法人管理；市以上重点水利工程施工公开招投标率已达到100%；所有项目全部实行了建设监理制。

"十五"期间，水利工程水费由行政事业性收费改为经营性收费管理，水费列入生产成本，不属于农民负担。水费标准转变为供水价格，纳入价格管理范畴，使用税务部门统一印制的收费票据。"十五"期间，全市共收取水利工程水费19089万元，为全市水利工程良性运行提供了资金保障。

"十五"期间水政水资源方面完成了取水许可制度和水资源论证制度，建立了论证专家库，对论证报告编制单位的资质进行了严格审查。建立了计划用水和定额管理相结合的管理模式，帮助企业节水改水。地下水的开采量从2000年的2.5亿立方米压缩到2005年的0.94亿立方米，漏斗区面积正在逐步缩小。建立了水功能区管理制度，对长江南通段和市管一级河道进行了水功能区划分，并进行了确权立碑，并确定了管理目标。建立了水质监测制度，按月发布简报。建立了排污口设置的审核制度，并就退水对水环境的影响进行分析。编制了《南通市水资源综合规划》等一批规划。

"十五"期间全市水政监察队伍初具规模，已建有水政监察支队1个，大队10个，中队15个，专职水政监察员71名，兼职水政监察员291名，共出动7900人次进行执法巡查，共查处850件案件，协调处理了900余件水事纠纷，共得罚款150万元。对长江非法采砂行为始终保持坚决打击的高压态势，采取陆治水打的方法，坚决打击非法采砂行为。"十五"期间共出动3000人次，出航600余航次进行长江江面巡查,为保护长江河势稳定作出了积极贡献。

“十五”期间,全市农村水利建设共投入各类建设资金11.36亿元,其中省以上5863.8万元,市级投入1697.1万元,县级投入12589.8万元,乡级投入9722.41万元,群众自筹资金25956万元,投劳折资57810.7万元。疏浚市县乡三级河道689条、7057.9万立方米,其中疏浚市级河道5条段、374.4万立方米,疏浚县级河道69条段、2025.1万立方米,疏浚乡级河道615条、4658.4万立方米;配套小沟以上建筑物12033座,其中中沟以上2311座;新建防渗渠道、输水管道2926.8公里;新建改造里下河圩口闸36座;新增节水灌溉面积96.51万亩,改造中低产田面积113.74万亩,治理水土流失面积105.7平方公里,新增旱涝保收农田面积16.52万亩。增加土地复垦面积7.96万亩。

“十五”期间全市水利工程管理工作围绕“江海堤防达标建设、深化水利工程管理体制改革、行政审批”这三大方面,以设施现代化、工程标准化、管理法制化、工作规范化、机制正规化为目标,积极开展工作,取得了良好的成效,基本完成全市水利工程管理体制改革,管养分离由点到面逐步推开,水利工程目标管理考核已全面推进,全市水闸现代化管理试点已基本完成。行政审批真正做到了“便民、高效、廉洁、规范”。先后完成了苏通大桥、华能南通电厂三期工程、天生港电厂扩建工程、王子造纸、熔盛造船、通吕散货、江山农化等近百项重大工程中的涉水项目的审批、转报工作。

(季 巍)

连云港市

【概述】 2005年全市共完成重点水利工程投资24083万元,为年度目标16700万元的144.2%。其中,小塔山水库除险加固工程完成投资550万元,占计划的110%。安峰山水库除险加固工程完成投资4000万元,占计划的200%。中型水库除险加固工程完成投资1580万元,占计划的100%。城市防洪及水环境工程完成投资1250万元,占计划的125%。海堤达标建设工程完成投资3328万元,占全年投资计划的100.8%。地方基建工程完成投资830万元,占全年投资计划的138.3%。县乡河道疏浚工程完成投资5289万元,占全年投资计划的176%。灌区改造、农村饮水安全及丘陵山区水源工程完成投资1802万元,占全年计划的144%。防汛岁修工程完成投资1414万元,占全年投资计划的141.4%。新沂河50年一遇工程海口枢纽工程正式开工建设,累计完成投资2984万元,占全年计划的149.2%。小水库除险加固工程,完成投资1056万元,占全年计划的211.2%。

连云港市水利局获全市经济建设和社会发展目标考核一等奖和“文明单位”称号;获2005年度夜景亮化建设先进单位;获2005年度农业和农村经济工作重点项目先进单位。

【小塔山水库除险加固工程进入扫尾】 小塔山水库除险加固工程由省水利厅以苏水建[2002]11号文批复实施,工程概算总投资10700万元。涵洞拆建部分于2005年3月通过验收并移交管理单位运行管理,主坝西副坝充填式灌浆工程已经全部完成,通过内部验收,主坝、东西副坝加固工程、自动化控制及大坝安全监测、防汛道路、管理设施已基本完成。累计完成土方挖填100万方,石方8万方,完成工程总投资6200万元,约占枢纽工程总投资的86%。

青口河下游段(9公里)土方工程、青口河挡潮闸加固工程已完成。青口河中上游段土方工程(19.2公里)已于2004年底完成,瞿沟陡坡正在施工。

【安峰山水库除险加固工程开工建设】 安峰山水库位于连云港市东海县蔷薇河上游厚镇河上，1958年6月建成，是一座以防洪、灌溉为主，结合水产养殖的大型水库。水库保护着下游东海、沭阳两县及连云港市17个乡镇共46万人和76亩耕地。安峰山水库原设计标准为50年一遇设计，200年一遇校核，设计洪水位18.0米，校核洪水位18.4米，总库容1.2亿立方米。经过40多年的运行，充分发挥了应有的经济与社会效益，但由于原设计标准偏低，主体工程存在安全隐患较多，行洪出路矛盾突出，以致水库一直在低标准情况下运行。

1998年10月省水利厅对水库大坝进行了安全鉴定，确定为Ⅲ类坝；2002年5月被水利部列为全国重点病险水库除险加固计划；2003年6月由省水利勘察设计研究院完成了水库除险加固工程初步设计，并上报省水利厅、水利部淮河水利委员会；2004年经水利部淮委、省发改委(苏发改农经发[2004]315号)、省水利厅(苏水计[2004]139号)审查批准建设，工程总投资7483万元(其中：省级以上补助经费4990万元)，于2005年2月28日开工。目前主坝迎水坡护坡加固工程全部完成，高程15.0米以下部分2005年5月27日通过验收。主坝复土11.1万方、灌浆4500米及拆除原部分挡浪墙。副坝迎水坡原干砌块石拆除完成，C20砼底、横格梗共浇筑4400立方米，完成浆砌石护坡9167立方米。溢洪闸主体工程基本完成，2005年7月22日通过水下工程验收。主坝东、西灌溉涵洞工程全部完成。现进行薛埠闸、副坝涵洞拆建、排涝涵洞、副坝节制闸施工。工程累计完成投资4000万元。安峰山水库下游河道初步设计已经批复。

【城市防洪骨干工程建设力度加大】 2005年完成新沭河二十年一遇剩余工程的竣工验收，完成东盐河二期工程的水下工程验收初步工作。

提高城市防洪标准，继续按照《城市水环境整治规划》积极实施东盐河三期整治工程，2005年计划完成投资1000万元。目前东盐河三期苍梧桥至魏跳桥段水下工程已经完成并拆坝放水。今年累计完成投资800万元，占全年投资计划的80%。共完成河道开挖和挡土墙后填土土方15.8万立方米，处理滑坡段土方2万多立方米和木桩1000多根，浆砌石4500立方米，砼6500立方米，增做排水涵洞7座。

【有序推进海堤达标建设】 烧香河北闸拆建工程由省水利厅以苏水建[2003]17号文批准建设，总投资4508万元，于2003年11月18日开工，2004年7月4日通过水下工程阶段验收。2005年度以来，完成上下游护砌3500立方米、老闸拆除项目、路灯选型及采购安装19盏、引河土方开挖15000立方米、交通桥、工作便桥及上游翼墙栏杆的选型订购500米、管理所房屋新建工程招标工作、新闸南北两侧海堤接线手摆石路基490立方米、桥头堡及启闭机房部分内外装修工程，累计完成概算投资730万元。目前，该工程已全部完成并通过竣工初步验收。

赣榆县2003年度海堤达标工程由省水利厅以苏水建[2003]12号文批准建设，总投资5448万元，分三期实施，一期5.4公里已经完成，二期2.8公里正在实施，三期工程招标完成。

赣榆县2005年度海堤达标工程总投资960万元，包括县城开发区段2公里护坡和2座穿堤涵闸。于2005年开工建设，累计完成投资300万元，本年完成投资180万元。

【新沂河整治工程开始实施】 新沂河整治工程是在国家和省里挂号的大工程，是国家治淮19项工程和实施沂沭泗洪水东调南下二期工程中的骨干工程，被省政府列为2005年为民办实事工程。

根据新沂河现状，本次整治工程内容主要有9项。一是扩建海口控制枢纽；二是河道整治；三是堤防消险加固工程；四是堤岸加固；五是沭阳枢纽加固；六是支河回水段处理；七是两岸因洪致涝影响工程；八是工程管理设施；九是移民安置、水土保持、环境保护等工作。工程概算总投资约16.06亿元，其中，由我市实施的工程投资达8亿多元，占一半以上。

承担本期实施的工程内容主要有五大块：一是移民安置补偿，需征地拆迁35587亩；二是77—141公里河道整治开挖及筑堤；三是滚水坝、生产桥等建筑物恢复工程；四是沂南小河、图河沂北地区因洪致涝影响工程；五是水土保持、环境保护。工程概算总投资8.53亿元，中央、省、市的资金配套比例为7∶2∶1。

目前，2005年度的工程招标计划、实施计划、资金使用计划、度汛排水排污计划等已基本完成，并在开始逐步实施，征地拆迁监理招标公告近日内即将发布，省设计院也正在按照双方议定的日程加紧进行招标图设计。连云港市建设处已将初步设计的红线图及征迁工程量表等文本下发至各县水利局项目部，并多次交流现场存在问题，要求各县立即着手开始宣传发动，按照现有标准、现有范围开始初步核查等现场工作。目前征迁的各项前期准备工作已基本就绪，建设处人员已全部进驻工程现场，开始征地拆迁红线的测放工作。新沂河堤上137—146K段堤上建筑物已核实完毕，工人已进场施工。

【编制小型水库除险加固工程总体实施方案】 全市共有小型水库135座，其中市区18座、东海县47座、赣榆县70座。这些水库在防洪、灌溉、发电、旅游、城乡供水和水产养殖等方面发挥了巨大的作用，取得了显著的经济和社会效益。但由于小型水库基本建成于上世纪五六十年代，普遍存在设计标准低、施工质量差等问题，外加几十年的运行，事故隐患较多。

省政府决定从2005年起，用5年时间基本完成小型水库除险加固建设任务，现已如期圆满完成水库大坝安全鉴定工作，并在此基础上编制了总体实施方案。

本次计划加固的95座小型水库中，三类坝92座，二类坝3座，三类坝占到了96.8%。有5座水库除险加固工程设计已经省厅批复，批复总资金1520万元。

【防旱防汛】 由于今年1月至6月中旬全市降雨稀少，加之河库蓄水量不足，部分地区出现不同程度的旱情，在田作物普遍受旱，部分作物出现萎黄，但我市采取蓄水保水、节约用水、优化调度和积极翻引江淮水等措施，使全市未形成严重的旱灾。一是积极调引江淮水，尽可能多地增加河库蓄水量。1－6月共调引江淮水6.94亿立方米，较去年同期多调水2.79亿立方米；二是及时翻水抗旱，减少旱灾损失。三是根据河库蓄水不足的形势，认真分析水源供需情况，分阶段制定供水计划和防汛抗旱预案，统筹安排生产、生活、生态用水，加强水资源的统一管理和调度。四是科学调度水源。尽最大努力争取省厅支持，尽可能多地调引江淮水。五是实行计划用水，节约用水，大力推广节水灌溉，增加节水灌溉面积，提高水资源的有效利用率，尽量降低水资源的调度成本。

今年1－9月全市平均降水量1191.3毫米，较多年同期偏多49%，较去年同期偏多74.3%，特别是受到第9号台风“麦莎”和第15号台风“卡努”的外围影响严重，洪涝年份历史排序第一。9月份降水更加频繁，沂沭泗地区发生了强降水过程，骆马湖地区发生了特大洪水，新沂河、新沭河等长时间大流量行洪。面对严峻形势，在市委、市政府的正确领导下，与市防指其他成员一起，精心部署，合理分析，科学调度，狠抓落实，依靠多年来建成的防汛抗旱基础设施，将灾害损失降到了最低限度，取得了防汛工作的全面胜利。

汛期损失严重，据统计：全市受灾人口151.82万人，成灾人口10.06万人，紧急转移安置人口1.21万人；农作物受灾面积162.51千公顷，成灾面积93.92千公顷，绝收面积22.30千公顷；倒塌房屋3000间，损坏房屋5400间，住宅进水15500户，漫溢鱼塘10.18千公顷，损失鱼7900吨。因灾造成直接经济损失达8.789亿元，其中农业直接经济损失为8.137亿元。

今年落实和储备了草包20.28万只、编织袋63.5万只、块石10.97万吨、土工布7.04万平方米、木材101.5立方米及其他各类抢险物资，落实专业抢险队伍和沿河、沿库群众性抢险队伍1018个，总人数19.27万人。

市防汛防旱指挥部办公室被市政府评为2005年度防汛防旱先进单位

【农村水利建设】 全市农村水利建设共投入835万个工日，投入资金1.26亿元，完成土石方5358万方，占计划任务4600万方的116%，其中中沟以上土方为2632万方，加固加高圩堤81公里，土方122万方，县级河道31条，土方571万方，完成乡级河道133条，土方856万方；完成小沟以上建筑物4641座，占计划任务4300座的108%，新建排灌站36座/1385千瓦，改建排灌站95座/5513千瓦；改造中低产田17.2万亩，占计划任务10万亩172%，治理水土流失面积49.29平方公里，占计划任务40平方公里的123%；新建防渗渠道322.9公里，占计划任务300公里的108%。

2005年度县乡河道疏浚工程被市委市政府列为重点工程，共疏浚县乡河道164条，疏浚土方1427万方，占计划任务970万方的147%。

2005年度全市共争取省级以上资金3650万元，是2004年度争取资金2400万元的152%；市级农村水利建设资金比去年有较大幅度增长，由160万元调增到275万元。大型灌区改造项目是国家对水利工程投资项目的重点之一，总投资1250万元东海沭南灌区二期工程、总投资225万元赣榆小塔山灌区启动工程、总投资750万元东海县沭南灌区三期工程已完成；总投资1250万元东海沭南四期工程实施方案编制已完成。

2005年度，全市丘陵山区水源工程建设计划打大口井78眼，维修加固塘坝82座，完成土方80万方，增加丘陵山区蓄水量615万方。

同时，市政府连政办发[2005]138号《关于将部分土地出让金用于农业土地开发的意见的通知》明确规定，市级集中土地开发出让金的30%用于农村水利建设。各县区也逐步加大了财政投入力度，据初步统计，县、区、乡财政用于农村水利建设达500万元。灌南县通过人大代表、村民代表、党员代表等进行“一事一议”，规范以资代劳筹集资金，筹集以资代劳资金500万元，集中用于农村水利建设。赣榆县金山镇采取“推磨转圈、轮流受益”的方法来进行农田整治、河道清淤、土地治理。灌云县沂北乡创造性地采取“捆绑式”发包、民主化决策的办法，走出了一条利用民资搞工程，水利与林业同发展的新路子，较好地保障了当地水利建设需要。

切实加强农村水利建设项目管理，对重点农村水利工程实行项目法人制、招投标制、合同管理制和施工监理制，建立建设单位负责、施工单位保证、质监部门控制、政府部门监督的工程质量保证体系。在施工管理上，县级河道及部分土方量较多的乡级河道疏浚工程，按照基建程序运作，严格推行工程监理制和招标制。各地切实加强对农村水利建设资金管理，做到工程投资计划向群众公开，筹资筹劳方案向群众公开，工程决算审计结果向群众公开，工程竣工验收请群众代表参与。

2005年国家启动实施小型农田水利工程设施建设“民办公助”项目，补助市200万元建设资金，计划在灌云县搞试点。这笔资金专门用于村内小型工程建设，填补了农村水利现有投入的一项空白。

【水行政执法和资源管理】 为确保防洪和水工程安全，维护河道秩序，保护水资源，进一步推进各项水法律法规在全市的贯彻实施，按照省厅的统一部署，在全市范围内开展了以"三河一库(新沂河、新沭河、蔷薇河、石梁河水库)"、"集中式饮用水源地保护"等两个专项执法活动。以连水政(2005)18、21号文件分别制定了两项专项执法活动的实施方案，主要分为三大阶段进行：第一阶段是宣传发动、制定计划，分为调查摸底、宣传发动两个步骤，主要目的是摸清情况，确定重点，加强宣传，为专项执法活动的顺利开展奠定良好基础；第二阶段是协同配合、组织实施，分为上下联动、材料上报两个步骤，即在充分完成前一阶段工作基础上，市、县两级全力出击，集中查处各类水事违法行为；第三阶段是重点督查，由市局组成督查组分片到各单位进行实地检查督办。由于步骤明确、措施有力，两项专项执法活动得到了各单位的广泛重视和积极实施，较好地达到了预期效果：据统计，共清除占用河道建筑物及临时违章搭盖400处，面积3257.6平方米，铲除违章种植169处852.65亩，清除违章圈圩67处4401亩，围网35处94亩，清理违章占用52处7403平方米，违章堆放309吨622平方米，平毁违章葬坟692穴，审批各类占用项目28项。11月28日，省厅"一江两道三湖"和"集中式饮用水源地保护"专项执法检查组对连云港市专项执法活动的开展情况进行了检查，对在专项执法活动中所取得的成绩予以充分肯定。

为了确保省海堤达标、市防洪保安重点工程——烧香河北闸拆建工程的顺利实施，市支队在连云区公安分局、板桥边防派出所的密切配合下，组织灌云县、连云区、海州区、市管处、临洪水政监察大队执法人员50余人开展联合执法，依法拆除烧香河北闸管理范围内违章建筑共14户36间约500平方米。

完成了青口河毁堤取土等水事违法案件的调查处理，处理接待人民来信来访近30次。对举报的水事案件，安排有关单位和部门进行及时调查和处理，做到群众举报，件件落实。据不完全统计，今年全市共查处各类水事案件468起，结案率达99%。

到目前为止，已审批各类水行政许可项目40余项，发放河道工程占用证19本，未发生一起违法违规现象和行政复议案件。

进一步加强取水许可监督管理，市县两级非农业取水年审率均达100%，农业取水年审率也达25%以上，下达全市计划用水量232514.53立方米。

针对石梁河水库库区资源开发无序、利益矛盾冲突不断、安全生产无监管、水库安全受威胁等情况，自2003年开始起草《石梁河水库管理暂行办法》，历经近两年时间，经过充分调研，多方征求意见，反复修改，三次上报，已于6月8日由市政府颁布实施。

"世界水日"、"中国水周"宣传活动期间，组织市《苍梧晚报》小记者对市区饮用水源地一蔷薇河、石梁河水库、临洪水利枢纽等水利工程进行了参观。联合有关县区召开"保护母亲河"水周座谈会。邀请蔷薇河沿线乡镇、村及厂矿企业的代表40余人就"保障饮水安全，维护生命健康"进行讨论。

研制开发了国内领先的水资源管理决策支持系统，加强水资源调度和水量、水质的管理，以饮用水源地为保护重点，全面加强水功能区管理。加大推广IC卡智能水表的安装力度，安装水表88台，智能化计量设施(含超声波、电磁波、流量计)安装率(非农业)达80%以上。根据《连云港市自备水用水企业节约用水考核办法》，加强企业节水措施，创建节水型企业，申报江苏新海发电有限公司循环水预处理及循环水加药处理工程、江苏金山肥业有限公司污水闭路循环及冷却水循环等省级节水技改示范项目4个，完成31项节水技改项目，年节约用水906万立方米。

水资源规划专题项目《连云港市水资源保护规划》通过省厅审查。《水资源开发利用调查评价》、《地下水开发利用调查评价》等专题规划已完成初稿。根据省厅统一部署，《城市饮用水水源地安全保障规划》已正式启动，蔷薇河流域水资源开发利用规划等专题项目的研究工作正在实施中。另外，还完成了连云港市地下水压采方案的编制。

市水政水资源处获全省水利政策法规工作先进单位，获全省水行政执法工作先进集体，获全省水资源管理先进单位。

【企事业改革取得突破性进展】 加快推进水利工程管理体制改革。不断深化市水利系统单位改革，市水利机械厂改制工作已经全部完成；水利规划设计院改制工作基本结束，市水利建筑安装公司正在有序推进之中，今年年内将结束。认真做好水价供水体制改革工作，按时完成征收任务。在抓好上述工作的同时，注重统筹协调，无论规划全局长远发展，还是部署阶段性工作，能注意从协调发展的高度，通盘考虑，统筹安排，努力从整体上提高水利发展水平。

（戴振伟 钱 静）

淮安市

2005年，淮安市水利系统紧紧围绕年初确立的目标任务，突出水利建设主线，紧扣行业发展主题，抓住机遇，务实进取，战胜了早期干旱和两次台风，保障了全市工农业生产用水和全市安全度汛，农村与城市水利协调发展，建设、管理、改革全面推进，水利前期工作取得新的突破，水利事业持续发展，全年完成水利建设总投资5.2亿元，为地方经济社会发展提供了有力的支撑和保障。市水利局连续第14年荣获“市级机关目标管理先进单位”，同时获得招商引资、行风建设等单项先进。

【南水北调东线淮阴三站、淮安四站正式开工】 10月28日，南水北调东线淮阴三站、淮安四站工程在淮安市楚州区正式开工，标志着南水北调东线江苏境内工程进入加快实施的新阶段。国务院南水北调工程建设委员会办公室主任张基尧，江苏省省长梁保华参加开工仪式并为工程奠基揭碑，副省长黄莉新参加了开工仪式。淮阴三站、淮安四站设计流量均为100立方米每秒，是南水北调东线工程的重要组成部分，是提高向洪泽湖补水能力的关键工程。淮阴三站投资2.4亿元，淮安四站及输水河道投资4.3亿元，预计2007年底前完成建设任务。国家有关部委领导，工程沿线各市政府负责同志，省级机关有关部门负责同志以及工程设计、施工、监理单位代表参加了开工仪式。

【淮河入海水道增补完善工程全面完成】 淮河入海水道是国家治淮重点工程，全长163.5公里，淮安市境内62.8公里，一期工程静态投资41.17亿元，于1998年10月开工建设，2003年6月28日实现全线通水。淮河入海水道增补完善工程是江苏省2003年淮河流域灾后重建应急加固工程主要项目内容之一，淮安段防护工程则是淮河入海水道完善工程重要组成部分，工程分别位于楚州、清浦区境内，其中堤坡混凝土防护18.4公里，泓坡防护0.92公里，绿化混凝土防护5.5公里，南北泓沟通工程500米。工程总投资5700万元，于2004年3月开工，2005年6月完工，2005年11月1日通过省水利厅组织的单位工程完工验收，防护工程总体质量达到优良等级。工程完成后，进一步提高了淮河入海水道防洪能力、行洪安全和渠北地区治涝效益，尤其是环保型绿化混凝土是全省水利系统在本次堤防生态防护上的首次试用并获得成功，起到了既能防冲固沙，又能保护生态、美化环境的作用，为今后堤防生态防护推广提供了有益经验。此外，征地拆迁、河道堤防、穿堤建筑物、淮阜漫水桥、渠北排灌、环境保护等多个单项工程均顺利通过上级审计和单项验收。

【淮河灾后水利重建应急工程全面完成】 2003年淮河洪水过后，党中央、国务院和省委、省政府高度重视灾后水利建设。为尽快消除洪水中暴露出的问题，确保安全度汛，按照轻重缓急的原则，国家确定首先实施淮河灾后水利重建应急工程，全省项目总投资约13亿元。淮安市境内应急工程连同移民迁建投资5亿元，工程主要包括洪泽湖大堤除险加固、入江水道除险加固等9大项，分成53个标段72个子项目，概算总投资2.48亿元。工程于2003年12月17日正式开工。截至12月底，9个大项中的淮河入江水道、洪泽湖大堤及分淮入沂加固、洪泽湖周边沿湖挡洪堤加固、鲍集圩行洪区安全建设、里下河洼地治理、淮沭河西洼地治理、洪泽湖周边滞洪区保庄圩等8个大项全部完成并通过验收，2005年度共完成土方18.71万方、石方5.7万方、砼1.8万方，完成投资2275万元。

【鲍集圩行洪区安全建设年度工程基本完成】 鲍集圩行洪区安全建设年度工程，主要包括改建铁扬路9.1公里、大寨路8.9公里，拆建配套中沟桥6座、穿路涵洞18座及兴隆大桥、召四大桥等，概算总投资2027万元，上级无偿投资1351万元，截至年底完成总工程量的80%。

【城区水环境进一步改善】 2005年，淮安市水利部门依托流域性防洪工程建设，以城市防汛排涝为重点，组织实施了红旗河、西郊大沟、灰场大沟、清扬大沟等7条河道的综合治理；维修改造了城区山阳、扬湖、高家巷等10座排涝泵站；建成钵池山活水工程、文渠河活水工程等多个水环境整治工程，通过科学调度城区泵站、节水闸等水利工程，合理控制城区河道的水位、流量，有效提高了城市排涝标准，极大地改善了城区水环境。淮安古运河水利风景区成功入选第五批"国家水利风景区"，成为全省获此殊荣的三家风景区。

【农村水利建设任务超额完成】 2004年入秋以后，淮安市各地坚持"防洪保安为主，洪涝旱渍兼治"的治水方针，紧紧围绕年度目标任务，对照年度目标责任，突出灾后重建、圩堤修复整治、县乡河渠疏浚、灌区节水改造和区域水源工程建设等重点，按时完成了农村水利建设年度任务。据统计，到6月底，淮安市共完成土石方4233万方，加固圩堤229公里，疏浚县乡河道196条、长978公里，配套小沟以上级建筑物3965座，新建防渗渠道239公里；改造中低产田22.9万亩。一是县乡河道清淤疏浚工程全面完成。全市共完成疏浚县乡河道186条，长978公里，土方1478万方，其中：疏浚县级河道30条，长247公里，土方592万方；疏浚乡级河道156条，长731公里，土方887万方。整个工程共投入资金7633万元，其中省级补助2156万元，市配套118万元，县配套440万元，乡级配套44万元，群众自筹4577万元，其他298万元。二是灌区节水改造年度工程顺利完成。按计划完成了渠南灌区三期、洪金灌区二期、淮涟灌区三期和盱眙东灌区一期改造工程，顺利通过市级验收；淮涟灌区四期、涟西灌区一期、涟西二期及盱眙东灌区二期改造工程已全面开工实施。截至年底，本年度灌区节水改造工程共完成投资4255万元，完成各项建筑物101座，兴建防渗渠道26公里。三是圩区治理及山丘区水源工程成效显著。2005年度，淮安市实施内部圩区治理16个，总投资917万元。其中里下河圩区6个，投资269万元；面上内部圩区10个，投资648万元。共新建及改造盱眙县穆店、古桑等6个乡塘坝117面，完成土方141万方，完成总投资430万元。通过实施水源工程建设，共增加蓄水量 427 万方，增加灌溉面积 1.1 万亩，改善灌溉面积 2.1 万亩。

【防汛防旱工作】 2005 年，淮安市先旱后涝，并遭受了第 9 号台风“麦莎”和第 15 号台风“卡努”的袭击，主汛期降雨时间长、降雨总量大。在市委、市政府的正确领导下，各地各部门把防汛抗旱作为压倒一切的中心工作，加强领导，周密部署，各级防汛和水利部门集中精力，靠前指挥，密切关注水情、工情，及时会商，科学调度，准确参谋。由于各地高度重视，准备充分，各级部门积极配合，水情调度科学有序，使灾害损失降到了最低程度。一是提前落实各项防汛责任。汛前，淮安市防指及时转发省防指通知，要求各地立即组织和集中力量，认真落实汛前检查责任制，明确各类工程汛前检查行政责任人和技术责任人，自下而上地对各类水利工程进行全面检查。3 月上旬，淮安市防指专门成立汛前检查组，对全市重点流域性水利工程和城市防洪工程进行实地检查，进一步落实安全度汛措施。市委、市政府领导高度重视防汛防旱工作，多次实地查看流域性防洪工程，检查了解各项防汛措施落实情况。二是扎实开展汛前检查。结合近年淮安市水利工程和防汛抗洪体系存在的问题，以抓好责任制落实为中心，在全面检查、摸清水利工程现状的基础上，突出以灾后重建应急工程为重点的除险加固、内部骨干排灌河道疏浚、城区河道疏浚等水利基础设施建设，进一步提高防洪排涝能力。对防洪预案、抗旱预案、滞洪区滞洪撤退预案等作进一步修订。进一步落实防汛防旱预案，细化工程措施和非工程措施，落实好防汛物资和抢险队伍，明确责任。三是召开全市防汛工作会议。5 月 19 日，淮安市委、市政府召开全市防汛防旱工作会议，市与各县（区）签订防汛工作责任状，各县（区）层层分解落实，做到定人员、定岗位、定职责，把责任落实到基层。淮安市政府樊金龙市长到会并讲话。会议要求各地各相关部门充分认识 2005 年度防汛防旱工作的严峻形势，突出重点，加快防洪工程建设进度，认真做好水库防汛工作，切实增强城市防洪能力，精心做好防汛防旱基础工作，周密细致地做好各项防汛防旱准备工作，确保全市安全度汛。四是切实做好水库除险加固及防汛工程建设。完成了盱眙县蔡港、朱洼等 45 座小型水库大坝测量、钻探、安全鉴定和除险加固工程总体实施方案编制工作。完成 2005 年省、市共下达的防汛岁修、急办、小水库除险加固、度汛应急、中央建设基金工程 30 项，总经费 1887 万元，主要项目涉及盱眙县蔡港、麻场、林山、龙头港、簸箕湾 5 座小水库除险加固，金湖县入江水道涂沟闸加固，洪泽县总渠右堤 2.2—2.5K 堤防加固等。五是全力以赴防洪抗台。全力泄洪排涝，及时启用三河闸，运用淮河入江水道排泄淮河洪水，有效地控制了洪泽湖水位的上涨，充分发挥了水利工程的抗灾减灾效益。紧急部署落实抗台措施，迅速成立抗台组织网络，成立淮安市抗御 9 号台风应急指挥中心，由樊金龙市长亲自担任指挥，抽调精干力量集中办公，保障各项应急机制高效运转。淮安市政府成立了 7 个抗御 9 号台风工作指导组，赴一线指挥指导抗台救灾。各县区及乡镇也成立了抗台工作班子，形成了市、县、乡三级联动的抗台组织网络。全力预排预降河湖水库水位，突击清沟理墒，做好沟河清障工作，清除对排涝沟河中的柴草、坝埂等阻水障碍，保证排水畅通，及时开启各类涵闸和机电排涝泵站，全力抢排涝水，减轻洪水和雨涝灾害。

【水利改革积极稳妥推进】 全面完成 4 个管理执法类事业单位改革。完成 7 个社会公益类事业单位的内部分配制度改革。市直 4 个经营性事业单位转企改制基本完成。淮安市水利勘测设计研究院、淮安市水利工程勘测院合并改制后正常运转，淮安市水利建设工程总公司、淮安水利机械工程总公司改制逐步走上正轨。国管水利单位改革方面，在 2004

年淮安市各县区出台改革实施方案的基础上，做好人员编制、管理经费测算等工作，到年底，全市已有4个县区管理单位人员编制经编制委员会批准，经费纳入同级财政。进一步深化农村小型水利产权制度改革、基层水利服务体系改革，探索新形势下农田水利投资新机制，出台了《关于加强农村水利工作的意见》，各地结合实际，积极探索税改后农田水利投入和运行机制，涟水成为全省首批"民办公助"试点县。

【广泛深入开展水法规宣传活动】 3月22日是第十二届"世界水日"，3月22日至28日是第十七届"中国水周"。围绕"保障饮水安全，维护生命健康"的宣传主题，淮安市水利部门在《淮安日报》、《法制月刊》刊登宣传专版，在《淮安日报》发表分管市长署名纪念文章，制作主题宣传画在全市范围内散发，用一周时间在淮安电视台、广播电台集中宣传水法规，在淮安市中心及主要街道悬挂气球标语和大幅宣传标语。3月22日，组织淮安市相关单位及两区水政监察大队，联合在市民健身广场设立5个咨询点，向广大市民开展水法规宣传咨询活动；在市区翔宇大道里运河一侧、淮河入海水道宁连路大桥南北两侧共设置四块大型固定宣传标牌。3月下旬，淮安市水利局与华能淮阴电厂联合举办华淮电杯"生命之水"有奖知识竞赛，共收到3000多份答卷。4月29日举行公开抽奖仪式，省水利厅、淮安市司法局、华能淮阴电厂等单位领导参加抽奖，在全部正确的答卷中产生出特等奖一名；一等奖三名；二等奖8名；三等奖20名；其余答案正确者均获纪念奖。

【"两道一湖"专项执法成效显著】 成立"两道一湖"执法检查领导小组。从3月下旬开始，淮安市各地在"两道一湖"周边范围内开展了广泛的宣传活动，通过散发宣传材料，出动宣传车，设置固定宣传标牌等，营造了知法、守法、发现违法行为积极举报的良好氛围。由于各级领导重视，措施有力，宣传到位，清障力度大，专项执法活动取得了很大成效。全市共查处违法案件236件；拆除违章建筑35144平方米；拆除违章搭建4566平方米；清除违章种植1135亩；平毁、迁移坟墓2947座；平毁违章圈圩192亩；清除违章鱼网鱼簖50多处；清除违章堆放12处。11月下旬，省水利厅检查组对淮安市开展"两道一湖"专项执法活动成果给予高度评价。在12月下旬省厅召开的全省"一江两道三湖"专项执法活动总结表彰大会上，淮安市水政监察支队被评为全省先进单位。

【积极开展"集中式饮用水源地保护"专项执法行动】 根据省水利厅的统一部署和要求，淮安市从2005年7月初开始，在全市饮用水源地开展了专项执法检查活动。活动期间，全市共出动水政执法人员10879人次，执法车辆1693车次，船只61船次，完成了河道围网养殖和河道占用项目调查，有针对性地采取了饮用水源保护措施，一是责成建设业主将非法设置的排污口改建，排入水源区外；二是组织执法行动，拆除水源保护区内的违法设施。

【节约用水工作成效显著】 加强制度建设。先后出台《淮安市城镇节约用水工作实施意见》、《淮安市节水型企业(单位)考核暂行办法》，起草完成《淮安市建设节水型社会工作意见》，从节水宣传、规划、节水管理、考核等方面，提出未来几年淮安市节水工作的总体目标和具体要求，推动淮安节水型社会的制度建设、载体建设和文化建设。开展丰富多彩的节水宣传。以节水宣传周为契机，在《淮安日报》推出节水宣传专版，刊登署名文章，在淮安市区悬挂近百条节水宣传横幅，在城市主干道街口展示节水气球标语，向用水单位发放近70000只印有节水口号的宣传纸杯。全力开展节水型社会建设。下发2005年全市地下水开采计划及用水计划，对淮安市区170家主要用水单位的自备水源和自来水的取水计划进行了逐户分解。2005年，江苏安邦电化有限公司、上海太平洋化工(集团)淮安元明粉有限公司、江苏红光化工有限公司等三家用水单位的用水重复利用率、间接冷却水循环率、工艺水回用率等节水指标有了明显改善，在年底顺利地通过了省级节水型企业达标验收。同时，新上了7家节水示范项目，其中省级节水示范项目5家，市级节水示范项目2家，项目投入使用以来，年节约用水量达到了143万多方，年节约费用75万多元，减少污水排放130多万方，创造了企业自身经济发展与水资源节约、保护的双重效益。

【扎实开展党员先进教育性活动】 2005年初，按照中央、省、市统一部署，淮安市直水利系统按照“提高党员素质、加强基层组织、服务人民群众、促进各项工作”的总体目标，扎实开展保持共产党员先进性教育活动，局党委组织全系统18个支部的271名党员，圆满完成了保持共产党员先进性教育活动的各项任务。由于领导有力，措施扎实，市直水利系统党员先进性教育活动得到了领导和群众的一致好评，淮安市水利局荣获“信息宣传工作先进集体”，淮安市中里运河管理处党支部被市里评为“先进基层党支部”。通过党员先进性教育活动，淮安市直水利系统党员在党意识和素质有了明显提高，系统各党支部凝聚力、号召力明显增强，党员宗旨意识得到强化，促进了淮安水利事业健康快速发展。

【水利目标管理再上台阶】 2005年，淮安市水利局连续第14年荣获“市级机关目标管理先进单位”。在这一年里，按照市委、市政府的统一部署和要求，淮安市水利局紧紧围绕市下达的“4221”工程及部门自定目标，层层分解和落实任务，加大考核、奖惩和督查力度，保证了水利重点项目和市政府重点实事项目的按期、保质、高效完成。2005年，全市水利目标管理工作紧紧围绕南水北调、治淮、灾后水利重建、灌区节水改造、骨干河道疏浚、城区水环境治理等重点，坚持流域和区域治理统筹兼顾，农村与城市水利协调发展，建设、管理、改革全面推进，团结拼搏，苦干实干，有力地提高了我市的防洪保安能力和水资源供给水平。

【廉政建设力度加大】 层层签订党风廉政建设责任状，分解目标任务，并进行考核。推行科级以上干部党风廉洁自律承诺。积极开展党内法规知识竞赛活动。开展警示教育月活动，按计划组织系统党员干部职工收看警示教育片。开展“严格自律、秉公执纪”及“增强纪律观念，自觉接受监督”主题教育活动，进一步增强系统干部职工特别是领导干部的法纪观念。淮安市水利局党委领导班子在年底的述廉、评廉活动中，群众测评满意率和基本满意率达100%。围绕水利中心工作，分别从水利建设资金的管理与使用、落实“四制”、招标投标和征地拆迁等方面，进一步加大监督检查的力度，加强灾后重建、灌区改造等国家重点工程的执法监察，确保“工程安全、资金安全、干部安全”。

【积极创建学习型机关】 制定了党委中心组学习计划和局属单位水利干部学习实施意见，认真做好中心组学习服务工作，加强职工培训，组织全市泵站运行工技能竞赛并推荐3名同志参加省比赛，获得好成绩。举办一期全市水利干部培训班，聘请河海大学知名教授授课，大家反映良好。组织局系统300多名专业技术人员继续教育考试和60余名政工人员培训，完成行政人员学习积分备案工作。组织市中里运河、高良涧水电站、入江水道管理处、水政监察支队以及设计院有限公司申报省文明单位，市水利行业首获市文明行业光荣称号。

【帮扶、宣传工作】 围绕淮安水利中心工作，充分利用报、刊、网的阵地，组织形式多样的宣传，在淮安日报、淮安电台等媒体进行了水利专版、专题的宣传，开展了南水北调、治淮、冬春水利建设、城区水环境整治、灾后水利重建等的新闻系列报道，着力营造有利于水利工作开展的良好舆论环境。新闻宣传、政务信息及通联工作受到中国水利报社、省水利厅和市委、市政府的表彰。认真开展水利帮扶工作，被淮安市委、市政府授予“扶贫工作先进集体”，城镇失业人员帮扶、市区下岗职工保障工作也分别受到市政府的表彰。此外，“四城”创建、双拥、信访、工会、共青团、计划生育等工作也取得较好成绩。

（潘光杰　王惠莲）

盐城市

2005年，全市水利部门紧紧围绕“两个率先”的工作大局，以科学发展观和新时期治水方针为指导，以防汛减灾保安全为中心，加大建设力度，强化水利管理，优化水资源配置，不断深化水利改革，扎实搞好党风廉政建设，“三个文明”建设取得了新的业绩，被盐城市委、市政府表彰为“三个文明”建设综合先进集体、获得省水利厅“优胜杯”奖。

【防汛防旱防台】 认真开展汛前检查。2005年是盐城市灾害频发的一年，灾害类型多、危害大。按照防汛防旱抗台工作的总体要求，盐城市水利部门从早、从严、从实着手，及早组织开展汛前检查，认真落实各项防汛责任制，层层签订责任状。完善以行政首长负责制为中心的各项防汛责任制，签订了责任状，明确了各级防汛工作职责，形成纵横协调、整体联动的防汛责任体系。修订废黄河、总渠、盐城市区防洪、沿海地区抗台防台防潮等十个预案。在此基础上，新制定了入海水道防洪、里下河灌区抗旱、城市抗旱及应急水源调配等预案，加强防汛物资储备，全面完成了省下达的任务。全市市、县、乡三级共储备草包63.60万只，编织袋463.60万只，木材903立方米，土工布4.27万平方米，块石51702万吨。同时还组建了由40人组成的专业防汛抢险机动队伍。科学调度战胜旱灾。2005年5、6月份用水高峰期，盐城干旱无雨，比常年同期偏少50%，又正值大秧栽插期，内河水位急剧下降，接近1978年大旱年的最低水位，用水极度紧张。面对严峻的旱情，全市水利部门科学调度水源，加大了引淮引江流量，有效地保证了抗旱水源；同时全力开启大套一、二站及北坍站向废黄河及总渠灌区补水，三大站持续日夜累计翻水1.42亿方；组织机械动力，突击引水提水，加大沟河清淤清障力度，确保引水通畅。做好防台抗台工作。2005年台风活动频繁，盐城市遭遇严重的风灾、涝灾，分别受到台风“麦莎”、“泰利”和“卡努”的袭击和威胁，其中台风“泰利”和“卡努”对盐城市影响较大，其特点是强度大、运动速度快、袭击面广。按照防台防潮预案，各相关防台责任人及时到岗到位，建立健全防汛值班、水雨情、汛情综报日报制度、每天会商制度和督察制度。水利、气象、海洋、通信、公安、交通等各部门按照职能分工，通力协作，认真履行职责。及时向各县（市、区）和市区派出抗台工作组，指导抗台工作。

【水利建设】 2005年，盐城市主要实施了城市防洪、海堤达标、泰东河拓浚、淮河流域灾后重建、地方基建等重点工程建设。城市防洪工程建设。2005年度主要实施了小洋河东支闸站工程、小洋河整治、小马沟整治、盐都新区防洪工程、盐都新区东干渠驳岸和河道清淤等工程，完成工程总投资7000多万元。市区小洋河东支闸站防洪工程，2005年6月19日通过水下工程阶段验收，工程质量被评定为优良。目前小洋河东支闸站工程已基本建成，完全具备投入使用条件。部分县（市）一批新的防洪工程相继开工建设，建设速度明显加快，标准有所提高。海堤达标工程。2005年加大了海堤工程的投资力度，完成投资13000万元，实施了滨海海堤振东闸以南和王庄及翻身河北海堤防护工程、响水一分排北闸拆建工程和大丰四卯酉除险加固工程，射阳河闸加固改造工程也已全面开工建设。工程的实施极大地提高了盐城市侵蚀性海岸堤防和沿海涵闸的抗风浪标准，有效地保障了人民群众的生命财产安全。泰东河拓浚工程。泰东河拓浚工程是一项以引水为主，结合航运与排涝的综合利用水利工程，工程建设内容包括拓浚5公里的泰东河河道、新建时堰跨河公路桥、幸福河接口段900米拓浚、时堰集镇段护岸工程2公里和沿线影响建筑物工程，总经费5421.20万元。2005年主要实施了一期河道工程的扫尾和泰东河时堰大桥的施工，完成工程投入1700万元。目前，泰东河一期工程已全部完成，河道工程通过投入使用验收，时堰桥工程通过交工验收，还完成了河道工程档案资料的整编。淮河流域灾后重建工程。2003年大水后，水利部淮委、省水利厅共审批下达盐城市里下河洼地治理、总渠南堤除险加固、阜宁船闸除险加固等灾后重建应急工程项目，总投资为6766万元。总渠南堤除险加固、阜宁船闸除险加固工程在去年通过投入使用验收的基础上，主要实施了工程理赔结算及档案完善整理工作，所有工作均按计划完成。淮河入海水道工程。单港排涝站拆建工程为淮河入海水道完善工程项目，总投资1664万元，4月份通过水下工程阶段验收，目前工程已全部完成，由于阜宁县自筹资金未到位，工程供电线路尚未架设，泵站还不能投入运行。周门排涝站机改电工程为淮河入海水道渠北排灌工程项目，2005年3月底开工，6月底土建工程已完成，电气设备安装基本到位，7月上旬工程施工全部结束。潮河排涝站工程是淮河入海水道渠北排灌工程项目，工程计划投资426万元，9月份开工建设，目前主体工程已完成。地方基建工程。2005年度全市水利地方基建也取得了较好成绩，主要实施了盐都区池沟拓浚、建湖县东塘河整治一期工程、建湖县建阳河拓浚、响水县大有低洼地治理、盐都区略斜河拓浚、新洋港闸下清淤工程等8个项目，工程总投资4581万元，超额完成了年度目标任务。

【农村水利】 2005年，全市农村水利建设累计完成土方7608万方，其中中沟以上土方4561万方，完成省补县乡河道2290万方，新开、疏浚大中沟833条、2311公里，加修加固圩堤770公里；完成小沟以上建筑物4157座，中沟以上建筑物563座，新建和改造排灌站122座、6455千瓦；修建防渗渠道233.5公里；改造中低产田22.5万亩，建设高效农田12.3万亩，治理水土流失面积33.4平方公里，全面完成了省厅下达的各项建设任务。全市的农村水利建设工作得到了省委、省政府和省厅的充分肯定，2005年4月、11月份，省委、省政府两次在该市召开了农村水利建设现场会议，推广经验。

认真抓好灌区改造和圩区治理项目建设。全市在建的三个灌区正按计划时序进度向前推进，阜宁渠南灌区二期工程、东台堤东灌区一、二期工程均已竣工，射阳五岸灌区四期工程已经全面开工建设；射阳县海通饮水安全一期工程已竣工；圩区治理任务全面完成，2005年，省里开始启动里下河圩区治理项目，明确项目建设程序和质量，落实了建设管理的责任主体，共完成圩口闸新建加固210座，其中省补125座。全面推进灌区管理体制和运行机制的改革，包括以用水户参与灌溉管理为主的灌区基层管理体制改革、水价改革、水费计收机制改革和灌区人事劳动分配制度改革，为灌区可持续发展提供源动力。同时切实抓好县乡河道疏浚后的长效管理，明确管理责任的主体，建立工作责任制，促进河道管理良性循环。

【水利改革】 水利工程管理体制改革取得突破性进展。2005年，盐城市水利部门全面贯彻落实省、市改革文件精神，加快推进水管体制改革。市属11个水管单位根据部、厅定岗定员及维修养护定额标准分别进行了人员编制和维修养护经费的测算,并通过省、市有关专家评审,已正式报请盐城市编制和财政部门批准。完成了市属水管单位职能职责的界定工作,全面开展水管单位内部改革工作,搞活了机制,激发了活力。各县(市、区)已完成了改革文件的出台和水管单位定性工作,改革的进度不断加快,射阳县已率先在全省完成县级的水管单位的改革并通过了验收。水价改革继续深化。2005年,针对农业税免征、《水价管理办法》实施、煤电油运紧张、工业经济效益增幅趋缓等新形势,严格执行政策,强化供水服务,服务发展大局,全市未发生一起违规收费案件,水利行业和供排水管理处分别被市委农工办、市物价局等单位评为AA级涉农价格和收费诚信示范行业和示范单位。全年共征收水工程水费6615万元,其中市直征收858万元,按时上缴省686万元,全面完成了省下达的各项任务。年初以来,盐城市水利部门先后在市级水费中挤出部分资金用于市直用水户的取水口清淤,挤出了250万元用于河道清淤等惠民利民工程建设,水价管理等工作继续保持在全省领先的地位。企事业单位改革不断深入。随着盐城市水利局所属5家国有企业改革改制到位,认真做好后续保障工作,是关系到企业和社会稳定的头等大事。一是工作做细,确保企业职工能够参与企业改革改制的全过程,保证企业职工获得改革改制的知情权,做到职工人人明白、事事知晓。二是确保涉及职工个人利益的清算费用足额兑付到位,多方面帮助筹集资金达1000多万元。三是做好改革改制配套服务工作,通过做好改制职工的用水、用电、房屋维修以及房产出售等配套工作,促使企业改革改制工作稳妥到位。

【工程管理】 为及时对全市水利工程进行维修养护,2005年下达防汛工程项目56个、经费1379万元,除近期下达的中央特大防汛经费待2006年实施外,其余项目已保质保量全部完成。加大水利工程管理考核力度。组织有关方面的专家对全市申报达标升级的工程管理单位进行初验,经初验有2个管理单位达省一级单位、1个管理单位达二级单位、2个单位达三级单位,已报请省厅组织验收。通榆河河道工程的管理力度进一步加大,完善规章制度,实行千分制考核,建立了通榆河工程巡查制度,发现问题,及时处理。同时切实抓好县乡河道疏浚后的长效管理,明确管理责任的主体,建立工作责任制,促进河道管理良性循环。

【水资源管理】 继续抓好水利工程建设各项规划和前期工作,编制了"十一五"水利发展重点规划、水资源综合利用规划、县乡河道疏浚二轮规划、利民河和西潮河等重点地区防洪排涝专业规划等。在项目管理中,分别组织编制了滨海闸下移工程、废黄河急险段整治工程、南水北调水源工程等可研报告、初步设计和总体实施方案等,其中部分项目已通过了水利部、淮委和省水利厅的审查。全面完成了省水利厅下达的水资源管理十项任务,并有四项指标列全省各市之首,一项创历史新高,被表彰为"全省水资源管理先进单位"、"淮河流域入河排污口调查及监测工作先进集体",经省厅研究同意,被网上公示并报送为全国水利部门水资源工作先进集体。年初将省下达的地下水开采计划分解到各取用水单位,并封井50眼,年压缩开采量536万立方米。年内全市共安装智能水表159台套,占全省总数的13.50%,数量为全省第一。创建盐城工学院等节水型企业(单位)12家,对全市41家取用水单位进行了节水技改,其中省级项目13项,占全省总数1/5。规范水资源论证制度,全年共审批取水项目35项,论证率、批准率均达100%。积极开展饮用水源地保护行动,严格控制入河污染源排放总量,并组织编制城市饮用水安全保障规划和入河排污口整治规划。按期监测84个市内主要河道断面水质，按时监测272眼地下水监测井埋深，定期发布通报。水资源综合规划取得阶段性成果，市、县水资源及其开发利用调查评价报告已通过省、市专家组评审。经市政府批准，市、县均已及时调整了自备水源和自来水水资源费征收标准，全年共征收水资源费2097万元，比上年增加了51.50%，创历史新高。

【财务和经营管理】 严格执行财经纪律和财务管理等各项制度，管好用好各类水利资金。结合全市水利工作的实际，制定印发了《关于进一步加强机关事业单位财务管理工作的通知》等一系列财务管理制度，并认真贯彻执行，把好财务关。按照工程安全、资金安全、干部安全的要求，加大了内部审计，全年共开展了财务收支审计36次、经济责任审计2次、财务检查18次、配合纪检监察廉政督查16次，对本部门的资金使用进行跟踪监督，确保各类资金安全、有效使用。积极配合财政、审计部门对全市水利各项资金进行全面的审计。进一步加大水利建设资金筹措力度，及时申报用款计划，主动争取财政部门的支持，全年累计筹集市以上各类资金3亿元。2005年，全市水利部门充分利用水利行业的水土资源优势，大力发展种植业、养殖业，适度发展第三产业，发展各种经营，增收节支，提高经济效益。利用水利行业优势，大力发展水利建筑业，市水建处立足建筑市场，加大外向开拓力度，市场空间不断拓展，工程中标率不断提高。继市水建处获得一级水利水电施工资质后，2005年盐城市水利设计院又升格为甲级水利设计资质。市通榆河枢纽旅游风景区规划顺利通过了国家级水利风景区验收，为在全市率先发展水利旅游业奠定了基础。全市水利经济总量持续、快速增长，发展势头强劲，实现了产值、利润双丰收，全年共实现产值15.36亿元，利润3276万元。水利经济的发展解决了广大职工的生活问题和后顾之忧，稳定了水利职工队伍。

【水利法制建设】 深入贯彻《行政许可法》，建立健全实施行政许可法的各项制度，制定了新增5个项目的办理须知和3份申请书，对执法、许可、收费等项目进行公示，完成了44份行政许可项目的法制审查，设在行政审批中心的窗口被授予“盐城市首批服务规范达标窗口”。地方性水行政措施制定稳步推进，制定并出台了《盐城市河道堤防工程占用补偿费征收减免办法》、《盐城市水利局规范行政处罚自由裁量行为实施办法》、《盐城市水利局全面推进依法行政实施意见》等4项制度，同时还研究制定了《盐城市“十一五”水利法制建设规划》。大力开展水法律、法规宣传工作。2005年全市共投入水法宣传教育工作经费65多万元，张贴悬挂标语3.50万多条，竖立固定标牌140多处，印发水法宣传材料6万多份，出动宣传车船150多次，设立宣传点23个，咨询人数达2.80万人次。为方便广大干群对水法律、法规的查询，在盐城水利网上开辟了“政策法规”、“水政监察”、“行政许可”专栏。认真组织市水行政执法技能竞赛，积极参加全省的竞赛，并获得全省第二名的好成绩。组织参加了省厅和省有关部门的培训，并指导县（市、区）举办各类培训班22期、920人次。加大执法力度，全年共查处水事案件228起，调处水事纠纷74起，罚款17万元，挽回直接经济损失59万元，结案率100%。

【水利科技】 组织编制了《盐城市“十一五”水利科技发展规划》，明确“十一五”期间水利科技发展的指导思想、发展目标、重点关键技术研究以及保障措施，建立健全了水利科技发展激励机制；组织申报2005年省水利科技重点项目9项，其中4个项目列入省水利科技指令性计划，3个项目被列入指导性计划；按时序进度完成了年度科研项目的制定，其中，农村水环境经济决策支持系统的研究设计与应用已向省科委申请，将于2006年元月20日前进行鉴定，水工程供水收费信息管理系统软件开发研究已经完成，作为948项目“灌区水管理技术”子项目的灌区水管理监控系统实用研究也已完成；948项目“灌区水管理技术”子项目目前已完成软件开发及汉化工作，正在进行设备安装，计划于2006年5月底前申请部省鉴定验收。

【精神文明建设和党风廉政建设】 一年来坚持“两手抓、两手硬”，在抓好水利建设工作的同时，注重全市水利系统的精神文明建设和党风廉政建设。党委中心组学习制度健全、成效显著，已连续多年被省委组织部、宣传部和盐城市委表彰为“红旗中心组”和“先进中心组”。局领导班子团结协调，战斗力和凝聚力不断增强。2005年度市纪委、市委组织部考核领导班子时，优秀率和满意率达98%。干部人事改革工作取得新成绩。在干部选拔任用工作中，严格落实《党政领导干部选拔任用工作条例》，坚持干部任用标准和工作程序，全面推行民主推荐、民主测评、公开选拔、竞争上岗，坚持民主集中制，干部任用一律经党委集体研究和票决。文明行业创建有新的进展。进一步加强机关作风建设，与市广播电台联合举办“行风热线”，局主要领导定期到现场解答有关水利政策法规问题，现场受理和解决水利行风问题的投诉与举报，并积极开展创建和评议活动，取得了较好的经济和社会效果。一年来，在《盐阜大众报》、《中国水利报》等各类报刊上的用稿数量有了新的突破。围绕水利中心工作，及时编发有关水利发展动态情况、趋势分析以及问题与对策等方面的各类信息，被市政府授予政务信息工作二等奖。按照《机关公文处理办法》，公文办理工作规范有序，极大地提高了机关工作效率和公文质量。认真做好人大代表建议、政协提案办理工作。全年主办人大建议、政协提案10件，协办10件，办结率100%，满意率100%。档案管理工作进展显著，建立起了档案电子平台，使档案的查阅更加便捷。认真做好信访和社会治安综合治理工作，全年办结信访17件，年度无重复上访、越级上访，全系统未发生一起重特大责任事故，未发生一起违纪、违法行为。老干部待遇落实到位，各项待遇基本上与在职人员一视同仁。帮扶共建活动深入开展，扎实开展为企业服务活动，深入开展农村扶贫和社区帮扶活动，建立结对帮扶对子98个，走访帮扶家庭185户次，为特困家庭捐衣捐物、参加慈善一日捐、慰问生病住院干部职工、到党建工作联系点现场办公等，并积极帮助驻盐部队解决实际问题。全面加强党风廉政责任制建设，印发了《2005年党风廉政建设工作意见》、《2005年党风廉政建设工作局领导和有关处室责任分解意见》，签订了《党风廉政责任书》。进一步加强廉洁自律工作，不断强化水利工程建设执法监察和专项治理，在水利工程建设领域全面实行建设合同和廉政合同双签制度，规范了水利工程建设行为。全局的党风廉政建设工作得到了上级和主管部门的充分肯定，被盐城市纪委、监察局表彰为全市执法监察工作先进集体，被省水利厅表彰为全省纪检监察工作先进集体。

【“十五”水利工作回顾】 “十五”期间，盐城市水利局被国家人事部、水利部联合授予“全国水利系统先进集体”荣誉称号，被市委、市政府评为综合先进集体，连续五年被省水利厅表彰为全省水利先进单位。防汛抗旱成绩显著，减灾效益明显。2001、2002、2004年出现严重干旱，2003年发生了特大洪灾，2005年旱、涝、台风等多灾并发。各地灾前准备充分，组织严密，预案得当；灾中指挥有力，科学调度，抢在关键；灾后目标明确，行动迅速，补救及时，成功抗御了多次自然灾害的侵袭，把灾害损失降到最低限度，取得了抗灾减灾全面胜利。据初步统计，“十五”期间，全市防灾减灾效益达80多亿元。水利建设力度空前，成绩喜人。“十五”期间，全市水利建设累计投入55亿元，是“九五”的2.5倍。先后实施了淮河入海水道、海堤达标、特庸段拓浚、通榆河扫尾、淮河流域灾后重建、泰东河拓浚和海堤公路桥涵等工程。同时，全市各地着力推进农村水利建设，累计投资15.8亿元，完成土方6.21亿立方米。水利改革不断深化，机制体制不断创新。一是小型农水产权制度改革。全市防渗渠道改制247公里，圩堤改制5917公里，共收回资金4920万元。二是水利工程管理体制改革。在全省率先出台了市级《水利工程管理体制改革工作的实施意见》，市属水管单位完成人员编制和维修养护经费的测算。射阳县率先在全省完成县级水管单位改革。三是水价改革。在全省率先稳妥完成水费从事业性收费向经营性收费的改革转型，水费收取数额稳中有升、逐年提高。四是水利投融资改革。东台、阜宁、亭湖等地通过“一事一议”，分级负责、多元化投入办水利的成效显著。同时，积极争取利用世行贷款建设城市防洪工程。五是企事业单位改革。“十五”期间，对市钻井公司、运达集团依法实施了破产，市塑管厂顺利实施了歇业清算，市水利物资公司、水机厂成功进行了民营化改制，市水利建筑工程处、水利勘察设计研究院、河海工程监理中心等3个局属事业单位实行了事转企改制。水利管理规范有序，依法行政、依法治水逐步强化。一是强化规划管理。先后完成里下河腹部地区防洪除涝、废黄河整治、城市防洪排涝、总渠灌区水源调整、海堤达标等区域治理规划或可行性研究论证以及“十一五”水利发展规划、水资源保护规划和农村水利县乡河道疏浚、饮水安全规划等数十项规划编制任务。二是强化建设管理。“十五”期间，全市开工建设50万元以上的水利工程达130多项，新开工项目的报建率和招投标率均达100%。三是强化工程管理。实行工程管理千分制考核，定期组织专家评审和考核初验。规范涉水建设项目管理，修改完善了《盐城市海堤管理办法》。四是强化水资源管理。“十五”期间，全面完成了水(环境)功能区划、水资源及其开发利用调查评价报告；超额完成了省政府下达的地下水压采任务，使超采区面积由原来的4400平方公里缩减到3660平方公里；创建省级节水型企业占全省的三分之一。五是强化法制管理。全市共查处各类水事案件1156起，结案率98.50%。水利经济飞速发展，产值、利润同步增长。“十五”期间，全市新增和补植水利绿化造林面积12.5万亩，不仅美化了工程，而且成为水管单位得以生存和发展的支柱。“十五”期间，全市水利系统累计实现水利经济总收入77.8亿元、利税4.12亿元。

(朱榛国　华　翔)

扬州市

【综述】　2005年，市水利系统干部职工认真贯彻党的十六届五中全会精神，以科学发展观为统领，紧紧围绕市委、市政府制定的“富民强市、建设名城”战略，坚持一手抓先进性教育，一手抓水利工作，克难求进，扎实工作，圆满完成各项工作任务，确保了两不误、两促进。全市累计投入劳动积累工1056万个，新开、疏浚大中沟261条679公里，加高加固圩堤386公里，改造中低产田5.6万亩，建设高效农田6万亩，治理水土流失面积8平方公里，修建防渗渠道310公里，共完成土方3448万方，配套小沟以上建筑物3304座，为全市建设社会主义新农村和全市经济社会发展提供了有力支撑和保障。

【水政水资源管理】　以“世界水日”、“中国水周”为契机，广泛开展《水法》、《防洪法》等法律法规宣传活动，不断增强全社会的水法律法规意识。进一步充实了水政监察队伍，不断提高水政监察人员业务素质和工作技能。通过整合执法力量,集中广陵、维扬和扬州闸等水政人员开展综合执法,进一步加大了水行政执法力度,水行政执法取得明显成效,查处了一批典型案件:依法查处江都龙川船业公司擅自在芒稻河填河建设船台案件;督促江都东风渔业村拆除邵伯湖中心滩阻水严重的1300亩围网养殖;组织清除邵伯湖邗江土良滩近3万株植树;多次开展打击长江非法采砂行动以及对廖家沟水源地进行整治。

市区水资源统一管理工作理顺后,主动着手扬州城区地下水管理,自觉履行水资源管理职责,结合实际,采取有效措施,强化水资源管理。严格实行取水许可制度,按申请、审核、发证、年审等程序开展工作,非农业取水许可年审率达100%。严把新的取水口审批关,城区自来水管网到达的地方及地下水超采区没有新增地下井,同时规范了凿井管理。在实施计量取水的同时,创建节水型企业和推广节水型产品,强化企业节水、改水管理,促进全市实现水资源可持续利用。

【重点水利工程】 规划和前期工作有序进行。编制完成了市十一五水利发展规划、市入江水道以西区域水利治理规划、市水利血防专项规划、市水资源综合规划及各专项规划。入江水道整治工程可研报告编制工作已完成,城市防洪乌塔沟下游分洪道整治工程可研报告已报出。完成了扬州市水利血防近期工程、宝应湖洼地治理、石桥河、北澄子河、灰粪港、西银沟、邗江河、尚桥冲等区域及地方基建项目的可研或初设的编制工作。

重点工程建设取得新进展。全市水利工程建设累计完成投资3.67亿元,超额完成市政府下达的目标任务,自2003年以来继续保持较高的水利建设强度,一批重点水利工程基本建成并初步发挥防洪供水效益。里下河区域治理完成投资0.7亿元;南水北调三阳河潼河宝应站工程累计完成投资8.4亿元,今年完成投资1.2亿元;城市防洪沿山河综合整治工程已基本完成,累计完成投资1.6亿元,今年完成投资0.3亿元;碧水工程完成投资0.87亿元;长江岸线治理六圩弯道工程完成投资0.17亿元;节水、水源等农村水利工程完成投资0.43亿元。

在完成工程建设管理工作任务的同时,积极贯彻落实上级有关安全生产文件精神和重要指示,积极组织安全生产和文明工地建设大检查,查隐患、堵漏洞、促整改,整个水利建设工地没有出现一起重大安全事故,实现了安全、生产同步顺利推进的良好态势。

【防汛防旱】 认真做好汛前检查、险工患段除险加固、落实防汛防旱责任制、修订完善防洪预案、落实防汛物资等各项防汛防旱准备工作。汛期突出检查督查,安全隐患应急除险力度进一步加大,成功防御了9号台风"麦莎"、15号台风"卡努"等多次台风侵袭,避免了人民生命财产遭受重大损失。扎实开展了小水库除险加固工作、镇扬河段二期整治工程建设和三期工程前期工作、白蚁防治工作以及配合做好水利血防工作。同时优化水资源调度,科学制定城市冲污换水计划,保证了生产、生活、生态用水,进一步改善了城乡水环境。

【农村水利】 2005年度全市碧水工程、节水及水源工程等农村水利建设完成投资1.3亿元,农村水环境得以进一步改善。按照省水利厅对河道疏浚工作的专题部署和"五年规划、分年实施"的要求,共疏浚县乡河道175条,完成土方1200万方。继续抓好高邮灌区续建配套改造工程项目,在一二期工程已通过省级验收的基础上,工程投资分别为1750万元、750万元的三、四期工程已全部按计划完成。进一步加强小流域治理、水源工程建设,丘陵山区水源工程月塘、谢集项目区和真州、刘集、新城项目区建设任务全部完成,共完成塘坝69座,增加蓄水量241万方,完成投资900万元。加快里下河腹部圩区治理工程建设，新建和加固改造圩口闸98座，完成投资700万元。积极推进节水工程园区建设和灌区改造工程，实施完成了宝应安宜、高邮车逻、江都邵伯、邗江方巷4个省级节水灌溉示范项目，完成投资200万元。

【水利改革】 水价和供水体制改革进一步深化，切实抓好水费的收缴、使用、管理，继续推进水费转型，规范收费行为，稳步促进供水管理体制改革。依托行业优势，大力发展综合经营，不断壮大水利行业自身经济实力。

水利工程管理体制改革稳妥进行。按照市政府办公室转发的《扬州市水利工程管理体制改革实施意见》要求扎实推进水管工程管理体制改革，全市有改革任务的江都、高邮、宝应、邗江、仪征等县(市、区)在出台实施意见的基础上，结合各自实际不断深化改革工作，水管单位分类定性工作已基本完成。水管单位内部改革工作也积极推进，全市33个管理单位，已有25个单位完成了内部改革。

水利投入机制不断创新，探索社会化筹集水利建设资金的步伐不断加快。采取“一事一议”设立水利工程专项资金；明确政府补助标准，落实河道管护资金来源；引进市场机制，以河养河等适合各地实际的做法成效明显。

(吕为龙　闫　伟)

镇　江　市

【综述】 2005年，全市水利系统广大干部职工坚持以“三个代表”重要思想为指导，以先进性教育活动为契机，坚持以科学发展观为统领，紧紧围绕“两个率先”的工作大局，积极实践和探索新的治水思路，各项工作取得较好成绩。

2005年，全市在建省水利重点工程13项，其中续建工程4项，新开工工程9项。年初拟订全市重点水利建设计划，制定较为具体的工程序时进度目标。截至年底，总投资5525万元的谏壁抽水站增容除险改造工程完成，泵站通过试运行验收。总投资为530万元的国债项目谏壁节制闸长江侧引河清淤工程，完成投资300万元。总投资2036万元的镇扬河段沙头河口应急治理工程开工，完成投资640万元；总投资2393万元的扬中河段丰乐桥等段护岸工程开工，完成投资1848万元。镇江新区团结河整治工程总投资约3000万元，河口橡胶坝工程建成。被市政府列为民心工程的总投资约2829万元的张王庙沟整治工程建成。丹阳市城北分洪道整治工程总投资3605万元，工程A标2.37公里河道土方工程基本完成，工程完成水下工程阶段验收，累计完成投资约1326万元。对省水利厅批复下达的10座小水库除险加固工程建设，年度预计完成投资1200万元。续建旅游风光带一期工程全长1660米，工程主体部分已建成，本年度完成投资约4535万元。另有丹阳西南低洼片区防洪除涝扫尾工程、丹阳市内城河整治工程、共青团农场水利工程等均按计划实施完成。

规划计划工作有序推进，各项前期准备工作任务进展顺利。重点水利工程等前期工作均顺利完成，初步落实安排好2006年度的前期工作计划。加强对长江河势的监测分析工作，确保长江汛期防汛安全。北部滨水区建设形成规划报告，引航道枢纽工程行政审批取得突破，为北部滨水区建设扫清障碍。同时，金山湖整治工程建设前期工作取得进展。

部署开展“六查一整顿”活动(查认识、查机构、查制度、查隐患、查措施、查实效，整顿安全隐患)，共出动检查人员51人次，查出7个事故隐患并进行整改。同时加强汛期和重大节日的安全生产检查工作，严格执行防汛和节日期间的值班制度和事故专报制度，切实落实各项安全防范措施。水利安全工作进一步加强,安全生产形势平稳,未发生轻伤以上人员伤亡、重大火灾和设备事故。全力以赴,团结拼搏,实施科学调度和有效管理,战胜两次台风与自1978年以来罕见旱情。

科教兴水工作取得新成果,水利科技项目申报成绩显著,全系统科技工作连续9年超额完成市政府下达的科技目标任务。全年共申报科技项目4项,申报省级项目1个,市级项目3个,完成项目7个,产学研创项目签约1个,申报科技进步奖2次,获奖2次。开展优秀水利科技论文评比活动。市水利学会进行换届选举,80多名代表参加会议,选举产生新一届领导班子。举办水环境专项论坛,邀请科研院所的专家学者来镇讲课。

市直单位改革取得突破性进展,顺利结束市水利工程处、市水利建设总承包公司和市基础工程检测研究所的改革、改制工作,三个单位的产权转让合同都已签订,认真做好新、老单位转换相关工作。市工程勘测设计研究院(含华源监理中心)转企改制工作也在紧锣密鼓地进行,资产评估工作即将结束,转企改制实施方案、职工安置方案已报市相关部门审核、确认。干部人事制度改革进一步深化,局机关对2个副处长空缺岗位实行竞争上岗,按照"公开、公平、平等"竞争的原则,通过笔试、现场问答和群众测评,5名同志参与竞争。完成经营总收入101亿元,创利润3500万元,上缴税金3000万元。财经、内部审计逐步规范,全年共审计各类收入3.6亿元,审计核减利润68万元,清理违规资金25.8万元,提出审计建议和意见43条,并对整改情况进行检查。

围绕防汛防旱、水行政执法、水资源管理、水费征收、水利安全等中心工作进行大量富有成效的宣传。积极参加行风热线,"十五"宣传报道,制作行风热线、"十五"辉煌成就宣传展牌,获得好评。镇江水利网站新闻分布更新及时,已有5万多人登录网站,成为宣传镇江水利的现代化载体。

【北部滨水区】 2005年,根据市委市政府提出的镇江"十一五""南山北水"的城市发展构想,市规划设计院和市工程勘测设计研究院编制城市北部滨水区可行性研究报告。2004年11月4日,水利部副部长翟浩辉、江苏省副省长黄莉新、长江水利委员会副主任王忠法、江苏省水利厅厅长吕振霖等一行赴镇江市现场办公,在现场视察、听取相关报告后认为,镇江内江节制的思路——江堤不外移、水面不减小,湿地不占用,行洪基本不影响,对引航道节制工程的建设表示充分的支持态度,为建设的可行性定下基调。同时,全市积极争取长江水利委员会专家的理解。一方面选择适当时机邀请专家到镇江进行踏勘调研,实地了解内江的变迁态势,目睹内江的淤积状况;另一方面做细做实基础性技术工作,组织编制科学、详实的防洪影响评价和环境影响评价报告取得了专家的理解和支持。2005年11月,部、省、长江水利委员会领导现场办公会后,市局根据部、省领导的指示精神,立即开展相关落实工作。2005年12月23日,引航道闸站防洪评价通过专家论证。2006年1月,组织相关人员赴武汉开展工作,使引航道枢纽工程在2006年春节之前通过行政审批。

【金山湖整治工程建设】 2005年,金山湖整治工程作为镇江城市滨水区建设的先导工程,包括退渔还湖及防洪工程、景观及配套设施配套工程和环湖路西段道路工程三大部分,在市委、市政府高度重视下,市政府成立由副市长陈杰任指挥的工程指挥部,并明确市水利局作为工程建设的责任主体。金山湖景观规划设计方案已经市长常务会议讨论通过,主体工程的国有土地征地拆迁启动,在各方面的共同努力及水产养殖场的支持配合下,相关土地划拨补偿协议将在2006年2月13日签订,相关征地拆迁工作全面启动;集体土地拆迁政策对外进行公示;安置房征地方案已确定,建设方案进入评审阶段,正在组织有关专家进行评审；融资工作进入待审阶段。

【农田水利建设和河道疏浚】 2005年，各地继续以农村水利为水利工作基础，突出以县乡河道疏浚、丘陵山区水源工程和水土保持生态环境建设、节水灌溉技术推广等工作为重点，做到重点工程和面上工程统筹安排、城市水利与农村水利协调发展，加强组织领导，广泛发动群众，扎实有效地开展工作，较好地完成农村水利各项年度建设任务。全市完成各类土方2157.25万立方米（占年度计划任务的107.8%），新建改造塘坝994座（占年度计划任务的124.3%），完成各类建筑物2023座（占年度计划任务的101.2%），修建防渗渠道152.8公里（占年度计划任务的101.9%），完成中低产田改造4.34万亩，治理水土流失面积11.32平方公里，新建改造机电泵站104座6288千瓦，加高加固堤防43.9公里，土方73.9万立方米。各地把河道疏浚工作与全市“双清双美”等活动相结合，并将一些不在五年规划内的农村二、三级河沟的疏浚提到重要的位置，并开始有计划地实施。特别是丹阳市、丹徒区克服困难，下大力气对近年来汛期中险情多发的中心河、捆山河进行疏浚整治，较为彻底地解决该区域洪水出路问题，被当地群众誉为真正的“民心工程”。全市疏浚县级河道16条、乡级河道62条，疏浚后的县乡河道可改善排涝面积5467公顷，改善灌溉面积4840公顷，增加旱涝保收田3233公顷，增加土地复垦面积72.3公顷。

【水利重点工程规划设计】 2005年，全市各项前期工作进展顺利，规划工作成效显著，前期工作扎实有效，项目储备重点突出，为全市水利建设的可持续发展，特别是为“十一五”水利发展开好头奠定坚实基础。截至年底，镇江市城市河道蓝线规划（送审稿）完成，将进入审批程序；扬中市城市防洪规划经市级技术审查后，完成批复工作；句容市城市防洪规划编制工作完成，将进入审查、审批程序。本年度共完成项目建议书1项、可研报告12项（已批复1项）、初步设计4项（已批复4项），分别是丹徒区捆山河防洪除涝工程可研，丹阳市、丹徒区中心河防洪除涝工程可研，句容市水土保持国债工程初设（已批复），沙头河口应急整治工程可研、初设（已批复），扬中河段整治小决港护岸工程初设（已批复），谏壁闸长江侧引河清淤工程初设（已批复），句容市长江提水站除险加固工程可研（上报省厅），句容市老便民河水利血防工程可研（上报省厅），谏壁闸运河侧引河清淤可研（上报省厅），谏壁站引河清淤项目建议书（上报省厅），镇扬河段三期整治工程可研，句容市天王站改造工程可研（上报省厅），丹阳市鹤溪河整治工程可研（上报省厅），润州区金山大圩综合整治工程可研（上报省厅），句容河水环境整治工程可研及古运河中段整治工程可研。各项前期工作的有序开展既保证2005年重点工程的顺利实施，也为2006年重点工程建设提供项目保障。

【农水前期工作】 2005年，全市水利系统完成《镇江市中型灌区节水改造规划》《镇江市农村饮水安全现状调查评估报告》《镇江市农村饮水安全“十一五”规划》《镇江市县乡河道疏浚二轮规划》(2007－2010)和《镇江市小型农田水利工程建设规划》(2006－2015)等农水专项规划的编制任务及全市范围内的农村村庄河道的调查摸底工作。另外，还配合市相关部门完成了农村改水验收、水利支茅扶贫、丘陵地区三级以上翻水、水稻田种植调整调研及丘陵地区农业结构调整规划（水利部分）等相关工作。

【滨江旅游专线】 滨江旅游专线项目西接北固山公园，东连焦山公园，全长约3500米。项目主要由道路工程和风光带工程组成，工程估算总投资约3.2亿元。镇江市滨江旅游专线一期道路工程从大东造纸厂北侧—虹桥港东，全长1.8723公里（含虹桥港大桥），道路设计红线宽度20米，其中行车道14米，为沥青混凝土路面，人行道两边各3米，道路等级为城市支路Ⅱ级技术标准。一期道路工程从2004年4月26日正式开工，于2004年底建成。滨江风光带一期工程全长1720米(大东造纸厂北—虹桥港桥西)，主要建设内容为：土方工程、雕塑小品、休闲广场及停车场、绿化、音响及灯光工程、给排水、道路工程、房屋建筑工程等。风光带一期工程已建成，本年度完成投资约4580万元，二期工程进入组织实施阶段。

【长江治理】 2005年，全市水利系统加大对长江治理力度。总投资2036万元(含扬中市堤顶道路工程补助300万元)的镇扬河段沙头河口应急治理工程基本完成，累计完成投资2036万元；总投资2393万元的扬中河段丰乐桥等段护岸工程完成，累计完成投资2393万元；京口共青团农场补助经费111万元的工程完成；总投资约540万元的谏壁节制闸长江侧引河清淤工程完成，累计完成投资540万元。

【小水库除险加固工】 2005年，句容市潘仲、马埂、金山，丹徒区军民、丰产、塔山6座水库全面开工，年内可完成主体工程建设；此外，句容市东进、丹徒区德胜、上会、东固4座水库因省水利厅批复较迟，一定程度影响工程进展，经过努力，此4座水库除险加固工程也全面开工。上述工程本年度共完成投资约1338万元。

【城市水利】 2005年，城市水利部门按照人水和谐、城市水利现代化的要求，进一步完善城市防洪体系，打造生态水利景观，提升城市水利管理水平。建设工作方面，主城区防洪墙附属工程全部建成，张王庙沟整治工程、珍珠广场改建工程当年开工、当年完成。管理工作方面，城市河道调控水成效明显，水位适宜，水质逐步改善，顺利完成城市防汛工作；古运河等城市水利风光带面貌进一步改善。

成立防汛工作机构，落实防汛责任制，汛前及早对责任范围进行全面检查维护，保证闸站设施正常运转，保证江堤河道工程安全，并实施以清障为主的专项水行政执法，汛期加强巡查，经过精心组织、科学调度，安全度过了汛期。汛后又及时进行检查。闸站工程全年开机引水635台时，水位控制在Ñ5.2米至Ñ5.8米之间的合适位置，水质大部分常规指标优于Ⅳ类水标准。

巩固和提升城市水利风光带长效管理，用好30名下岗再就业职工，落实定岗、定责制度。提高保洁员管养业务技能，加强绿化管养和卫生保洁，扎实进行长效管理，对新建成的珍珠广场和中山桥至解放桥重点段实行高标准管理。科学调控水，变指令控制为指标控制，实行过程控制，保持适宜的景观水位和较好水质。购买两艘漂浮物打捞船，及时打捞水面漂浮物，与调控水相结合，保持水面洁净。

依法加强城市水政监察管理力度。2005年共查处、纠正各类水事案件、水事违法违章行为80余起，有效维护辖区内正常的水事秩序。城区水政大队被评为全省水行政执法工作先进集体。党建工作和精神文明建设成绩突出，被市委先教办作为全市先进性教育十家先进典型之一组织进行重点宣传报道；被市级机关工委评为"合格职工之家"，工程科被市总工会评为"五一文明科室(班组)"；宣传工作精心策划，全年在市级以上新闻媒体组织新闻报道90余篇，编发《城市水利简报》19期；在《江苏经济报》推出镇江城市水利的全面报道；对关系到全市防洪安全的主城区防洪墙工程，在《镇江日报》推出了图文并茂的整版报道，在镇江电视台《金山聚焦》栏目推出专题报道。水利工程管理单位改革工作在上级指导下积极稳妥推进，修订完善改革方案，成立企业改制工作领导小组，提出下属企业改制工作计划。

【主城区防洪墙附属工程竣工】 为充分凸现镇江市的"大江风貌"特色，做足"露水""亲水"文章，在2004年完成主城区防洪墙主体工程的基础上，高标准设计和实施景观配套附属工程，西段（运粮河西岸至平政桥）于2005年3月率先完成；东段2005年1月正式施工，7月初完成。东、西段附属工程经验收质量均达优良。西段附属工程主要建设内容包括堤顶铺装、园林小品、绿化、护堤屋、路灯照明和管理房，建成的景点有海狮迎桂、八仙过海、竹报平安、丰收果林、同心堤、游船码头等，6月中旬西段路灯工程告竣启用，沿江一线灯光璀璨，与江水相映衬，灯光波影的夜景为滨江名城再添一道风景线。原省船厂段（解放路至北固山）原拟交园林部门结合北固山景区规划统一实施，于5月份由市领导决定实施，作为06标于9月2日开工，11月竣工，为北固山新景区建设打下基础。至此，主城区防洪墙工程历时3年全部建成，从而形成较完善的主城区防洪圈，内江风光生态走廊也初步显现，凸现镇江市的“大江风貌”特色。

【张王庙沟整治工程】 工程是市政府2005年为民办实事项目之一，1月11日开工，6月中旬竣工，是全市开工和竣工最早的实事项目，当年主汛期即发挥防洪排涝效益。张王庙沟南起九华山北麓珍珠水库下游，经新南徐路、张王庙村等地，穿沪宁铁路以地下水道进入古运河，全长约2.6公里，历年来都发生不同程度的洪涝灾害，近两年尤为严重。市委、市政府顺应民心，决定整治张王庙沟，市领导张学东亲任工程领导小组组长，城市水利管理处负责具体实施，治理思路突出重点地域，注重防洪排涝功能；结构形式以箱涵为主，满足排污要求。本次整治范围为南徐大道以北至古运河出口，总长1791米，工程概算投资2829万元，完成拆迁面积2890平方米。

【珍珠广场改建工程竣工】 工程是镇江市纪念美国友人、诺贝尔文学奖获得者赛珍珠系列活动之一，为弘扬镇江历史文化、扩大对外交往起到重要作用。经市人大代表联合提议，市政府于2004年正式颁文，将原解放桥头市民健身广场、滨河路更名“珍珠广场”“珍珠路”，在2005年实施改建工程。工程于5月1日开工，6月27日圆满承办广场竣工暨赛珍珠纪念雕塑揭幕仪式。工程拆除市图书馆前的破旧平房，建设新主景“大地”门形书状构架。扩大游憩活动面积，配置音乐灯光旱喷泉、木质景观廊架和照明设施，栽植名贵树木，兼顾市民白天和晚上休闲活动需要。中国书协会长沈鹏为珍珠广场题名。

【防汛防旱工作】 2005年，镇江遭遇1978年以来罕见旱情，并遭遇两次强台风袭击，全市各级各部门加强领导、准备充分、相互配合、科学调度，取得防旱防台工作的全面胜利。

立足防大汛、抢大险、抗大灾的要求，做到了“三早”。早检查，2月24日，市防指就发出1号文，在全市开展汛前大检查，要求各辖市区做好清障工作，并组织检查组进行了检查。早准备，全市及早做好防汛物资和抢险队伍的储备，及时下达全市防汛物资储备计划，市防办和局纪检组联合对全市防汛物资储备情况进行了检查。早落实，在汛前就以会议和文件形式明确了防汛责任制、责任人。全市认真修订完善各类防汛调度和抢险预案及各类流域性、区域性防洪调度方案、防台风预案、城市防洪预案、水库出险防范预案、河堤溃口性决堤抢险预案等，同时明确了六大流域联防、各中小水库、各河道防汛行政责任人和技术负责人，汇编成册分发各地。全市共储存“三袋”157.72万只，木材499立方米，防汛块石13000吨，土工布3.8万平方米，脚手钢管35吨，均超省防指下达的应储备计划数。同时，全市各级组建抢险队伍575支、30391人，巡逻队73个、1850人。市防办还和驻镇部队合作，成立军地防汛抢险突击队，配备10艘冲锋舟，20名突击队员，一次可转移被困群众100余人。

科学调度，旱情损失降到最低。从2004

年冬天开始，全市遭遇冬、春、夏、秋连旱。面对1978年以来最大旱情，加强预测，加强调度。进入6月以来，市防办对旱情露头已引起警觉，市防指对抗旱工作专门下发通知，提出具体要求，通过调查分析，及时向领导提供5、6月丘陵山区干旱及各地抗旱的情况，并及时调度谏壁闸、九曲河闸，利用长江潮位引水保灌溉，确保湖西地区灌溉水源得到及时补充，保证该地区的城乡生产、生活用水。据统计，仅谏壁闸、九曲河两闸引水总量达10.75亿立方米。同时，全市各类抗旱提水泵站累计运行达35474.32小时，提水量6155.2万立方米。调出495型抗旱机械39台套，30千瓦电动机一台，支持各地抗旱。市政府筹措市级抗旱资金500万元，对各辖市区旱情给予适当补贴，同时派出工作组赴各地检查指导。气象部门抓住有利时机，分别3次在句容市、丹徒区境内实施人工增雨，缓解旱情。

【防台工作】 2005年，在突然来袭的9号台风面前，全市沉着应对，台风来临前的8月4日下午，市防指召集水利局、水文局、气象局、各辖市区防办主任进行会商，布置防台工作。5日上午，市政府发出关于做好防汛防台各项工作的通知，召集各辖市（区）和市相关部门负责人会议研究部署防台工作。6号上午，市防汛指挥部发布2005年第1号汛情通报，对全市面上防汛抗台工作提出指导意见。下午4点，市委书记史和平主持召开由市防指、各辖市区防指、市有关单位主要负责同志参加的紧急会议，部署防台工作。晚上，市长许津荣召开紧急会议部署防台工作。8月6日下午4时左右，扬中西来桥曙光圩江堤出险。险情发生后，扬中市委、市政府领导连夜带着工程技术人员赶赴现场，研究制定抢险方案，组织抢险。许津荣等市领导亲自赴一线指挥，经过奋力抢险，险情及时得到控制。全市还对低洼地区积水、房屋倒塌等出现的问题进行及时处理。全市投入抗台人数1.5万人次，参加抢险人员5000多人，巡堤人员8000多人，投入资金5660万元。

【水政水资源管理】 2005年，全市一方面抓管理、抓日常、抓制度，一方面抓突击、抓重点、抓服务。在加强法律、法规学习宣传的同时，加强了依法行政与行政服务的力度。在第13个“世界水日”和第18届“中国水周”期间，局机关及各直属单位上街设点宣传，向过路群众发放了近千份宣传资料，展出各类宣传牌近40块，并现场播放水法宣传片。在《中国镇江》网站和《镇江水利》网站上开辟“世界水日”和“中国水周”宣传专栏，在镇江市红旗小学成立了全市首个节水少先中队。

加强水行政执法工作，11月3日对新区两违章码头进行了爆破强拆，有力推进了其他违章码头的拆除。协调丹阳市、丹徒区对太平河18座非法码头进行拆除，并对两地的强拆方案进行指导和现场检查。指导并配合丹徒区强拆扬中大桥下游4座违法码头，联系海事、水上公安进行强拆时的水上护航。督促谏壁抽水站自拆长江侧引河码头4座，受到市领导好评。11月份专门召开会议，就结合“一江两道三湖”专项执法材料的梳理分类，部署在全市水利工程管理范围内开展一次占用情况普查，以摸清情况，分轻重缓急，制定进一步处理方案，加强对水利工程的保护。11月28日，接受了省厅对开展“一江两道三湖”和“集中式饮用水源地”执法检查活动的考查验收，并对扬中市执法行动进行抽查，总体情况良好。

加强项目审批，积极为企业、为基层服务。2005年办理行政许可事项主要有大港三期工程、惠龙码头工程、港联公司万吨码头工程、金山桥工程、滨江旅游风光带观景平台和廊桥工程、大港北山河改建及护坡工程的批复以及谏壁电厂2×1000MW发电机组拟取用长江水的预请示等上报件。两次为大港三期工程争取长江委批复到武汉协助工作。为镇江电厂

5万吨码头防洪评价，协助镇江电厂5万吨码头的审批、南大堤拆除、便民河口利用等事项去相关方面协调。京阳水泥厂3万吨码头上报、扬中3万吨码头上报、京口工业园区码头防评、谏壁电厂2×600MW调整至2×1000MW的取水论证、码头扩建防评上报工作、为京口中盛粮油公司利用岸线协调谏壁抽水站引河内码头拆除，并与京口区协调补偿事宜，确保电厂海电一号移位后安全运行。年内共完成上报件12件，审批件18件。

对全市所有非农业取水户上门进行了取水许可证的年审，年审非农业取水许可证289本，其中地面水162本，地下水127本；年审取水量243594.18万立方米，其中地表水243155.08万立方米，地下水439.1万立方米。市区地下水的年审完成，年审率100%。另外加强取水计量设施的管理，设专人负责抄表和核实，坚持使用水资源费专用收据，加大依法收费力度，对个别取水户不规范行为采取行政处罚措施，切实做好全市水资源费的调整工作。全市城区自来水水资源费在2005年7月进行了调整，句容、扬中、丹徒区和新区的自来水水资源费也进行了调整，丹阳市在近期内也将出台调整文件。预计全年征收水资源费将超过1000万元。

加强对入河口调查，专门组织人员开展入河排污口的调查工作，建立排污口档案，标定排污口的经纬度，督促其普查到位。开展“饮用水源地保护行动”，成立领导小组，制定工作计划，同时对全市自来水厂、饮用水水源区排污口、建设项目等进行核查登记，并按省厅要求按时汇总上报。在现状调查的基础上，配合全市相关部门制定饮用水源地保护方案，提出相关的工程措施和非工程措施。排污口普查登记工作结束，登记排污口383个，为排污口整治规划提供了基础数据。入河排污口整治规划编制工作完成技术大纲、提出排污口设置布局的初步方案。

【饮用水水源地保护】 2005年，镇江市出台《镇江市征润州、黄岗饮用水水源地保护方案》。方案按照《江苏省长江水污染防治条例》的要求，调整扩大水源地保护范围，并规定在水源地一、二级保护区周界设立界桩及相关公告牌；在水源地一级保护区水上设置禁捕、禁航、禁靠警示标志；禁止在江堤外水源一级保护区内的一切种植和养殖活动；对引河进行全面清淤和适当扩容；清理拆除水源保护区内的码头、采石场，督促周边企业达标排放；搬迁部分水源保护区内居民；调整水源地一级保护区内沿江土地性质；在取水口设置24小时水质自动监测系统，建立一级保护区内巡查机制等。

【成立市节水中队】 2005年3月21日，镇江市水利局、镇江市节约用水办公室、京口区教育局在镇江市红旗小学成立全市首个节水中队。被授予节水中队的班级为镇江市红旗小学的五年级(1)班。镇江市水利局、镇江市节约用水办公室向该班授予了节水中队铜牌和队旗。成立节水中队，目的是通过这扇“窗口”，将节水、爱水、惜水的意识向家庭、学校、全社会广泛传播。根据节水宣传计划，镇江市水利局计划每年在全市小学中发展一个节水少先中队。首个节水中队向全市中小学生发出倡议，号召“节约用水，让我们从小事做起”。该节水中队将开展节水小宣传、节水小发明、节水小创造、节水小竞赛、节水小活动等“五小活动”。

（谢立新　徐雪峰）

泰州市

2005年，全市水利系统坚持以科学发展观和“三个代表”重要思想为指导，紧紧围绕全年水利工作目标任务，突出城市防洪工程建设、农村河道疏浚整治、水资源管理及水利改革等工作重点，解放思想，转变思路，真抓实干，锐意进取，圆满完成年度各项水利工作目标管理任务。

【水利建设】 2005年全年完成水利建设投资4.4亿元。全年共完成各类土方3227万方，投入劳动积累工1167.8万个，新开、疏浚大、中沟219条648.8公里1388.2万方，改造中低产田7万亩，配套小沟以上建筑物1640座，建设衬砌渠道96.3公里，增加节水灌溉面积31万亩，维修、改建圩口闸100座，新建、改建机电排灌站75座，圩堤岁修282公里、220.3万方。

【城市防洪工程】 2005年度城市防洪工程年度投资1.3亿元，包括主城区西北片封闭续建工程、中北片封闭启动工程、城区9条河道疏浚工程等。(1)西北片封闭工程。共有10个单项工程，总投资6500万元，截至目前所有工程已全部完成。(2)中北片封闭启动工程。工程区域面积8.2平方公里，总投资6240万元，所有前期工作已经完成，并对部分闸站工程进行招标。(3)城区9条河道清淤工程。疏浚主城区草河、城南河、中子河、南玉带河、东玉带河、老东河及开发区西刘河、翻身河、向阳河等9条河道；新建草河顶管、南玉带河闸站，总投资3960万元。

【泰东河工程】 2005年度工程建设任务为新建沈马公路桥，计划投资1851万元。市水利局5月份接省水利厅批复后立即进行招投标，组织工程实施，到目前为止已浇筑灌注桩37根，下部结构除中孔墩台外已基本完成，边孔空心板梁已预制71块，中孔支架已搭设完成。

【水利重点基建工程】 全市水利重点基建已完成投资16430万元。灾后重建应急工程、水利地方基建高港闸除险加固、真武河整治工程、翟家大桥修复工程及湖洼治理稻河整治工程、两泰官河整治工程、泰兴市城黄灌区工程、节水灌溉示范区建设、长江节点治理工程已经完成，地方基建汤河综合整治已准备招投标。

【防汛准备工作】 按照“查严、查实、查细”的要求，扎实开展汛前、汛后水利工程安全大检查，进一步摸清全市水利工程的现状、险工隐患的实情，及时编制了水利工程岁修、急办工程项目计划，并对检查中发现的隐患逐一明确了除险加固行政责任人和技术责任人，同时落实了安全度汛的工程措施及非工程措施，新编制了《泰州市水旱灾害应急预案》。根据汛前检查清点库存物资情况和与省政府签订的防汛工作责任状要求，加强防汛物资储备，完成市级储备三袋15万只、土工布1万平方米、木棍6000根，应急用抢排泵40台套，现场储备块石1.5万吨。

【科学调度水源】 为确保各行各业的用水需求，特别是确保2005年6月上、中旬水稻栽插季节农业用水需求，我们加大了沿江水利工程引水工作督查力度，力争通南地区水位保持在2.50米左右，共引水6.31亿方。围绕泰州“五城同创”目标，精心制定了主城区河道活水方案，认真管护城区14座闸涵泵站，充分发挥水工程防洪排涝、调度水源、改善水质等功能，着力营造宜人的水环境、提高人居环境质量。

【全力抗台】 今年第9号台风“麦莎”、第15号台风“卡努”对我市造成影响，最大风力达10级以上，通南和沿江地区普降暴雨，里下河地区普降大雨，局部暴雨，给防汛防旱工作带来了较大压力。在省防指和市委、市政府的正确领导下，我们针对十分严峻的防台防风暴潮形势，认真过细落实各项防台防汛工作措施，强化安全检查，采取有效应急处置手段，努力把灾害损失降低到了最小程度。

【水行政执法】 编制了详细的防汛清障计划。在市防指的统一指挥下，各市区水利、公安、渔政及相关乡镇先后组织15次联合行动，出动900人次，市水利局对城区50条河道进行拉网式普查，共清除鱼网鱼簖100余处，拆除沿河违章搭建10处，有力地保障了泰州主城区的防洪安全。打击长江非法采砂。2005年市水政监察支队会同公安部门统一组织实施了长江泰州段5次联合执法行动，我市所辖靖江、泰兴、高港也分别组织了10多次集中打击，共出动联合执法人员260余人次，抓获、查处了40余条非法采砂船只。开展河道堤防占用管理工作。及时办理河道堤防占用审查审批手续，有效维护了水利部门的合法权益，同时也正确处理了水土资源的开发利用与防洪保安、与维护水利工程设施引排水功能的辩证关系。此外，通过各项执法检查，全市共清除违章建筑724平方米、违章占用3313平方米，违章种植6亩，拆除网簖20处，违章坝埂8处。

【饮用水水源地保护】 根据省统一部署，及时组织开展"饮用水源地保护行动"，市及所辖市区分别成立了领导小组和具体工作班子，市局形成详实的工作计划和方案，落实统一标准、分区行动、整体推进的运行机制。行动主要对供水人口3000人以上的饮用水源进行调查。经核实，全市共有饮用水源地167个，其中，地表水90个，地下水77个；城市10个，乡镇157个。为解决饮用水源安全存在的问题和隐患，我市认真制定保护方案，并结合饮用水源地安全保障规划的编制，拟定近期和长远工作计划和具体措施。完成饮用水源地及入河排污口整治规划基础资料的收集和上报工作，共收集相关资料近400组，整理主要排污口资料310组，基本摸清了泰州市饮用水源地及排污口门的现状。为下一步饮用水源地安全保障规划和入河排污口整治规划的编制打下了坚实基础。

【节水型社会载体建设】 一是组织开展创建节水型企业试点工作。在完成泰州职业技术学院节水型单位创建工作的基础上，2005年又组织实施泰州师范学院节水型单位创建，在省水资源管理中心和专家组的帮助支持下，组织实施多项节水技改项目，着力提高内部管理水平，学生人均用水量明显下降。现已完成内业资料整编，申报省厅检查验收。二是落实节水示范项目。全市共确定2005年省、市、县三级节水示范项目12个，落实补助经费18万元。通过宣传发动、项目实施、资料整理等一系列工作，所有项目已实施完毕，具备了检查验收的条件。三是推进水平衡测试。通过计划管理、资金补助和聘请专家技术指导等措施，推进水平衡测试工作。2005年全市开展水平衡测试15家，市区5家。市水资源管理所在泰州电焊条厂、吉泰毛纺织厂组织实施水平衡测试，通过测试和节水技术改造，每年分别可节水72000吨、91200吨，分别产生直接经济效益14.4万元和18.8万元，获得了满意的工作成果，赢得了相关用水单位的好评。

【工程管理】 加强长江岸线管理，积极服务沿江开发，做好沿江开发项目审查及申报工作，尽力为沿江开发项目提供优质服务。参与审查岸线开发利用项目13项，及时转报转批岸线利用申请和批文9项。所辖四市一区都已出台了工程管理体制改革意见，完成了管理单位现状调查，并对管理单位编制、管理经费等进行了测算，明确了经费渠道。目前我市市直水管单位、高港区水管单位的财政资金已全部落实到位，其他市(区)水管单位的资金部分也已落实到位。工程管理单位等级考核工作也在紧锣密鼓进行之中，目前马甸抽水站管理处、夏仕港闸管所、过船闸管所和引江河管理处四家软硬件资料均已准备齐全，具备了考核验收的条件。

【建设管理】 严格实行项目管理，认真履行基本建设程序，全面推行项目法人制、招标投标制、工程监理制、合同管理制和竣工验收制，招投标率达100%。强化水利工程建设安全意识，狠抓各项安全制度和措施的落实，建立安全工作责任制，把责任层层分解落实到具体的责任人。一年来，我局所建工程未发生安全生产和人身伤亡事故，也未发现违规使用工程资金的事件。在城市河道和城市防洪工程的管理上，认真开展河道巡查，及时查处水事违法行为，全年查处各类违法、违章案件82起，结案率100%。加大白蚁治理力度，采用普查与重点治理相结合，使今年蚁害堤段达到基本控制标准又新增4.48公里，并已通过省厅组织的鉴定验收。按照上级部门对血防工作的部署和指示，结合长江岸线开发和农田水利工程项目，共巩固灭螺面积12.9万平方米。

【财务经营管理】 完善内部财务规章制度，建立健全内审机构，强化内控措施，开展以会计稽核、内部审计和经济责任审计等多种形式的监督措施。开展会计基础规范化工作的检查活动，保证水利财务活动有序规范。在重点水利工程资金管理方面，严格执行财政部《基本建设财务管理规定》，实行单独建账核算，加强资金管理。在资金使用上，严格按上级专项资金使用规定执行，在水利规费征收使用上没有乱收乱支现象。2005年，市水利系统立足“区位、资源、工程、行业、政策、人才”六大优势，在“围绕行业办实体、利用优势搞经营、立足水字做文章”上迈出可喜的一步。全市实现水利经营产值(总收入)8亿元，创利税1500万元。

【水利改革】 深化农村水利改革。大力推进乡镇水利站改革，强化公共服务管理职能。深入开展小型水利产权制度改革，按照分级分类管理原则，加强对农村水利设施的管理，探索多种形式的农村水利管理体制和运行机制，保障农村水利持续健康发展。积极开展水利投融资体制改革。在增加公共财政投入的基础上，加强市场运作，积极吸收社会资本投资水利，拓宽水利投融资渠道，形成比较稳定可靠的水利建设投入机制。完善农村水利投资机制，以政府安排补助资金引导农民自愿出资出劳，把政府投入、市场化筹资和依法组织农民投劳投资相结合，确保农村水利投入的稳定增长。2005年，共筹措各类工程资金约2亿元，市、县(区)两级在保证用足地方可用财力2%—4%水利经费外，还加大水利建设基金等投入。

【水利科技】 紧紧围绕科技创新，切实抓好水利科技管理的各项工作。一是做好水利科技项目立项申报、评审、鉴定工作。《城市水系综合整治技术研究与集成应用》获省水利科技优秀成果一等奖，《泰州市水文化研究与实践》、《基于WebGIS的水利防汛防旱空间决策支持研究》获省水利科技优秀成果二等奖；二是做好水利技术推广以及跟踪服务工作；三是继续组织力量开展本年度在节水灌溉新技术、水土保持技术等方面水利科研课题的研究，积极推广节水高产技术、建筑物配套过程中新技术、新工艺、新结构、新材料，及水利工程机械化施工技术。同时围绕新时期对水利工作的要求，开展了《长三角经济高速发达地区水利发展模式的研究》，不断提高水利工作的科技含量，取得了一定的经济和社会效益。

(蔡 浩 朱鸿宇)

宿 迁 市

2005年，全市水务工作继续保持良好的发展势头，完成水利建设总投资2.1亿元，水务改革、防汛防旱、水政水资源等各项工作全面推进。在2005年底召开的全国水利厅局长会议上，市水务局受到人事部、水利部联合表彰，荣获“全国水利系统先进集体”光荣称号，在2006年初市目标考核中荣获“突出贡献奖”。

【重点工程】 一是京杭运河项王大桥工程。倒排工期，精心组织，加班加点，8月29

日正式通车，配套建设了桥头公园。总投资8300万元，其中2005年完成投资2500万元；二是中运河整治工程。填筑堤防5740米、砌筑挡洪墙5740米、铺设滨河步道5850米、亲水平台6处，绿化25万平方米，栽植芦苇4万株，投资约4800万元；三是骆马湖一线大堤加固及防汛撤退道路工程。加固堤防16.2公里，完成土方15万方；四是环城北路供水工程。铺设管网3公里，投资500万元。输水干管从自来水厂直通新区，实现对新区双路供水，解决了新区住宅小区高层用户水压太低的问题；五是古黄河配套及水土保持工程。投资90万元实施了古黄河城区段上游9座涵洞和部分堤防加固工程，投资220万元栽植黄龙和迎春6.5万株，种植麦冬16.6万平方米；六是民便河水环境治理工程。建设了曙光涵洞和朱圩橡胶坝；七是灌区改造工程。晓店灌区一期改造工程和来龙灌区改造四期工程，总投资4048万元，已基本完成建设任务；八是流域防洪工程。奎濉河治理年度工程完成投资2000多万元。

【农村水利】 2005年度，全市农田水利建设突出抓好县乡河道疏浚、灌区改造、丘陵区水源工程建设和连片治理等工程。累计投入劳务1112.5万工日，投入资金7722万元，完成土方4013.5万方，是年度计划2600万方的1.54倍，兴建小沟以上配套建筑物3686座。按计划推进县乡河道疏浚。2005年度，全市计划疏浚县乡河道113条445公里1243万方，实际完成县乡河道疏浚122条。在规范河道疏浚工程建设的同时，注重加强河道疏浚后的管理，出台了《市政府办公室关于切实做好县乡河道确权划界和清障工作的通知》和《宿迁市河道蓝线管理办法》。完成了泗阳县穿城三里荡、张家圩王圩片、南刘集刘集片，沭阳县陇集桥北片、悦来华新片，宿城区埠子片等12个连片治理项目，治理面积5.9万亩。皂河灌区五期、来龙灌区三期、沂北灌区三期等大型灌区改造项目年度建设任务基本完成。

【防汛防旱】 2005年，全市的灾情特点是春旱、夏洪、秋涝。从年初就扎实开展防汛防旱工作。一是科学调度水源抗旱。1—5月，累计降雨量仅为常年同期的65%，而且时间分布不均，前期多、后期少。骆马湖、洪泽湖两湖水位也比往年偏低。针对这种情况，灌溉期间在省防指的指导下，科学调度水源，调引骆马湖、淮水、江水9亿多立方米，保证了全市水稻栽插用水需要，为秋季水稻丰产丰收打下坚实基础。二是全力以赴防汛抗台。汛期又遭受2次龙卷风袭击和9号麦莎、13号泰利、15号卡努等3次台风影响，形成外洪内涝的严峻局面。全市广大干部群众积极行动起来，市县领导多次亲临防汛抢险一线，检查部署防汛工作。各级水务、防汛部门通过合理调度，尽量降低外河洪水水位，以利排涝工作顺利开展，尽快排除内涝。在去年防汛抗台工作中，全市共投入人力28.65万人次、排涝机泵4500台套、耗油950吨、耗电320万度，累计投入经费1600万元，最大限度地降低洪涝及台风带来的损失。据统计，全市去年防汛抗台减灾效益达4.8亿元。三是保障行洪安全。在遭遇多年未遇的强降雨及台风、龙卷风袭击的同时，淮河上中游、沂沭泗上游地区也持续降雨，致使淮河、新濉河、徐洪河、运河、沂河等流域性河道持续来水。严格执行省防指调度指令，安全下泄洪泽湖洪水400亿方(接近常年同期的两倍)，骆马湖洪水111亿方。

【水政水资源】 加强政策研究，以市政府名义出台5项规范性文件，分别是《宿迁市河道蓝线管理办法》、《宿迁市地下水资源管理办法》、《宿迁市河道管理实施细则》、《宿迁市水资源费征收使用管理暂行办法》、《宿迁市乡镇企业水务建设施工企业资质管理暂行规定》。同时，还就河道疏浚、封井等工作多次下发督查通报，推动工作落实；加大水功能区管理。突出抓好饮用水源地保护，积极论证市区饮用水源，编制取水口移址方案；加大规费征收力度。召开了全市第一次水务规费征收工作会议，对全市水务规费征收工作进行了全面部署；适时调整水价，经 2005 年 6 月 3 日市政府二届二十九次常务会议研究批准了市区自来水价格调整方案，居民生活用水由每吨 1.80 元调整到 2.20 元，工业用水由每吨 2.00 元调整到 2.40 元，建筑经营用水由每吨 2.40 元调整到 2.90 元，特种行业用水每吨 3.80 元(新增)，于 2005 年 6 月 1 日起执行；加强封井工作。市政府分管领导召开会办会，专题研究部署全市封井工作，要求严格按照“自来水管网到达地区首先封，党政机关、事业单位带头封，缺乏审批手续的坚决封”的原则稳步推进。经过努力，市区已经封填深水井 102 眼、浅水井 2296 眼。

【水务规划】 高要求组织培训，邀请省专家对全市工程技术人员进行“项目申报及水利工程前期工作”培训，举办了两期项目经理教育培训和 300 多人参加了乡镇级项目经理培训；高标准编制规划。开展了全市农村饮水安全规划的第一阶段工作，完成了现状调查评估报告。启动了第二轮河道疏浚规划工作，加强水资源综合规划编制工作，开展了中心城市水面保护规划编制、小水库加固和湖泊保护规划工作，在对全市水务工作进行全面调研的基础上，编制了“十一五”水务规划，并通过专家评审；加强基础业务工作，编印了《奋进中的宿迁水务》(画册)，编制了《宿迁水务手册》。

【水务改革】 一是率先在全省完成水利工程管理体制改革。市县(区)39 个水利工程管理单位有 30 个定性为纯公益性事业单位，9 个定性为准公益性事业单位，共核定编制 821 人，人员编制比改革前的 921 个减少 100 个。办公费、人头费等按三年到位的原则，2005 年全市水利工程管理单位财政经费到位 279 万元，实现了建市以来市、县财政对水利工管单位经费补助“零”的突破。二是全面完成设计院改制转企和局属事业单位改革工作。按照市委、市政府的统一部署，组织实施局属事业单位改革改制工作，成立了改革工作领导小组，召开了事业单位改革动员大会，积极稳妥推进局属事业单位改革。特别是在设计院改制转企工作中，正确处理国家、集体、个人三方利益，采取股份制形式完成了改制工作，确保了平稳过渡。

【水利科技】 明确专人负责水利科技工作，对已立项的课题跟踪统计，采取每半月统计上报一次进度的方式，提醒项目责任人即时开展工作，取得了明显效果。2005 年度共结题科研项目 7 项，特别是作为第一完成单位开展的“城市水环境综合治理和水生态建设研究与实践”课题获得了省政府科技进步二等奖，这也是宿迁建市以来获得的最高科技成果奖。

【“十五”计划完成概况】 “十五”期间，全市积极开展各项水务建设，共完成水利建设总投资 14.84 亿元，是“九五”期间的 2.2 倍，其中：直接投资基本建设 6.85 亿元，投资防汛防旱 1.0 亿元，投资农村水利 5.4 亿元(含农民投劳折资)，其他投资 1.59 亿元。水务管理、改革等各项工作也取得了显著成绩。一是积极探索水务一体化管理。于 2001 年率先在全省开展了水务管理体制改革，3 月 24 日，宿迁市水务局正式挂牌成立，调整了相关职能和机构。年底县区全部成立水务局，乡镇水利站改为水务站。二是切实加强流域性、区域性防洪工程建设。实施了怀洪新河续建及其影响工程、洪泽湖周边湖洼治理应急工程、黄墩湖滞洪区安全建设工程、奎濉河治理工程、2003 年灾后重建工程等一批流域性防洪工程，完成了一批区域防洪除涝工程，提高了防洪除涝标准。先后战胜了 2001 年的春夏秋连旱和 2003 年的淮河流域特大洪水等水旱灾害。三是深入开展农村水利建设。累计完成土方 3.3 亿方，完成小沟级以上配套建筑物 2.3 万座，新建防渗渠道 1131 公里，疏浚整治县乡河道455条，实施了皂河灌区四期、五期和来龙灌区一至四期、沂北灌区一至三期3个大型灌区改造项目，建设了4个国家级、12个省级节水灌溉示范项目。四是强力推进城市水务建设。组织实施了骆马湖南堤、湖东防洪堤加固和建筑物配套、六塘河疏浚以及幸福涵洞移址扩孔、傅庄涵洞延伸、开发区排涝泵站建设、古黄河和中运河城区段综合整治、城区供水管网配套，建成了宿迁第一个污水处理厂。五是深入开展水务投融资体制改革。成立了水务建设投资有限责任公司，把中运河整治作为水务开发经营的示范工程来实施；对市自来水公司实施产权制度改革，依法转让全部国有净资产产权；深入开展灌区管理体制和运行机制改革，宿豫区皂河灌区“供水公司＋用水协会＋农户”的经营管理模式得到了国内外专家的高度评价。此外，基本完成水利工程管理体制改革，政策法规和水务基础工作迈上新台阶，水利科技工作实现新突破。五年来，市水务局分别被人事部、水利部联合授予“全国水利系统先进集体”称号，被江苏省人民政府授予“全省人民满意的公务员集体”称号，被水利部评为“全国水利系统水资源工作先进单位”，被江苏省防汛防旱指挥部授予“2003年度淮河流域抗洪先进单位”，荣获市政府颁发的“五一”劳动奖状，2次被省厅评为“综合先进单位”，1次被评为“目标管理先进单位”，2001—2004年连续4年被市委、市政府评为“目标管理先进集体”，2005年被市委、市政府授予“突出贡献奖”。各县区水务局也多次受到省水利厅及地方党委、政府表彰或奖励。

（丰玉军、莫　帅）

大事记

2005年江苏省水利大事记

1月

3日　副省长黄莉新赴南京外秦淮河三汊河口闸建设工地慰问。省政府副秘书长吴沛良、厅长吕振霖陪同。

4日　水利厅召开部门年度述职述廉工作会议,听取厅机关各处室、厅直各单位2004年工作总结,研究2005年工作思路。

5—8日　省人大常委会农经委开展水土保持法专题执法活动,重点检查了常州、无锡以及沪宁、宁淮高速公路和淮河入海水道工程的水土保持情况。副厅长张小马陪同。

6日　省级机关作风建设办公室反馈2004年度万人评议省级机关作风建设结果:水利厅在省级机关政府部门及部分中央部门管理单位中排名第六。厅党组召开会议就社会各界对水利厅机关作风建设所提的27条建议逐条落实整改措施。

13日　水利厅组织对长江干流开展清理采砂船只统一行动。当天出动执法人员440多人、执法艇20多艘,抓获小型非法采砂船只6条,对未按指定地点停靠的20多条采砂船依法查处并强制集中停靠。

17日　厅长吕振霖接待拉萨市水利局书记杨文田一行,听取我厅援藏干部、拉萨市水利局局长方桂林关于拉萨市水利工作情况的汇报。厅党组成员、省水利工程建设局局长陆永泉,厅党组成员、人事处处长王逸珠参加座谈。

18日　水利厅召开厅系统保持共产党员先进性教育活动动员大会,全面部署开展先进性教育活动。副省长黄莉新、省先教办副主任侯家福、督导组组长于阜宁到会指导。厅领导吕振霖、陶长生、陆桂华、朱泳富、陆永泉和厅党组成员、人事处处长王逸珠出席会议。

25日　水利厅举办为期两天的厅系统先进性教育处级以上干部学习会。厅领导吕振霖、陶长生、陆桂华、朱泳富、陆永泉和厅党组成员、人事处处长王逸珠等参加学习。学习期间,省委宣传部副部长周毅之、省委党校教授胡宗仁、省政府研究室主任黄健等应邀作辅导讲座。

27日—2月3日　水利厅组织开展全省在建水利重点工程和厅直水利工程管理单位安全生产大检查。

28日　中央督导组组长刘是龙来厅检查指导先进性教育活动。厅领导吕振霖、陶长生、陆桂华、朱泳富、陆永泉和厅党组成员、人事处处长王逸珠参加座谈。

31日　厅长吕振霖、副厅长陶长生慰问省军区和省武警总队。

2月

1—3日　副省长黄莉新赴淮安、宿迁调研农业和水利工作,深入楚州区宋集乡、宿城区埠子镇等看望水利站职工。省政府副秘书长吴沛良、厅长吕振霖陪同。

2日　水利厅组织打击长江非法采砂“联合巡江”行动。当天共出动执法人员300多人、执法艇20多艘,检查采砂船集中停泊点和吹填造地作业点24处,查扣非法采砂船2条。

3日　副省长黄莉新赴省灌溉动力二处检查防汛物资储备情况,慰问水利职工。厅长吕振霖、驻厅纪检组长朱泳富陪同。

4日　水利厅召开全省水利纪检监察工作电视电话会议。省纪委副书记周继业应邀到会指导并讲话。厅长吕振霖、驻厅纪检组长朱泳富出席会议并讲话,厅领导张小马、陶长生、陆永泉和厅党组成员、人事处处长王逸珠出席会议。会上,厅党组与厅直单位和处级干部代表签订了党风廉政建设责任状和承诺书。

△　经省政府批准,省水利厅联合省质量技术监督局发布修订的《江苏省工业和城市生活用水定额》,2002年公布的用水定额废止。

4—5日　副厅长张小马慰问南京、镇江、扬州、泰州等地打击长江非法采砂一线水政监察人员。

5日　水利厅召开老干部迎春联欢会,厅长吕振霖到会通报2004年水利工作情况。

6日　厅长吕振霖赴省水利建设工程总公司慰问水利施工一线干部职工和离退休老同志。

9日　副省长黄莉新赴南京外秦淮河三汊河口闸、南水北调三潼宝工地慰问春节期间坚守岗位的水利建设者。厅领导吕振霖、张小马、陶长生、陆永泉,省南水北调办副主任张劲松陪同。

21日　水利厅召开厅系统先进性教育学习交流大会。厅长吕振霖主持会议并讲话,督查组组长于阜宁到会指导。驻厅纪检组长朱泳富,厅党组成员、省水利工程建设局局长陆永泉等10位同志作了交流发言。

23日　省南水北调东线一期工程前期工作会议在扬州召开。省南水北调办副主任张劲松主持会议并讲话。

24日　省人大、省水利厅联合举行《江苏省湖泊保护条例》新闻发布会。省人大常委会副主任洪锦炘、副省长黄莉新、厅长吕振霖等出席会议并讲话。《江苏省湖泊保护条例》2004年8月20日经省十届人大常委会第十一次会议审议通过,于2005年3月1日实施。

△　国务院南水北调办副主任李铁军来我省就南水北调工程基金筹措问题进行座谈。厅长吕振霖、省南水北调办副主任张劲松等参加。调研组一行还察看了三潼宝工程。

28日　水利厅举办厅系统优秀党员先进事迹报告会。会议宣讲了张顺民、胡为平、孙建国、陈洪年等优秀党员先进事迹,厅长吕振霖作了党课辅导报告。

3月

1—2日　全国人大常委会副委员长蒋正华在水利部副部长索丽生陪同下来我省调研节水型社会建设,视察了苏州水环境治理和张家港永钢集团、暨阳湖生态园区、西张工业水厂等。省人大常委会副主任叶坚、副厅长陆桂华陪同。

2日　全省防办主任会议在镇江召开,副厅长陶长生出席会议并讲话。

3日　厅长吕振霖,厅党组成员、省水利工程建设局局长陆永泉赴南京外秦淮河三汊河口闸工地现场办公。

△　厅长吕振霖赴先进性教育活动联系点省江都水利工程管理处检查指导该处先进性教育活动。

9日　副省长黄莉新在省委组织部部务委员、省委先教办副主任李敏,督导组组长于阜宁陪同下来厅指导先进性教育工作。厅长吕振霖作汇报,副厅长张小马、陶长生、陆桂华参加座谈。

10—11日　全省水行政执法工作会议在无锡召开,副厅长张小马出席会议并讲话。

14日　全省水利规划计划暨前期工作会

议在淮安召开，厅领导吕振霖、陶长生、陆永泉出席会议并讲话，省南水北调办副主任张劲松出席会议。

15 日　水利厅召开厅务会议传达十届全国人大三次会议和中央人口资源环境工作会议精神，厅长吕振霖主持会议并讲话，全国人大代表、省江都水利工程管理处孙汉明传达全国人大会议主要精神。

22 日　水利厅联合省水利学会、南京市水利局在南京鼓楼广场举办咨询活动，纪念第十三届"世界水日"暨第十八届"中国水周"。厅长吕振霖、副厅长张小马到场接受市民咨询。

23 日　水利厅召开厅系统先进性教育活动分析评议阶段工作会议，厅长吕振霖出席会议并讲话，督导组组长于阜宁到会指导。与会全体党员重温入党誓言。

27—28 日　全省水资源管理工作会议在常熟召开，副厅长陆桂华出席会议并讲话。

30 日　水利部副部长翟浩辉来我省调研乡镇水利服务体系建设改革工作，副省长黄莉新、厅长吕振霖、副厅长张小马陪同。

4 月

2 日　全省县乡河道疏浚现场会在盐城召开。省委副书记张连珍、副省长黄莉新、省扶贫领导小组副组长王宏民、省长助理陈宝田、省委副秘书长胥爱贵、省政府副秘书长吴沛良等出席会议，厅长吕振霖主持会议，副厅长张小马通报全省县乡河道疏浚进展情况。

3 日　全省市县水利局长会议在盐城召开。厅长吕振霖作工作报告。会议表彰了 2004 年度全省水利先进单位和先进个人。厅领导张小马、陶长生、陆桂华，朱泳富、陆永泉和厅党组成员、人事处处长王逸珠出席会议。

7 日　全省水利政策法规工作会议在连云港召开，副厅长张小马出席会议并讲话。

8 日　厅直属管理处工作会议在江都水利枢纽召开，厅长吕振霖、副厅长陶长生出席会议并讲话。

11 日　国家防总召开了第一次全体成员电视电话会后，副省长黄莉新在省防办主持省防指成员会，部署落实 2005 年防汛防旱工作。厅长吕振霖汇报汛前准备工作情况。

△　我省地下水管理第一部地方标准《江苏省地下水利用规程》通过省质量技术监督局组织的专家审定。

13 日　水利厅召开厅系统劳模座谈会，张顺民、罗明秀、陈履、叶健、刘胜松、缪宜江、沈来保、胡卫平等全国及省劳模参加。厅长吕振霖、驻厅纪检组长朱泳富到会看望劳模并座谈。

△　省防指派出 4 个专家组分赴沂沭泗、淮河下游、太湖、秦淮河地区协助市县开展汛前检查。

14 日　副省长黄莉新检查镇江市防汛防旱工作，察看了谏壁抽水站改造、九曲河枢纽加固、世业洲江堤、丹徒中兴河疏浚等工程。省政府副秘书长吴沛良、厅长吕振霖、副厅长陶长生陪同。

15 日　水利厅在泰州引江河管理处召开座谈会，征求各市水行政主管部门对厅党组工作意见，各市水利(务)局主要负责人应邀到会并建言献策。厅长吕振霖、驻厅纪检组长朱泳富书记参加座谈。

18 日　省防指和省军区在南京八卦洲举办 2005 年军地联合抗洪抢险演练。副省长黄莉新观看演练并讲话。省军区副司令员刘华建少将、省政府副秘书长吴沛良、厅长吕振霖、副厅长陶长生观摩演练。

19 日　南水北调三阳河潼河宝应站工程全线通水。该工程是南水北调东线一期工程江苏段首批实施项目，工程总投资 8.3 亿元，

2002年12月底开工建设。

20—23日　省政协副主席吴冬华察看南水北调江苏段调水和治污工程建设进展情况。副厅长陆桂华、省南水北调办副主任张劲松陪同。

25日　副省长黄莉新检查常州、镇江、南京等市的水库防汛准备工作，察看了东进水库、无想寺水库、中山水库等工程。

26—27日　国务院南水北调办副主任宁远来我省检查南水北调工程建设情况，察看了江都水利枢纽、宝应站、解台站、里运河淮安段、中运河宿迁段治理等工程。副省长黄莉新、厅长吕振霖、省南水北调办副主任张劲松陪同。

27日　副省长黄莉新在省纪委常委、省委先教办副主任顾星，督导组组长于阜宁陪同下来厅指导以党性分析评议为主要内容的厅党组民主生活会。厅领导吕振霖、张小马、陶长生、朱泳富、陆永泉和厅党组成员、人事处处长王逸珠参加民主生活会。

△　厅长吕振霖，副厅长陶长生，厅党组成员、省水利工程建设局局长陆永泉赴南京外秦淮河三汊河口闸工地现场办公。

29日　省政府召开全省防汛防旱工作会议，全面部署2005年防汛防旱工作。副省长黄莉新出席会议并讲话，厅长吕振霖通报汛前检查情况。

30日　经过民主测评和面试答辩后，34位同志参加了省长江河道采砂管理局副局长等4个副处级领导职位的竞职演讲。厅领导吕振霖、张小马、陶长生、陆桂华、朱泳富和省南水北调办副主任张劲松，厅党组成员、人事处处长王逸珠观看演讲。

△　经省政府同意，修订后的《江苏省地下水超采区划分报告》发布实施。这次调整超采区总面积为17429平方公里，比以往有所增加。

5月

6日　水利厅启动全省饮用水源地保护行动，重点对集中式饮用水源地的水量保证、水质达标、应急事故状态和农村地区饮用水安全等方面开展保护，保护行动至年底结束。

8日　厅长吕振霖赴南水北调解台站检查工程建设情况。

9日　国家防总召开全国水库安全度汛工作电视电话会议，副省长黄莉新在省防办江苏分会场出席会议。

△　厅长吕振霖、副厅长陆桂华赴水利厅扶贫联系点宿豫区现场办公，并看望了“水利春蕾班”学生和贫困户。

12日　全省水利工程水费工作会议在南京召开，厅长吕振霖、副厅长陆桂华出席会议并讲话。

12—13日　全省水文工作会议在淮安市召开，副厅长陆桂华出席会议并讲话。

13日　水利厅召开厅党组民主生活情况通报会。厅长吕振霖通报党组民主生活会情况，督导组刘小路到会指导。

14日　省委书记李源潮在省委常委、秘书长赵少麟，副省长黄莉新陪同下到省防办检查指导当前防汛防旱工作。厅长吕振霖汇报了全省防汛防旱工作情况。

15日　水利厅被省残联、省残疾人福利基金会联合授予“爱心捐赠单位”。并在全省助残日活动中，代表省级机关向盱眙、泗洪等地捐赠物资。

18日　水利部长江委主任蔡其华率国家防总长江防汛抗旱检查组来我省检查指导工作，察看了南京大胜关段江堤、秦淮新闸等工程。副省长黄莉新、厅长吕振霖、副厅长陶长生陪同。

△ 省太湖地区联防会议在常州召开，陆桂华副厅长出席会议并讲话。

△ 沿江8市出动水政、公安、海事等执法人员350人、执法船艇26条，查处小型非法采砂船只35条，摧毁采砂设施50多台套。这次专项执法行动是自4月21日开始的“长江河道采砂集中整治月”活动的一部分。

20日 秦淮河流域联防会议在句容市召开，副厅长张小马出席会议并讲话。

21日 副省长黄莉新察看无锡仙蠡桥枢纽、江尖枢纽工地、江阴长江堤防，在走马塘河、新沟河进行现场办公，副厅长陆桂华陪同。

24—25日 水利部副部长索丽生率国家防总淮河流域防汛抗旱检查组来我省检查指导工作，察看了淮河入江水道、三河闸、洪泽湖大堤、二河枢纽、淮河入海水道、淮安枢纽等工程。副省长黄莉新、厅长吕振霖、副厅长陶长生陪同。

25—26日 副省长黄莉新赴徐州察看刘山站、解台站、睢北河三期工程、庆安水库、古邳滞洪区圯桥闸等。厅长吕振霖、副厅长陶长生陪同。

6月

1日 省淮河下游联防会议在扬州召开，副厅长陶长生出席会议并讲话。

2日 省骆马湖地区联防会议在连云港召开，厅长吕振霖出席会议并讲话。

△ 水利厅印发《全面推进依法行政的实施意见》，明确了至2015年全省水利系统依法行政12项基本任务。

3日 水利部副部长翟浩辉率国家防总太湖流域防汛抗旱检查组来我省检查指导工作，察看了常州武进港、雅浦港水利枢纽、苏州裕棠桥水利枢纽等工程。副省长黄莉新、厅长吕振霖、副厅长陶长生陪同检查。

△ 水利厅在南京召开会议部署第二轮全省县乡河道疏浚规划工作，副厅长张小马出席会议并讲话。

5日 副省长黄莉新在省委先教办副主任周毅之、督导组组长于阜宁陪同下来厅检查指导先进性教育活动整改提高阶段工作开展情况。

6日 厅长吕振霖赴先进性教育联系点省江都水利工程管理处检查指导整改提高阶段工作。

6—12日 副厅长陶长生率团赴西藏考察拉萨市水利工作，代表团考察了拉萨市拉萨河城市防洪工程、拉萨水利科技服务中心建址等。

8—9日 副厅长张小马带队督查水土保持工作，重点检查了仪长输油管道工程、江阴夏港、镇江谏壁、镇江发电厂扩建工程的水土保持工作。

9日 省长梁保华在副省长黄莉新、厅长吕振霖陪同下，察看南京秦淮河三汊河口闸、长江大胜关段以及秦淮新河水利枢纽等工程，在省防办听取省水利、气象部门汇报。

13日 中国水利文协主席李昌凡赴泰州考察水文化建设，驻厅纪检组长朱泳富陪同。

16日 省委副书记张连珍视察常州、无锡、苏州防汛工作，察看了溧阳塘马水库、常州长江禄安洲堤防、横塘河北枢纽、常熟枢纽、无锡犊山枢纽、梅梁湖泵站等工程，厅长吕振霖、副厅长陶长生陪同。

17日 水利厅召开厅系统保持共产党员先进性教育活动整改工作情况通报会。厅长吕振霖通报整改情况，督导组组长于阜宁到会指导，并组织群众满意度测评。测评总体满意和基本满意率达到100%。

20—22日 省人大常委会原主任陈焕友察看江都水利枢纽、泰州城市水利、泰州引江河、南水北调三潼宝工程、淮安水利枢纽、淮河入海水道等工程。省人大工作理论研究会副会长俞兴德、王霞林、俞敬忠等参加。省委副书记张连珍、副省长黄莉新分段陪同，厅长吕振霖全程陪同。

21日　水利厅召开厅系统先进性教育活动整改提高阶段工作会议，厅长吕振霖出席会议并讲话，督导组组长于阜宁组长到会指导。

23日　省防指召开防指成员单位会议，研究部署防汛抗旱工作。副省长黄莉新主持会议并讲话。

24日　骆马湖地区防汛工作紧急会议在宿迁召开，会议贯彻落实国家防总紧急办公会议和省委书记李源潮有关防汛工作批示精神，厅长吕振霖主持会议并讲话。

27日　水利厅召开厅系统先进性教育活动总结大会。厅长吕振霖作总结报告，督导组组长于阜宁到会指导。通过先进性教育活动，达到了提高党员素质、加强基层组织、服务人民群众、促进各项工作的总体目标。

29日　我省淮河以南地区出梅。我省淮河以南地区25日入梅，沿江苏南地区和江淮之间梅雨量分别为37毫米和22毫米，仅为常年的16%和10%，与建国后最干旱的1978年相当；淮北地区同期降雨量34毫米，为常年的20%。

7月

2日　副省长黄莉新主持省防指会商会，部署当前抗旱工作。入汛以来，全省降雨明显偏少，淮河以南丘陵山区和沿海垦区出现旱情，受旱面积416万亩，10多万人饮水受到影响。省防指积极调度引江、引沂济淮，缓解用水矛盾。

6—7日　省委副书记张连珍赴镇江指导抗旱工作，察看了赤山闸、九曲河枢纽、长山提水站等工程，省委副秘书长胥爱贵、厅长吕振霖陪同。

11日　副省长黄莉新主持我省淮河防洪会商会，部署淮河防汛工作，厅长吕振霖、副厅长陶长生参加会商。受连续降雨影响，7月4日以来淮河上中游发生较大洪水，从11日开始，我省调度三河闸泄洪5000立方米每秒，嶂山闸泄洪2000立方米每秒。

12－13日　厅长吕振霖检查高港枢纽、江都水利枢纽、三河闸、洪泽湖大堤等重点工程的防汛工作。

13—29日　水利部水规总院对南水北调东线一期江苏境内9个单项工程可研进行预审。14—16日，审查组专家现场查勘了皂河一站、皂河二站、淮安二站、阜宁腰闸等工程。期间，厅长吕振霖两次到会看望专家，省南水北调办副主任张劲松全程陪同。

18日　厅长吕振霖到太湖管理处调研慰问。

23日　厅长吕振霖到省淮沭新河管理处、总渠管理处调研慰问。厅党组成员、人事处处长王逸珠陪同。

26日　厅长吕振霖察看秦淮新河泵站、武定门闸、三汊河口闸，就服务“十运会”、改善南京水环境提出具体意见。省防办于22日调度秦淮新河泵站开机为南京城区换水。

26—27日，全省水资源工作座谈会在溧水召开，副厅长陆桂华出席会议并讲话。

27日—8月2日　我省淮北地区出现暴雨过程，累计降雨量100—300毫米，其中灌云累计雨量达400毫米，大部分地区出现严重涝情。8月1日，省防指调度开启江都、淮安、石港及沿海四港泵站抽排区域涝水，并调度省机动抢险二队50台机泵帮助灌云抢排涝水。

31日　省科技厅组织专家对水利厅与扬州大学共同完成的“泵站水力模型选择及装置研究”课题进行鉴定。副厅长陶长生到场并讲话。

8月

5—8日 第9号台风"麦莎"影响我省，55个市(县)降雨量超过50毫米，最大的太仓为193.8毫米；降雨时并伴有7级以上大风，部分地区风力达到11级。

5日 省委书记李源潮对防御第9号台风"麦莎"作出重要批示：动员各地准备抗风抗涝。要注意迅速通过媒体告诉群众自防自救的方法。省防指紧急部署防御9号台风工作，梁保华省长到会讲话，副省长黄莉新主持会议。会后，省政府派出13个工作组赴各地指导抗台工作，省政府办公厅发出关于做好防御9号台风工作的紧急通知。

6日 省长梁保华在副省长黄莉新等陪同下赴高淳检查指导防台工作，察看了龙墩河水库和固城湖堤防；省委副书记张连珍赴宜兴市检查指导防台工作，察看了横山水库和太湖大堤大浦港段，并到省防办听取副厅长陶长生防台情况汇报；省防指晚上召开防台会商会，副省长黄莉新在听取13市情况汇报后作工作部署，厅长吕振霖主持会议；厅长吕振霖赴苏州市检查指导防台工作，查看常熟枢纽和长江堤防。

6—9日 国家防办副主任邱瑞田、淮委主任钱敏率国家防总工作组来我省指导防台工作，查看了三河闸、石梁河水库、南四湖湖西大堤等工程。副厅长陶长生陪同。

7日 厅长吕振霖赴宜兴检查防台工作。

10—11日 副省长黄莉新察看太仓、张家港等地防台工作，厅长吕振霖陪同。

12日 淮河入江水道高邮湖西大堤菱塘段受高水位行洪和"麦莎"台风影响，部分护坡及圩堤出现险情，厅长吕振霖赴现场指导抢险工作。

13日 国家气象局副局长王守荣来我省就9号台风灾情调查及气象预报服务情况进行调研，副省长黄莉新、厅长吕振霖、副厅长陶长生陪同。

14日 水利部副部长矫勇来我省检查长江采砂管理工作，察看了南京龙潭禁采执法基地。副省长黄莉新，省政府副秘书长吴沛良，厅领导吕振霖、陶长生、陆永泉陪同。

27日 副省长黄莉新赴秦淮新河泵站察看外秦淮河引江换水工程运行情况。副厅长陶长生、陆桂华陪同。

9月

1日 省防指部署各地防御第13号台风"泰利"。

3日 水利部副部长翟浩辉察看南京秦淮河综合整治工程，水利部太湖局局长叶建春、厅长吕振霖陪同。

8—14日 水利厅举办厅系统处级干部学习会暨领导干部任职培训班。厅长吕振霖出席开班仪式并讲话，厅领导张小马、陶长生、朱泳富和省南水北调办副主任张劲松，厅党组成员、人事处处长王逸珠参加。

11日 水利厅派出13个工作组赴各市指导防御第15号台风"卡努"工作。15号台风于12日凌晨从宜兴进入我省后向偏北方向移动，13日减弱为热带风暴入海。省长梁保华、省委副书记张连珍先后作出重要批示，副省长黄莉新坐镇省防指指挥，3次召集省防指成员单位会商，部署防台工作。

15日 淮河入海水道滨海枢纽和泰州引江河工程被水利部评为"2005年中国水利工程优质奖"。

18日 厅长吕振霖，厅党组成员、省水利工程建设局局长陆永泉赴南水北调解台站、刘山站、淮阴三站和淮安四站建设工地慰问。

20日　省水利发展“十一五”规划征求意见(苏南片)座谈会在苏州召开。厅长吕振霖出席会议并讲话,副厅长陶长生参加会议。

21日　省委第五巡视组蔡则民组长一行来厅召开巡视见面会,正式开始为期三个月的巡视工作。

22日　厅长吕振霖,厅党组成员、省水利工程建设局局长陆永泉赴新沂河海口枢纽扩建工程检查指导工作。

24日　全省水利系统政务公开暨办公室主任会议在南通市召开,厅党组成员、驻厅纪检组长朱泳富出席会议并讲话。

27日　省长江河道采砂管理工作会议在镇江召开,副厅长张小马出席会议并讲话。

29日　水利厅召开电视电话会议部署秋冬农村水利建设。厅长吕振霖、副厅长张小马在南京主会场出席会议并讲话,厅党组成员、省水利工程建设局局长陆永泉,厅党组成员、人事处处长王逸珠参加。

10月

1日　受持续降雨影响,我省沂沭泗地区发生秋汛,微山湖、中运河邳州运河镇等出现30年来最高水位,徐州沛县内涝严重,邳州中运河部分堤段和支河出现部分险情。省防指密切关注并调度支持地方抗灾。

1—6日　水利部部长汪恕诚视察南京秦淮河整治、镇江城市水利、南通濠河整治、江都水利枢纽、高港枢纽等水利工程。副省长黄莉新、厅长吕振霖陪同。

12日　水利部副部长周英在南京看望了参加“十运会”的水利代表团,厅长吕振霖陪同。

13日　水利部副部长周英察看南京秦淮河整治、高港枢纽、江都水利枢纽等水利工程。省委副书记张连珍、副省长黄莉新分别陪同,厅长吕振霖全程陪同。

17日　水利厅党组召开扩大会议学习贯彻中共中央十六届五中全会精神。

20—27日　水利厅在河海大学举办全省市县水利局长专业理论知识培训班。厅长吕振霖出席开班典礼并讲话。

20日　全省典型水事案例评析活动在扬州举行,副厅长张小马赴现场指导。

21日　厅长吕振霖赴秦淮河管理处指导“十运会”期间引江换水工作。19日,副厅长陶长生慰问了引江换水一线干部职工。

22日　厅长吕振霖赴三河闸管理处和动力二处检查指导工作。

26日　水利部部长汪恕诚视察南京市雨花台区大石湖水土保持示范区、秦淮河整治等工程,厅长吕振霖陪同。

28—30日　水利厅羽毛球队在2005年江苏省全民健身运动会省级机关羽毛球比赛中蝉联男子团体冠军。

28日　省长梁保华视察南水北调东线宝应站工程,副省长黄莉新、厅长吕振霖陪同。

29—31日　中共中央政治局委员、国务院副总理曾培炎在省委书记李源潮、省长梁保华、副省长黄莉新陪同下视察了南水北调东线江苏段建设情况,先后察看了江都水利枢纽、宝应站、宿迁中运河整治工程和解台站工程。厅长吕振霖陪同并在江都水利枢纽汇报了江苏南水北调工程建设情况。

29日　国务院南水北调办在南京召开南水北调东线(江苏段)工程建设座谈会,国务院南水北调办主任张基尧、总工程师汪易森,水利部淮委主任钱敏,副厅长张小马、省南水北调办副主任张劲松参加座谈。

11月

2日 厅长吕振霖，厅党组成员、省水利工程建设局局长陆永泉赴新沂河海口枢纽扩建工程工地现场办公。

7—11日 水利部科技委、淮委联合开展淮河与洪泽湖关系问题专题调研活动。水利部副部长索丽生、总工程师刘宁、中国水利学会理事长朱尔明等参加调研。11日专家组在扬州召开咨询会，副省长黄莉新、厅长吕振霖参加研讨。

9日 中共中央原书记处书记任建新视察江都水利枢纽，吕振霖厅长陪同。

10日 省政协来厅召开评议水利厅提案办理工作动员会。省政协副主席孙安华出席会议并讲话，厅长吕振霖汇报近三年来我厅办理政协提案工作。

14日 水利厅召开厅长办公会议学习贯彻省委十届九次全委扩大会议精神。

14—16日 省人大常委会副主任洪锦炘率检查组对苏锡常地下水禁采工作进行执法检查。至10月30日，苏锡常地区除省政府批准的86眼特殊行业保留井外，4831眼深井全部按规定封填，五年压缩地下水开采量2.8亿立方米，提前完成目标任务。

16日 水利厅召开全省农村水利工作座谈会，副厅长张小马出席会议并讲话。

25日 厅长吕振霖赴徐州调研新时期农村水利建设。

△ 水利厅派出4个检查组赴全省开展“一江两道三湖”和“集中饮用水源地保护”专项执法检查活动。

12月

1日 全省小型水库除险加固工作座谈会在镇江召开，副厅长陶长生出席会议并讲话。

4日 水利部太湖局局长叶建春、副局长叶寿仁来厅就“十一五”太湖治理进行商谈。厅长吕振霖，副厅长陶长生、陆桂华参加座谈。

6日 厅长吕振霖，厅党组成员、省水利工程建设局局长陆永泉赴新沂河海口枢纽扩建工程工地检查指导工作。

7日 省委第五巡视组副组长王军赴睢宁县调研农村水利工作，驻厅纪检组长朱泳富陪同。

10日 全省村庄河塘整治工作座谈会在泰州引江河管理处召开，厅长吕振霖，副厅长陶长生、陆桂华出席会议。

13—15日 2005年太湖和黄河流域防汛抗旱工作座谈会在苏州召开，副厅长陶长生到会致辞。

17日 全国水利厅局长会议在北京召开，厅长吕振霖出席会议。驻厅纪检组长朱泳富，厅党组成员、人事处王逸珠处长在南京收看会议实况。

20日 全省第三届泵站运行与维修工技能竞赛活动圆满结束，副厅长张小马参加闭幕式并讲话。

21—22日 水利厅举办节水型社会建设高层论坛。水利部原副部长索丽生出席并作专题报告。厅长吕振霖到会致辞，副厅长陆桂华作专题报告。论坛由省水资源协会理事长徐俊仁主持。

22日 南水北调一期江都站改造工程开工。副厅长张小马、省南水北调办副主任张劲松出席开工仪式。

△ 江都市水务局举行揭牌仪式，副厅长张小马、省南水北调办副主任张劲松出席。

22—23 日 全省水利综合经营暨水利企协二届四次会议在南京召开，副厅长陶长生、陆桂华出席会议并讲话。

23 日 水利厅与长江航运公安局在南京召开长江河道采砂管理工作第二次联席会议，副厅长张小马出席会议。

△ 三河闸管理所经水利部审查，被评定为国家一级水利工程管理单位，淮委副主任刘玉年、副厅长陶长生出席授牌仪式。

25 日 厅长吕振霖接待次仁旺久副市长率领的拉萨水利考察团。厅领导张小马、陆永泉和厅党组成员、人事处处长王逸珠参加。

26—27 日 省政府在南京召开全省水利工作会议，回顾总结“十五”水利情况，谋划“十一五”水利发展，研究部署 2006 年水利工作。副省长黄莉新出席会议并讲话。厅长吕振霖就“十一五”水利发展规划要点和 2006 年全省水利建设计划安排提出具体意见。

26 日 省政协孙安华副主席来厅通报提案办理工作评议意见。评议期间，省政协通过召开提案人座谈会、查阅档案制度、现场察看办理实效等，对水利厅办理工作充分肯定。厅领导吕振霖、张小马、陶长生、陆桂华、朱泳富参加评议活动。

29 日 水利厅召开“江苏省水利基础数据库系统总体设计”技术审查会，副厅长陶长生、陆桂华出席会议。

水利统计

水利计划统计

【计划执行情况】 2005年全省水利重点工程年度投资计划为39.2亿元，后对海堤达标等项目进行调整，实际年度投资计划为38.9亿元，其中争取国家资金6.6亿元，省级配套资金11.2亿元，市县配套资金16.6亿元，南水北调专项基金4.5亿元。

2005年全省实际下达投资计划37亿元，其中中央投资计划3.87亿元，南水北调专项6.05亿元，省级投资计划9.62亿元，市县投资计划17.44亿元。对照年度投资计划，行蓄洪区安全建设、南水北调东线一期工程、灌区改造等项目投资计划超下4.9亿元；新沂河、中运河及骆马湖堤防、淮北大堤、西双湖、庆安、崔贺庄等项目由于前期工作滞后或项目审批搁置等因素，4亿元投资计划没有落实；嘶马弯道崩岸整治0.7亿元由于涉及长江隐蔽工程节余资金审计，计划也未落实。

2005年的省级水利资金合计12.4亿元，其中用于工程建设9.62亿元、用于县乡河道疏浚及工程维护岁修1.2亿元、用于还贷1.58亿元。

2005年全省水利重点工程完成投资40.3亿元，其中省重点工程35.7亿元，南水北调专项4.6亿元。省重点工程中，完成结转计划7.22亿元，完成当年投资计划28.48亿元。

【基建报表及综合年报主要效益指标说明】

（一）基建报表说明

2005年我省在建水利基本建设项目共201项，各项目建设地址、所属流域、建设性质等详见水利基本建设项目一览表（一）；项目效益、建设规模等详见水利基本建设项目一览表（二）；项目总投资及完成情况详见水利基本建设项目一览表（三）；项目本年投资及完成情况详见水利基本建设项目一览表（四）；项目总工程量及完成情况详见水利基本建设项目一览表（五）；项目本年工程量及完成情况详见水利基本建设项目一览表（六）。

（二）综合年报主要效益指标说明

综合年报主要效益指标含耕地面积、有效灌溉面积、节水灌溉面积等12项（详见江苏省2005年水利建设主要指标统计表）。变化显著指标及原因分析如下：

1. 有效灌溉面积达到3817.67千公顷，本年新增43.81千公顷，减少67.64千公顷。增加原因主要是中低产田改造、灌区改造配套等水利设施发挥效益。减少原因主要是高等级公路建设、城市建设占地（如苏州市、无锡市等）等。

2. 有效实灌面积达到3312.01千公顷，比2004年3295.06千公顷增加了16.95千公顷。

3. 旱涝保收面积达到3000.35千公顷，比2004年2938.2千公顷增加了62.15千公顷。

4. 节水灌溉面积达到1423.50千公顷，比2004年1374.82千公顷增加48.68千公顷。主要是利用喷滴灌和低压管灌溉等先进技术的灌溉面积有所增加。

5. 除涝面积达到2792.58千公顷，本年新增23.69千公顷，本年减少6.09千公顷。

6. 盐碱耕地改良面积达到701.29千公顷，比2004年增加了3.24千公顷。

7. 水土流失治理面积达到863.56千公顷，其中本年新增27.65千公顷，本年减少4.72千公顷。

（胡其勇）

水利基本建设项目一览表(一)

	建设地址	所属流域	建设性质	开工时间	全部建成投产时间
江苏					
南京市					
南京市江堤达标	南京市	长江区	扩建	1998.11.1	2005.12.31
南京市外秦淮河整治	南京市	长江流域	扩建	2002.11.1	2005.10.1
长江南京河段二期河道整治	南京市	长江流域	扩建	2003.10.18	
南京市淳东灌区改造工程	高淳县	长江流域	扩建	1999.11.1	
南京市小型水库除险加固工程	南京市	长江区	改建	2005.10.1	
赵村水库除险加固	南京市	长江流域	扩建	2004.09.01	2005.12.31
南京市江宁区江宁河水利血防工程	江宁区	长江区	改建	2005.11.1	
南京市栖霞区便民河水系水利血防工程	栖霞区	长江区	改建	2005.12.1	
南京市高淳县水利血防工程	高淳县	长江区	改建	2005.12.1	
南京市鼓楼区江东段水利血防工程	鼓楼区	长江区	改建	2005.3.1	2005.6.30
南京市地方基建2005年工程	南京市	长江流域	扩建	2004.8.1	2005.12.31
南京市雨花台区工农河清淤整治工程	雨花台区	长江区	新建	2005.4.1	2005.5.31
南京市溧水水土保持项目	溧水	长江区	新建	2005.4.2	
南京市江宁区节水增效示范工程	江宁区	长江区	新建	2005.4.3	
无锡市					
无锡市城市防洪工程	无锡市	长江流域	扩建	2004.03.05	
江尖水利枢纽	无锡市	长江区	新建	2004.09.01	
无锡市龙珠水库工程	无锡市	长江区	新建	2003.2.25	
无锡蠡湖入湖河道节制工程	无锡市	长江区	扩建	2004.12.25	
西横河工程	江阴市	长江流域	扩建	2005.10.25	
伯渎港综合整治工程	无锡市	长江流域	扩建	2005.03.02	
无锡市白屈港灌区改造工程	江阴市	长江流域	扩建	2002.1.1	
惠山区陆区防洪工程	锡山区	长江流域	扩建	2004.01.09	2005.12.15

续上表

	建设地址	所属流域	建设性质	开工时间	全部建成投产时间
太湖大道旁河道整治工程	无锡市	长江流域	扩建	2005.01.05	2005.12.26
无锡锡山区节水增效示范	锡山区	长江流域	新建	2004.01.05	
宜兴市渠道护砌工程(血防)	宜兴市	长江区	新建	2005.10.25	
无锡市农村饮水安全(2005)	无锡市	长江区	新建	2005.01.04	
宜兴水土保持	宜兴市	长江区	新建	2005.01.05	
徐州市					
徐州市防洪排涝工程	徐州市	淮河流域	新建	2002.1.1	
睢宁睢北河治理工程	徐州市	淮河流域	新建	2003.01.05	
徐州大沙河治理	徐州市	淮河区	扩建	2002.12.15	
丰县李楼水利枢纽改建工程	徐州市	淮河流域	新建	2003.05.06	
高塘水库除险加固	新沂市	淮河流域	新建	2003.01.06	
阿湖水库除险加固	新沂市	淮河流域	新建	2003.01.06	
沂北灌区	徐州市	淮河区	扩建	2004.9.01	
徐州小水库加固	徐州市	淮河区	新建	2005.10.15	
徐州黄墩湖行蓄洪区安全建设2004年度工程	徐州市	淮河流域	扩建		
韩庄闸改建工程	徐州市	淮河区	扩建	2005.10.15	
徐州市农村饮水安全项目	徐州市	淮河流域	新建	2005.03.05	
王庄闸加固二期	徐州市	淮河区	新建	2001.4.1	2005.06.05
新沂市时集低洼地除涝工程	新沂市	淮河区	新建	2005.11.15	
凤尾河治理工程	贾汪区	淮河流域	新建	2003.01.06	
新墨河治理	徐州市	淮河区	新建	2004.9.01	
徐州市农村饮水安全项目(2005)	徐州市	淮河区	新建	2005.10.15	
沛县节水灌溉工程	徐州市	淮河区	新建	2004.9.03	
常州市					
常州市城市防洪工程	常州市	淮河区	扩建	2001.2.1	
武宜运河改道拓浚工程	武进市	长江区	新建	2004年11月	
澡港河南段整治工程	钟楼区	长江区	扩建	2003	
塘马水库除险加固工程	溧阳市	长江区	改建	2005.2	
金坛下塘河疏浚工程	金坛市	长江区	迁建	2005.01	2005.06
溧阳戴埠河拓浚工程	溧阳市	长江区	新建	2005.01	2005.12
溧阳水土保持工程	溧阳市	长江区	新建	2005.01	

续上表

	建设地址	所属流域	建设性质	开工时间	全部建成投产时间
苏州市					
苏州市城市防洪水2005年度工程	市辖区	长江区	扩建	2005.05.01	2005.12.31
虎丘区太湖大堤加固	虎丘区	长江区	扩建	2005.01.03	
张家港朝东圩港闸工程	张家港市	长江区	扩建	2005.05.01	2005.12.31
常熟白卯塘老闸段河道整治工程	常熟市	长江区	扩建	2005.05.01	2005.12.31
吴江市三里塘河整治工程	吴江市	长江区	扩建	2005.05.01	2005.12.31
吴中区苏东运河整治工程(地方基建)	吴中区	长江区	扩建	2005.05.01	2005.12.31
苏州市老海坝护岸工程(澄通河段)	张家港市	长江区	扩建	2005.05.01	2005.12.31
吴江市节水增效示范工程	吴江市	长江区	新建	2005.05.01	2005.12.31
苏州市城市水资源监控系统供排水子系统	市辖区	长江区	新建	2005.05.01	2005.12.31
太仓荡茜河口枢纽工程(地方基建)	太仓市	长江区	新建	2005.05.02	2005.12.31
昆山淀山湖金家庄挡墙工程(地方基建)	昆山市	长江区	新建	2005.05.03	2005.12.31
苏州市常熟市节水灌溉工程	常熟市	长江区	新建	2005.05.04	2005.12.31
南通市					
南通市城市防洪工程	南通市	长江流域	扩建	2003.10.10	
南通市江堤达标	南通市	长江流域	扩建	1998.1.1	
南通市海堤达标	南通市	淮河流域	扩建	1998.3.1	
双桥闸拆建	南通市	淮河流域	扩建	2004.10.25	2005.12.25
江苏如海灌区改造工程(2005)	如皋市(长)	长江流域	改建	2001.5.1	
如海运河整治一期工程	南通市	长江区	扩建	2005.03.05	
南通如海灌区改造工程(2004)	南通市	长江区	扩建	2004.09.10	2005.11.12
南通通州骨干引江河工程	南通市	长江区	扩建	2004.10.25	2005.10.11
通州节水灌溉工程	通州市	长江流域	扩建	2004.12.09	
海安县低洼圩口闸、排涝站拆建工程	海安县	长江区	扩建	2005.12.10	
启东老效港整治工程	启东	长江区	扩建	2004.10.25	
海门东灶港整治工程	海门	长江区	扩建	2004.10.26	
连云港市					
连云港海堤达标	连云港市	淮河区	扩建	2002.10.1	
小塔山水库除险加固	赣榆县	淮河流域	扩建	2002.10.1	
车轴河整治工程	连云港市	淮河区	扩建	2003.12.5	

续上表

	建设地址	所属流域	建设性质	开工时间	全部建成投产时间
贺庄水库除险加固	东海县	淮河流域	扩建	2004.3.5	2005.12.30
大石埠水库除险加固	东海县	淮河流域	扩建	2004.3.6	2005.12.06
连云港小水库加固	连云港市	淮河区	扩建	2005.10.25	
沭南灌区改造四期	灌南县	淮河流域	改建	2005.01.15	
江苏小塔山灌区(2005)	赣榆县	淮河流域	改建	2005.01.16	
连云港市城市防洪工程	连云港市	淮河区	改建	2005.01.17	
安峰山水库除险加固	东海县	淮河区	改建	2004.10.18	
西双湖水库加固	东海县	淮河区	改建	2004.10.21	
车轴河整治工程	连云港市	淮河区	改建	2005.01.20	
连云港农村饮水安全(2005)	连云港市	淮河区	改建	2005.01.21	
沭南灌区改造四期	连云港市	淮河区	改建	2005.01.22	
安峰山水库下游河整治工程	连云港市	淮河区	改建		
连云港市农村饮水安全项目	连云港市	淮河区	改建		
连云港赣榆节水工程	赣榆县	淮河区	改建		
淮安市					
淮安市城市防洪工程	淮安市	淮河流域	扩建	2003.03.01	
江苏洪金灌区(2005)	淮安市	淮河流域	改建		
鲍集圩行洪区安全建设2004年度工程	淮安市	淮河区	扩建		
洪金灌区改造工程二期	淮安市	淮河区	扩建	2004.09.19	
涟西灌区改造工程	淮安市	淮河区	扩建	2004.09.10	
涟西灌区改造工程二期	涟水县	淮河流域	改建	2005.10.15	
盱眙小水库加固工程	盱眙县	淮河区	扩建	2005.10.25	
淮涟灌区四期	淮安市	淮河流域	扩建	2004.3.1	2005.12.31
淮安市涟东总干渠整治工程	涟水县	淮河流域	改建	2004.03.1	
江苏淮涟灌区(2005)	淮安市	淮河区	改建	2004.03.2	
竹络坝灌区改造(2005)	淮安市	淮河区	改建	2005.10.25	
盱眙小水库加固工程	盱眙县	淮河区	改建	2005.10.25	
淮涟灌区四期	淮安市	淮河区	改建	2005.10.25	
淮安市涟东总干渠整治工程	淮安市	淮河区	改建	2004.03.1	
盱眙县林山、蔡岗水流域水土保持治理	盱眙县	淮河区	改建	2005.5.25	

续上表

	建设地址	所属流域	建设性质	开工时间	全部建成投产时间
清浦节水灌溉工程	清浦区	淮河区	改建	2004.03.1	
盐城市					
盐城海堤达标	盐城市	淮河区	扩建	1998.06.09	
盐城湖洼新洋港特庸段整治	盐城市	淮河区	扩建	2002.03.05	2004.07.01
堤东灌区改造	盐城市	淮河区	扩建	2004.03.01	
五岸灌区	射阳县	淮河流域	改建	2005.06.01	
城市防洪市区河道整治及防护	盐城市	淮河区	改建	2005.07.01	
渠南灌区	阜宁县	淮河流域	改建	2005.10.01	
盐城市城市防洪小洋河东支闸站	盐城市	淮河流域	新建	2004.09.15	2005.12.22
盐都池沟拓浚工程	盐都县	淮河流域	新建	2004.09.01	2005.06.10
盐城市农村饮水安全一期、二期	射阳县	淮河流域	新建	2005.09.01	
盐都略斜河整治	盐都县	淮河流域	扩建	2005.01.10	2005.07.30
响水南潮河灌区治理	响水县	淮河流域	扩建	2005.04.01	2005.12.22
盐城湖洼东塘河整治	建湖县	淮河区	新建	2004.09.01	2005.12.25
盐城湖洼四港清淤	盐城市	淮河区	扩建	2005.12.05	
响水双园大桥拓宽	响水县	淮河区	扩建	2004.09.01	
渠南灌区	盐城市	淮河区	扩建	2005.01.10	
亭湖区新丰河西段整治	盐城市	淮河区	扩建	2004.03.01	
盐都略斜河整治	盐城市	淮河区	扩建	2004.03.01	
盐城湖洼利民河东移排区治理	盐城市	淮河区	扩建	2005.12.05	
盐城湖洼王港闸下游港道清淤	盐城市	淮河区	扩建	2005.12.05	
市级供水计量	盐城市	淮河区	扩建	2004.09.01	
建湖孟兰河整治	盐城市	淮河区	扩建	2005.5.25	
大丰节水灌溉	盐城市	淮河区	扩建	2004.09.01	
大丰五十里河疏浚整治	盐城市	淮河区	扩建	2004.09.01	
扬州市					
扬州市城市防洪工程	扬州市	淮河流域	新建	2004.12.10	2005.12.05
高邮灌区改造工程	扬州市	淮河区	扩建	2001.10.05	2005.12.12
野田河工程	扬州市	淮河流域	新建	2004.01.09	
宝射河上段治理	扬州市	淮河区	新建	2005.01.05	2005.12.05

续上表

	建设地址	所属流域	建设性质	开工时间	全部建成投产时间
扬州六圩弯道二期护岸工程	扬州市	长江区	扩建	2005.09.10	
仪征市小水库加固工程	仪征市(长)	长江区	改建	2005.10.10	
江苏高邮灌区(2005)	扬州市	淮河区	改建	2005.01.05	
江苏江都沿运灌区(2005)	扬州市	淮河区	改建	2005.09.10	
潘家河(血防)河道治理工程	扬州市	长江区	改建	2005.10.10	
江苏省扬州市农村饮水安全项目(2005)	扬州市	长江区	改建	2005.01.05	
宝应泄水河疏浚整治工程	扬州市	淮河区	改建	2005.09.10	
邗江节水工程	扬州市	淮河区	改建	2005.10.10	
镇江市					
镇江市湖西引排工程	镇江市	长江区	扩建	1998.02.01	2005.12.06
丹阳市城北分洪道整治工程	丹阳市	长江流域	扩建	2004.11	
镇江新区团结河整治工程	市辖区	长江流域	改建	2004.11	2005.11
镇江市张王庙沟整治工程	润州区	长江流域	扩建	2005.01	2005.08
丹阳市西南低洼片区治理	丹阳市	长江流域	扩建	2003.03	2005.12
扬中河段近期整治扬中市丰乐桥等段护岸工程	扬中市	长江流域	扩建	2005.09	2005.12
丹阳市内城河整治工程	镇江市	长江区	扩建	2005.01.06	2005.11.05
镇扬河段沙头河口应急治理工程	市辖区	长江流域	扩建	2005.08	2005.12
镇江市小水库除险加固工程	句容市	长江流域	改建	2005.11	
谏壁闸长江侧引河清淤工程	京口区	长江流域	扩建	2005.09	2005.12
丹徒区节水灌溉示范项目	镇江市	长江区	扩建	2004.04.06	2005.09.06
句容市水土保持工程	句容市	长江流域	新建	2005.06	2005.12
镇江市(原农垦)共青团农场工程	京口区	长江流域	扩建	2005.09	2005.10
泰州市					
泰州市城市防洪	泰州市	长江流域	扩建	2002.4.1	
长江整治工程	泰州市	长江区	扩建	2005.09.01	2005.12.31
泰兴市城黄灌区改造工程四期	高港区	长江流域	新建	2002.6.1	
靖江市高港闸拆建工程	泰州市	淮河区	改建	2005.06.06	2005.12.26
盐靖河南段下六圩港整治	泰州市	淮河区	扩建	2005.09	
兴化城区洼地挡排工程	泰州市	淮河区	新建	2005.11	

续上表

	建设地址	所属流域	建设性质	开工时间	全部建成投产时间
泰兴市城黄灌区改造工程(2005)	泰州市	淮河区	改建	2005.11	
两泰官河沿岸洼地治理一期工程	泰州市	淮河区	扩建	2005.11	
稻河整治	泰州市	淮河区	新建	2004.04.06	2005.12.26
泰州市农村饮水安全	泰州市	淮河区	改建	2005.11	
焦土港西段整治工程	泰州市	淮河区	扩建	2004.12.15	
姜堰市西干河整治工程	姜堰市	长江区	新建	2004.12.15	
海陵节水灌溉工程	海陵区	淮河区	改建		
宣南中沟整治工程	泰州市	长江区	改建	2004.12.15	
宿迁市					
宿迁市城市防洪	宿迁市	淮河流域	扩建	2002.3.1	
宿迁市来龙灌区改造工程	宿迁市	淮河区	扩建	2002.1.1	2005.12.31
宿迁市黄墩湖滞洪区安全建设2004年度工程	宿城区	淮河流域	扩建	2005.06.01	
江苏船行灌区(2005)	宿迁市	淮河流域	扩建		
宿迁市开发区排涝泵站工程	宿城区	淮河区	扩建	2004.2.24	2005.11.25
嘉陵江河整治工程	宿城区	淮河区	扩建	2005.10.25	
外环河疏浚配套工程	宿城区	淮河流域	扩建	2004.1.20	2005.12.31
西便民河上段工程	宿城区	淮河流域	扩建	2005.8.12	
濉汴河整治工程	宿城区	淮河区	扩建	2005.10.15	
江苏来龙灌区(2005)	宿迁市	淮河区	扩建	2005.10.25	
前蔷薇河治理	宿迁市	淮河区	扩建		
安峰山下游河道整治	宿迁市	淮河区	扩建		
江苏皂河灌区(2005)	宿迁市	淮河区	扩建	2005.10.25	
江苏众程灌区(2005)	宿迁市	淮河区	扩建	2005.10.25	
泗洪节水灌溉工程	宿迁市	淮河区	扩建	2005.10.25	
省属					
江苏省淮河流域灾后重建	省属(淮)	淮河流域	改建	2003.05.12	
县乡河道清淤疏浚	省属(长)	长江流域	改建	2003.05.12	
泰东河工程	省属(淮)	淮河流域	扩建	2000.12.1	
江苏苏北水资源调度系统	省属(淮)	淮河流域	新建		
二河闸加固	省属(淮)	淮河流域	恢复		

续上表

	建设地址	所属流域	建设性质	开工时间	全部建成投产时间
江都东闸加固工程	省属(淮)	淮河流域	改建	2003.05.12	
长江河道监测系统	省属(长)	长江流域	扩建	2004.10.10	
水文资料楼建设	省属(长)	长江区	改建	2005.06.06	
2005年省级前期工作费	省属(淮)	淮河流域	新建		
防汛指挥系统二期工程	省属(长)	长江流域	扩建	2005.01.01	
2004年省级前期工作费	省属(长)	长江流域	改建	2003.05.12	
2004年水文网站建设	省属(淮)	淮河流域	扩建	2003.05.12	
国家防汛指挥系统一期	省属(长)	长江流域	扩建	2004.12.15	
水科所试验楼建设补助	省属(长)	长江区	新建	2005.10.10	2005.12.12
南水北调前期工作费	省属(淮)	淮河流域	扩建		
江苏省行蓄洪区建设(待定)	省属(淮)	淮河流域	扩建		
2005年省水文建设	省属(淮)	淮河流域	新建		

水利基本建设项目一览表(二)

	建设规模和新增效益					
	效益名称	建设规模	本年施工规模	其中:本年新开工	累计新增效益	其中:本年新增
江苏						
南京市						
南京市外秦淮河整治	新建及加固堤防长度(公里)	31.00			2.60	
长江南京河段二期河道整治	新建及加固堤防长度(公里)	62.60	15.00	15.00	39.34	15.00
南京市淳东灌区改造工程	改善灌溉面积(万亩)	30.00	4.50	4.50	24.50	4.50
赵村水库除险加固	水库总库容(亿立方米)	0.10	0.10		0.10	0.10
南京市江宁区江宁河水利血防工程	新建及加固堤防长度(公里)	20.50	20.50	20.50	20.50	20.50
南京市栖霞区便民河水系水利血防工程	新建及加固堤防长度(公里)	26.00	26.00	26.00	26.00	26.00
南京市高淳县水利血防工程	新建及加固堤防长度(公里)	18.50	18.50	18.50	18.50	18.50
南京市鼓楼区江东段水利血防工程	新建及加固堤防长度(公里)	2.60	2.60	2.60	2.60	2.60
南京市地方基建05年工程	新建及加固堤防长度(公里)	63.00			63.00	
南京市溧水水土保持项目	水保治理面积(万亩)	0.71	0.71	0.71	0.71	0.71
南京市江宁区节水增效示范工程	改善灌溉面积(万亩)	0.22	0.22	0.22	0.22	0.22
南京市雨花台区工农河清淤整治工程	改善除涝面积(万亩)	2.25	2.25	2.25	2.25	2.25
无锡市						
无锡市城市防洪工程	新建及加固堤防长度(公里)	15.00	5.00	5.00	5.00	5.00
徐州市		448.79			418.00	
徐州市防洪排涝工程	新建及加固堤防长度(公里)	100.00			100.00	
睢宁睢北河治理工程	新建及加固堤防长度(公里)	80.00			50.00	
丰县李楼水利枢纽改建工程	改善除涝面积(万亩)	163.00			163.00	
	改善灌溉面积(万亩)	65.00			65.00	
高塘水库除险加固	水库总库容(亿立方米)	0.38				
阿湖水库除险加固	水库总库容(亿立方米)	0.41				

续上表

	建设规模和新增效益					
	效益名称	建设规模	本年施工规模	其中：本年新开工	累计新增效益	其中：本年新增
王庄闸加固二期	改善灌溉面积(万亩)	40.00			40.00	
常州市						
塘马水库除险加固工程	水库总库容(亿立方米)					
苏州市						
苏州市城市防洪水2005年度工程	新增和加固护岸长度(公里)	2.00	2.00	2.00	2.00	2.00
太仓荡茜河口枢纽工程(地方基建)	新增和加固护岸长度(公里)	1.00				
张家港朝东圩港闸工程	新建及加固堤防长度(公里)	0.10	0.10	0.10	0.10	0.10
吴江市三里塘河整治工程	新增和加固护岸长度(公里)	10.00	10.00	10.00	10.00	10.00
昆山淀山湖金家庄挡墙工程(地方基建)	新增和加固护岸长度(公里)	1.00				
吴中区苏东运河整治工程(地方基建)	新增和加固护岸长度(公里)	16.00	16.00	16.00	16.00	16.00
苏州市老海坝护岸工程(澄通河段)	新增和加固护岸长度(公里)	1.00	1.00	1.00	1.00	1.00
吴江市节水增效示范工程	节水灌溉面积(万亩)	0.25	0.25	0.25	0.25	0.25
苏州市常熟市节水灌溉工程	节水灌溉面积(万亩)	0.20				
南通市						
南通市海堤达标	新建及加固堤防长度(公里)	99.10			30.00	
连云港市						
连云港市城市防洪工程	新建及加固堤防长度(公里)					
	改善除涝面积(万亩)	31.00			23.00	
小塔山水库除险加固	水库总库容(亿立方米)	1.40			0.40	
安峰山水库除险加固	有效灌溉面积(万亩)	10.30	10.30			
	水库总库容(亿立方米)	1.13				
贺庄水库除险加固	改善除涝面积(万亩)	3.30	3.30		3.30	3.30
	水库总库容(亿立方米)	0.25				
大石埠水库除险加固	改善灌溉面积(万亩)	1.20	1.20		1.20	1.20
	水库总库容(亿立方米)	0.20				
沭南灌区改造四期	改善除涝面积(万亩)	3.25	1.50	1.50		

续上表

	建设规模和新增效益					
	效益名称	建设规模	本年施工规模	其中:本年新开工	累计新增效益	其中:本年新增
	改善灌溉面积(万亩)	4.30	2.00	2.00		
淮安市						
淮安市城市防洪工程	新建及加固堤防长度(公里)					
盐城市						
盐城海堤达标	新建及加固堤防长度(公里)	130.90	5.80	5.80	79.40	
盐城湖洼新洋港特庸段整治	新建及加固堤防长度(公里)	37.00			37.00	
五岸灌区	改善灌溉面积(万亩)	2.55	1.05	1.05	1.05	1.05
盐城市城市防洪小洋河东支闸站	排灌装机容量(万千瓦)	0.08	0.08	0.08	0.08	0.08
盐都池沟拓浚工程	改善除涝面积(万亩)	5.00	1.00	1.00	5.00	1.00
	改善灌溉面积(万亩)	5.00	1.00	1.00	5.00	1.00
盐城市农村饮水安全一期、二期	解决饮水困难人口(万人)	6.38	1.21	1.21	1.21	1.21
	供水能力(万吨每日)	1.00	0.50	0.50	0.50	0.50
盐都略斜河整治	改善除涝面积(万亩)	2.50	2.50	2.50	2.50	2.50
响水南潮河灌区治理	改善除涝面积(万亩)	19.50	19.50	19.50	19.50	19.50
	改善灌溉面积(万亩)	2.20	2.20	2.20	2.20	2.20
盐城湖洼东塘河整治	改善除涝面积(万亩)	1.35	1.35	1.35	1.35	1.35
	除涝面积(万亩)	2.25	2.25	2.25	2.25	2.25
扬州市						
高邮灌区改造工程	有效灌溉面积(万亩)	27.00			16.00	
野田河工程	新建及加固堤防长度(公里)	36.00			30.00	
镇江市						
丹阳市城北分洪道整治工程	新建及加固堤防长度(公里)	5.29	2.30		2.30	2.30
镇江新区团结河整治工程	改善除涝面积(万亩)	3.50	3.50		3.50	3.50
丹徒区节水灌溉示范项目	节水灌溉面积(万亩)	0.29	0.29		0.29	0.29
句容市水土保持工程	水保治理面积(万亩)	0.30	0.30	0.30	0.30	0.30
泰州市						
泰州市城市防洪	新建及加固堤防长度(公里)	15.00	4.50	4.50	10.00	4.50
泰兴市城黄灌区改造工程四期	改善除涝面积(万亩)	3.50	3.50	3.50	3.50	3.50
	改善灌溉面积(万亩)	3.90	3.90	3.90	3.90	3.90

续上表

	建设规模和新增效益					
	效益名称	建设规模	本年施工规模	其中:本年新开工	累计新增效益	其中:本年新增
两泰官河沿岸洼地治理一期工程	改善除涝面积(万亩)	5.00	5.00	5.00	5.00	5.00
稻河整治	改善除涝面积(万亩)	5.00	5.00	5.00	5.00	5.00
海陵节水灌溉工程	节水灌溉面积(万亩)	0.75	0.75	0.75	0.75	0.75
宿迁市						
宿迁市城市防洪	新建及加固堤防长度(公里)	50.00			32.00	
宿迁市开发区排涝泵站工程	改善除涝面积(万亩)	3.00			3.00	
省属		174.00			174.00	
江苏省淮河流域灾后重建						
	新建及加固堤防长度(公里)	174.00			174.00	

水利基本建设项目一览表(三)

单位：万元

	实际需要总投资	累计完成投资	累计新增固定资产	本年新增固定资产	未完工程累计完成投资
江苏	2254106	1441464	1338311	342879	82853
南京市	247063	192744	168197	32133	4247
南京市江堤达标	105669	105669	105669	625	
南京市外秦淮河整治	56900	21865	21865	14937	
长江南京河段二期河道整治	44206	30695	30695	11127	
南京市淳东灌区改造工程	6775	5375	5375	1250	
南京市小型水库除险加固工程	4395	2037			2037
赵村水库除险加固	3110	3110	3110	3110	
南京市江宁区江宁河水利血防工程	1717	1000			1000
南京市栖霞区便民河水系水利血防工程	1415	850			850
南京市高淳县水利血防工程	918	360			360
南京市鼓楼区江东段水利血防工程	408	408	408	408	
南京市地方基建05年工程	3530	3530	3530	3530	
南京市溧水水土保持项目	325	150	150	150	
南京市江宁区节水增效示范工程	300	300	300	300	
南京市雨花台区工农河清淤整治工程	226	226	226	226	
无锡市	126023	68572	55398	35441	13174
无锡市城市防洪工程	90000	47793	47793	33436	
江尖水利枢纽	18878	9801			9801
无锡市龙珠水库工程	5600	5600	5600		
无锡蠡湖入湖河道节制工程	3385	2223			2223
西横河工程	2660	800			800
伯渎港综合整治工程	2455	350			350
无锡市白屈港灌区改造工程	750	750	750	750	
惠山区陆区防洪工程	550	550	550	550	

续上表

	实际需要总投资	累计完成投资	累计新增固定资产	本年新增固定资产	未完工程累计完成投资
太湖大道旁河道整治工程	505	505	505	505	
宜兴市渠道护砌工程(血防)	447				
无锡锡山区节水增效示范	300				
无锡市农村饮水安全(05)	293				
宜兴水土保持	200	200	200	200	
徐州市	75835	52767	42247	12860	10520
徐州市防洪排涝工程	26462	26462	26462	2980	
睢宁睢北河治理工程	14427	6900			6900
徐州大沙河治理	9775	4820	4820	1820	
新墨河治理	4192	1600			1600
徐州市农村饮水安全项目(05)	4015				
丰县李楼水利枢纽改建工程	3395	3395	3395	515	
高塘水库除险加固	2460	2460	2460	2460	
阿湖水库除险加固	2430	2430	2430	2430	
沂北灌区	1875	1875	1875	1850	
徐州小水库加固	1776	1150			1150
徐州黄墩湖行蓄洪区安全建设2004年度工程	1615	240			240
韩庄闸改建工程	902	30			30
徐州市农村饮水安全项目	800	500			500
王庄闸加固二期	705	705	705	705	
新沂市时集低洼地除涝工程	606	100			100
沛县节水灌溉工程	300				
凤尾河治理工程	100	100	100	100	
常州市	134868	58446	57246	27246	1200
常州市城市防洪工程	100000	29000	29000	11000	
武宜运河改道拓浚工程	19137	18000	18000	6000	
澡港河南段整治工程	7471	4200	3000	3000	1200
塘马水库除险加固工程	4911	4072	4072	4072	

续上表

	实际需要总投资	累计完成投资	累计新增固定资产	本年新增固定资产	未完工程累计完成投资
金坛下塘河疏浚工程	2126	2126	2126	2126	
溧阳戴埠河拓浚工程	848	848	848	848	
溧阳水土保持工程	375	200	200	200	
苏州市	53272	40900	28845	28845	12055
苏州市城市防洪水 2005 年度工程	20000	20000	20000	20000	
虎丘区太湖大堤加固	16577	11855			11855
太仓荡茜河口枢纽工程(地方基建)	6000				
张家港朝东圩港闸工程	2953	2953	2953	2953	
常熟白卯塘老闸段河道整治工程	2713	2713	2713	2713	
吴江市三里塘河整治工程	1257	1257	1257	1257	
昆山淀山湖金家庄挡墙工程(地方基建)	1200				
吴中区苏东运河整治工程(地方基建)	920	920	920	920	
苏州市老海坝护岸工程(澄通河段)	702	702	702	702	
吴江市节水增效示范工程	300	300	300	300	
苏州市常熟市节水灌溉工程	300				
苏州市城市水资源监控系统供排水子系统	200	200			200
吴中区水土保持项目	150				
南通市	230213	126191	125191	12838	1000
南通市城市防洪工程	110500	10500	10500	4500	
南通市江堤达标	80878	80878	80878	1320	
南通市海堤达标	30495	27695	27695	900	
双桥闸拆建	2803	2803	2803	2803	
江苏如海灌区改造工程(05)	1625	1000			1000
如海运河整治一期工程	1145	1145	1145	1145	
南通如海灌区改造工程(04)	1000	1000	1000	1000	
南通通州骨干引江河工程	600	600	600	600	
海安县低洼圩口闸、排涝站拆建工程	597				
通州节水灌溉工程	300	300	300	300	
启东老效港整治工程	150	150	150	150	

续上表

	实际需要总投资	累计完成投资	累计新增固定资产	本年新增固定资产	未完工程累计完成投资
海门东灶港整治工程	120	120	120	120	
连云港市	187141	56302	39990	14119	16312
连云港市城市防洪工程	123900	12023	12023	1200	
连云港海堤达标	24903	21887	21887	8839	
小塔山水库除险加固	10700	9771			9771
安峰山水库除险加固	7483	5000			5000
西双湖水库加固	5917				
车轴河整治工程	3317	2000	2000		
贺庄水库除险加固	2200	2200	2200	2200	
大石埠水库除险加固	1880	1880	1880	1880	
连云港农村饮水安全(05)	1671				
连云港小水库加固	1250	821			821
沭南灌区改造四期	1250	400			400
安峰山水库下游河整治工程	820				
连云港市农村饮水安全项目	800	320			320
江苏小塔山灌区(05)	750				
连云港赣榆节水工程	300				
淮安市	102593	20236	16006	7439	4230
淮安市城市防洪工程	86600	12567	12567	4000	
江苏洪金灌区(05)	2375				
江苏淮涟灌区(05)	2250				
鲍集圩行洪区安全建设 2004 年度工程	2027	1200			1200
洪金灌区改造工程二期	2000	2000	2000	2000	
涟西灌区改造工程	1250	1150			1150
涟西灌区改造工程二期	1250	300			300
竹络坝灌区改造(05)	1250				
盱眙小水库加固工程	1152	980			980
淮涟灌区四期	1000	600			600
淮安市涟东总干渠整治工程	643	643	643	643	
盱眙县林山、蔡岗水流域水土保持治理	496	496	496	496	

续上表

	实际需要总投资	累计完成投资	累计新增固定资产	本年新增固定资产	未完工程累计完成投资
清浦节水灌溉工程	300	300	300	300	
盐城市	89373	77223	74642	22955	2581
盐城海堤达标	51324	49731	47190	9740	2541
盐城湖洼新洋港特庸段整治	11450	11450	11450		
堤东灌区改造	3500	2250	2250	1313	
五岸灌区	3250	2500	2500	2500	
渠南灌区	3000	1250	1250	1250	
城市防洪市区河道整治及防护	5143	3002	3002	3002	
盐城市城市防洪小洋河东支闸站	2955	2955	2955	1955	
盐都池沟拓浚工程	1447	1447	1447	597	
盐城市农村饮水安全一期、二期	1249	404	404	404	
亭湖区新丰河西段整治	852				
盐都略斜河整治	756	756	756	756	
响水南潮河灌区治理	738	738	738	738	
盐城湖洼东塘河整治	600	600	600	600	
盐城湖洼四港清淤	600	15			15
盐城湖洼利民河东移排区治理	598	25			25
盐城湖洼王港闸下游港道清淤	479				
市级供水计量	423				
建湖盂兰河整治	369				
大丰节水灌溉	300				
大丰五十里河疏浚整治	240				
响水双园大桥拓宽	100	100	100	100	
扬州市	30518	25987	25987	21512	
扬州市城市防洪工程	12609	12609	12609	12609	
高邮灌区改造工程	4625	4625	4625	750	
野田河工程	2998	2998	2998	2398	
宝射河上段治理	2771	2771	2771	2771	
江苏高邮灌区(05)	2250				
扬州六圩弯道二期护岸工程	1697	1697	1697	1697	

续上表

	实际需要总投资	累计完成投资	累计新增固定资产	本年新增固定资产	未完工程累计完成投资
仪征市小水库加固工程	1112	890	890	890	
江苏江都沿运灌区(05)	750				
潘家河(血防)河道治理工程	603				
江苏省扬州市农村饮水安全项目(05)	406				
宝应泄水河疏浚整治工程	397	397	397	397	
邗江节水工程	300				
镇江市	52586	50267	48729	15238	1538
镇江市湖西引排工程	30804	30804	30804	895	
丹阳市城北分洪道整治工程	3605	1521	1521	1020	
镇江新区团结河整治工程	3000	3000	3000	2820	
镇江市张王庙沟整治工程	2829	2829	2829	2829	
丹阳市西南低洼片区治理	2795	2795	2795	154	
扬中河段近期整治扬中市丰乐桥等段护岸工程	2393	2393	2393	2393	
丹阳市内城河整治工程	2200	2200	2200	2200	
镇扬河段沙头河口应急治理工程	2036	2036	2036	2036	
镇江市小水库除险加固工程	1773	1538			1538
谏壁闸长江侧引河清淤工程	540	540	540	540	
丹徒区节水灌溉示范项目	300	300	300	40	
句容市水土保持工程	200	200	200	200	
镇江市(原农垦)共青团农场工程	111	111	111	111	
泰州市	56142	46867	44985	13801	1882
泰州市城市防洪	41350	41220	41220	10036	
盐靖河南段下六圩港整治	5336				
长江整治工程	1858	1082			1082
兴化城区洼地挡排工程	1583				
泰兴市城黄灌区改造工程(05)	1250				
泰兴市城黄灌区改造工程四期	1000	800			800
两泰官河沿岸洼地治理一期工程	900	900	900	900	
稻河整治	900	900	900	900	

续上表

	实际需要总投资	累计完成投资	累计新增固定资产	本年新增固定资产	未完工程累计完成投资
泰州市农村饮水安全					
焦土港西段整治工程	745	745	745	745	
姜堰市西干河整治工程	420	420	420	420	
靖江市高港闸拆建工程	350	350	350	350	
海陵节水灌溉工程	300	300	300	300	
宣南中沟整治工程	150	150	150	150	
宿迁市	105720	29664	29102	7370	562
宿迁市城市防洪	88700	21992	21992	4000	
宿迁市来龙灌区改造工程	5250	5250	5250	1750	
江苏来龙灌区(05)	2500				
前蔷薇河治理	1531				
安峰山下游河道整治	1521				
江苏皂河灌区(05)	1000				
宿迁市黄墩湖滞洪区安全建设2004年度工程	962	385			385
江苏船行灌区(05)	750				
江苏众程灌区(05)	750				
宿迁市开发区排涝泵站工程	740	740	740	500	
嘉陵江河整治工程	635	127			127
外环河疏浚配套工程	500	500	500	500	
西便民河上段工程	320	320	320	320	
泗洪节水灌溉工程	300	300	300	300	
濉汴河整治工程	261	50			50
省属	212905	205021	195766	74153	9255
江苏省淮河流域灾后重建	130360	130360	130360	30360	
县乡河道清淤疏浚	28000	28000	28000	25000	
泰东河工程	27389	27389	27389	10856	
江苏苏北水资源调度系统	6800	4724	4724	2766	
南水北调前期工作费	5455	5455			5455
二河闸加固	4449	4449	4449	4449	

续上表

	实际需要总投资	累计完成投资	累计新增固定资产	本年新增固定资产	未完工程累计完成投资
江苏省行蓄洪区建设(待定)	2480				
江都东闸加固工程	1848	800			800
长江河道监测系统	1700	600			600
水文资料楼建设	1440	600			600
2005年省级前期工作费	1000	1000			1000
防汛指挥系统二期工程	620	500			500
2004年水文网站建设	300	300	300	300	
2004年省级前期工作费	300	300			300
国家防汛指挥系统一期	244	244	244	122	
2005年省水文建设	220				
水科所试验楼建设补助	150	150	150	150	
淮委	549854	390277	385980	16929	4297
淮河入海水道近期工程	366997	366969	366969	7969	
奎濉河近期治理工程	21615	17211	17211	7160	
新沂河工程	160642	5497	1200	1200	4297
中运河工程(前期工作)	600	600	600	600	
南水北调东线一期					

水利基本建设项目一览表(四)

单位:万元

	上年结转投资	本年计划投资				本年完成投资			
		本年计划	中央	预算内专项资金	地方	本年完成	中央	预算内专项资金	地方
江　苏	77086	373221	33678	20448	338605	402798	56450	27507	300648
南京市	5275	40224	8110	2110	32114	35060	9505	3505	25555
南京市鼓楼区江东段水利血防工程		408	120	120	288	408	120	120	288
南京市小型水库除险加固工程		2037			2037	2037			2037
南京市江宁区江宁河水利血防工程		1717	515	515	1202	1000	515	515	485
南京市高淳县水利血防工程		918	275	275	643	360	275	275	85
南京市栖霞区便民河水系水利血防工程		1362	430	430	932	850	430	430	420
南京市地方基建05年工程		3530			3530	3530			3530
南京市雨花台区工农河清淤整治工程		90			90	226	136	136	90
南京市淳东灌区改造工程	1000	1650	700	700	950	1250	500	500	750
南京市外秦淮河整治	3000	10937			10937	10937			10937
长江南京河段二期河道整治		16000	6000		10000	11127	6000		5127
南京市江宁区节水增效示范工程	230	70			70	300	100	100	200
赵村水库除险加固	925	1335			1335	2260	975	975	1285
南京市溧水水土保持项目	120	170	70	70	100	150	60	60	90
南京市江堤达标						625	394	394	231
无锡市	13803	50478	304	304	50174	48115	80	80	48035
无锡锡山区节水增效示范		230	100	100	130				

续上表

	上年结转投资	本年计划投资				本年完成投资			
		本年计划	中央	预算内专项资金	地方	本年完成	中央	预算内专项资金	地方
无锡市农村饮水安全(05)		224	69	69	155				
宜兴市渠道护砌工程(血防)		359	135	135	224				
伯渎港综合整治工程		350			350	350			350
无锡蠡湖入湖河道节制工程		2223			2223	2223			2223
西横河工程		2660			2660	800			800
惠山区陆区防洪工程		550			550	550			550
太湖大道旁河道整治工程		505			505	505			505
无锡市龙珠水库工程		100			100				
江尖水利枢纽		9801			9801	9801			9801
无锡市城市防洪工程	13643	33436			33436	33436			33436
宜兴水土保持	160	40			40	200	80	80	120
无锡市白屈港灌区改造工程						250			250
徐州市	4431	35015	2606	2406	32409	14942	2310	1610	12632
徐州市农村饮水安全项目(05)		3070	945	945	2125				
徐州市防洪排涝工程	1539	2185			2185	1539			1539
徐州黄墩湖行蓄洪区安全建设2004年度工程		1399	561	561	838	240	240	240	
沛县节水灌溉工程		230	100	100	130				
徐州小水库加固		1776			1776	1150			1150
新沂市时集低洼地除涝工程		403	200		203	100	100		
沂北灌区						1125	150	150	975
韩庄闸改建工程		902			902	30			30
睢宁睢北河治理工程	244	12427			12427	3700			3700

续上表

	上年结转投资	本年计划投资				本年完成投资			
		本年计划	中央	预算内专项资金	地方	本年完成	中央	预算内专项资金	地方
丰县李楼水利枢纽改建工程	515					515			515
徐州大沙河治理		7933			7933	1820			1820
高塘水库除险加固	720	660			660	1380	220	220	1160
阿湖水库除险加固	300	630			630	930			930
凤尾河治理工程	100					100			100
新墨河治理	600	2800	800	800	2000	1600	1400	800	200
徐州市农村饮水安全项目	200	600			600	500	200	200	300
王庄闸加固二期	213					213			213
常州市		27834	705	705	27129	27086	2135	2135	24951
澡港河南段整治工程		3471			3471	3000	500	500	2500
武宜运河改道拓浚工程		7137			7137	6000			6000
溧阳水土保持工程		180	70	70	110	40			40
溧阳戴埠河拓浚工程		848			848	848			848
塘马水库除险加固工程		3072	635	635	2437	4072	1635	1635	2437
金坛下塘河疏浚工程		2126			2126	2126			2126
常州市城市防洪工程		11000			11000	11000			11000
苏州市		47720	160	160	47560	40900	600		40300
苏州市常熟市节水灌溉工程		300	100	100	200				
虎丘区太湖大堤加固		11855			11855	11855		118	55
吴江市节水增效示范工程						300	100		200
吴江市三里塘河整治工程		957			957	1257	300		957
苏州市城市水资源监控系统供排水子系统						200	200		
苏州市城市防洪水2005年度工程		20000			20000	20000			20000
苏州市老海坝护岸工程(澄通河段)		702			702	702			702
张家港朝东圩港闸工程		2953			2953	2953			2953

续上表

	上年结转投资	本年计划投资				本年完成投资			
		本年计划	中央	预算内专项资金	地方	本年完成	中央	预算内专项资金	地方
昆山淀山湖金家庄挡墙工程(地方基建)		1200			1200				
吴中区苏东运河整治工程(地方基建)		920			920	920			920
太仓荡茜河口枢纽工程(地方基建)		6000			6000				
常熟白卯塘老闸段河道整治工程		2713			2713	2713			2713
吴中区水土保持项目		120	60	60	60				
南通市		11915	1930	1730	9985	11418	2090	2090	9328
南通市江堤达标						1320			1320
海安县低洼圩口闸、排涝站拆建工程		397	200		197				
南通市海堤达标		2800	650	650	2150	900	300	300	600
南通市城市防洪工程		4500			4500	4500			4500
如海运河整治一期工程		1145			1145	1145			1145
南通如海灌区改造工程(04)		200			200	1000	400	400	600
南通通州骨干引江河工程						480	210	210	270
海门东灶港整治工程	120					120			120
启东老效港整治工程	150					150			150
通州节水灌溉工程	230	70			70	300	100	100	200
双桥闸拆建		1503	430	430	1073	503	430	430	73
江苏如海灌区改造工程(05)		1300	650	650	650	1000	650	650	350
连云港市	2219	17398	1784	1784	15614	11919	3090	3090	8829
大石埠水库除险加固	40	450			450	490			490
贺庄水库除险加固		670			670	670			670
安峰山水库除险加固	1500	5983	990	990	4993	5000	2490	2490	2510
连云港农村饮水安全(05)		1277	394	394	883				
江苏小塔山灌区(05)		600	300	300	300				
沭南灌区改造四期		250			250	400	400	400	
连云港小水库加固		1250			1250	821			821
连云港海堤达标		2608			2608	2368			2368

续上表

	上年结转投资	本年计划投资				本年完成投资			
		本年计划	中央	预算内专项资金	地方	本年完成	中央	预算内专项资金	地方
连云港市城市防洪工程						1200			1200
连云港赣榆节水工程		230	100	100	130				
安峰山水库下游河整治工程		820			820				
西双湖水库加固		800			800				
车轴河整治工程		760			760				
连云港市农村饮水安全项目	200	600			600	320	200	200	120
小塔山水库除险加固	479	1100			1100	650			650
淮阴市	2370	13097	3055	3055	10042	9884	1905	1905	7979
竹络坝灌区改造(05)		1000	500	500	500				
盱眙小水库加固工程		1152			1152	980			980
江苏淮涟灌区(05)		1800	900	900	900				
鲍集圩行洪区安全建设2004年度工程		1781	705	705	1076	1200	705	705	495
洪金灌区改造工程二期						510			510
涟西灌区改造工程						950	300	300	650
淮涟灌区四期	800	200			200	600	400	400	200
清浦节水灌溉工程	230	70			70	300	100	100	200
涟西灌区改造工程二期	1000	250			250	300	300	300	
淮安市城市防洪工程		4000			4000	4000			4000
淮安市涟东总干渠整治工程	240	548			548	548			548
盱眙县林山、蔡岗水流域水土保持治理	100	396			396	496	100	100	396
江苏洪金灌区(05)		1900	950	950	950				
盐城市		18142	3000	2650	15142	22928	2079	2054	20849
盐城海堤达标		6977	350	350	6627	11262	600	600	10662
堤东灌区改造		1000	500	500	500	895			895
盐城湖洼新洋港特庸段整治		1066	500	500	566				
盐城湖洼四港清淤						15	15	15	
响水双园大桥拓宽		100			100	100			100
建湖盂兰河整治		236			236				
城市防洪市区河道整治及防护		3000			3000	3002			3002

续上表

	上年结转投资	本年计划投资				本年完成投资			
		本年计划	中央	预算内专项资金	地方	本年完成	中央	预算内专项资金	地方
亭湖区新丰河西段整治		852			852				
市级供水计量		423			423				
大丰节水灌溉		230	100	100	130				
盐城湖洼利民河东移排区治理		400	200		200	25	25		
盐城湖洼东塘河整治						539	139	139	400
盐城湖洼王港闸下游港道清淤		309	150		159				
盐城市城市防洪小洋河东支闸站						1645			1645
渠南灌区		1650	700	700	950	1250	500	500	750
五岸灌区		950	300	300	650	2200	700	700	1500
响水南潮河灌区治理						738			738
盐都略斜河整治						756			756
大丰五十里河疏浚整治									
盐都池沟拓浚工程						97			97
盐城市农村饮水安全一期、二期		949	200	200	749	404	100	100	304
扬州市	5606	9386	1578	1578	7808	10212	300	300	9912
江苏江都沿运灌区(05)		600	300	300	300				
江苏高邮灌区(05)		1800	900	900	900				
仪征市小水库加固工程		1112			1112	890			890
宝射河上段治理		1600			1600	2771			2771
扬州六圩弯道二期护岸工程		1697			1697	1697			1697
潘家河(血防)河道治理工程		481	180	180	301				
邗江节水工程		230	100	100	130				
高邮灌区改造工程		150			150	750	300	300	450
扬州市城市防洪工程	3309					3309			3309
野田河工程	1900	1398			1398	398			398
宝应泄水河疏浚整治工程	397					397			397

续上表

	上年结转投资	本年计划投资				本年完成投资			
		本年计划	中央	预算内专项资金	地方	本年完成	中央	预算内专项资金	地方
江苏省扬州市农村饮水安全项目(05)		318	98	98	220				
镇江市		16203			16203	16776	444	444	16332
丹徒区节水灌溉示范项目		40			40	40			40
镇江市湖西引排工程		180			180	895			895
镇江新区团结河整治工程		2820			2820	2820			2820
丹阳市西南低洼片区治理						154			154
丹阳市城北分洪道整治工程		1605			1605	1020			1020
句容市水土保持工程		40			40	200	80	80	120
镇江市小水库除险加固工程		1773			1773	1538			1538
镇江市张王庙沟整治工程		2829			2829	2829			2829
镇扬河段沙头河口应急治理工程		2036			2036	2036			2036
扬中河段近期整治扬中市丰乐桥等段护岸工程		2393			2393	2393			2393
镇江市(原农垦)共青团农场工程		111			111	111			111
谏壁闸长江侧引河清淤工程		176			176	540	364	364	176
丹阳市内城河整治工程		2200			2200	2200			2200
泰州市	2020	18427	1594	694	16833	15683	1100	1100	14583
泰州市农村饮水安全		628	194	194	434				
盐靖河南段下六圩港整治		1200	600		600				
兴化城区洼地挡排工程		600	300		300				
长江整治工程		1858			1858	1082			1082
泰兴市城黄灌区改造工程(05)		1000	500	500	500				
靖江市高港闸拆建工程		350			350	350			350
稻河整治	300	600			600	900	300	300	600
两泰官河沿岸洼地治理一期工程	300	600			600	900	300	300	600

续上表

	上年结转投资	本年计划投资				本年完成投资			
		本年计划	中央	预算内专项资金	地方	本年完成	中央	预算内专项资金	地方
泰兴市城黄灌区改造工程四期	800	200			200	800	400	400	400
海陵节水灌溉工程	230	70			70	300	100	100	200
宣南中沟整治工程	150					150			150
姜堰市西干河整治工程	140	226			226	420			420
焦土港西段整治工程	100	745			745	745			745
泰州市城市防洪		10350			10350	10036			10036
宿迁市	230	13752	2624	2334	11128	7932	1311	1134	6621
江苏来龙灌区(05)		2000	1000	1000	1000				
江苏众程灌区(05)		600	300	300	300				
江苏船行灌区(05)		600	300	300	300				
宿迁市黄墩湖滞洪区安全建设2004年度工程		955	334	334	621	385	334	334	51
西便民河上段工程		320			320	320			320
江苏皂河灌区(05)		800	400	400	400				
嘉陵江河整治工程		420	200		220	127	127		
外环河疏浚配套工程		500			500	500			500
濉汴河整治工程		180	90		90	50	50		
宿迁市来龙灌区改造工程						1750	700	700	1050
前蔷薇河治理		1286			1286				
安峰山下游河道整治		1521			1521				
宿迁市开发区排涝泵站工程		500			500	500			500
泗洪节水灌溉工程	230	70			70	300	100	100	200
宿迁市城市防洪		4000			4000	4000			4000
省属	34532	34222	4290		29932	64217	22701	6260	41516
长江河道监测系统		300			300	600			600
2005年省水文建设		220	110		110				
水文资料楼建设		1440			1440	600			600

续上表

	上年结转投资	本年计划投资				本年完成投资			
		本年计划	中央	预算内专项资金	地方	本年完成	中央	预算内专项资金	地方
防汛指挥系统二期工程		300			300	500			500
2005 年省级前期工作费		1000			1000	1000			1000
国家防汛指挥系统一期		122			122	122			122
二河闸加固	2597					2597			2597
县乡河道清淤疏浚		25000			25000	25000			25000
水科所试验楼建设补助		150			150	150			150
江苏省行蓄洪区建设(待定)		2480	2480						
江都东闸加固工程	488	1360			1360	800			800
2004 年水文网站建设	300					300			300
江苏省淮河流域灾后重建	26413					26413	21001	6260	5412
2004 年省级前期工作费	300					300			300
泰东河工程	2706					2706			2706
南水北调前期工作费		1700	1700			1700	1700		
江苏苏北水资源调度系统	1728	150			150	1429			1429
淮委	6600	19408	1938	938	16532	20026	6800	1800	13226
淮河入海水道近期工程		8272			8272	7969			7969
奎濉河近期治理工程	6000	5876	1938	938	3000	7160	6800	1800	360
新沂河工程		5260			5260	4297			4297
中运河工程(前期工作)	600					600			600
南水北调东线一期						45700	45700		

水利基本建设项目一览表(五)

单位:万方

	全部计划			累计完成		
	全部计划土方	全部计划石方	全部计划砼	累积完成土方	累积完成石方	累积完成砼
江苏	10346.14	13487.43	241.30	9586.96	13099.46	199.95
南京市	1496.57	624.45	75.82	1386.17	352.77	72.30
南京市江堤达标	855.81	221.20	41.76	854.10	221.20	41.76
南京市外秦淮河整治	73.77	1.86	9.36	73.77	1.86	9.36
长江南京河段二期河道整治	148.00	350.00	4.70	87.14	84.94	4.64
南京市城市防洪工程	206.80	33.58	9.00	206.80	33.58	9.00
南京市淳东灌区改造工程	48.42	1.03	2.51	48.42	1.03	2.51
南京市小型水库除险加固工程	26.30	8.80	3.03	12.20	4.08	1.40
赵村水库除险加固	15.15	1.64	1.16	15.15	1.64	1.16
南京市江宁区江宁河水利血防工程	21.92	2.50	2.24	12.50	1.46	1.20
南京市栖霞区便民河水系水利血防工程	50.52	0.85	0.52	30.30	0.51	0.31
南京市高淳县水利血防工程	6.59	0.85	0.96	2.50	0.33	0.39
南京市鼓楼区江东段水利血防工程	5.50	0.65	0.30	5.50	0.65	0.30
南京市地方基建05年工程						
南京市溧水水土保持项目	8.25	0.11	0.07	8.25	0.11	0.07
南京市江宁区节水增效示范工程	23.84	0.46	0.21	23.84	0.46	0.21
南京市雨花台区工农河清淤整治工程	5.70			5.70		
无锡市	141.11	1.50	10.55	141.11	1.50	10.55
无锡市城市防洪工程	90.34	0.02	5.43	90.34	0.02	5.43
江尖水利枢纽	6.62		2.98	6.62		2.98
无锡市龙珠水库工程						
无锡蠡湖入湖河道节制工程	8.50		0.93	8.50		0.93
西横河工程						
伯渎港综合整治工程	3.00			3.00		
无锡市白屈港灌区改造工程	10.00	0.34	0.35	10.00	0.34	0.35
惠山区陆区防洪工程	4.60	0.36	0.33	4.60	0.36	0.33

续上表

	全部计划			累计完成		
	全部计划土方	全部计划石方	全部计划砼	累积完成土方	累积完成石方	累积完成砼
太湖大道旁河道整治工程	11.35	0.47	0.37	11.35	0.47	0.37
宜兴市渠道护砌工程(血防)						
无锡锡山区节水增效示范						
无锡市农村饮水安全(05)						
宜兴水土保持	6.70	0.31	0.17	6.70	0.31	0.17
徐州市	1353.52	27.76	18.22	1353.52	27.76	18.22
徐州市防洪排涝工程	578.32	21.18	8.04	578.32	21.18	8.04
睢宁睢北河治理工程	181.00	0.91	3.39	181.00	0.91	3.39
徐州大沙河治理	525.60	0.52	0.64	525.60	0.52	0.64
新墨河治理	6.50		0.04	6.50		0.04
徐州市农村饮水安全项目(05)						
丰县李楼水利枢纽改建工程	26.00	1.08	1.66	26.00	1.08	1.66
高塘水库除险加固	3.50	2.70	1.20	3.50	2.70	1.20
阿湖水库除险加固	18.00	1.20	0.83	18.00	1.20	0.83
沂北灌区						
徐州小水库加固						
徐州黄墩湖行蓄洪区安全建设2004年度工程	6.60	0.17	2.34	6.60	0.17	2.34
韩庄闸改建工程						
徐州市农村饮水安全项目						
王庄闸加固二期	8.00		0.09	8.00		0.09
新沂市时集低洼地除涝工程						
沛县节水灌溉工程						
凤尾河治理工程						
常州市	149.34	16.68	8.72	148.39	16.65	8.57
常州市城市防洪工程	30.00	15.00	6.30	30.00	15.00	6.30
武宜运河改道拓浚工程	9.95	0.23	1.14	9.00	0.20	1.00
漕港河南段整治工程						
塘马水库除险加固工程	4.39	0.84	1.03	4.39	0.84	1.03
金坛下塘河疏浚工程	60.00	0.50	0.12	60.00	0.50	0.12

续上表

	全部计划			累计完成		
	全部计划土方	全部计划石方	全部计划砼	累积完成土方	累积完成石方	累积完成砼
溧阳戴埠河拓浚工程	30.00	0.10	0.12	30.00	0.10	0.12
溧阳水土保持工程	15.00	0.01		15.00	0.01	
苏州市	352.00	14.50	4.93	340.00	12.50	4.53
苏州市城市防洪水2005年度工程	2.00	1.00	0.50	2.00	1.00	0.50
虎丘区太湖大堤加固	237.00	2.00	2.82	237.00	2.00	2.82
太仓荡茜河口枢纽工程(地方基建)	10.00	1.00	0.20			
张家港朝东圩港闸工程	27.00	0.50	0.79	27.00	0.50	0.79
常熟白卯塘老闸段河道整治工程	7.00		0.12	7.00		0.12
吴江市三里塘河整治工程	8.00	1.00	0.06	8.00	1.00	0.06
昆山淀山湖金家庄挡墙工程(地方基建)	2.00	1.00	0.20			
吴中区苏东运河整治工程(地方基建)	57.00	3.00	0.16	57.00	3.00	0.16
苏州市老海坝护岸工程(澄通河段)		5.00			5.00	
吴江市节水增效示范工程	2.00		0.08	2.00		0.08
苏州市常熟市节水灌溉工程						
苏州市城市水资源监控系统供排水子系统						
吴中区水土保持项目						
南通市	902.76	16.66	9.78	902.76	16.66	9.78
南通市城市防洪工程						
南通市江堤达标						
南通市海堤达标	851.40	15.58	8.53	851.40	15.58	8.53
双桥闸拆建	8.60	0.56	1.22	8.60	0.56	1.22
江苏如海灌区改造工程(05)						
如海运河整治一期工程						
南通如海灌区改造工程(04)	38.16	0.17	0.02	38.16	0.17	0.02
南通通州骨干引江河工程	4.60	0.35	0.01	4.60	0.35	0.01
海安县低洼圩口闸、排涝站拆建工程						
通州节水灌溉工程						
启东老效港整治工程						
海门东灶港整治工程						

续上表

	全部计划			累计完成		
	全部计划土方	全部计划石方	全部计划砼	累积完成土方	累积完成石方	累积完成砼
连云港市	1600.30	6116.79	24.44	1040.87	6085.11	18.21
连云港市城市防洪工程	180.00	8.04	1.35	180.00	8.04	1.35
连云港海堤达标	1042.00	81.60	12.80	482.57	49.92	6.57
小塔山水库除险加固	287.00	7.46	3.46	287.00	7.46	3.46
安峰山水库除险加固	58.13	3.13	1.62	58.13	3.13	1.62
西双湖水库加固						
车轴河整治工程						
贺庄水库除险加固	15.00	1.00	1.93	15.00	1.00	1.93
大石埠水库除险加固	10.17	6015.00	3.08	10.17	6015.00	3.08
连云港农村饮水安全(05)						
连云港小水库加固	8.00	0.56	0.20	8.00	0.56	0.20
沭南灌区改造四期						
安峰山水库下游河整治工程						
连云港市农村饮水安全项目						
江苏小塔山灌区(05)						
连云港赣榆节水工程						
淮安市	280.17	6029.76	3.42	280.17	6029.76	3.42
淮安市城市防洪工程	84.20	6024.00	1.73	84.20	6024.00	1.73
江苏洪金灌区(05)						
江苏淮涟灌区(05)						
鲍集圩行洪区安全建设2004年度工程	0.10	2.10	0.52	0.10	2.10	0.52
洪金灌区改造工程二期	6.60	0.73	0.43	6.60	0.73	0.43
涟西灌区改造工程	18.50	0.37	0.29	18.50	0.37	0.29
涟西灌区改造工程二期	1.20	0.06	0.03	1.20	0.06	0.03
竹络坝灌区改造(05)						
盱眙小水库加固工程	8.25	2.47	0.18	8.25	2.47	0.18
淮涟灌区四期	9.60	0.03	0.19	9.60	0.03	0.19
淮安市涟东总干渠整治工程	4.02		0.01	4.02		0.01
盱眙县林山、蔡岗水流域水土保持治理	72.70			72.70		

续上表

	全部计划			累计完成		
	全部计划土方	全部计划石方	全部计划砼	累积完成土方	累积完成石方	累积完成砼
清浦节水灌溉工程	75.00		0.04	75.00		0.04
盐城市	2088.52	545.83	54.49	2048.61	466.99	24.71
盐城海堤达标	709.00	114.00	49.97	669.46	35.17	20.20
盐城湖洼新洋港特庸段整治	970.00	0.50	0.65	970.00	0.50	0.65
堤东灌区改造	39.40	0.80	1.10	39.40	0.80	1.10
五岸灌区	9.20	0.03	0.07	9.20	0.02	0.05
渠南灌区	20.00			20.00		
城市防洪市区河道整治及防护	48.08		0.21	48.08		0.21
盐城市城市防洪小洋河东支闸站	9.67	0.17	1.54	9.30	0.17	1.54
盐都池沟拓浚工程	86.00	0.05	0.40	86.00	0.05	0.40
盐城市农村饮水安全一期、二期	1.30	0.03	0.09	1.30	0.03	0.09
亭湖区新丰河西段整治						
盐都略斜河整治	63.00	430.00	0.15	63.00	430.00	0.15
响水南潮河灌区治理	108.00	0.07	0.08	108.00	0.07	0.08
盐城湖洼东塘河整治	19.87	0.18	0.18	19.87	0.18	0.18
盐城湖洼四港清淤						
盐城湖洼利民河东移排区治理						
盐城湖洼王港闸下游港道清淤						
市级供水计量						
建湖盂兰河整治						
大丰节水灌溉						
大丰五十里河疏浚整治						
响水双园大桥拓宽	5.00		0.06	5.00		0.06
扬州市	460.91	5.64	5.50	459.33	5.13	5.40
扬州市城市防洪工程	212.77	0.80	0.80	212.77	0.80	0.80
高邮灌区改造工程	72.98	0.75	2.17	72.98	0.75	2.17
野田河工程	118.00	0.54	0.87	118.00	0.54	0.87
宝射河上段治理	30.53	1.64	1.20	30.53	1.64	1.20
江苏高邮灌区(05)						

续上表

	全部计划			累计完成		
	全部计划土方	全部计划石方	全部计划砼	累积完成土方	累积完成石方	累积完成砼
扬州六圩弯道二期护岸工程						
仪征市小水库加固工程	6.63	1.81	0.39	5.05	1.30	0.29
江苏江都沿运灌区(05)						
潘家河(血防)河道治理工程						
江苏省扬州市农村饮水安全项目(05)						
宝应泄水河疏浚整治工程	20.00	0.10	0.07	20.00	0.10	0.07
邗江节水工程						
镇江市	797.06	56.61	14.88	762.15	53.38	13.69
镇江市湖西引排工程	600.73	14.27	10.74	600.72	11.61	10.71
丹阳市城北分洪道整治工程	97.00	0.69	2.36	62.20	0.12	1.20
镇江新区团结河整治工程	4.50	0.04	0.06	4.50	0.04	0.06
镇江市张王庙沟整治工程	4.10	0.39	0.62	4.10	0.39	0.62
丹阳市西南低洼片区治理	38.00	0.44	0.89	38.00	0.44	0.89
扬中河段近期整治扬中市丰乐桥等段护岸工程	1.39	23.05		1.39	23.05	
丹阳市内城河整治工程	24.00			24.00		
镇扬河段沙头河口应急治理工程		17.22			17.22	
镇江市小水库除险加固工程	0.97	0.50	0.11	0.97	0.50	0.11
谏壁闸长江侧引河清淤工程	13.87			13.87		
丹徒区节水灌溉示范项目	0.50		0.08	0.40		0.07
句容市水土保持工程	12.00	0.01	0.02	12.00	0.01	0.02
镇江市(原农垦)共青团农场工程						
泰州市	441.83	25.40	4.10	441.83	25.40	4.10
泰州市城市防洪	202.00	9.96	2.42	202.00	9.96	2.42
盐靖河南段下六圩港整治						
长江整治工程		13.68			13.68	
兴化城区洼地挡排工程						
泰兴市城黄灌区改造工程(05)						
泰兴市城黄灌区改造工程四期	9.25	0.64	0.73	9.25	0.64	0.73
两泰官河沿岸洼地治理一期工程	4.18	0.20	0.15	4.18	0.20	0.15

续上表

	全部计划			累计完成		
	全部计划土方	全部计划石方	全部计划砼	累积完成土方	累积完成石方	累积完成砼
稻河整治	19.60	0.70	0.53	19.60	0.70	0.53
泰州市农村饮水安全						
焦土港西段整治工程	86.00	0.04	0.08	86.00	0.04	0.08
姜堰市西干河整治工程	55.00	0.01		55.00	0.01	
靖江市高港闸拆建工程	0.30	0.17	0.11	0.30	0.17	0.11
海陵节水灌溉工程	0.50		0.06	0.50		0.06
宣南中沟整治工程	65.00		0.02	65.00		0.02
宿迁市	281.45	5.84	5.52	281.45	5.84	5.52
宿迁市城市防洪	40.25	4.03	1.80	40.25	4.03	1.80
宿迁市来龙灌区改造工程	95.00	1.42	3.17	95.00	1.42	3.17
江苏来龙灌区(05)						
前蔷薇河治理						
安峰山下游河道整治						
江苏皂河灌区(05)						
宿迁市黄墩湖滞洪区安全建设 2004 年度工程						
江苏船行灌区(05)						
江苏众程灌区(05)						
宿迁市开发区排涝泵站工程	4.20	0.30	0.39	4.20	0.30	0.39
嘉陵江河整治工程						
外环河疏浚配套工程	52.00	0.05		52.00	0.05	
西便民河上段工程	55.00	0.03	0.15	55.00	0.03	0.15
泗洪节水灌溉工程	30.00	0.01	0.01	30.00	0.01	0.01
濉汴河整治工程	5.00		0.01	5.00		0.01
省属	0.60	0.01	0.93	0.60	0.01	0.93
江苏省淮河流域灾后重建						
县乡河道清淤疏浚						
泰东河工程						
江苏苏北水资源调度系统						
南水北调前期工作费						

续上表

	全部计划			累计完成		
	全部计划土方	全部计划石方	全部计划砼	累积完成土方	累积完成石方	累积完成砼
二河闸加固	0.10	0.01	0.35	0.10	0.01	0.35
江苏省行蓄洪区建设(待定)						
江都东闸加固工程			0.45			0.45
长江河道监测系统						
水文资料楼建设						
2005 年省级前期工作费						
防汛指挥系统二期工程						
2004 年水文网站建设	0.50		0.13	0.50		0.13
2004 年省级前期工作费						
国家防汛指挥系统一期						
2005 年省水文建设						
水科所试验楼建设补助						
淮委	13792	44.79	705160	13525	48.3	495007
淮河入海水道近期工程	13463	37.64	695200	13196	41.15	485047
奎濉河近期治理工程	329	7.15	9960	329	7.15	9960
新沂河工程						
中运河工程(前期工作)						
南水北调东线一期				3084	38.01	16.48

水利基本建设项目一览表(六)

单位:万方

	本年计划			本年完成		
	土方	石方	砼	土方	石方	砼
江苏	2368.14	629.82	591100.40	2357.52	628.17	589487.40
南京市	180.57	89.32	100588.00	179.88	88.41	100588.00
南京市江堤达标	0.90	0.10	1520.00	0.90	0.10	1520.00
南京市外秦淮河整治	13.83	0.26	43913.00	13.83	0.26	43913.00
长江南京河段二期河道整治	55.59	80.08	6448.00	55.10	79.17	6448.00
南京市淳东灌区改造工程	7.16	0.50	6378.00	7.16	0.50	6378.00
南京市小型水库除险加固工程	12.20	4.08	14049.00	12.20	4.08	14049.00
赵村水库除险加固	2.10	0.78	3500.00	2.10	0.78	3500.00
南京市江宁区江宁河水利血防工程	12.50	1.46	12000.00	12.50	1.46	12000.00
南京市栖霞区便民河水系水利血防工程	30.50	0.51	3108.00	30.30	0.51	3108.00
南京市高淳县水利血防工程	2.50	0.33	3850.00	2.50	0.33	3850.00
南京市鼓楼区江东段水利血防工程	5.50	0.65	2950.00	5.50	0.65	2950.00
南京市地方基建05年工程						
南京市溧水水土保持项目	8.25	0.11	732.00	8.25	0.11	732.00
南京市江宁区节水增效示范工程	23.84	0.46	2140.00	23.84	0.46	2140.00
南京市雨花台区工农河清淤整治工程	5.70			5.70		
无锡市	86.11	1.20	90580.00	86.11	1.20	90580.00
无锡市城市防洪工程	38.34	0.02	42867.00	38.34	0.02	42867.00
江尖水利枢纽	6.62		29767.00	6.62		29767.00
无锡市龙珠水库工程						
无锡蠡湖入湖河道节制工程	8.50		9287.00	8.50		9287.00
西横河工程						
伯渎港综合整治工程	3.00			3.00		
无锡市白屈港灌区改造工程	7.00	0.04		7.00	0.04	
惠山区陆区防洪工程	4.60	0.36	3300.00	4.60	0.36	3300.00
太湖大道旁河道整治工程	11.35	0.47	3709.00	11.35	0.47	3709.00

续上表

	本年计划			本年完成		
	土 方	石 方	砼	土 方	石 方	砼
宜兴市渠道护砌工程(血防)						
无锡锡山区节水增效示范						
无锡市农村饮水安全(05)						
宜兴水土保持	6.70	0.31	1650.00	6.70	0.31	1650.00
徐州市	57.00	3.30	54803.00	57.00	3.30	54803.00
徐州市防洪排涝工程						
睢宁睢北河治理工程	25.00	0.50	20000.00	25.00	0.50	20000.00
徐州大沙河治理	5.60	0.52	6377.00	5.60	0.52	6377.00
新墨河治理	6.50		350.00	6.50		350.00
徐州市农村饮水安全项目(05)						
丰县李楼水利枢纽改建工程	1.00	0.01	100.00	1.00	0.01	100.00
高塘水库除险加固	0.30	1.30	3500.00	0.30	1.30	3500.00
阿湖水库除险加固	8.00	0.80	1100.00	8.00	0.80	1100.00
沂北灌区						
徐州小水库加固						
徐州黄墩湖行蓄洪区安全建设2004年度工程	6.60	0.17	23376.00	6.60	0.17	23376.00
韩庄闸改建工程						
徐州市农村饮水安全项目						
王庄闸加固二期	4.00			4.00		
新沂市时集低洼地除涝工程						
沛县节水灌溉工程						
凤尾河治理工程						
常州市	124.33	6.49	39192.00	123.38	6.46	37764.00
常州市城市防洪工程	10.00	5.00	21500.00	10.00	5.00	21500.00
武宜运河改道拓浚工程	4.95	0.23	6428.00	4.00	0.20	5000.00
澡港河南段整治工程						
塘马水库除险加固工程	4.38	0.65	8800.00	4.38	0.65	8800.00
金坛下塘河疏浚工程	60.00	0.50	1234.00	60.00	0.50	1234.00
溧阳戴埠河拓浚工程	30.00	0.10	1230.00	30.00	0.10	1230.00

续上表

	本年计划			本年完成		
	土　方	石　方	砼	土　方	石　方	砼
溧阳水土保持工程	15.00	0.01		15.00	0.01	
苏州市	338.00	12.50	44501.00	340.00	12.50	45301.00
苏州市城市防洪水 2005 年度工程	2.00	1.00	5000.00	2.00	1.00	5000.00
虎丘区太湖大堤加固	237.00	2.00	28213.00	237.00	2.00	28213.00
太仓荡茜河口枢纽工程(地方基建)						
张家港朝东圩港闸工程	27.00	0.50	7933.00	27.00	0.50	7933.00
常熟白卯塘老闸段河道整治工程	7.00		1200.00	7.00		1200.00
吴江市三里塘河整治工程	8.00	1.00	600.00	8.00	1.00	600.00
昆山淀山湖金家庄挡墙工程(地方基建)						
吴中区苏东运河整治工程(地方基建)	57.00	3.00	1555.00	57.00	3.00	1555.00
苏州市老海坝护岸工程(澄通河段)		5.00			5.00	
吴江市节水增效示范工程				2.00		800.00
苏州市常熟市节水灌溉工程						
苏州市城市水资源监控系统供排水子系统						
吴中区水土保持项目						
南通市	41.07	1.01	4138.00	41.07	1.01	4138.00
南通市城市防洪工程						
南通市江堤达标						
南通市海堤达标		0.64	3600.00		0.64	3600.00
双桥闸拆建	0.36	0.03	376.00	0.36	0.03	376.00
江苏如海灌区改造工程(05)						
如海运河整治一期工程						
南通如海灌区改造工程(04)	38.16	0.17	150.00	38.16	0.17	150.00
南通通州骨干引江河工程	2.55	0.17	12.00	2.55	0.17	12.00
海安县低洼圩口闸、排涝站拆建工程						
通州节水灌溉工程						
启东老效港整治工程						
海门东灶港整治工程						
连云港市	115.30	8.48	30780.00	115.30	8.48	30780.00

续上表

	本年计划			本年完成		
	土 方	石 方	砼	土 方	石 方	砼
连云港市城市防洪工程	10.00	0.49	2000.00	10.00	0.49	2000.00
连云港海堤达标	16.00	0.91	3800.00	16.00	0.91	3800.00
小塔山水库除险加固	18.00	3.00	6000.00	18.00	3.00	6000.00
安峰山水库除险加固	58.13	3.13	16200.00	58.13	3.13	16200.00
西双湖水库加固						
车轴河整治工程						
贺庄水库除险加固	4.00	0.24		4.00	0.24	
大石埠水库除险加固	1.17	0.15	800.00	1.17	0.15	800.00
连云港农村饮水安全(05)						
连云港小水库加固	8.00	0.56	1980.00	8.00	0.56	1980.00
沭南灌区改造四期						
安峰山水库下游河整治工程						
连云港市农村饮水安全项目						
江苏小塔山灌区(05)						
连云港赣榆节水工程						
淮安市	210.75	7.94	29223.00	210.75	7.94	29223.00
淮安市城市防洪工程	22.00	2.86	16150.00	22.00	2.86	16150.00
江苏洪金灌区(05)						
江苏淮涟灌区(05)						
鲍集圩行洪区安全建设2004年度工程	0.10	2.10	5200.00	0.10	2.10	5200.00
洪金灌区改造工程二期	1.40	0.05	430.00	1.40	0.05	430.00
涟西灌区改造工程	18.50	0.37	2920.00	18.50	0.37	2920.00
涟西灌区改造工程二期	1.20	0.06	300.00	1.20	0.06	300.00
竹络坝灌区改造(05)						
盱眙小水库加固工程	8.25	2.47	1812.00	8.25	2.47	1812.00
淮涟灌区四期	9.60	0.03	1900.00	9.60	0.03	1900.00
淮安市涟东总干渠整治工程	2.00		111.00	2.00		111.00
盱眙县林山、蔡岗水流域水土保持治理	72.70			72.70		
清浦节水灌溉工程	75.00		400.00	75.00		400.00

续上表

	本年计划			本年完成		
	土　方	石　方	砼	土　方	石　方	砼
盐城市	355.31	435.90	89207.40	345.91	435.70	89207.40
盐城海堤达标	62.36	5.22	67633.00	62.36	5.22	67633.00
盐城湖洼新洋港特庸段整治						
堤东灌区改造	9.40	0.20				
五岸灌区	9.20	0.02	500.00	9.20	0.02	500.00
渠南灌区	20.00			20.00		
城市防洪市区河道整治及防护	48.08		2120.00	48.08		2120.00
盐城市城市防洪小洋河东支闸站	4.10	0.17	12405.00	4.10	0.17	12405.00
盐都池沟拓浚工程	16.00	0.01	1000.00	16.00	0.01	1000.00
盐城市农村饮水安全一期、二期	1.30	0.03	868.00	1.30	0.03	868.00
亭湖区新丰河西段整治						
盐都略斜河整治	63.00	430.00	1470.00	63.00	430.00	1470.00
响水南潮河灌区治理	108.00	0.07	816.40	108.00	0.07	816.40
盐城湖洼东塘河整治	8.87	0.18	1770.00	8.87	0.18	1770.00
盐城湖洼四港清淤						
盐城湖洼利民河东移排区治理						
盐城湖洼王港闸下游港道清淤						
市级供水计量						
建湖盂兰河整治						
大丰节水灌溉						
大丰五十里河疏浚整治						
响水双园大桥拓宽	5.00		625.00	5.00		625.00
扬州市	208.93	4.46	36990.00	207.35	3.95	36005.00
扬州市城市防洪工程	12.77	0.30	7000.00	12.77	0.30	7000.00
高邮灌区改造工程	21.00	0.07	4741.00	21.00	0.07	4741.00
野田河工程	118.00	0.54	8700.00	118.00	0.54	8700.00
宝射河上段治理	30.53	1.64	11986.00	30.53	1.64	11986.00
江苏高邮灌区(05)						
扬州六圩弯道二期护岸工程						

续上表

	本年计划			本年完成		
	土方	石方	砼	土方	石方	砼
仪征市小水库加固工程	6.63	1.81	3883.00	5.05	1.30	2898.00
江苏江都沿运灌区(05)						
潘家河(血防)河道治理工程						
江苏省扬州市农村饮水安全项目(05)						
宝应泄水河疏浚整治工程	20.00	0.10	680.00	20.00	0.10	680.00
邗江节水工程						
镇江市	121.34	40.91	20102.00	121.34	40.91	20102.00
镇江市湖西引排工程	0.01	0.05	300.00	0.01	0.05	300.00
丹阳市城北分洪道整治工程	61.00	0.12	12000.00	61.00	0.12	12000.00
镇江新区团结河整治工程	3.90	0.04	580.00	3.90	0.04	580.00
镇江市张王庙沟整治工程	4.10	0.39	6242.00	4.10	0.39	6242.00
丹阳市西南低洼片区治理	0.10	0.01	710.00	0.10	0.01	710.00
扬中河段近期整治扬中市丰乐桥等段护岸工程	1.39	23.05		1.39	23.05	
丹阳市内城河整治工程	24.00			24.00		
镇扬河段沙头河口应急治理工程		17.22			17.22	
镇江市小水库除险加固工程	0.97	0.02	60.00	0.97	0.02	60.00
谏壁闸长江侧引河清淤工程	13.87			13.87		
丹徒区节水灌溉示范项目						
句容市水土保持工程	12.00	0.01	210.00	12.00	0.01	210.00
镇江市(原农垦)共青团农场工程						
泰州市	349.83	16.87	31024.00	349.83	16.87	31024.00
泰州市城市防洪	110.00	1.43	14158.00	110.00	1.43	14158.00
盐靖河南段下六圩港整治						
长江整治工程		13.68			13.68	
兴化城区洼地挡排工程						
泰兴市城黄灌区改造工程(05)						
泰兴市城黄灌区改造工程四期	9.25	0.64	7320.00	9.25	0.64	7320.00
两泰官河沿岸洼地治理一期工程	4.18	0.20	1478.00	4.18	0.20	1478.00
稻河整治	19.60	0.70	5297.00	19.60	0.70	5297.00

续上表

	本年计划			本年完成		
	土 方	石 方	砼	土 方	石 方	砼
泰州市农村饮水安全						
焦土港西段整治工程	86.00	0.04	847.00	86.00	0.04	847.00
姜堰市西干河整治工程	55.00	0.01		55.00	0.01	
靖江市高港闸拆建工程	0.30	0.17	1147.00	0.30	0.17	1147.00
海陵节水灌溉工程	0.50		622.00	0.50		622.00
宣南中沟整治工程	65.00		155.00	65.00		155.00
宿迁市	179.00	1.43	10682.00	179.00	1.43	10682.00
宿迁市城市防洪	20.00	1.00	2000.00	20.00	1.00	2000.00
宿迁市来龙灌区改造工程	15.00	0.20	5000.00	15.00	0.20	5000.00
江苏来龙灌区(05)						
前蔷薇河治理						
安峰山下游河道整治						
江苏皂河灌区(05)						
宿迁市黄墩湖滞洪区安全建设2004年度工程						
江苏船行灌区(05)						
江苏众程灌区(05)						
宿迁市开发区排涝泵站工程	2.00	0.14	2000.00	2.00	0.14	2000.00
嘉陵江河整治工程						
外环河疏浚配套工程	52.00	0.05		52.00	0.05	
西便民河上段工程	55.00	0.03	1452.00	55.00	0.03	1452.00
泗洪节水灌溉工程	30.00	0.01	125.00	30.00	0.01	125.00
濉汴河整治工程	5.00		105.00	5.00		105.00
省属	0.60	0.01	9290.00	0.60	0.01	9290.00
江苏省淮河流域灾后重建						
县乡河道清淤疏浚						
泰东河工程						
江苏苏北水资源调度系统						
南水北调前期工作费						
二河闸加固	0.10	0.01	3540.00	0.10	0.01	3540.00
江苏省行蓄洪区建设(待定)						

续上表

	本年计划			本年完成		
	土　方	石　方	砼	土　方	石　方	砼
江都东闸加固工程			4500.00			4500.00
长江河道监测系统						
水文资料楼建设						
2005 年省级前期工作费						
防汛指挥系统二期工程						
2004 年水文网站建设	0.50		1250.00	0.50		1250.00
2004 年省级前期工作费						
国家防汛指挥系统一期						
2005 年省水文建设						
水科所试验楼建设补助						
淮委	74.33	0.11	16320	74.33	0.11	16320
淮河入海水道近期工程	0.33	0.1	15000	0.33	0.1	15000
奎濉河近期治理工程	74	0.01	1320	74	0.01	1320
新沂河工程						
中运河工程(前期工作)						
南水北调东线一期	759	35.14	6.48	759	35.14	6.48

江苏省2005年水利建设主要指标统计表

面积单位：千公顷

指标名称 / 省市	耕地面积	旱涝保收面积	旱涝保收占耕地%	有效灌溉面积	有效灌溉面积占耕地%	节水灌溉面积	低洼易涝面积	其中：已治理 小计	其中：已治理 3—5年	其中：已治理 5—10年	其中：已治理 10年以上	水土流失面积 流失面积	水土流失面积 其中：已治理	盐碱地面积 合计	盐碱地面积 其中：已治理	机电排灌面积	机电排灌动力达到数（千千瓦）	堤防 总长度（公里）	堤防 保护范围 耕地	堤防 保护范围 人口（万人）
全省合计	4780.37	3000.35	62.76	3817.67	79.86	1423.50	2971.56	2794.81	684.85	1233.90	876.06	1085.51	863.56	735.47	701.29	3620.19	5386.77	51030.09	3625.53	4811.97
淮河流域	3220.31	1969.40	61.16	2514.65	78.09	855.10	2093.73	1982.70	558.09	944.53	480.08	702.42	547.28	683.57	632.88	2330.03	2961.32	35671.03	2839.79	2637.83
长江流域	1565.66	1047.56	66.91	1303.02	83.22	568.40	877.83	812.11	126.76	289.37	395.98	383.09	316.28	51.90	68.41	1290.16	2425.45	15359.06	785.74	2174.14
南京市	245.59	138.10	56.23	190.54	77.58	53.30	89.95	89.11	16.49	45.58	27.04	123.82	103.18			171.21	534.16	2137.10	100.79	226.73
无锡市	151.20	138.16	91.38	145.66	96.34	127.78	56.23	55.31	1.91	15.22	38.18	79.68	57.08			148.64	177.49	2657.04	99.28	237.42
徐州市	605.24	415.97	68.73	477.51	78.90	214.35	382.34	377.05	91.99	181.41	103.65	198.63	174.40	113.31	103.65	508.21	648.23	5182.85	464.2	464.2
常州市	192.94	129.49	67.11	143.96	74.61	63.86	59.13	45.28	5.12	12.79	27.37	67.62	55.91			131.96	172.60	2456.31	84.35	140.79
苏州市	247.80	216.86	87.51	241.94	97.64	85.70	202.12	192.71	8.76	42.83	141.12					264.89	408.83	6012.35	241.94	502.32
南通市	472.80	292.60	61.89	385.07	81.44	170.56	473.96	424.09	106.98	144.64	172.47			86.66	83.69	377.04	296.24	1218.72	427.35	628.16
连云港市	369.14	214.64	58.15	294.60	79.81	103.35	250.53	213.03	60.65	126.11	26.27	147.65	117.49	85.67	78.01	214.36	317.02	2397.68	299.08	346.23
淮安市	487.88	225.21	46.16	316.98	64.97	44.05	313.62	287.08	80.20	135.29	71.59	268.97	194.24	75.50	71.57	296.59	325.86	4072.00	329.05	382.12
盐城市	776.59	467.16	60.16	611.23	78.71	264.44	491.73	478.64	121.27	225.52	131.85			243.74	237.77	569.52	603.62	11346.02	696.72	741.6
扬州市	306.79	201.01	65.52	255.15	83.17	63.23	159.87	155.08	41.03	63.36	50.69	61.62	49.27	18.66	18.66	202.78	482.96	1883.29	195.14	301.72
镇江市	174.40	97.45	55.88	132.61	76.04	38.79	44.85	44.85	0.75	21.59	22.51	78.70	63.11			145.13	616.77	1106.28	58.21	165.14
泰州市	317.00	175.72	55.43	280.17	88.38	92.15	224.89	218.76	86.04	114.73	17.99			16.49	13.81	277.79	382.17	4413.84	245.34	292.82
宿迁市	438.60	275.83	62.89	326.76	74.50	101.94	213.68	205.16	62.05	99.18	43.93	58.82	48.88	89.67	89.67	297.76	247.57	6146.61	384.08	382.72
省属		12.15		15.49			8.66	8.66	1.61	5.65	1.40			5.77	4.46	14.31	173.24			